A CRIAÇÃO DO PATRIARCADO

Gerda Lerner

A CRIAÇÃO DO PATRIARCADO

História da Opressão das Mulheres pelos Homens

Prefácio à edição brasileira de
Lola Aronovich, do blog *Escreva Lola Escreva*

Tradução
Luiza Sellera

Título do original: *The Creation of Patriarchy.*

The Creation of Patriarchy foi publicado originalmente em inglês em 1986. Esta edição foi publicada mediante acordo com a Oxford University Press. A Editora Pensamento-Cultrix é responsável por esta tradução. A Oxford University Press não se responsabilizará por quaisquer erros, omissões ou inexatidões ou ambiguidades nesta tradução ou por quaisquer perdas causadas pela confiança na mesma.

1ª edição 2019.
4ª reimpressão 2021.

Editor: Adilson Silva Ramachandra
Gerente editorial: Roseli de S. Ferraz
Preparação de originais: Alessandra Miranda de Sá
Produção editorial: Indiara Faria Kayo
Editoração eletrônica: Join Bureau
Revisão: Vivian Miwa Matsushita

Dados Internacionais de Catalogação na Publicação (CIP)
(Câmara Brasileira do Livro, SP, Brasil)

Lerner, Gerda, 1920-2013
A criação do patriarcado: história da opressão das mulheres pelos homens / Gerda Lerner; tradução Luiza Sellera. – São Paulo: Cultrix, 2019.

"Prefácio à edição brasileira por Lola Aronovich, do blog Escreva Lola escreva"
Título original: The creation of patriarchy.
Bibliografia.
ISBN 978-85-316-1534-4

1. Mulheres – História 2. Papel sexual – História 3. Patriarcado I. Título.

19-29103 CDD-305.42

Índices para catálogo sistemático:
1. Patriarcado e mulheres: Sociologia 305.42
Cibele Maria Dias – Bibliotecária – CRB-8/9427

Direitos de tradução para a língua portuguesa adquiridos com exclusividade pela EDITORA PENSAMENTO-CULTRIX LTDA., que se reserva a propriedade literária desta tradução.
Rua Dr. Mário Vicente, 368 — 04270-000 — São Paulo, SP
Fone: (11) 2066-9000
http://www.editoracultrix.com.br
E-mail: atendimento@editoracultrix.com.br
Foi feito o depósito legal.

Para

Virginia Warner Brodine e Elizabeth Kamarck Minnich

cujas ideias desafiaram e corroboraram as minhas e cujo amor e amizade me fortaleceram e ampararam

SUMÁRIO

As ilustrações aparecem entre as páginas 280 e 281.

AGRADECIMENTOS

ESTE LIVRO LEVOU OITO ANOS PARA SER CONCLUÍDO. Começou em 1977, com algumas perguntas que haviam ocupado minha cabeça, de tempos em tempos, por mais de quinze anos. Elas me levaram à hipótese de que é a relação das mulheres com a história que explica a natureza da subordinação feminina, as causas para a colaboração das mulheres no processo da própria subordinação, as condições para que se opusessem a ela, a ascensão da consciência feminista. Na época, eu tinha em mente a formulação de uma "teoria geral" sobre as mulheres na história, e foram necessários quase cinco anos de trabalho para me mostrar que esse objetivo era prematuro. As fontes sobre a cultura do Antigo Oriente Próximo eram tão ricas e rendiam tantas ideias, que notei ser necessário escrever um volume inteiro para explorar esse material. Assim, o projeto se expandiu em dois volumes.*

* Tal como a autora indica no texto, sua ideia geral era escrever um livro único mostrando como ocorreu, em termos históricos, o surgimento/ascensão da consciência feminista – que seria publicado somente em 1993, com o título *The Creation of Feminist Consciousness: From the Middle Ages to Eighteen-seventy*. Entretanto, havia muito material sobre o surgimento das primeiras civilizações e as origens do sistema político do patriarcado. Assim, ela dividiu suas pesquisas em dois volumes, sendo este livro, *A Criação do Patriarcado*, o primeiro, e *The Creation of Feminist Consciousness*, o segundo, que podem ser lidos como uma obra única (*Women and History*). (N. E.)

Apresentei o resumo teórico do meu projeto em um *workshop* no Congresso "The Second Sex – Thirty Years Later: A Commemorative Conference on Feminist Theory" [O Segundo Sexo – Trinta Anos Depois: Congresso Comemorativo sobre Teoria Feminista], que ocorreu na Universidade de Nova York de 27 a 29 de setembro de 1979. Nesse *workshop*, fui auxiliada pelos comentários animadores feitos pela escritora Elizabeth Janeway e pela filósofa Elizabeth Minnich. Uma versão revista desse ensaio foi apresentada no encontro da Organização dos Historiadores Norte-Americanos de 1980, ocorrido em São Francisco, de 9 a 12 de abril daquele ano. A sessão foi presidida por Mary Benson. As críticas construtivas de Sara Evans e George M. Frederickson favoreceram meu entendimento.

Nos estágios iniciais da minha pesquisa, fui muito auxiliada por um incentivo da Fundação Guggenheim em 1980-1981, que me permitiu um ano para me aprofundar em Antropologia e na teoria feminista, além de estudar o problema da origem da escravidão. Um dos resultados daquele ano de trabalho foi o capítulo "A Mulher Escrava", que apresentei no Congresso de Berkshire de Mulheres Historiadoras, realizado na Universidade de Vassar em junho de 1981. Aproveitei muito a crítica criteriosa de Elise Boulding e Linda Kerber, e os comentários de Robin Morgan, que avaliou o material do ponto de vista de uma teórica feminista. Meu ensaio, em formato revisto, foi publicado como "Women and Slavery" [Mulheres e Escravidão] em *Slavery and Abolition: A Journal of Comparative Studies*, v. 4, nº 3 (dezembro de 1983), pp. 173-98.

Um capítulo deste livro foi publicado como "A Origem da Prostituição na Antiga Mesopotâmia" no *SIGNS: Journal of Women in Culture*, v. XI, nº 2 (inverno de 1985).

A Escola de Pós-Graduação da Universidade de Wisconsin-Madison apoiou minha pesquisa para este livro com uma bolsa de pesquisa no verão de 1981, com incentivos para assistentes de projeto. Ter sido nomeada Notável Professora Sênior da Fundação de Pesquisa de Ex-alunos de Wisconsin em 1984 me concedeu um semestre sem obrigações como professora, o que me permitiu fazer as revisões finais e concluir o livro. Sou muito grata não apenas pelo apoio tangível, mas pelo implícito encorajamento ao meu trabalho. O departamento de Estudos das Mulheres da Universidade de Wisconsin-Madison me ofereceu duas oportunidades de compartilhar o trabalho em andamento com os corpos docente e discente, cujas críticas aguçadas e intensas foram de considerável ajuda para mim. Também sou muito grata pela hospitalidade com que fui recebida como pesquisadora visitante pelo departamento de História da Universidade da Califórnia em Berkeley durante um semestre em 1985.

Trabalhar neste livro me trouxe desafios incomuns. Sair da própria disciplina e área de instrução é, por si só, uma tarefa difícil. Realizar essa tarefa fazendo extensas perguntas e tentando permanecer crítica às respostas oferecidas, de acordo com as principais estruturas de conceitos do pensamento da civilização ocidental, é, no mínimo, intimidador. Eu representava, em mim mesma, todos os obstáculos internalizados que atrapalharam em grande escala o caminho do pensamento das mulheres, como os homens haviam feito. Não poderia ter persistido sem o encorajamento da comunidade de pensadoras feministas em geral e o encorajamento pessoal oferecido por amigas e colegas dentro dessa comunidade. Virginia Brodine, Elizabeth Minnich, Eve Merriam, Alice Kessler-Harris, Amy Swerdlow, a saudosa Joan Kelly, Linda Gordon, Florencia Mallon, Steve Stern e Stephen Feierman me ofereceram amizade e apoio, sendo ouvintes e críticos infinitamente pacientes. Além de terem ajudado durante o processo, Brodine, Minnich, Gordon e Kessler-Harris também leram o último rascunho do manuscrito. A reação favorável e as críticas detalhadas delas me impulsionaram a fazer a última revisão, que mudou o livro de maneira drástica. Elas corroboraram e estimularam meu pensamento e me ajudaram a permanecer em rota de processo até encontrar a forma que expressasse o que eu queria dizer. Isso é o auge da crítica construtiva, e sou grata por isso. Espero que elas gostem do resultado.

Outros colegas da Universidade de Wisconsin-Madison, cuja crítica de um ou vários capítulos enriqueceu meu entendimento, são: Judy Leavitt (História da Medicina), Jane Shoulenburg (História das Mulheres), Susan Friedman e Nellie McKay (Literatura), Virginia Sapiro (Ciência Política), Anne Stoller (Antropologia) e Michael Clover (História e Clássicos). Colegas de outras instituições – Ann Lane (História das Mulheres, Universidade de Colgate), Rayna Rapp (Antropologia, The New School, antiga The New School for Social Research), Joyce Riegelhaupt (Antropologia, Faculdade Sarah Lawrence), Jonathan Goldstein (Clássicos, Universidade de Iowa) e Evelyn Keller (Matemática e

Ciências Humanas, Universidade Northeastern) – fizeram críticas do ponto de vista de suas respectivas disciplinas e ajudaram com sugestões bibliográficas.

Devo agradecimentos muito especiais aos especialistas em assiriologia, que, apesar de eu ser estranha a esse campo, aconselharam-me, criticaram e deram muitas orientações úteis. Agradeço a eles pela generosidade, pelo interesse e pela colegialidade. A ajuda que me deram não significa necessariamente que apoiam minhas conclusões; embora eu tenha me guiado pelas sugestões deles, quaisquer erros de fato ou interpretação são de minha responsabilidade. Quero agradecer a Jack Sasson (Religião, Universidade da Carolina do Norte em Chapel Hill), Jerrold Cooper (Estudos do Oriente Próximo, Universidade Johns Hopkins), Carole Justus (Linguística, Universidade do Texas em Austin), Denise Schmandt-Besserat (Estudos do Oriente Médio, Universidade do Texas em Austin) e, especialmente, a Anne Draffkorn Kilmer (Estudos do Oriente Próximo, Universidade da Califórnia em Berkeley) pela leitura de todo o manuscrito, pelas críticas e muitas sugestões para referências e fontes que me ofereceram. Além disso, Denise Schmandt-Besserat compartilhou uma bibliografia de sua especialidade, sugeriu outros contatos entre os especialistas em assiriologia e levantou diversas perguntas cruciais que me fizeram repensar algumas das minhas conclusões. Ann Kilmer fez de tudo para me orientar na área dela, me ajudar com passagens difíceis e traduções, me direcionar para referências em publicações especializadas recentes, além de abrir para mim os recursos da biblioteca de seu departamento. Não tenho palavras para expressar minha gratidão por sua generosidade e bondade. Os assiriólogos Rivkah Harris e Michael Fox (Estudos Hebraicos, Universidade de Wisconsin-Madison), que leram vários capítulos, discordaram da minha tese e de algumas das minhas conclusões, mas me ajudaram de maneira generosa com críticas e referências.

Do início à conclusão desta obra, Sheldon Meyer, da Oxford University Press, me apoiou, encorajou e confiou em mim. Ele leu as diversas versões do manuscrito e suportou com paciência os muitos atrasos e desvios necessários para que ele chegasse a seu formato final. Sobretudo, trouxe uma sensibilidade empática a suas leituras e sempre me encorajou a expressar meu pensamento sem levar em conta quaisquer considerações externas. Agradeço muito a ele o entendimento estimulante.

As excelentes habilidades de Leona Capeless tornaram o trabalho técnico de revisão um prazer para mim e ajudaram muito o livro. Meu mais sincero agradecimento a ela.

Minhas assistentes de projeto, Nancy Isenberg e Nancy MacLean, merecem minha gratidão pelas muitas formas como facilitaram a pesquisa e o trabalho técnico para mim. Talvez elas sejam recompensadas por todos os anos de esforço em aprender mais sobre o Antigo Oriente Próximo do que jamais imaginaram que precisariam saber. Também sou grata pelo trabalho que Leslie Schwalm fez em reproduzir as fotos e pelo cuidado de minha assistente de projeto Renee DeSantis em me auxiliar na revisão. Anita Olsen digitou o manuscrito e a bibliografia com cuidado meticuloso e merece minha gratidão e estima pela destreza e paciência.

Pelo conhecimento, atenção e ajuda, estou em dívida com os bibliotecários e funcionários das bibliotecas da Sociedade Histórica de Wisconsin e da Universidade de Wisconsin, ambas em Madison, Wisconsin; da Biblioteca da Universidade da Califórnia em Berkeley e da Biblioteca Britânica em Londres, na Inglaterra. Meus agradecimentos também aos arquivistas da Biblioteca Schlesinger do Instituto Radcliffe de Pesquisa Avançada (antigo Radcliffe College), Cambridge, Massachusetts, e da Biblioteca das Mulheres (antiga Fawcett Library), em Londres, Inglaterra.

Às acadêmicas feministas que se debateram com perguntas semelhantes às minhas e encontraram outras respostas; aos alunos e plateias que me ajudaram a testar minhas ideias ao longo desses anos e às mulheres anônimas e sem voz que por milênios perguntaram sobre origem e justiça – meu agradecimento. Esta obra não poderia ter sido escrita sem vocês – nem poderá viver se não falar por e para vocês.

Gerda Lerner,
Madison, Wisconsin
Outubro de 1985

NOTA SOBRE DEFINIÇÕES

A NECESSIDADE DE REDEFINIR E A INADEQUAÇÃO de termos para descrever a experiência feminina, o *status* das mulheres na sociedade e os vários níveis de consciência das mulheres representam um problema para todas as pensadoras feministas. Leitores com interesse específico em discussões de teoria feminista podem, portanto, preferir consultar o Apêndice após a leitura da Introdução e ler o capítulo "Definições" antes de prosseguir. O leitor com interesse mais geral talvez prefira procurar certos termos e suas definições conforme aparecerem no texto. A seção "Definições" é uma tentativa de redefinir e descrever de maneira exata o que é exclusivo às mulheres e o que diferencia suas experiências e consciência das experiências e consciência de outros grupos subordinados. É, portanto, uma discussão de terminologia tanto linguística quanto teórica.

NOTA SOBRE CRONOLOGIA E METODOLOGIA

Como os acontecimentos da Antiga Mesopotâmia, quanto a nomes de diversos soberanos e autoridades, foram registrados por escribas, há um problema de cronologia ao lidarmos com esses registros. Cruzando referências de datas relativas aos soberanos com acontecimentos astronômicos significativos, que escribas antigos registraram, os acadêmicos chegaram a uma cronologia absoluta em anos-calendários para o primeiro milênio a.C. Ao tratarmos de eventos do segundo e do terceiro milênios a.C., podemos trabalhar apenas com uma sequência relativa. Para o segundo milênio a.C., acadêmicos elaboraram três cronologias (longa, média e curta), comparando datas registradas relativas a reis com dados astronômicos e de artefatos datados por radiocarbono. Em decorrência disso, todas as datas do período são aproximadas. Usei, por via de regra, datação de cronologia média. Ocorreram algumas discrepâncias no texto quando mencionei especialistas que usaram um método de datação diferente, e minhas citações desses textos refletem as datações deles. Tais discrepâncias ficam bem evidentes em datas de fotos, em relação às quais observei sempre as datas relacionadas pelos respectivos museus, mesmo quando em discordância com as datas do texto.*

* Jonathan Glass, "The Problem of Chronology in Ancient Mesopotamia" [O Problema da Chronologia na Antiga Mesopotâmia], *Biblical Archeologist*, v. 47, n. 2 (junho de 1984), p. 92.

Segui o mesmo critério em relação à ortografia de nomes mesopotâmicos: salvo indicação em contrário, utilizei a ortografia mais recente, mantive, porém, a ortografia do autor em citações, mesmo diferindo da ortografia usada por mim.

Ao citar passagens traduzidas de textos cuneiformes, segui a prática de usar colchetes para interferências no texto e parênteses para inserções do tradutor. Por outro lado, no texto escrito por mim, colchetes indicam comentários do autor ou inserções.

Outro problema metodológico comum a todos os que trabalham com fontes mesopotâmicas antigas é que elas, embora abundantes para determinados períodos e locais, são irregulares quanto a tempo e lugar. Em razão da imprevisibilidade de descobertas arqueológicas, temos uma grande quantidade de informações sobre determinados lugares e períodos e pouca sobre outros. Isso nos oferece uma imagem do passado que tende a ser distorcida. Como existem bem menos fontes referentes a mulheres do que a homens, o problema é ainda maior para quem trata de História das Mulheres. É bom ter essas limitações em mente ao avaliar as generalizações propostas.

PREFÁCIO

IMAGINE VIVER EM UM MUNDO EM QUE AS MULHERES são consideradas tão menores, tão inferiores, tão confinadas ao espaço doméstico, tão irrelevantes, que não mereçam ser estudadas. Um mundo em que as mulheres não são dignas de ter sua história contada. Assustador, não é? Pois vivíamos exatamente nesse mundo até poucas décadas atrás. E, se essa condição tem mudado, é graças à luta feminina.

Gerda Lerner foi uma das mulheres importantes a mudar essa realidade, e por isso é tão impressionante que sua obra mais valiosa, *A Criação do Patriarcado*, publicada em inglês em 1986, só tenha sido traduzida para o português agora, 33 anos depois. É um livro que continua atual e cuja leitura é obrigatória para se compreender a história – a história de dominação masculina e de exclusão das mulheres.

Lerner morreu aos 92 anos, em 2013. Nascida em Viena, na Áustria, passou seu aniversário de 18 anos em uma prisão nazista. Compartilhou a cela com duas ativistas políticas cristãs que lhe ensinaram como resistir. "Tudo de que precisei para sobreviver o resto de minha vida eu aprendi na prisão durante essas seis semanas", ela relatou anos depois em suas memórias.

Após uma mudança estratégica para os Estados Unidos e dois maridos socialistas, Lerner só voltou a estudar no final da década de 1950, depois que seu filho mais novo fez 16 anos. Residindo em Nova York, concluiu seu bacharelado na New School for Social Research, em 1963. Quando ela enfim começou sua carreira acadêmica, encontrou um universo em que a história das mulheres mal existia. Ela declarou em uma entrevista de 1993: "Nas minhas disciplinas, os professores me falavam de um mundo em que ostensivamente a metade da raça humana faz tudo o que é importante e a outra metade não existe". Ela percebeu que essa insignificância das mulheres não se refletia em sua vida, tampouco na das mulheres à sua volta.

Sua tese de doutorado foi sobre as irmãs Grimke, as primeiras mulheres abolicionistas dos Estados Unidos, que lutaram pelos direitos das mulheres, pelo sufrágio universal e contra a escravidão. As irmãs Grimke acreditavam que as mulheres não poderiam ser livres se os negros não fossem livres (para Angela Davis, elas foram pioneiras em associar a escravidão à opressão das mulheres).

Em 1963, quando ainda era aluna de graduação, Lerner ofereceu o que se considera hoje o primeiro curso regular de História das Mulheres ministrado em uma Universidade. Nos anos 1970, em Nova York, Lerner criou um curso inédito de pós-graduação em História das Mulheres nos Estados Unidos, na famosa universidade Sarah Lawrence. Mais tarde, ela publicou um vasto material sobre o que chamou de "mulheres negras na América branca".

Lerner é tão relevante que, desde 1992, o prêmio Lerner-Scott (em sua homenagem e também a Anne Firor Scott, outra pioneira em História das Mulheres) é concedido anualmente à melhor tese de doutorado sobre História das Mulheres nos Estados Unidos. Vários outros livros de Lerner, como *The Creation of Feminist Consciousness* [A Criação da Consciência Feminista], publicado pela Oxford University Press em 1993, também são referência. Não é à toa que ela é vista como a mulher que legitimou a História das Mulheres. Mas por que Lerner decidiu escrever sobre o patriarcado?

Não sei se há uma resposta. Sei que certa vez um *hater* (aqueles que só entram em discussões na internet para desestabilizar o discurso e propagar o ódio) disse em comentário ao blog que mantenho desde 2008, e que é um dos maiores blogs feministas do Brasil, que nós, mulheres, deveríamos agradecer por tudo o que os homens fizeram e fazem pela gente, pois foram eles, os homens brancos e heterossexuais, quem criaram a civilização. Sem homens geniais como o *hater*, não teríamos sequer um computador para fazer nossos blogs (ao que parece, ele nunca tinha ouvido falar de Ada Lovelace ou Hedy Lamarr; como isso foi antes do grande sucesso do filme *Estrelas Além do Tempo*, vamos dar um desconto). Por fim, o *hater* concluiu que eu e outras feministas éramos ingratas com o patriarcado. Adorei a definição. Se eu tivesse uma banda de rock *riot grrrl*, já teria um nome para ela.

O patriarcado mantém e sustenta a dominação masculina, baseando-se em instituições como a família, as religiões, a escola e as leis. São ideologias que nos ensinam que as mulheres são naturalmente inferiores. Foi, por exemplo, por meio do patriarcado que se estabeleceu que o trabalho doméstico deve ser exercido por mulheres e que não deve ser remunerado, sequer reconhecido como trabalho. Trata-se de algo visto de modo tão natural e instintivo, que muitas e muitos de nós sequer nos damos conta. Portanto, ler e falar sobre o patriarcado é desnaturalizar nossa existência. É reparar que existe um sistema estrutural que ainda mantém a hierarquia da sociedade. Então por que Gerda Lerner escreveu sobre esse tema? A resposta é muito simples: ela entendeu que traçar as origens do patriarcado equivaleria a desvendar os fatos históricos que levaram as mulheres a esse quadro de submissão e opressão que perdura por milênios.

Neste livro, Lerner nos ensina que o sistema patriarcal só funciona com a cooperação das mulheres, adquirida por intermédio da doutrinação, privação da educação, da negação das mulheres sobre sua história, da divisão das mulheres entre respeitáveis e não respeitáveis, da coerção, da discriminação no acesso a recursos econômicos e poder político, e da recompensa de privilégios de classe dada às mulheres que se conformam. As mulheres participam no processo de sua subordinação porque internalizam a ideia de sua inferioridade. Como apontou Simone de Beauvoir: "o opressor não seria tão forte se não tivesse cúmplices entre os próprios oprimidos".

Muitas mulheres acreditam que precisam de um homem protetor, e que isso está ligado a afeto. Existe uma chantagem emocional de perda de afeto da parte dos homens às mulheres que se rebelam. Quantas meninas já não ouviram que "papai não gosta" de garotas insubordinadas? No patriarcado, a rebeldia é tida como mau comportamento.

Apesar de todas as conquistas feministas das últimas décadas, ainda vivemos no patriarcado. Como chamar por outro nome a realidade que mostra o relatório mais recente da ONU? Ele aponta que 137 mulheres são mortas por dia no mundo por um membro da família. Em 2017, de todas as mulheres assassinadas no planeta, 58% foram mortas por alguém da família. Além disso, 3 bilhões de mulheres vivem em países nos quais o estupro no casamento não é crime. Ao mesmo tempo, ainda se vende a ideia de que o ambiente doméstico é onde a mulher está protegida. E de que lutar contra essa proteção só pode ser coisa de feministas, essas mulheres mal-amadas que querem acabar com a família tradicional e com o sistema patriarcal, tão benéfico para as mulheres.

Faz sentido que o sistema demonize quem luta contra ele. Talvez, quando derrubarmos o patriarcado, o feminismo não será mais necessário. Até lá, o patriarcado insistirá em fazer da palavra "feminismo" um palavrão. E as mulheres continuarão a pagar o preço das decisões tomadas quase que exclusivamente por homens em nossa sociedade.

A História das Mulheres é uma história de exclusão, de apagamentos, de sabotagens, de desvalorizações. Para se atacar a luta das mulheres, que historicamente leva o nome de feminismo, é preciso que nosso protagonismo seja negado. É preciso fingir que nunca lutamos. Por isso é tão relevante conhecer a nossa história.

EM *A CRIAÇÃO DO PATRIARCADO*, Lerner desenvolve as seguintes proposições (cada uma rendendo um capítulo): 1) A apropriação pelos homens da capacidade sexual e reprodutiva das mulheres ocorreu antes da formação da propriedade privada e da sociedade de classes. A mercantilização das mulheres é a fundação da propriedade privada. 2) Os estados arcaicos eram organizados na forma do patriarcado, ou seja, desde o início o Estado tinha interesse na manutenção da família patriarcal. 3) Os homens aprenderam a exercer dominação e a hierarquia sobre outras pessoas praticando com mulheres do próprio grupo. A escravização começou com mulheres sendo escravizadas. 4) A subordinação sexual das mulheres foi institucionalizada já nos primeiros Códigos Penais. A cooperação das mulheres com o sistema era assegurada por meio da força, da dependência econômica em relação ao chefe homem da família, dos privilégios de classe dados a mulheres conformadas e dependentes das classes altas, e da divisão criada de modo artificial entre mulheres respeitáveis e não respeitáveis. 5) A classe para os homens era e é baseada em sua relação com os meios de produção (quem tem os meios pode dominar quem não os tem). Para as mulheres, a classe é mediada de acordo com seus laços com um homem, que pode lhe dar acesso a recursos materiais. Mulheres respeitáveis são aquelas ligadas a um homem. 6) O poder feminino em dar vida é idolatrado por homens e mulheres (por meio de deusas) mesmo depois de as mulheres estarem subordinadas aos homens. 7) As deusas poderosas são destronadas e substituídas por um deus masculino dominante após o estabelecimento de um forte reinado imperialista. Sexualidade e procriação são separadas segundo sua função, e a Deusa-Mãe é transformada na esposa ou amante do chefe masculino. 8) A emergência do monoteísmo judaico e depois judaico-cristão transforma-se em ataque a cultos de várias deusas da fertilidade. Criatividade e procriação são atribuídas a um deus todo-poderoso, chamado de "senhor" e "rei", ou seja, homem, e a sexualidade feminina que não for para procriar fica associada ao pecado e ao mal. 9) O único acesso das mulheres a Deus passa a ser na sua função de mãe. 10) Essa desvalorização simbólica das mulheres em relação ao divino se torna uma das metáforas marcantes da civilização ocidental. A outra metáfora é dada pela filosofia de Aristóteles, que pressupõe que as mulheres sejam incompletas e defeituosas, uma espécie diferente da do homem. É por meio dessas construções metafóricas que a subordinação das mulheres passa a ser considerada natural, ou seja, invisível. É isso, diz Lerner, que estabelece o patriarcado como ideologia.

Lerner também lembra algo que pode ser observado com facilidade por qualquer pessoa que tenha irmão e irmã: se você quiser saber o nível de liberdade e independência de uma mulher, compare-o com o do irmão dela. Virginia Woolf fez isso com brilhantismo no texto "Shakespeare's Sister" [A Irmã de Shakespeare]. Woolf imaginou o que aconteceria se o grande dramaturgo inglês tivesse uma irmã tão genial e talentosa como ele, e chegou à seguinte conclusão: nada. À irmã de Shakespeare não seria permitido sequer ir à escola, muito menos escrever para o teatro.

Antes de ler *A Criação do Patriarcado*, nunca tinha me dado conta de dois pontos fundamentais: que a escravidão teve início com homens escravizando mulheres e que uma história comum e universal de escravização das mulheres envolve o estupro. Por mais que escravos homens tenham sofrido e ainda sofram com a opressão (pois engana-se quem pensa que a escravidão é algo do passado), a opressão sexual, a rotina do assédio e abuso sexual, não costumam fazer parte do seu dia a dia. Mas fazem parte da rotina das escravas mulheres.

Desde o início da escravidão, homens escravos eram explorados para o trabalho. Já as mulheres escravas eram exploradas para o trabalho, para serviços sexuais e para reprodução. É muito interessante a ideia defendida por Lerner de que os homens "treinaram" para escravizar outros povos começando com suas mulheres.

Em *Noite da Suástica*, romance de ficção alternativa de 1937 escrito por Murray Constantine, que só mais de quatro décadas depois os editores revelaram se tratar de um pseudônimo da escritora inglesa Katharine Burdekin, vemos o que aconteceria se o fascismo tivesse ganhado a Segunda Guerra Mundial. Em um futuro distante, 700 anos após a Segunda Guerra Mundial, metade do mundo é dominada pelos alemães, e a outra metade, pelos japoneses. Em ambos os impérios, a história foi apagada. Livros foram queimados para dar a entender que a civilização começou naquele momento em que o "deus Hitler" venceu. As mulheres vivem em cativeiro e servem apenas para serem estupradas e gerar herdeiros homens. Os filhos são tirados delas aos 18 meses, para que não sejam contaminados pela feminilidade. As mulheres têm *status* pior que o dos animais, sendo consideradas sem alma e sem inteligência. E o mais doloroso: elas acreditam nisso. Mas por que estou citando esse ótimo romance, além de ser o livro que eu estava lendo enquanto escrevo este prefácio? Porque a distopia de Burdekin mostra que, para que as mulheres possam ser inteiramente dominadas, é preciso apagar toda a história.

Na introdução ao seu livro clássico, Lerner escreve como a História das Mulheres é indispensável para a emancipação das mulheres, e como estudar a própria história muda a vida delas. Ela observou isso em suas alunas. Também observo isso nas minhas, ainda que não lecione História, e sim Literatura. Na realidade, observo que conhecer a História das Mulheres muda também a vida dos alunos homens. Até porque eles aprendem que mulheres são aliadas, não inimigas, e que quem criou o conceito de "sexo oposto", como se estivéssemos em oposição, como se fôssemos espécies distintas, não foram as feministas, e sim o patriarcado.

Mas as perguntas que Lerner faz no livro ecoam, provocam, geram discussões e reflexões. Uma delas é: por que demoramos tantos anos para nos conscientizarmos de nossa posição subordinada na sociedade? E: como as mulheres podem se emancipar sem conhecer a própria história?

Uma das funções da História em geral é preservar o passado coletivo e reinterpretá-lo para o presente. Aprendemos o passado também para poder evitar erros. Mas às mulheres é negado um passado. Antes de Lerner, Simone de Beauvoir disse que as mulheres não têm passado, não têm história. Mas a História das Mulheres tem sido escavada e descoberta desde o século XX. Aprendemos que mulheres sempre criaram, sempre foram agentes da história e da civilização.

Para Lerner, se não temos precedentes, não podemos imaginar alternativas às condições existentes. É exatamente isso que mais manteve as mulheres presas à subordinação durante milênios. A negação das mulheres à própria história reforça sua aceitação à ideologia do patriarcado e destrói a autoestima individual da mulher. Tal como vivenciamos no nosso dia a dia, o patriarcado desvaloriza as experiências das mulheres. Nosso conhecimento não passa de "intuição", nossas conversas são meras "fofocas".

A boa notícia é que Lerner nos ensina que o patriarcado, como sistema histórico, tem um início na história. E que, por não ser natural – baseado no determinismo biológico –, pode ser derrubado. Pode e vai, ouso dizer. Porque, apesar desta fase conservadora que vivemos no mundo, as mulheres não vão recuar.

Em um dos meus cursos de extensão sobre como discutir gênero através de cinema e literatura, recomendei aos alunos e às alunas a leitura de um dos tantos capítulos fascinantes de *A Criação do Patriarcado*. Porém, este livro icônico só podia ser encontrado em inglês e espanhol. Agora, com a excelente tradução de Luiza Sellera para o português, aquelas que não dominam outras línguas poderão lê-lo. E poderão também inspirar-se para, munidas da própria história, fazer a revolução.

Lola Aronovich, inverno de 2019

INTRODUÇÃO

A História das Mulheres é indispensável e essencial para a emancipação das mulheres. Após vinte e cinco anos pesquisando, ensinando e escrevendo sobre a História das Mulheres, cheguei a essa certeza com base em teoria e prática. O argumento teórico será mais bem explicado neste livro; o argumento prático baseia-se em minha observação das profundas mudanças de consciência pelas quais passam as alunas de História das Mulheres. Essa disciplina muda a vida delas. Até mesmo uma breve exposição às experiências vivenciadas por mulheres do passado, como em oficinas e seminários, tem profundo efeito psicológico nas participantes.

Ainda assim, a maior parte do trabalho teórico do feminismo moderno, desde Simone de Beauvoir até o presente, é a-histórica e negligente em termos de conhecimento feminista. Isso era compreensível no início da nova onda feminista, quando o conhecimento sobre o passado das mulheres era escasso, mas, na década de 1980, mesmo com a abundante disponibilidade de excelentes trabalhos acadêmicos sobre História das Mulheres, a distância entre conhecimento histórico e crítica feminista em outros campos persiste. Antropólogos, críticos literários, sociólogos, cientistas políticos e poetas já apresentaram trabalhos teóricos com base na "história", mas a obra de especialistas em História das Mulheres não se tornou parte do discurso comum. Creio que os motivos para isso ultrapassem a sociologia das mulheres que fazem crítica feminista e também as limitações de suas experiências acadêmicas e educação. Os motivos estão na relação das mulheres com a história, dominada por conflitos e bastante problemática.

O que é história? Precisamos distinguir o passado não registrado – todos os eventos do passado segundo os seres humanos se recordam deles – da História – o passado registrado e interpretado.* Assim como os homens, as mulheres são e sempre foram sujeitos e agentes da história. Uma vez que as mulheres são metade e às vezes mais da metade da humanidade, elas sempre compartilharam o mundo e o trabalho tal qual os homens. As mulheres são e foram peças centrais, e não marginais, para a criação da sociedade e a construção da civilização. Também dividiram com os homens a preservação da memória coletiva, que dá forma ao passado, tornando-o tradição cultural, fornece o elo entre gerações e conecta passado e futuro. Essa tradição oral foi mantida viva em forma de poemas e mitos, que tanto homens quanto mulheres criaram e preservaram em folclore, arte e ritos.

O fazer História, por outro lado, é uma criação que remonta à época da invenção da escrita na Antiga Mesopotâmia. Da época dos reis da Antiga Suméria em diante, historiadores, fossem sacerdotes, servos reais, escribas, clérigos ou alguma classe de intelectuais com instrução universitária, passaram a selecionar os eventos que seriam registrados e a interpretá-los para que tivessem significado e significância. Até o passado mais recente, esses historiadores eram homens, e o que registravam era o que homens haviam feito, vivenciado e considerado significativo. Chamaram isso de História e afirmaram ser ela universal. O que as mulheres fizeram e vivenciaram ficou sem registro, tendo sido negligenciado, bem como a interpretação delas, que foi ignorada. O conhecimento histórico, até pouco tempo atrás, considerava as mulheres irrelevantes para a criação da civilização e secundárias para atividades definidas como importantes em termos históricos.

Assim, o registro gravado e interpretado do passado da espécie humana é apenas um registro parcial, uma vez que omite o passado de metade dos seres

---

* Para enfatizar a diferença, escreverei "história", o passado não registrado, com inicial minúscula, e "História", o passado registrado e interpretado, com inicial maiúscula.

humanos, sendo portanto distorcido, além de contar a história apenas do ponto de vista da metade masculina da humanidade. Rebater esse argumento, como costuma ser feito, mostrando que grandes grupos de homens, possivelmente a maioria, também foram eliminados do registro histórico por muito tempo devido a interpretações preconceituosas de intelectuais que representavam os interesses de pequenas elites é desviar da questão. Um erro não anula o outro; os dois erros conceituais precisam ser corrigidos. Assim como grupos antes subordinados, tal como camponeses, escravos e o proletariado, alcançaram posições de poder - ou pelo menos de inclusão - na organização política, suas experiências devem se tornar parte do registro histórico. Ou seja, com relação às experiências dos homens daquele grupo, as das mulheres, como sempre, foram excluídas. A questão é que homens e mulheres sofreram exclusão e discriminação por razões de classe. Mas nenhum homem foi excluído do registro histórico por causa de seu sexo, embora todas as mulheres o tenham sido.

As mulheres foram impedidas de contribuir com o fazer História, ou seja, a ordenação e a interpretação do passado da humanidade. Como esse processo de dar significado é essencial para a criação e perpetuação da civilização, podemos logo ver que a marginalização das mulheres nesse esforço as coloca em uma posição ímpar e segregada. As mulheres são maioria, mas são estruturadas em instituições sociais como se fossem minoria.

Embora as mulheres venham sendo vitimadas por isso, e também por muitos outros aspectos de sua longa subordinação aos homens, é um erro básico tentar conceituar as mulheres essencialmente como vítimas. Fazê-lo de maneira instantânea esconde o que deve ser admitido como fato da situação histórica feminina: as mulheres são essenciais e peças centrais para criar a sociedade. São e sempre foram sujeitos e agentes da história. As mulheres "fizeram história", mesmo sendo impedidas de conhecer a própria História e de interpretar a história, seja a delas mesmas ou a dos homens. Foram excluídas da iniciativa de criar sistemas de símbolos, filosofias, ciências e leis. Elas não apenas vêm sendo privadas de educação ao longo da história em toda sociedade conhecida, mas também excluídas da formação de teorias. Nomeei de "a dialética da história das mulheres" a tensão entre a experiência histórica real das mulheres e sua exclusão da interpretação dessa experiência. Essa dialética impulsionou as mulheres para o processo histórico.

A contradição entre a centralidade e o papel ativo das mulheres na criação da sociedade e sua marginalização no processo de dar significado por meio de interpretação e explicação é uma força dinâmica, fazendo com que elas lutem contra a própria condição. Nesse processo de embate, em determinados momentos históricos, quando as mulheres adquirem consciência das contradições em sua relação com a sociedade e com o processo histórico, estas são percebidas do modo correto e chamadas de privações, algo que as mulheres compartilham como grupo. Essa tomada de consciência por parte das mulheres torna-se a força dialética que as impele à ação para mudar a própria condição e começar um novo relacionamento com a sociedade dominada pelos homens.

Em razão dessas condições exclusivas às mulheres, elas tiveram uma experiência histórica expressivamente diferente da dos homens.

Comecei fazendo a seguinte pergunta: quais são as definições e os conceitos necessários para que possamos explicar a relação única e segregada das mulheres em relação ao processo histórico, ao fazer história e à interpretação do próprio passado?

Outra questão que esperava que meu estudo abordasse tinha relação com o longo atraso (mais de 3.500 anos) de conscientização feminina sobre a própria posição de subordinação na sociedade. Qual seria a explicação? O que poderia explicar a "cumplicidade" histórica das mulheres em preservar o sistema patriarcal que as subjugava e em transmitir tal sistema, ao longo das gerações, a seus filhos, de ambos os sexos?

Essas questões são importantes e desagradáveis porque parecem revelar respostas que indicam a vitimização e a inferioridade essencial das mulheres. Acho que é o motivo pelo qual essas questões não foram abordadas antes por pensadoras feministas, embora o conhecimento masculino tradicional nos tenha oferecido a resposta patriarcal: mulheres não produziram avanços importantes no campo do pensamento devido à preocupação, determinada biologicamente, com a criação dos filhos e as emoções. Essa seria a causa da "inferioridade" essencial das mulheres em relação ao pensamento abstrato. Em vez disso, parto do princípio de que homens e mulheres são biologicamente diferentes, mas que os valores e as implicações baseados nessa diferença resultam da cultura. Quaisquer diferenças perceptíveis no presente quanto a "homens como grupo" e "mulheres como grupo" são o resultado da história particular das mulheres, que é basicamente diferente da história dos homens. Isso ocorre em razão da subordinação das mulheres aos homens, que é mais antiga do que a civilização, e da negação da história das mulheres. A existência da história das mulheres foi ignorada e omitida pelo pensamento patriarcal – fato que afetou a psicologia de homens e mulheres de forma significativa.

Comecei com a convicção, compartilhada pela maioria das pensadoras feministas, de que o patriarcado como sistema é histórico: tem início na história. Sendo assim, pode ser extinto pelo processo histórico. Se o patriarcado fosse "natural", ou seja, com base em determinismo biológico, então mudá-lo seria mudar a natureza. Pode-se argumentar que mudar a natureza é exatamente o que a civilização fez, mas que, até agora, a maioria dos benefícios advindos do domínio sobre ela, que os homens chamam de "progresso", favoreceu o grupo masculino da espécie. Por que e como isso aconteceu são perguntas históricas, não importando como são explicadas as causas da subordinação feminina. Minha hipótese sobre as causas e origens da subordinação das mulheres será discutida com mais detalhes nos capítulos Um e Dois. O que importa para a minha análise é a compreensão de que a relação de homens e mulheres com o conhecimento de seu passado é, por si só, uma força motriz no fazer história.

Se fosse o caso de a subordinação das mulheres anteceder a civilização ocidental, supondo-se que tal civilização tenha começado com o registro histórico escrito, minha investigação deveria ter início no quarto milênio a.C. Foi isso que me levou, como historiadora americana especializando-se no século XIX, a passar os últimos oito anos trabalhando com a história da Antiga Mesopotâmia a fim de responder às perguntas que considero essenciais para criar uma teoria feminista da história. Embora as perguntas sobre a "origem" me interessassem a princípio, logo percebi que eram bem menos significativas do que as perguntas a respeito do processo histórico pelo qual o patriarcado se estabeleceu e se institucionalizou.

Esse processo manifestou-se na organização familiar e nas relações econômicas, na instituição de burocracias religiosas e governamentais e na mudança das cosmogonias, expressando a supremacia de divindades masculinas. Embasada em obras teóricas existentes, eu admitia que essas mudanças ocorriam como "evento" em um período relativamente curto, que pode ter coincidido com a instituição de estados arcaicos ou pode ter ocorrido um pouco antes, na época da instituição da propriedade privada, o que originou a sociedade de classes. Sob a influência de teorias marxistas de origem, que serão abordadas com mais detalhes no Capítulo Um, eu visualizava um tipo de "subversão" revolucionária que teria alterado visivelmente as relações de poder na sociedade. Esperava encontrar mudanças econômicas que houvessem causado mudanças em ideias e sistemas explicativos religiosos. Procurava em particular por mudanças visíveis no *status* econômico, político e jurídico das mulheres. Mas, conforme imergi no estudo das ricas fontes da história do Antigo Oriente Próximo e comecei a considerá-las em sequência histórica, ficou claro para mim que minha suposição havia sido muito simplista.

O problema não está nas fontes, pois com certeza elas são abundantes para a reconstrução da história social da antiga sociedade mesopotâmica. O problema de interpretação é semelhante ao enfrentado por historiadores de qualquer campo que abordem a história tradicional com questões relativas às mulheres. Existe pouco material significativo disponível sobre mulheres, e o que existe é puramente descritivo. Ainda não foram propostas interpretações nem generalizações a respeito de mulheres por especialistas de trabalho de campo.

Assim, a história das mulheres e a história das relações inconstantes dos sexos nas sociedades mesopotâmicas ainda precisam ser escritas. Tenho o maior respeito pela erudição e pelo conhecimento técnico e linguístico dos acadêmicos da área de Estudos do Antigo Oriente Próximo, e tenho certeza de que, em algum momento, algum deles fará uma pesquisa que sintetizará e colocará em perspectiva adequada a história praticamente não contada do inconstante *status* social, político e econômico das mulheres no terceiro e no segundo milênios a.C. Por não ter formação em assiriologia e não ser capaz de ler os textos cuneiformes originais, não tentei escrever essa história.

Entretanto, percebi que a sequência de eventos parecia ser um tanto diferente do que eu havia previsto. Embora a formação de estados arcaicos, que acompanhou ou coincidiu com grandes mudanças econômicas, tecnológicas e militares, tenha trazido consigo mudanças distintas nas relações de poder entre homens e entre homens e mulheres, não havia, em lugar algum, evidências de "subversão". O período do "estabelecimento do patriarcado" não foi um "evento", mas um processo que se desenrolou durante um espaço de tempo de quase

2.500 anos, de cerca de 3100 a 600 a.C. Aconteceu, mesmo no Antigo Oriente Próximo, em ritmo e momento diferentes, em sociedades distintas.

Além disso, as mulheres pareciam ter *status* diferentes em aspectos distintos da vida, de modo que, por exemplo, na Babilônia do segundo milênio a.C., a sexualidade das mulheres era totalmente controlada pelos homens, enquanto algumas delas tinham grande independência econômica, muitos direitos e privilégios legais, e ocupavam várias posições importantes, de alto *status* na sociedade. Fiquei perplexa em descobrir que as evidências históricas em relação às mulheres faziam pouco sentido quando consideradas de acordo com os critérios tradicionais. Depois de um tempo, comecei a perceber que precisava focar mais no controle da sexualidade e da reprodução das mulheres do que nas habituais questões econômicas, então passei a procurar as causas e os efeitos desse controle sexual. Conforme o fiz, as peças do quebra-cabeça começaram a se encaixar. Não conseguia compreender o que significavam as evidências à minha frente porque eu avaliava a formação de classes, aplicada a homens e mulheres, com a presunção tradicional de que o que era verdade para homens também era verdade para mulheres. Quando comecei a questionar como a definição de classe era diferente para mulheres e homens, desde o início da sociedade de classes, as evidências à minha frente fizeram sentido.

Neste livro, desenvolverei as seguintes propostas:

a) A apropriação da função sexual e reprodutiva das mulheres pelos homens ocorreu *antes* da formação da propriedade privada e da sociedade de classes. A transformação dessa capacidade em mercadoria, na verdade, está no alicerce da propriedade privada. (Capítulos Um e Dois.)
b) Os estados arcaicos foram organizados no formato do patriarcado; assim, desde o início, o Estado tinha um interesse fundamental na permanência da família patriarcal. (Capítulo Três.)
c) Os homens aprenderam a instituir dominância e hierarquia sobre outras pessoas praticando antes a dominância sobre as mulheres do próprio grupo. Isso se manifestou na institucionalização da escravidão, que começou com a escravização de mulheres dos grupos conquistados. (Capítulo Quatro.)

d) A subordinação sexual das mulheres foi institucionalizada nos mais antigos códigos de leis e imposta pelo poder total do Estado. Garantia-se a cooperação das mulheres por vários meios: força, dependência econômica do chefe de família, privilégios de classe concedidos a mulheres dependentes e obedientes das classes mais altas, e pelo artifício da divisão de mulheres em respeitáveis e não respeitáveis. (Capítulo Cinco.)

e) A classe, para os homens, foi e é baseada na relação com os meios de produção: aqueles que possuíam os meios de produção podiam dominar os que não os possuíam. Para as mulheres, a classe é mediada pelos seus vínculos sexuais com um homem, que então lhes proporciona acesso a recursos materiais. A divisão de mulheres entre "respeitável" (ou seja, vinculada a um homem) e "não respeitável" (ou seja, sem vínculo com um homem ou livre de todos os homens) é institucionalizada em leis relacionadas ao uso de véu por mulheres. (Capítulo Seis.)

f) Depois de muito tempo de subordinação sexual e econômica aos homens, as mulheres ainda desempenham papéis ativos e respeitados de mediação entre seres humanos e deuses como sacerdotisas, videntes, adivinhas e curandeiras. O poder feminino metafísico, em particular o poder de dar a vida, é venerado por homens e mulheres na forma de deusas poderosas mesmo bastante tempo depois de as mulheres serem subordinadas aos homens na maioria dos aspectos da vida. (Capítulo Sete.)

g) O destronamento de deusas poderosas, sendo substituídas por um deus masculino dominante, ocorre em quase todas as sociedades do Oriente Próximo após a instituição de uma monarquia forte e imperialista. De forma gradual, a função de controlar a fertilidade, que antes cabia totalmente às deusas, é representada por meio da cópula, real ou simbólica, do deus masculino ou Deus-Rei com a Deusa ou sua sacerdotisa. Por fim, a sexualidade (erotismo) e a procriação são separadas com o surgimento de deusas específicas para cada função, e a Deusa-Mãe transforma-se na esposa/cônjuge do Deus masculino principal. (Capítulo Sete.)

h) O surgimento do monoteísmo hebraico toma a forma de um ataque aos cultos difundidos a várias deusas da fertilidade. Ao escrever o Gênesis, a criação e a procriação são atribuídas ao Deus onipotente, cujos epitáfios "Senhor" e "Rei" o estabelecem como um deus masculino; e a sexualidade feminina, a não ser para fins de procriação, passa a ser associada ao pecado e ao mal. (Capítulo Oito.)

i) Na instituição da comunhão da aliança, o simbolismo básico e o real contrato entre Deus e a humanidade admitem como fato a posição subordinada das mulheres e a exclusão da aliança metafísica e da comunhão da aliança terrena. O único acesso das mulheres a Deus e à comunhão sagrada é na função de mãe. (Capítulo Nove.)

j) Essa desvalorização simbólica das mulheres em relação à divindade torna-se uma das metáforas fundamentais da civilização ocidental. A outra metáfora fundamental é oferecida pela filosofia aristotélica, que admite como fato que mulheres são seres humanos incompletos e defeituosos de uma categoria totalmente diferente da dos homens (Capítulo Dez). É com a criação desses dois constructos metafóricos que se constroem os próprios alicerces dos sistemas de símbolos da civilização ocidental; que a subordinação das mulheres passa a ser vista como "natural", tornando-se, em decorrência disso, invisível. É isso que enfim estabelece com firmeza o patriarcado como realidade e como ideologia.

QUAL É A RELAÇÃO ENTRE CONCEITOS – e, especificamente, conceitos sobre gênero* – e as forças sociais e econômicas que moldam a história? A matriz de qualquer conceito é a realidade – as pessoas não podem conceber algo que elas próprias não tenham vivenciado ou pelo menos que outras pessoas não tenham vivenciado antes delas. Assim, imagens, metáforas e mitos manifestam-se de maneira "prefigurada" pela experiência passada. Em épocas de mudança, as pessoas reinterpretam esses símbolos de novos jeitos, originando-se, assim, novas combinações e novas compreensões.

O que estou tentando fazer neste livro é traçar, por meio de evidências históricas, o desenvolvimento dos principais conceitos, símbolos e metáforas pelos quais as relações patriarcais entre gêneros foram incorporadas à civilização ocidental. Cada capítulo é construído em torno de uma dessas

* *Sexo* é o fato biológico de homens e mulheres. *Gênero* é a definição cultural de comportamento definido como apropriado aos sexos em determinada sociedade de uma época específica. Gênero é um conjunto de papéis culturais; portanto, é um produto cultural que varia ao longo do tempo. (Recomenda-se que o leitor consulte as seções *sexo* e *gênero* em Definições, pp. 281-94.)

metáforas para o gênero, conforme indicado no título do capítulo. Tentei isolar e identificar os aspectos pelos quais a civilização ocidental construiu o gênero e estudá-los em momentos ou épocas de mudança. Tais aspectos consistem de normas sociais incorporadas em papéis sociais, em leis e em metáforas. De certo modo, esses aspectos representam artefatos históricos com base nos quais se pode compreender a realidade social que originou o conceito ou a metáfora. Ao traçar as mudanças em metáforas ou representações, pretende-se ser possível traçar os desdobramentos históricos subjacentes na sociedade, mesmo na ausência de outras evidências históricas. No caso da sociedade mesopotâmica, a abundância de evidências históricas torna possível, na maioria dos casos, a confirmação de uma análise de símbolos por comparação com tais evidências concretas.

As principais metáforas e representações de gênero da civilização ocidental vieram de fontes mesopotâmicas e, depois, hebraicas. É claro que seria desejável estender este estudo a fim de incluir influências árabes, egípcias e europeias, mas tal iniciativa demandaria mais anos de pesquisa acadêmica com que posso, na minha idade, esperar me comprometer. Só posso esperar que meu esforço para reinterpretar as evidências históricas disponíveis inspire outros, para que continuem a fazer as mesmas perguntas em sua área de especialidade e com ferramentas acadêmicas disponíveis mais refinadas.

Quando iniciei este trabalho, eu o concebi como o estudo da relação das mulheres com a criação do sistema de símbolos, sua exclusão desse processo, seus esforços para escapar da desvantagem educacional sistemática à qual eram sujeitas e, por fim, a tomada de consciência feminista. Mas, conforme progredia meu trabalho com as fontes da Antiga Mesopotâmia, a riqueza de evidências me obrigou a expandir o livro para dois volumes, o primeiro deles terminando por volta de 400 a.C. E o segundo volume abordando a ascensão da consciência feminista, obra que abrange a Era Cristã, da idade média até o século XVIII.*

Embora eu acredite que minha hipótese tenha ampla aplicabilidade, não estou, com base no estudo de uma região, tentando propor uma "teoria geral" sobre o surgimento do patriarcado e do machismo. A hipótese teórica que

* Ver nota na p. 9. (N. R.)

apresento para a civilização ocidental vai precisar ser testada e comparada com outras culturas quanto à aplicabilidade geral.

Ao nos dedicarmos a esta investigação, como devemos pensar em "mulheres como grupo"? Três metáforas podem nos ajudar a enxergar as coisas desse novo ponto de vista.

Em seu brilhante artigo de 1979, Joan Kelly falou sobre a nova "dupla visão" do conhecimento feminista:

> [...] o lugar da mulher não é uma esfera ou domínio de existência à parte, mas uma posição dentro da existência social de forma geral. [...] [O] pensamento feminista caminha para além da visão dividida da realidade social herdada do passado recente. Nosso real ponto de vista mudou, abrindo espaço para a nova conscientização do "lugar" da mulher na família e na sociedade. [...] [O] que vemos não são duas esferas da realidade social (lar e trabalho, privado e público), mas dois (ou três) conjuntos de relações sociais.[1]

Estamos adicionando a visão feminina à visão masculina, e esse processo é transformador. Mas a metáfora de Joan Kelly precisa dar um passo a mais: quando usamos um dos olhos para enxergar, nossa visão tem alcance limitado e nenhuma profundidade. Ao adicionar apenas a visão do outro olho, nosso alcance aumenta, mas a visão continua sem profundidade. Apenas quando os dois olhos enxergam juntos é que obtemos total alcance de visão e percepção exata de profundidade.

O computador nos oferece outra metáfora. Ele nos mostra uma imagem de triângulo (bidimensional). Ainda mantendo essa imagem, o triângulo se move no espaço e vira uma pirâmide (tridimensional). Agora a pirâmide se move no espaço e cria uma curva (a quarta dimensão), ainda mantendo a imagem da pirâmide e do triângulo. Vemos as quatro dimensões de uma vez, sem perder nenhuma, mas observando também a verdadeira relação de uma com as outras.

Ver da forma como vemos, em termos patriarcais, é bidimensional. "Adicionar mulheres" à estrutura patriarcal torna a visão tridimensional. Mas apenas quando a terceira dimensão está totalmente integrada e caminha com o conjunto; apenas quando a visão das mulheres é equivalente à visão dos homens é que percebemos as verdadeiras relações do todo e das conexões internas das partes.

Por fim, outra imagem. Homens e mulheres vivem em um palco no qual desempenham seus papéis designados, ambos de igual importância. A peça não pode prosseguir sem os dois tipos de atores. Nenhum deles "contribui" mais ou menos para o conjunto; nenhum é secundário nem dispensável. Mas o cenário é concebido, pintado e definido por homens. Homens escreveram a peça, dirigiram o espetáculo, interpretaram os significados da ação. Eles se autoescalaram para os papéis mais interessantes e heroicos, deixando para as mulheres os papéis de coadjuvante.

Conforme as mulheres tomam consciência da diferença na forma como se encaixam na peça, pedem mais igualdade na distribuição de papéis. Elas ofuscam a atuação dos homens algumas vezes; em outras, substituem um ator que faltou. Por fim, com muito esforço, as mulheres ganham o direito ao acesso à distribuição igual de papéis, mas antes precisam "se qualificar". Os termos das "qualificações" são novamente definidos por homens; eles julgam se as mulheres estão à altura; eles permitem ou negam a entrada delas. Dão preferência a mulheres submissas e àquelas que se encaixam com perfeição na descrição da vaga. Homens punem, por meio de ridicularização e exclusão, qualquer mulher que se ache no direito de interpretar o próprio papel ou – o pior dos pecados – reescrever o roteiro.

Leva muito tempo para que as mulheres entendam que receber papéis "iguais" não as tornará iguais enquanto o roteiro, os objetos de palco, o cenário e a direção ficarem estritamente a cargo de homens. Quando as mulheres começam a se dar conta disso e se reúnem entre os atos, ou mesmo durante o espetáculo, para discutir o que fazer a respeito, a peça chega ao fim.

Observar a História registrada como se fosse uma peça nos faz perceber que a história das atuações ao longo de milhares de anos foi registrada apenas por homens e contada com as palavras deles. A atenção desses homens estava voltada principalmente para os homens. Não surpreende que não tenham observado todas as ações que as mulheres realizaram. Por fim, nos últimos cinquenta anos, algumas mulheres conquistaram a educação necessária para escrever os roteiros da companhia de teatro. Conforme escreviam, começaram a prestar mais atenção ao que mulheres faziam. Ainda assim, haviam sido bem "adestradas" pelos mentores homens. Então, no todo, também acharam mais importante o que os homens faziam e, no desejo de melhorar o papel das mulheres no passado, procuraram com atenção mulheres que haviam feito o que os homens fizeram. Assim nasceu a história compensatória.

O que as mulheres precisam fazer, o que as feministas estão fazendo agora, é apontar para o palco, os cenários, os objetos, o diretor e o roteirista - como fez a criança que gritou que o rei estava nu, tal como no conto de fadas - e dizer que a desigualdade básica entre nós encontra-se dentro dessa estrutura. E depois elas precisam destruí-la.

Como será escrita a história quando esse guarda-chuva de dominação for eliminado e a definição for compartilhada igualmente por homens e mulheres? Desvalorizaremos o passado, subverteremos as categorias, trocaremos a ordem pelo caos?

Não. Apenas caminharemos sob um céu de liberdade. Observaremos como ele muda, como as estrelas nascem e a lua gira, e descreveremos a Terra e seus processos em vozes masculinas e femininas. Poderemos, no fim das contas, enxergar com mais enriquecimento. Agora sabemos que o homem não é o parâmetro do que é humano; homens e mulheres o são. Os homens não são o centro do mundo; homens e mulheres o são. Essa compreensão transformará a consciência de forma tão decisiva quanto a descoberta de Copérnico de que a Terra não é o centro do universo. Poderemos interpretar papéis específicos no palco, às vezes trocando-os ou decidindo mantê-los, como quisermos. Poderemos descobrir novos talentos entre aquelas que sempre viveram sob o guarda-chuva criado por outro. Poderemos descobrir que aquelas que antes carregaram o fardo tanto da ação quanto da definição agora podem ter mais liberdade para agir e experimentar o genuíno prazer de existir. Nossa obrigação de descrever o que encontraremos não é maior do que era a obrigação dos exploradores que navegaram até o limiar do mundo só para descobrir que o mundo era redondo.

Jamais saberemos enquanto não começarmos. O processo em si é o caminho, é o objetivo.

UM

ORIGENS

Os FRAGMENTOS DE EVIDÊNCIAS SÓLIDAS – ferramentas, túmulos, cacos de cerâmica, vestígios de habitações e santuários, artefatos de função desconhecida em paredes de cavernas, restos mortais e a história que eles contam – se apresentam diante de nós em uma diversidade desconcertante. Nós os juntamos a mitos e especulação; os confrontamos com o que sabemos sobre povos "primitivos" que sobreviveram até o presente; usamos ciência, filosofia, religião para construir um modelo desse passado distante, anterior ao início da civilização.

A abordagem que usamos na interpretação – nossa estrutura de conceitos – determina o resultado. Tal estrutura nunca é isenta de valores. Fazemos as perguntas do passado que queremos que sejam respondidas no presente. Por um longo período de tempo histórico, admitiu-se a estrutura de conceitos que criou nossas perguntas como fato indiscutível e incontestável. Enquanto a visão teleológica cristã dominava o pensamento histórico, a história pré-cristianismo era vista apenas como um estágio preparatório para a história verdadeira, que começou com o nascimento de Cristo e terminaria com a Segunda Vinda do Cristo. Quando a teoria darwinista dominava o pensamento histórico, a Pré-História era vista como um estágio "selvagem" no progresso evolutivo da humanidade, do simples ao mais complexo. O que prosperou e sobreviveu foi, pelo mero fato de ter sobrevivido, considerado superior ao que desapareceu, portanto, "fracassou". Enquanto suposições androcêntricas dominavam nossas interpretações, entendíamos o sistema de sexo/gênero prevalente no presente olhando para o passado. Admitíamos a existência da dominação masculina como fato e considerávamos qualquer prova em contrário apenas uma exceção à regra ou alternativa malsucedida.

Tradicionalistas, seja trabalhando sob uma óptica religiosa ou "científica", consideraram a submissão das mulheres como algo universal, determinado por Deus ou natural, portanto, imutável. Assim, algo que não precisava ser questionado. O que permaneceu, permaneceu por ser o melhor; consequentemente, deve continuar assim.

Acadêmicos com uma visão crítica a suposições androcêntricas e aqueles que enxergam a necessidade de uma mudança social no presente contestaram o conceito da universalidade da submissão feminina. Eles argumentam que, se o sistema de dominação patriarcal tem origem histórica, pode ser extinto em circunstâncias históricas diferentes. Portanto, a questão da universalidade da submissão feminina é, há mais de 150 anos, central para o debate entre tradicionalistas e pensadoras feministas.

Para quem critica as explicações patriarcais, a próxima pergunta importante a ser feita é: se a submissão feminina não era universal, então alguma vez houve um modelo alternativo de sociedade? Essa questão não raro se traduziu na busca por uma sociedade matriarcal no passado. Como muitas das evidências nessa busca têm origem em mito, religião e símbolo, foi dada pouca atenção às evidências históricas.

Para historiadores, a questão mais importante e significativa é: como, quando e por que a submissão feminina passou a existir?

Portanto, antes de entrar na discussão sobre o desenvolvimento histórico do patriarcado, precisamos rever os principais pontos de vista a respeito dessas três perguntas na discussão do assunto.

A resposta tradicionalista à primeira pergunta, é claro, é que a dominação masculina é universal e natural. O argumento pode ser proposto em termos religiosos: a mulher é submissa ao homem porque assim foi criada por Deus.[1] Tradicionalistas aceitam o fenômeno da "assimetria sexual", a atribuição de diferentes tarefas e papéis para homens e mulheres, algo observado em todas as sociedades humanas conhecidas, sendo prova desse ponto de vista e evidência de seu caráter "natural".[2] Eles argumentam que, se à mulher foi atribuída, por planejamento divino, uma função biológica diferente da do homem, a ela também devem ser atribuídas diferentes tarefas sociais. Se Deus ou a natureza criaram diferenças entre os sexos, que, em consequência, determinaram a divisão sexual do trabalho, ninguém pode ser culpado pela desigualdade sexual e pela dominação masculina.

A explicação tradicionalista concentra-se na capacidade reprodutiva feminina e vê a maternidade como a maior meta na vida das mulheres, definindo, assim, como desviantes mulheres que não se tornam mães. Considera-se a função materna uma necessidade da espécie, uma vez que as sociedades não teriam conseguido chegar à modernidade sem que a maioria das mulheres dedicasse quase toda a vida adulta a ter e criar filhos. Assim, vê-se a divisão sexual do trabalho com base em diferenças biológicas como justa e funcional.

A consequente explicação da assimetria sexual coloca as causas da submissão feminina em fatores biológicos pertinentes aos homens. A maior força física, a capacidade de correr mais rápido e levantar mais peso e a maior agressividade dos homens fazem com que eles se tornem caçadores. Portanto, tornam-se os provedores de alimento nas tribos e são mais valorizados e honrados do que as mulheres. As habilidades decorrentes da experiência em caça, consequentemente, permitem que se tornem guerreiros. O homem-caçador, superior em força, habilidade e com experiência oriunda do uso de ferramentas e armas, "naturalmente" vai proteger e defender a mulher, mais vulnerável, cujo aparato biológico a destina à maternidade e aos cuidados com o outro.[3] Por fim, essa explicação determinista do ponto de vista biológico estende-se da Idade da Pedra até o presente pela afirmação de que a divisão sexual do trabalho com base na "superioridade" natural do homem é um fato, e, portanto, continua tão válida hoje quanto era nos primórdios da sociedade humana.

Nos dias atuais, essa teoria é, de várias maneiras e de longe, a versão mais popular do argumento tradicionalista, tendo grande efeito de explicação e corroboração de ideias contemporâneas de supremacia masculina. É provável que isso tenha ocorrido em razão de sua pompa "científica" com base em uma seleção de evidências etnográficas e no fato de considerar a dominação masculina de um modo que traz alívio aos homens, pois os isenta de qualquer responsabilidade sobre ela. A profundidade com que essa explicação afetou até mesmo teóricas feministas evidencia-se em sua aceitação parcial por Simone de Beauvoir, que considera um fato a "excelência" do homem vir da caça e da guerra, como também do uso de ferramentas necessárias ao exercício de ambas.[4]

Ainda que não mencionemos as alegações biológicas duvidosas de superioridade física masculina, a explicação do homem-caçador foi refutada por evidências antropológicas em relação a sociedades de caçadores-coletores. Na maioria dessas sociedades, a caça de grandes animais é uma atividade auxiliar, enquanto o fornecimento dos principais alimentos vem de atividades de coleta e caça de pequenos animais, que mulheres e crianças executam.[5] Além disso, como veremos a seguir, é precisamente em sociedades de caçadores-coletores que encontramos muitos exemplos de complementaridade entre os sexos e sociedades nas quais mulheres têm *status* relativamente alto, contradizendo de modo direto as afirmações da escola de pensamento do homem-caçador.

Antropólogas feministas vêm contestando nos últimos tempos muitas das generalizações iniciais – segundo as quais a dominação masculina era praticamente universal em todas as sociedades conhecidas –, tratando-as como suposições patriarcais da parte de etnógrafos e pesquisadores daquelas culturas. Quando antropólogas feministas revisaram os dados ou fizeram o próprio trabalho de campo, descobriram que a dominação masculina estava longe de ser universal. Encontraram sociedades nas quais a assimetria sexual não tinha conotação de dominação ou submissão. Em vez disso, as tarefas realizadas por ambos os sexos eram indispensáveis para a sobrevivência do grupo, e o *status* de ambos os sexos era considerado igual na maioria dos aspectos. Nessas sociedades, os sexos eram considerados "complementares"; seus papéis e *status* eram diferentes, mas nivelados.[6]

Outra forma de refutação de teorias do homem-caçador envolveu contribuições essenciais e culturalmente inovadoras de mulheres para a criação da civilização, com a invenção da cestaria e da olaria, bem como o conhecimento e o desenvolvimento da horticultura.[7] Elise Boulding demonstrou, em particular, que o mito do homem-caçador e sua perpetuação são criações socioculturais que servem à manutenção da supremacia e da hegemonia masculinas.[8]

A defesa tradicionalista da supremacia masculina com base em determinismo biológico mudou com o tempo e se provou bastante adaptável e resiliente.

Quando o argumento religioso perdeu força no século XIX, a explicação tradicionalista da inferioridade das mulheres tornou-se "científica". As teorias darwinistas reforçaram crenças de que a sobrevivência da espécie era mais importante do que a autorrealização. Por mais que o movimento Evangelho Social usasse a ideia darwinista de sobrevivência do mais forte para justificar a distribuição desigual de riquezas e privilégios na sociedade norte-americana, defensores científicos do patriarcado justificavam a definição de mulheres pelo papel materno e pela exclusão de oportunidades econômicas e educacionais como algo necessário para a sobrevivência da espécie. Era por causa da constituição biológica e da função materna que mulheres eram consideradas inadequadas para a educação superior e muitas atividades vocacionais. Menstruação, menopausa e até gravidez eram vistas como debilitantes, doenças ou condições anormais, que incapacitavam as mulheres e as tornavam de fato inferiores.[9]

De modo semelhante, a psicologia moderna observou as diferenças sexuais existentes segundo a suposição não questionada de que eram naturais e, assim, forjou uma mulher psicológica tão determinada pela biologia quanto suas antepassadas. Observando os papéis dos sexos sem considerar a história, psicólogos precisaram chegar a conclusões com base no estudo de dados clínicos que reforçavam os papéis de gênero predominantes.[10]

As teorias de Sigmund Freud reforçaram ainda mais a explicação tradicionalista. O humano normal de Freud era macho; a fêmea era, de acordo com sua definição, um ser humano desviante sem pênis, cuja completa estrutura psicológica concentrava-se, segundo supunha, no esforço em compensar essa deficiência. Apesar de muitos aspectos da teoria freudiana se provarem úteis na construção da teoria feminista, foi a máxima de Freud de que, para mulheres, "anatomia é destino" que deu nova vida e força ao argumento de supremacia masculina.[11]

As aplicações da teoria freudiana à criação dos filhos e à literatura popular de autoajuda, não raro vulgarizadas, deram novo prestígio ao velho argumento de que o principal papel da mulher é ter e criar filhos. Foi a doutrina freudiana popularizada que se tornou literatura consagrada para educadores, assistentes sociais e o público geral da grande mídia.[12]

Há pouco tempo, a sociobiologia de E. O. Wilson propôs a visão tradicionalista sobre gênero em um argumento que aplica ideias darwinistas de seleção natural ao comportamento humano. Wilson e seus seguidores argumentam que os comportamentos humanos "adaptáveis" para a sobrevivência do grupo ficam codificados nos genes e incluem traços complexos como altruísmo, lealdade e maternalismo. Eles não só argumentam que grupos que praticam a divisão sexual do trabalho, na qual a função das mulheres é criar filhos, têm vantagem evolutiva, mas também alegam que tal comportamento, de algum modo, torna-se parte de nossa herança genética, visto que as tendências físicas e psicológicas necessárias para esse sistema social são desenvolvidas de forma seletiva e selecionadas geneticamente. A maternidade não é apenas um papel atribuído pela sociedade, mas um papel adequado às necessidades físicas e psicológicas da mulher. Aqui, mais uma vez, o determinismo biológico é consagrado, na verdade uma defesa política do *status quo* em linguagem científica.[13]

Críticas feministas revelaram o raciocínio circular, a falta de evidências e as suposições não científicas da sociobiologia wilsoniana.[14] Do ponto de vista de quem não é cientista, a falácia mais óbvia dos sociobiólogos é desconsiderar a história ao negligenciar o fato de que homens e mulheres modernos não vivem em estado natural. A história da civilização descreve o processo pelo qual seres humanos se distanciaram da natureza, inventando e aperfeiçoando a cultura. Tradicionalistas ignoram as mudanças tecnológicas, que tornaram possível dar mamadeiras a bebês de maneira segura e criá-los até a idade adulta com cuidadores que não sejam as próprias mães. Eles ignoram as implicações de expectativa de vida e ciclo de vida variáveis. Até a higiene popular e o conhecimento médico moderno reduzirem a mortalidade infantil a um nível em que os pais pudessem esperar que cada filho chegasse à idade adulta, as mulheres precisavam mesmo ter muitos filhos para que alguns sobrevivessem. De modo semelhante, a expectativa de vida maior e a mortalidade infantil mais baixa alteraram os ciclos de vida tanto de homens quanto de mulheres. Essas evoluções tiveram relação com a industrialização e ocorreram na civilização ocidental (para brancos) perto do fim do século XIX, chegando mais tarde aos pobres e às minorias em razão da distribuição irregular de serviços sociais e de saúde. Enquanto até 1870 a criação dos filhos e o casamento eram concomitantes – ou seja, era esperado que um ou ambos os pais morressem antes que o filho mais novo chegasse à idade adulta –, na sociedade moderna norte-americana, espera-se que maridos e esposas vivam juntos por doze anos após o filho mais novo chegar à idade adulta, e que as mulheres vivam sete anos a mais que os maridos.[15]

Entretanto, os tradicionalistas esperam que as mulheres tenham os mesmos papéis e ocupações que eram funcionais e essenciais à espécie no Período Neolítico. Aceitam as mudanças culturais pelas quais os homens se libertaram da necessidade biológica. A substituição do trabalho físico pelo trabalho de máquinas é considerada progresso; apenas as mulheres, sob o ponto de vista deles, estão condenadas pela eternidade a servir à espécie por meio de sua biologia. Afirmar que, de todas as atividades humanas, apenas os cuidados fornecidos por mulheres são imutáveis e eternos é, de fato, destinar metade da raça humana a uma existência inferior, à natureza em detrimento da cultura.

As qualidades que podem ter fomentado a sobrevivência humana no Período Neolítico não são mais necessárias para a população moderna. Independentemente de características como agressividade ou nutrição serem transmitidas por meio da genética ou da cultura, deveria ser óbvio que a agressividade dos homens, que pode ter sido bastante funcional na Idade da Pedra, vem ameaçando a sobrevivência humana na era nuclear. Em uma época em que a superpopulação e o esgotamento de recursos naturais representam um perigo real para a sobrevivência humana, restringir a capacidade reprodutiva das mulheres pode ser mais "adaptável" do que fomentá-la.

Além disso, em oposição a qualquer argumento com base no determinismo biológico, as feministas contestam as suposições androcêntricas implícitas em ciências que tratam de seres humanos. Elas observaram que, na biologia, antropologia, zoologia e psicologia, tais suposições levaram a uma interpretação de evidências científicas que distorce seu significado. Assim, por exemplo, atribui-se significado antropomórfico ao comportamento animal, transformando chimpanzés machos em patriarcas.[16] Muitas feministas argumentam que o número limitado de diferenças biológicas comprovadas entre os sexos foi demasiadamente exagerado por interpretações culturais e que o valor dado às diferenças sexuais é, por si só, um produto cultural. Atributos sexuais são fatos biológicos, mas gênero é produto de um processo histórico. O fato de mulheres terem filhos ocorre em razão do sexo; o fato de mulheres cuidarem dos filhos ocorre em razão do gênero, uma construção social. É o gênero que vem sendo o principal responsável por determinar o lugar das mulheres na sociedade.[17]

Vamos agora lançar um rápido olhar às teorias que negam a universalidade da submissão feminina e propõem um estágio inicial de dominação feminina (matriarcado) ou de igualdade entre homens e mulheres. As principais explicações são de cunho econômico-marxista e maternalista.

A análise marxista foi muito influente para que se determinassem as perguntas feitas por acadêmicas feministas. A obra básica de referência é *A Origem da Família, da Propriedade Privada e do Estado*, de Friedrich Engels, que descreve "a grande derrota histórica do sexo feminino" como evento oriundo do desenvolvimento da propriedade privada.[18] Engels, baseando suas generalizações na obra de etnógrafos e teóricos do século XIX, como J. J. Bachofen e L. H. Morgan, propôs a existência de sociedades comunistas sem classes antes da formação da propriedade privada.[19] Tais sociedades podem ou não ter sido matriarcais, mas eram igualitárias. Engels admitiu uma divisão "primitiva" de trabalho entre os sexos.

> O homem vai à guerra, sai para caçar e pescar, obtém matéria-prima para a alimentação e as ferramentas necessárias para isso. A mulher cuida da casa e da preparação dos alimentos e do vestuário, cozinha, tece e costura. Cada um é mestre no próprio campo de trabalho: o homem na floresta, a mulher na casa. Cada um é dono dos instrumentos que usa. [...] O que é feito e usado em comum é propriedade comum – a casa, a horta, a canoa.[20]

A descrição da divisão sexual do trabalho primitiva feita por Engels é curiosamente semelhante à descrição de lares de camponeses europeus na Pré-História. As informações etnográficas nas quais ele embasou essas generalizações foram refutadas. Em sociedades mais primitivas do passado e em todas as sociedades de caçadores-coletores que ainda existem hoje, as mulheres proveem, em média, 60% ou mais da alimentação. Para tanto, percorrem longas distâncias com frequência, levando junto seus filhos. Além disso, a suposição de que existe uma fórmula e um padrão para a divisão sexual do trabalho está errada. O trabalho específico feito por homens e mulheres difere muito em culturas distintas, dependendo em grande parte da situação ecológica na qual as pessoas se encontram.[21] Engels teorizou que, em sociedades tribais, o desenvolvimento da pecuária originou o comércio e a propriedade de rebanhos por chefes de famílias, presumivelmente homens, mas não conseguiu explicar como isso aconteceu.[22] Os homens se apropriaram dos excedentes do pastoreio, tornando-os propriedade privada. Uma vez adquirida tal propriedade privada, os homens buscaram garanti-la para eles e seus herdeiros; para isso, instituíram a família monogâmica. Controlando a sexualidade das mulheres com a exigência da virgindade pré-nupcial e a determinação do duplo padrão de julgamento sexual no casamento, os homens garantiram a legitimidade da prole, assegurando, assim, seu direito à propriedade. Engels enfatizou a conexão entre o colapso das antigas relações de parentesco com base na comunhão de propriedade e o surgimento da família individual como uma unidade econômica.

Com o desenvolvimento do Estado, a família monogâmica virou a família patriarcal, na qual o trabalho doméstico da mulher "tornou-se um *serviço privado*; a esposa virou a principal criada, excluída de toda participação na produção social". Engels concluiu:

> A destruição do direito materno foi a *grande derrota histórica do sexo feminino*. O homem assumiu o comando também em casa; a mulher foi degradada e reduzida à servidão; tornou-se escrava do prazer do homem e mero instrumento de reprodução.[23]

Engels usou o termo *Mutterrecht*, daqui em diante chamado de "direito materno", derivado de Bachofen, para descrever as relações matrilineares de parentesco nas quais a propriedade dos homens não era passada a seus filhos, mas para os filhos de suas irmãs. Também reconheceu o modelo de Bachofen de progressão "histórica" na estrutura familiar, de casamento grupal a casamento monogâmico. Argumentou ainda que o casamento monogâmico foi visto pela mulher como uma melhoria de sua condição, uma vez que, assim, ela adquiriu "o direito de se entregar a apenas *um* homem". Engels também chamou atenção para a institucionalização da prostituição, que descreveu como um acessório indispensável para o casamento monogâmico.

As especulações de Engels sobre a natureza da sexualidade feminina foram criticadas como sendo o reflexo dos próprios valores vitorianos machistas, pela suposição não bem examinada de que os padrões de puritanismo feminino do século XIX pudessem explicar ações e atitudes das mulheres do começo da civilização.[24] Ainda assim, Engels fez contribuições importantes para nosso entendimento da posição das mulheres na sociedade e na história: (1) Ele apontou a ligação entre mudanças estruturais nas relações de parentesco, e mudanças na divisão do trabalho, por um lado, e a posição das mulheres na sociedade, por outro. (2) Mostrou a conexão entre instituição da propriedade privada, casamento monogâmico e prostituição. (3) Apresentou a relação entre a dominação política e econômica pelos homens e seu controle sobre a sexualidade feminina. (4) Determinando "a grande derrota histórica do sexo feminino" no período da formação de estados arcaicos, com base na dominação das elites donas de propriedades, deu historicidade ao evento. Embora não tenha conseguido provar nenhuma dessas afirmações, ele definiu as questões teóricas mais importantes dos cem anos seguintes. Também limitou a discussão da "questão da mulher" ao oferecer uma explicação convincente de causa única e direcionar a atenção a um só evento, que comparou a uma "destruição" revolucionária. Se a causa da "escravização" das mulheres foi o desenvolvimento da propriedade privada e das instituições que dela evoluíram, então, a lógica diz que a abolição da propriedade privada libertaria as mulheres. Seja como for, a maior parte da produção teórica sobre a questão da origem da subordinação das mulheres teve como objetivo provar, melhorar ou refutar a obra de Engels.

As suposições básicas de Engels sobre a natureza dos sexos foram embasadas na aceitação de teorias evolutivas da biologia, mas seu grande mérito foi chamar atenção para o impacto de forças sociais e culturais na estruturação e definição das relações entre os sexos. Em paralelo a seu modelo de relações sociais, Engels desenvolveu a teoria evolutiva de relações entre os sexos, na qual o casamento monogâmico entre as classes trabalhadoras em uma sociedade socialista figurava como o ápice de seu desenvolvimento. Assim, ao conectar as relações entre os sexos às mudanças nas relações sociais, ele rompeu com o determinismo biológico dos tradicionalistas. Chamando atenção para o conflito sexual forjado na instituição ao emergir das relações da propriedade privada, ele reforçou a conexão entre a mudança socioeconômica e o que hoje chamaríamos de relações entre gêneros. Definiu assim o casamento monogâmico formado na sociedade do início do Estado como a "submissão de um sexo pelo outro, a proclamação de um conflito entre os sexos desconhecido por completo até então em épocas pré-históricas". E acrescentou de forma significativa:

> A primeira oposição de classes a aparecer na história coincide com o desenvolvimento do antagonismo entre homem e mulher em casamento monogâmico, e a primeira opressão de classes coincide com a do sexo feminino pelo sexo masculino.[25]

Essas afirmações ofereceram muitas possibilidades promissoras para a formação de teorias, sobre as quais falaremos mais adiante. Mas a identificação, feita por Engels, da relação dos sexos como "antagonismo de classes" foi um beco sem saída que, por muito tempo, impediu teóricos de entenderem corretamente as diferenças entre relações de classes e relações entre os sexos. Isso se deu pela insistência dos marxistas em que as questões referentes às relações entre os sexos fossem subordinadas às questões de relações entre classes, manifestadas não apenas em termos teóricos, mas como política prática, onde quer que tivessem poder para tanto. O novo conhecimento feminista começou apenas há pouco a forjar as ferramentas teóricas com as quais corrigir esses erros.

O antropólogo estruturalista Claude Lévi-Strauss também oferece uma explicação teórica na qual a subordinação das mulheres é crucial para a formação da cultura. Mas, ao contrário de Engels, Lévi-Strauss postula um único elemento fundamental com base no qual os homens construíram a cultura. Lévi-Strauss vê no tabu do incesto um mecanismo humano universal, que está na raiz de toda a organização social.

> A proibição do incesto é menos uma regra que proíbe o casamento com a própria mãe, irmã ou filha do que uma regra que obrigue o oferecimento da mãe, irmã ou filha a outros. É a regra suprema da doação.[26]

A "troca de mulheres" é a primeira forma de comércio, na qual mulheres são transformadas em mercadoria e "coisificadas", ou seja, consideradas mais coisas do que seres humanos. A troca de mulheres, de acordo com Lévi-Strauss, marca o começo da subordinação das mulheres. Isso, por sua vez, reforça uma divisão sexual do trabalho que institui a dominação masculina. Lévi-Strauss, contudo, vê o tabu do incesto como um passo adiante positivo e necessário para a criação da cultura humana. Pequenas tribos autossuficientes precisaram se relacionar com tribos vizinhas em constante guerra ou encontrar uma maneira de coexistência pacífica. Os tabus sobre a endogamia e o incesto estruturaram interações pacíficas e originaram alianças entre tribos.

O antropólogo Gayle Rubin define com exatidão esse sistema de troca e seu impacto sobre as mulheres:

> A troca de mulheres é um modo simples de expressar que as relações sociais do sistema de parentesco especificam que os homens têm certos direitos no parentesco com mulheres e que as mulheres não têm os mesmos direitos no parentesco com homens. [...] [É] um sistema no qual mulheres não têm plenos direitos para elas mesmas.[27]

Devemos observar que, na teoria de Lévi-Strauss, os homens são os atores que impõem um conjunto de estruturas e relações às mulheres. Tal explicação não pode ser considerada satisfatória. Como isso aconteceu? Por que mulheres foram trocadas, e não homens ou crianças de ambos os sexos? Mesmo admitindo a utilidade funcional desse sistema, por que as mulheres teriam concordado com ele?[28] Exploraremos essas questões mais adiante, no próximo capítulo, em uma tentativa de construir uma hipótese praticável.

O impacto considerável de Lévi-Strauss sobre teóricas feministas resultou em uma mudança de atenção – da procura por origens econômicas para o estudo dos sistemas de símbolos e significados das sociedades. A obra mais influente nesse sentido foi o ensaio de Sherry Ortner de 1974, no qual ela argumentou de forma persuasiva que, em toda sociedade conhecida, as mulheres são consideradas mais próximas da natureza do que da cultura.[29] Como toda cultura desvaloriza a natureza, uma vez que se esforça para dominá-la, as mulheres tornam-se símbolo de um ser de categoria inferior. Ortner mostrou que mulheres eram identificadas assim porque:

> 1. o corpo da mulher e sua função [...] parecem colocá-la mais próxima da natureza;
> 2. o corpo da mulher e suas funções a colocam em papéis *sociais* que, por sua vez, são considerados de categoria mais baixa no processo cultural em relação aos papéis

do homem; e 3. os papéis tradicionais da mulher, impostos por causa de seu corpo e suas funções, dão a ela uma estrutura psíquica diferente [...], que [...] é considerada mais próxima da natureza.[30]

Esse breve ensaio provocou um debate longo e bastante informativo entre teóricas e antropólogas feministas, que ainda perdura. Ortner e quem concorda com ela argumentam com firmeza em prol da universalidade da subordinação feminina, se não em condições sociais reais, pelo menos nos sistemas de significado da sociedade. Opositores desse ponto de vista contestam a alegação de universalidade, criticam seu caráter a-histórico e rejeitam a posição das mulheres como vítimas passivas. Por fim, desafiam a anuência implícita de uma dicotomia imutável entre homens e mulheres na posição estruturalista feminista.[31]

Este não é o local para se abordar de maneira adequada a riqueza e a sofisticação desse debate feminista em andamento, mas a discussão sobre a universalidade da subordinação feminina já rendeu tantas explicações alternativas, que até aqueles que concordam estão cientes da deficiência de se colocar a questão assim. Fica cada vez mais claro, com o aprofundamento do debate, que explicações de causa única e alegações de universalidade não responderão de maneira satisfatória à pergunta sobre as causas. O grande mérito da posição funcionalista é revelar a insuficiência de explicações meramente econômicas, embora aqueles inclinados a enfatizar a biologia e a economia agora sejam forçados a lidar com o poder de sistemas de crenças, símbolos e construções mentais. Sobretudo, a crença comum da maioria das feministas na construção de sociedades de gênero representa um desafio intelectual importantíssimo a explicações tradicionalistas.

Há outra posição teórica que merece profunda consideração, primeiro por ser feminista em foco e intenção, e também porque representa uma tradição histórica em pensamento sobre mulheres. A teoria maternalista é alicerçada na aceitação das diferenças biológicas entre os sexos como fato. A maioria das feministas-maternalistas também considera inevitável a divisão sexual do trabalho alicerçada sobre essas diferenças biológicas, embora alguns pensadores recentes tenham revisado essa posição. Maternalistas divergem categoricamente dos tradicionalistas por, com base nisso, argumentarem pela igualdade e até pela superioridade das mulheres.

A primeira teoria explicativa relevante criada sobre princípios maternalistas foi desenvolvida por J. J. Bachofen em seu livro bastante influente, *Das Mutterrecht*.[32] A obra de Bachofen influenciou Engels e Charlotte Perkins Gilman, e tem conceitos semelhantes aos de Elizabeth Cady Stanton. Um grande número de feministas do século XX aceitou seus dados etnográficos e sua análise de fontes literárias, usando-os para construir uma ampla gama de teorias.[33] As ideias de Bachofen também foram de grande influência para Robert Briffault, bem como para uma escola de analistas e teóricos junguianos cuja obra teve grande apelo e aceitação popular nos Estados Unidos durante o século XX.[34]

A estrutura básica de Bachofen era evolucionista e darwinista; ele descreveu vários estágios na evolução da sociedade, seguindo de modo constante do barbarismo ao patriarcado moderno. A contribuição original de Bachofen foi a afirmação de que as mulheres de sociedades primitivas criaram cultura e que existiu um estágio de "matriarcado" que tirou a sociedade do barbarismo. Bachofen fala de forma eloquente e poética sobre esse estágio:

> No estágio mais baixo e sombrio da existência humana, [o amor entre mãe-filhos era] a única luz sobre a escuridão moral. [...] Ao criar os filhos, a mulher aprende, antes que o homem, a estender seus cuidados afetuosos a outra criatura, além dos limites do ego. [...] Nesse estágio, a mulher é detentora de toda a cultura, de toda a benevolência, de toda a devoção, de toda a preocupação com os vivos e pesar pelos mortos.[35]

Apesar de seu alto apreço pelo papel das mulheres nesse passado obscuro, Bachofen considerava o predomínio do patriarcado na civilização ocidental um triunfo de ideias e organização políticas e religiosas superiores, que comparou negativamente com o desenvolvimento histórico na Ásia e na África. Mas ele defendeu, assim como seus seguidores, a incorporação do "princípio feminino" de cuidados e altruísmo na sociedade moderna.

Feministas norte-americanas do século XIX criaram uma teoria maternalista madura com base nem tanto na obra de Bachofen, mas na própria redefinição da doutrina patriarcal da "esfera específica da mulher". Ainda assim, há grandes semelhanças entre o pensamento delas e as ideias de Bachofen sobre características "femininas" positivas e inatas. Feministas do século XIX, tanto dos Estados Unidos quanto da Inglaterra, consideravam as mulheres mais altruístas do que os homens devido a seus instintos maternais e à sua prática constante, e mais virtuosas por causa do desejo sexual supostamente mais fraco. Elas acreditavam que essas características, que, diferente de Bachofen, atribuíam com frequência ao papel *histórico* de cuidadoras das mulheres, deram a elas uma missão especial: resgatar a sociedade da destruição, da competição e da violência criadas por homens em posição de dominância incontestada. Elizabeth Cady Stanton, em particular, desenvolveu uma argumentação que mesclava filosofia dos direitos naturais e nacionalismo norte-americano com maternalismo.[36]

Stanton escreveu em certa época que se redefiniam ideias tradicionalistas sobre gênero na jovem república norte-americana. No período colonial dos Estados Unidos, tal como na Europa do século XVIII, as mulheres eram vistas como subordinadas e dependentes de seus parentes homens dentro da família, mesmo sendo consideradas, em especial nas colônias e em condições remotas, parceiras na vida econômica. Haviam sido excluídas do acesso à educação, da participação e do poder na vida pública. Agora, com homens criando uma nova nação, eles atribuíram à mulher o novo papel de "mãe da república", responsável pela criação dos cidadãos homens que conduziriam a sociedade. As mulheres republicanas agora seriam soberanas na esfera doméstica, ao mesmo tempo que os homens reivindicavam com firmeza a esfera pública, inclusive a vida econômica, como seu domínio exclusivo. Esferas específicas determinadas pelo sexo, como definidas no "culto à verdadeira mulheridade", tornaram-se a ideologia predominante. Enquanto os homens institucionalizavam sua dominância na economia, na educação e na política, as mulheres eram encorajadas a se adaptar a seu *status* de subordinação por uma ideologia que deu à função materna um significado superior.[37]

Nas décadas iniciais do século XIX, as mulheres norte-americanas, na prática e no pensamento, redefiniram por conta própria a posição que deveriam ocupar na sociedade. Embora as primeiras feministas aceitassem como fato a existência de esferas específicas, transformaram o significado desse conceito argumentando em prol do direito e do dever da mulher de participar da esfera pública devido à superioridade de seus valores e à força incorporada a seu papel materno. Stanton transformou a doutrina da "esfera específica" em um debate feminista ao argumentar que as mulheres tinham direito à igualdade por serem cidadãs, logo, possuíam os mesmos direitos naturais que os homens, e também porque, como *mães*, tinham mais condições que os homens de melhorar a sociedade.

Argumento feminista-maternalista semelhante foi demonstrado mais tarde na ideologia do movimento pelo sufrágio e na dos reformistas que defendiam, com Jane Addams, que o trabalho das mulheres se estendia à "administração interna municipal". É curioso notar que feministas-maternalistas modernas argumentavam de maneira similar, embasando suas ideias em dados psicológicos e nas evidências da experiência histórica das mulheres como alheias ao poder político. Dorothy Dinnerstein, Mary O'Brien e Adrienne Rich são as últimas de uma longa linhagem de maternalistas.[38]

Por terem aceitado as diferenças sexuais biológicas como determinantes, as maternalistas do século XIX não estavam tão preocupadas com a questão das origens quanto suas seguidoras do século XXI. Mas desde o começo, com Bachofen, a negação da universalidade da subordinação feminina estava implícita na posição evolutiva maternalista. Existira um modelo alternativo de organização social humana antes do patriarcado, afirmavam as maternalistas. Assim, a busca pelo matriarcado era fundamental para o pensamento delas. Se pudessem encontrar evidências da existência de sociedades matriarcais em qualquer lugar e época, a reivindicação das mulheres por igualdade e uma parte do poder obteria grande respeito e aprovação. Até há pouco tempo, tais evidências, conforme encontradas, consistiam de uma combinação de arqueologia, mito, religião e artefatos de significados dúbios, unidas por especulação. Central à defesa do matriarcado estavam as evidências onipresentes de figuras de Deusas-Mães em muitas religiões antigas, com base nas quais maternalistas argumentavam em prol da existência do poder feminino no passado. Discutiremos em mais detalhes a evolução das Deusas-Mães no Capítulo Sete; neste momento, precisamos apenas enfatizar a dificuldade de se concluir com base em tais evidências a favor da construção de organizações sociais nas quais as mulheres eram dominantes. Em vista das evidências históricas de coexistência da idolatria simbólica de mulheres com seu *baixo status* real – tais como o culto à Virgem Maria na Idade Média, o culto à senhora da plantação nos Estados Unidos antes da Guerra Civil, ou o culto a estrelas de Hollywood na sociedade contemporânea –, hesita-se em elevar essas evidências ao *status* de prova histórica.

As evidências etnográficas que embasaram os argumentos de Bachofen e Engels foram bastante refutadas por antropólogos modernos – evidências que, da forma como foram unidas, mostraram-se não de "matriarcado", mas de matrilocalidade e matrilinearidade. Ao contrário do que se acreditava antes, não é possível demonstrar uma conexão entre as estruturas de parentesco e a posição social da mulher. Na maioria das sociedades matrilineares, é um parente homem, em geral o irmão ou tio da mulher, quem controla as decisões econômicas e familiares.[39]

Existe agora um grande conjunto de evidências antropológicas modernas disponíveis que descrevem sistemas sociais relativamente igualitários e soluções variadas e complexas adotadas por sociedades para o problema da divisão de trabalho.[40] A literatura baseia-se muito em sociedades tribais modernas, com poucos exemplos do século XIX. Isso levanta a questão, em particular para historiadores, quanto à validade dessas informações para generalizações sobre povos pré-históricos. De qualquer forma, com base nos dados disponíveis, parece que as sociedades mais igualitárias são encontradas entre tribos de caçadores-coletores, caracterizadas pela interdependência econômica. Uma mulher deve contar com os serviços de um caçador para garantir o fornecimento de carne para si mesma e seus filhos. Um caçador deve contar com uma mulher que o alimentará com comida que o sustente para ir à caça e ainda mais, no caso de ser malsucedido. Como observamos antes, nessas sociedades, as mulheres fornecem a maior parte do alimento consumido, mas o produto da caça é considerado o alimento mais valioso e usado em troca de presentes. Essas tribos de caçadores-coletores evidenciam a cooperação econômica e tendem a viver em paz com outras tribos. A competição é ritualizada em torneios de canto ou atletismo, mas não encorajada na vida cotidiana. Como de costume, as interpretações de acadêmicos da área são divergentes, mas uma avaliação mais completa das evidências permite a generalização de que, nessas sociedades, o *status* relativo de homens e mulheres é "separado, porém similar".[41]

Existe uma polêmica considerável entre antropólogos sobre como categorizar qualquer tipo de sociedade. Muitas antropólogas e autoras feministas interpretaram complementaridade ou até ausência nítida de dominância masculina como prova de igualitarismo ou mesmo de dominância feminina. Assim,

Eleanor Leacock descreve o alto *status* de mulheres iroquesas, em particular antes da invasão europeia: o poderoso papel público de controlar a distribuição de alimentos e a participação no Conselho de Anciãos. Leacock interpreta esses fatos como evidências de "matriarcado", definindo o termo como uma sociedade em que "mulheres tinham autoridade pública em áreas importantes da vida em grupo".[42] Outros antropólogos, observando os mesmos dados e reconhecendo o *status* relativamente alto e a posição de poder de mulheres iroquesas, concentram-se no fato de que elas nunca eram líderes políticas da tribo nem comandantes. Também pontuam a singularidade da situação dos iroqueses, com base na abundância de recursos naturais disponíveis em seu ambiente.[43] Deve-se observar ainda que, em todas as sociedades de caçadores--coletores, não importando o *status* social e econômico das mulheres, estas sempre eram subordinadas aos homens em alguns aspectos. Não existe uma só sociedade conhecida na qual "mulheres como grupo" tivessem poder de decisão *sobre* os homens ou definissem as regras de conduta sexual, ou mesmo controlassem as transações de casamento.

É em sociedades de horticultura que encontramos com mais frequência mulheres dominantes ou bastante influentes na esfera econômica. Em uma pesquisa por amostragem realizada em 515 sociedades de horticultura, as mulheres dominam as atividades de cultivo em 41% dos casos, mas, historicamente, essas sociedades caminham em direção ao assentamento residencial e à agricultura de arado, cuja vida econômica e política os homens dominam.[44] A maioria das sociedades de horticultura estudadas era patrilinear, apesar do papel econômico decisivo das mulheres. Sociedades de horticultura matrilineares parecem ocorrer sobretudo em determinadas condições ecológicas – perto de limiares de florestas, onde não existem rebanhos de animais domesticados. Como tais hábitats estão desaparecendo, as sociedades matrilineares estão quase extintas.

Ao resumirmos os achados referentes à dominância feminina, podemos pontuar: (1) A maioria das evidências de igualdade entre os sexos nas sociedades deriva de sociedades matrilineares e matrilocais, que são historicamente temporárias e estão desaparecendo. (2) Embora a matrilinearidade e a matrilocalidade confiram certos direitos e privilégios às mulheres, o poder de decisão dentro das relações de parentesco é dos homens mais velhos. (3) Origem patrilinear não implica subjugação de mulheres, tampouco origem matrilinear indica matriarcado. (4) Observadas ao longo do tempo, as sociedades matrilineares não conseguiram se adaptar a sistemas competitivos, exploradores e técnico--econômicos, sendo substituídas por sociedades patrilineares.

A universalidade do matriarcado pré-histórico parece nitidamente contrariada por evidências antropológicas. Mas o debate sobre o matriarcado continua, em grande parte porque defensores da teoria do matriarcado definiram o termo de forma vaga o suficiente para incluí-lo em várias outras categorias. Aqueles que definem matriarcado como uma sociedade na qual mulheres dominam os homens, uma espécie de patriarcado às avessas, não conseguem citar provas antropológicas, etnológicas ou históricas. Sustentam a teoria com evidências que se baseiam em mito e religião.[45] Outros chamam de matriarcado qualquer sistema social em que as mulheres tenham controle sobre algum aspecto da vida pública. Outros ainda incluem toda sociedade na qual as mulheres gozem de *status* relativamente alto.[46] A última definição é tão vaga, que não faz sentido como categoria. Penso que só podemos falar em matriarcado quando as mulheres têm poder *sobre* os homens, não ao lado deles; quando esse poder inclui o domínio público e as relações exteriores, e quando as mulheres tomam decisões essenciais não apenas para seus parentes, mas para a comunidade. De acordo com minha discussão anterior, esse poder deveria incluir a definição de valores e sistemas explicativos da sociedade, bem como a definição e o controle do comportamento sexual masculino. Pode-se observar que defino matriarcado como a imagem refletida do patriarcado. Segundo essa definição, eu concluiria que nunca existiu uma sociedade matriarcal.

Existiram e ainda existem sociedades nas quais as mulheres compartilham poder com os homens em muitos ou alguns aspectos da vida, e sociedades nas quais mulheres em grupos têm poder considerável para influenciar ou controlar o poder dos homens. Também existem, e existiram ao longo da história, mulheres em particular com todos ou quase todos os poderes dos homens, que representam ou por quem atuam como substitutas, por exemplo, rainhas e soberanas. Como este livro mostrará, a possibilidade de compartilhar poder político e econômico com homens de sua classe ou posição tem sido privilégio de algumas mulheres de classe alta, o que as restringiu ainda mais ao patriarcado.

Há evidências arqueológicas da existência de sociedades no Neolítico e na Idade do Bronze nas quais as mulheres eram muito valorizadas, o que também pode indicar que tivessem certo poder. A maioria dessas evidências consiste de imagens de mulheres que foram interpretadas como deusas da fertilidade; e, da Idade do Bronze, artefatos artísticos que retratam mulheres com dignidade e sinais de alto *status*. Avaliaremos as evidências das deusas no Capítulo Sete e discutiremos sociedades mesopotâmicas na Idade do Bronze ao longo deste livro. Agora vamos revisar brevemente as evidências de um caso específico, citado muitas vezes por defensores da existência do matriarcado: Çatal Hüyük, na Anatólia (atual Turquia).

As escavações de James Mellaart, em especial em Hacilar e Çatal Hüyük, trouxeram esclarecimentos relevantes sobre o desenvolvimento das primeiras cidades na região. Çatal Hüyük, um assentamento urbano neolítico de 6 mil a 8 mil pessoas, foi construído em camadas consecutivas durante um período de cerca de 530 anos (6250-5720 a.C.), com novas cidades sobre as ruínas de assentamentos mais antigos. A comparação entre as várias camadas de assentamento em Çatal Hüyük e as de uma aldeia menor e mais antiga, Hacilar (construída entre 7040 e 7000 a.C.), oferece-nos conhecimento sobre uma sociedade em seus primórdios submetida à mudança histórica.[47]

Çatal Hüyük foi uma cidade construída como uma colmeia de residências individuais que pouco variavam em tamanho e mobiliário. Entrava-se nas casas pelo telhado, por meio de uma escada; cada casa era equipada com uma lareira de tijolo cru e um forno. Todas as casas tinham uma plataforma onde se dormia, e embaixo delas foram encontradas ossadas de mulheres e também de crianças. Plataformas menores foram encontradas em posições variadas em diferentes dormitórios, ora com homens, ora com crianças enterrados sob elas, mas nunca homens e crianças juntos. Mulheres eram enterradas com espelhos, joias e ferramentas feitas de ossos e pedras; homens eram enterrados com armas, argolas, contas e ferramentas. Tecidos e recipientes de madeira encontrados no local indicam um alto nível de habilidade e especialização, bem como amplo comércio. Mellaart encontrou tapetes de junco, cestos de tecido e muitos objetos feitos de obsidiana, um indício de que a cidade estava envolvida em comércio de longa distância e gozava de riqueza considerável. Foram encontradas ainda evidências de uma grande variedade de alimentos e grãos, e de ovelhas, cabras e cães domesticados nas camadas mais recentes.

Mellaart acha que apenas gente privilegiada era enterrada nas casas. Das 400 pessoas encontradas lá, apenas 11 tinham enterro "ocre" – ou seja, as ossadas estavam pintadas com ocre vermelho, o que Mellaart interpreta como sinal de alto *status*. Como a maioria destas era de mulheres, Mellaart argumenta que as mulheres tinham alto *status* na sociedade e especula que podem ter sido sacerdotisas. Esse indício de certa maneira perde força pelo fato de que, das 222 ossadas adultas encontradas em Çatal Hüyük, 136 eram de mulheres, uma proporção surpreendentemente alta.[48] Se a maioria dos enterros "ocre" encontrados por Mellaart era de mulheres, isso poderia apenas se encaixar na proporção sexual da população geral. Mas indica, contudo, que as mulheres estavam entre as pessoas de alta classe, desde que a especulação de Mellaart sobre o significado do enterro "ocre" esteja correta.

A ausência de ruas, de uma grande praça pública ou de um palácio, bem como o tamanho e o mobiliário uniformes das casas, levaram Mellaart a considerar que não havia hierarquia nem autoridade política central em Çatal Hüyük, e que a autoridade era compartilhada entre os habitantes. A primeira consideração parece adequada e pode ser sustentada por evidências comparativas, mas não podemos provar, com base nisso, que a autoridade era compartilhada. A autoridade, mesmo na ausência de uma estrutura de palácio ou órgão administrativo formal, pode ter ficado a cargo de grupos de parentes ou de um grupo de anciãos. Nada nos achados de Mellaart prova a autoridade compartilhada.

As várias camadas de Çatal Hüyük revelam uma quantidade extraordinariamente grande de santuários, que eram decorados com pintura nas paredes, ornamentos de gesso e estátuas. Não há representações de humanos nas camadas mais baixas da escavação, apenas touros e carneiros, pinturas de animais e chifres de touros. Mellaart interpreta esses achados como representações simbólicas de deuses homens. As primeiras representações de imagens femininas aparecem na camada de 6200 a.C., com seios, nádegas e quadris exagerados de forma grosseira. Algumas aparecem sentadas, uma aparece parindo; elas estão cercadas por seios de gesso nas paredes, alguns dos quais moldados sobre crânios e mandíbulas de animais. Há também uma estátua singular de um homem e uma mulher se abraçando e, ao lado dela, a estátua de uma mulher segurando uma criança. Mellaart chama essas imagens de deusas e observa que são associadas com a vida e a morte (dentes e mandíbulas de abutres nos seios); ele também nota a associação delas com padrões de flores, grãos e verduras na decoração das paredes, e com leopardos (símbolo da caça) e abutres (símbolo da morte). Nas camadas mais recentes não aparecem representações de deuses homens.

Mellaart argumenta que o homem de Çatal Hüyük era um objeto de orgulho, valorizado por sua virilidade, e que seu papel na procriação era compreendido. Ele acredita que homens e mulheres compartilhavam o poder e o controle sobre a comunidade no período inicial e que ambos participavam das caçadas. A última afirmação baseia-se em pinturas de parede que mostram mulheres participando de uma cena de ritual ou caçada com um cervo e um javali. Essa parece uma conclusão bastante exagerada, considerando-se que ambas as pinturas mostram uma grande quantidade de homens caçando e cercando o animal, enquanto apenas duas figuras femininas são visíveis, ambas de pernas abertas, o que pode indicar algum simbolismo sexual, embora pareça um tanto incompatível com a participação de mulheres em caçadas.[49] Da estrutura das construções e plataformas, Mellaart compreende que a organização comunitária era matrilinear e matrilocal. Essa última suposição é bastante provável, com base em evidências. Ele acredita que as mulheres desenvolveram a agricultura e controlavam seus produtos. Pela ausência de evidências de sacrifício humano nos santuários, ele argumenta que não havia autoridade central nem casta militar, e diz que em toda a Çatal Hüyük não existem evidências de guerra ao longo de um período de mil anos. Mellaart também defende que as mulheres criaram a religião neolítica e que, sobretudo, eram artistas.

Esses achados e evidências foram interpretados de maneiras divergentes. Em uma pesquisa acadêmica, P. Singh detalha todas as evidências de Mellaart e as contextualiza com outros assentamentos neolíticos, mas omite as conclusões de Mellaart, exceto sobre a economia da cidade.[50] Em um estudo de 1976, Ian Todd, que participou de algumas das escavações de Çatal Hüyük, advertiu que a natureza limitada das escavações de Çatal Hüyük torna prematuras as conclusões sobre estratificação na sociedade. Ele concorda que os achados arqueológicos demonstrem uma sociedade com estrutura social completa, mas conclui que "não sabemos se a sociedade era mesmo matriarcal como se sugere".[51] Anne Barstow, em uma avaliação cuidadosa, concorda com a maioria dos achados de Mellaart. Ela enfatiza a importância dessas observações a respeito da celebração da fecundidade e força da mulher, e de seu papel na criação da religião, mas não constata nada que comprove o matriarcado.[52] Ruby Rohrlich, com base nas mesmas evidências, defende a existência de matriarcado. Ela aceita sem questionar as generalizações de Mellaart e argumenta que as evidências apresentadas por ele refutam a universalidade da supremacia masculina nas sociedades humanas. A análise de Rohrlich é importante por concentrar a atenção em várias partes de evidências de mudança na sociedade quanto às relações entre os sexos no período da formação de estados arcaicos, mas sua falta de clareza na distinção entre relações igualitárias homem-mulher e matriarcado obscurece nossa visão.[53]

Os achados de Mellaart são importantes, mas suas generalizações sobre o papel das mulheres devem ser consideradas com cuidado. Parece haver evidências nítidas de matrilocalidade e de culto a deusas mulheres. A periodização do início desse culto é incerta: Mellaart o relaciona ao início da agricultura, que ele acha ter dado um *status* mais alto às mulheres. Como veremos de forma mais completa, o oposto disso parece ser o caso em muitas sociedades. Mellaart pode ter reforçado seu argumento usando achados de um de seus colegas de trabalho, Lawrence Angel, que descobriu, analisando fósseis, um aumento significativo na expectativa de vida de mulheres do Neolítico em relação ao Paleolítico: de 28,2 anos para 29,8 anos. Esse aumento de quase dois anos na longevidade feminina deve ser considerado em comparação com a expectativa de vida de 34,3 anos de Çatal Hüyük. Em outras palavras, apesar de os homens viverem quatro anos a mais do que as mulheres, houve um aumento considerável na longevidade das mulheres em comparação com um período anterior. Esse aumento pode ter ocorrido em razão da mudança de caça-coleta para agricultura, e pode ter dado às mulheres um papel relativamente mais dominante nessa cultura.[54] As observações de Mellaart sobre a ausência de guerra em Çatal Hüyük devem ser comparadas com as evidências abundantes de existência de guerra e de comunidades combativas em regiões vizinhas. E, por fim, não podemos deixar de considerar o abandono repentino e sem explicação de seus habitantes por volta de 5700 a.C., que parece indicar uma derrota militar ou a incapacidade da comunidade de se adaptar a mudanças nas condições ecológicas. Seja qual for o caso, corroboraria a observação de que comunidades com relações de certa forma igualitárias entre os sexos não sobreviveram.[55]

Ainda assim, Çatal Hüyük nos fornece evidências sólidas da existência de algum tipo de modelo alternativo ao patriarcado. Acrescentando-se isso às outras evidências que citamos, podemos afirmar que a subordinação feminina não é universal, mesmo que não tenhamos provas da existência de uma sociedade matriarcal. Porém as mulheres, assim como os homens, têm grande necessidade de um sistema explicativo que não apenas nos diga o que é e por que é assim, mas que também nos ofereça uma visão alternativa do futuro.[56] Portanto, antes que prossigamos para as evidências históricas do estabelecimento do patriarcado, vamos apresentar um modelo hipotético – para libertar a mente e a alma, brincar com as possibilidades e considerar alternativas.

DOIS

HIPÓTESE DE TRABALHO

A SUPOSIÇÃO BÁSICA COM A QUAL devemos começar qualquer teoria sobre o passado é a de que homens e mulheres construíram a civilização em conjunto.[1] Começando pelo desfecho e voltando para trás, fazemos uma pergunta diferente daquela sobre uma "origem" de causa única. Perguntamos: como homens e mulheres, na criação da sociedade e na construção do que chamamos de civilização ocidental, chegaram à situação atual? Quando abandonamos o conceito de mulheres como vítimas históricas, influenciadas por homens violentos, "forças" inexplicáveis e instituições da sociedade, devemos explicar o enigma central – a participação da mulher na construção do sistema que a subjuga. Sugiro que abandonar a busca por um passado empoderador – a busca pelo matriarcado – seja o primeiro passo na direção certa. A criação de mitos compensatórios do passado distante das mulheres não as emancipará nem no presente, nem no futuro.[2] O pensamento patriarcal é construído de tal modo em nossos processos mentais, que não podemos excluí-lo se não tomarmos consciência dele, o que sempre significa um grande esforço. Assim, quando pensamos sobre o passado pré-histórico das mulheres, estamos tão presos ao sistema explicativo androcêntrico, que o único modelo alternativo que vem de imediato à cabeça é o oposto. Se não era patriarcado, então só pode ter sido matriarcado. É certo que havia diversas maneiras de homens e mulheres organizarem a sociedade e compartilharem poder e recursos. Nenhuma das evidências arqueológicas que temos é conclusiva e suficiente para nos permitir construir um modelo cientificamente correto daquele importante período de transição de caçadores-coletores neolíticos para sociedades sedentárias voltadas à agricultura. O método dos antropólogos, que nos oferecem exemplos de sociedades contemporâneas de caçadores-coletores e extraem desses exemplos conclusões sobre sociedades no quinto milênio a.C., não é menos especulativo do que o método do filósofo e do especialista em estudos religiosos, que argumentam com base em literatura e mitos. A questão é que a maioria dos modelos especulativos é androcêntrica e admite a naturalidade do patriarcado, e os poucos modelos feministas são a-históricos e, portanto, insuficientes, a meu ver.

Uma análise correta da nossa situação e de como ela aconteceu ajuda-nos a criar uma teoria empoderadora. Devemos pensar em gênero do âmbito histórico e específico, tal como ocorre em sociedades variadas e sujeitas a mudanças. A antropóloga Michelle Rosaldo chegou a conclusões semelhantes, embora partindo de um ponto de vista diferente. Ela escreveu:

> Procurar origens é, no fim das contas, pensar que o que somos hoje é algo além do produto de nossa história e nosso mundo social do presente, e, de forma mais específica, que nossos sistemas de gênero são primordiais, transistóricos e essencialmente imutáveis.[3]

Nossa busca, portanto, torna-se uma busca pela história do sistema patriarcal. Dar historicidade ao sistema de dominância masculina e afirmar que suas funções e manifestações mudam ao longo do tempo é romper com a tradição oferecida. Essa tradição mistificou o patriarcado, tornando-o a-histórico, eterno, invisível e imutável. Mas é exatamente por causa de mudanças em oportunidades sociais e educacionais disponíveis às mulheres que, nos séculos XIX e XX, inúmeras delas enfim foram capazes de avaliar de forma crítica o processo pelo qual ajudamos a forjar e manter o sistema. Somente agora conseguimos conceituar o papel das mulheres na história, criando, assim, uma consciência que pode emancipá-las. Essa consciência também pode libertar os homens das consequências indesejáveis do sistema de dominância masculina.

Ao abordar essa pesquisa como historiadores, precisamos abandonar explicações de causa única. Devemos presumir que, se e quando eventos ocorrem de forma simultânea, eles não têm necessariamente relação causal. Devemos presumir a possibilidade de que mudanças tão complexas quanto uma alteração básica nas estruturas de parentesco ocorreram como resultado de uma variedade de forças em interação. Precisamos testar qualquer hipótese desenvolvida para um modelo de forma comparativa e entrecruzando culturas. A posição das mulheres na sociedade deve também ser observada sempre em comparação com a posição dos homens do mesmo grupo social e da mesma época.

Precisamos provar nossa teoria não apenas com evidências materiais, mas com evidências de fontes escritas. Embora procuremos a ocorrência de "padrões" e semelhanças, devemos estar abertos à possibilidade de que conclusões semelhantes, decorrentes de uma variedade de fatores, possam ser o resultado de processos muito diferentes. Sobretudo, precisamos enxergar a posição da mulher na sociedade como sujeita a mudanças ao longo do tempo, não apenas na forma, como também no significado; por exemplo, o papel social da "concubina" não pode ser avaliado por padrões do século XX ou mesmo do século XIX quando o estudamos no primeiro milênio a.C. Esse é um exemplo tão óbvio, que parece desnecessário citá-lo, mas tais erros acontecem com frequência na discussão do passado das mulheres. O gênero, em particular, tem importância simbólica, bem como ideológica e legal, tão forte na maioria das sociedades, que não podemos entendê-lo sem prestar atenção a todos os aspectos de seu significado.

A construção hipotética que ofereço pretende ser apenas um de inúmeros modelos possíveis. Mesmo na limitada região geográfica do Antigo Oriente Próximo deve ter havido diversas maneiras pelas quais ocorreu a transição para o patriarcado. Como é provável que jamais saibamos com exatidão o que aconteceu, somos obrigados a especular a respeito do que pode ter acontecido. Essas projeções utópicas sobre o passado têm uma importante função para quem deseja criar teorias – saber o que pode ter acontecido dá abertura a novas interpretações. Permite-nos especular a respeito do que pode acontecer no futuro, livres dos limites de uma estrutura restrita e antiquada.

Comecemos com o período de transição, quando hominídeos evoluíram de primatas, há cerca de 3 milhões de anos, e consideremos a mais básica díade:

mãe e filho. A primeira característica que distingue seres humanos de outros primatas é a infância prolongada e vulnerável da criança humana. Isso é resultado direto do bipedismo, que causou o estreitamento da pelve feminina e do canal vaginal em razão da postura ereta. Em consequência disso bebês humanos nascem em maior estágio de imaturidade do que outros primatas, com a cabeça relativamente menor, para facilitar a passagem pelo canal vaginal. Além disso, em comparação com os macacos mais desenvolvidos, bebês humanos nascem sem pelos, portanto, têm mais necessidade de aquecimento. Eles não podem se agarrar às mães para um apoio estável, pois não têm os dedos dos pés flexíveis dos macacos, então as mães precisam usar as mãos ou, depois, substitutos mecânicos, para que possam segurar os bebês junto ao corpo.[4] O bipedismo e a postura ereta também resultaram no desenvolvimento mais refinado da mão, no polegar e em maior coordenação sensorial da mão. Consequentemente, o cérebro humano se desenvolve por muitos anos durante o período de infância, em que a criança é totalmente dependente, sendo, portanto, sujeito a modificações por meio do aprendizado e de intensa moldagem cultural, de modo completamente diferente do desenvolvimento dos animais. A neurofisiologista Ruth Bleier usa esses fatos em um argumento revelador contra quaisquer teorias que afirmem ser as características humanas "inatas".[5]

A mudança do forrageamento para a coleta de alimentos para consumo posterior, possivelmente por mais de um indivíduo, foi crucial para o avanço do desenvolvimento humano. Deve ter fomentado a interação social, a invenção e o desenvolvimento de recipientes, além do lento aumento evolutivo do tamanho do cérebro. Nancy Tanner sugere que as mulheres, ao cuidar de seus vulneráveis bebês, foram mais incentivadas a desenvolver essas habilidades, enquanto os homens continuaram a forragear sozinhos durante um longo período. Ela especula que foram essas atividades que levaram ao primeiro uso de ferramentas para abrir e dividir alimentos vegetais com as crianças e para cavar em busca de raízes. Fosse como fosse, a sobrevivência do bebê dependia da qualidade dos cuidados maternos. "De forma semelhante, a efetividade de coleta da mãe melhorou sua própria nutrição, aumentando, portanto, sua expectativa de vida e fertilidade."[6]

Postulamos, como Tanner e Bleier, que, dos hominídeos eretos aos seres humanos plenamente desenvolvidos da Era Neandertal ou Idade da Pedra

(100 mil a.C.), o papel das mulheres foi fundamental. Pouco depois desse período, a caça em grande escala feita por grupos de homens foi desenvolvida na África, na Europa e na Ásia Setentrional; as evidências mais antigas da existência de arcos e flechas pode ser datada apenas de 15 mil anos atrás. Como a maioria das explicações para a divisão sexual do trabalho postula a existência de sociedades de caçadores-coletores, precisamos observar com mais atenção tais sociedades nos períodos Paleolítico e Neolítico.

Vêm do Neolítico as evidências remanescentes de pinturas em paredes e esculturas que sugerem a difundida adoração da Deusa-Mãe. Podemos entender por que é provável que homens e mulheres a tenham escolhido como primeira forma de expressão religiosa se considerarmos o laço psicológico entre mãe e filho. Devemos nossos conhecimentos sobre as complexidades e a importância desse laço em grande parte aos registros psicanalíticos modernos.[7] Como Freud nos mostrou, na primeira experiência de mundo da criança, o ambiente em sua totalidade e o eu mal se separam. O ambiente, que, em termos básicos, é a mãe como fonte de alimento, calor e prazer, apenas aos poucos torna-se diferenciado do eu, conforme o bebê sorri ou chora para garantir a gratificação de suas necessidades. Quando as necessidades do bebê não são satisfeitas e ele sente ansiedade e dor associadas ao frio e à fome, o bebê aprende a reconhecer o poder opressor do "outro lá fora", a mãe. Estudos psicológicos modernos nos oferecem narrativas detalhadas da complexa interação entre mãe e filho e das formas como a resposta do corpo da mãe, seu sorriso e sua fala ajudam a formar o conceito de mundo e de eu da criança. É nessa interação humanizadora que o bebê começa a tirar prazer de sua capacidade de impor a própria vontade sobre o ambiente. O esforço por autonomia e reconhecimento da individualidade é produzido na luta do bebê contra a presença opressora da mãe.

Os registros psicoanalíticos nos quais se baseiam essas generalizações vêm de um estudo sobre a maternidade em sociedades ocidentais modernas. Ainda assim, eles enfatizam a importância crucial da experiência de completa dependência do bebê e da experiência de poder opressor da mãe para a formação de caráter e identidade do indivíduo. Em uma época em que leis contra o infanticídio, bem como a disponibilidade de mamadeiras, quartos aquecidos e cobertores, oferecem aos bebês proteção social, não importando as inclinações da mãe, esse "poder opressor da mãe" parece mais simbólico do que real.

Há 200 anos ou mais, outros cuidadores, homens e mulheres, podem, se necessário, oferecer serviços maternos a um bebê sem arriscar suas chances de sobrevivência. A sociedade civilizada colocou-se entre mãe e filho e mudou a maternidade. Mas, em condições primitivas, antes da criação das instituições da sociedade civilizada, o poder real da mãe sobre o bebê deve ter sido aterrador. Apenas os braços e o cuidado da mãe abrigavam o bebê do frio; apenas o leite materno podia fornecer a nutrição necessária para sua sobrevivência. A indiferença ou negligência da mãe significava morte certa. A mãe que dava a vida tinha, de fato, poder sobre a vida e a morte. Não surpreende que homens e mulheres, observando esse poder dramático e misterioso da mulher, tenham passado a adorar a Deusa-Mãe.[8]

Meu objetivo aqui é enfatizar a *necessidade*, que criou a divisão inicial do trabalho, segundo a qual as mulheres realizavam a função materna. Durante milênios, a sobrevivência do grupo dependeu disso e não havia alternativa.

Nas condições extremas e perigosas sob as quais viviam os humanos primitivos, a sobrevivência até a idade adulta de pelo menos dois filhos por casal exigia muitas gestações para cada mulher. Dados precisos sobre a expectativa de vida pré-histórica são de difícil obtenção, mas estimativas com base em estudos de fósseis colocam a essa expectativa, do Paleolítico e do Neolítico, entre 30 e 40 anos. No estudo detalhado de 222 ossadas adultas de Çatal Hüyük mencionado antes, Lawrence Angel chegou à expectativa de vida de 34,3 anos para homens e de 29,8 anos para mulheres (excluem-se da análise os que morreram durante a infância).[9]

Mulheres precisavam ter mais gestações do que partos bem-sucedidos, como continuou a ser o caso também em épocas históricas de sociedades agrícolas. A infância dos bebês era bastante prolongada, uma vez que as mães os amamentavam por dois ou três anos. Assim, podemos presumir que era absolutamente necessário para a sobrevivência do grupo que a maioria das mulheres núbeis dedicasse a vida adulta a engravidar, ter filhos e amamentar. Era esperado que homens e mulheres aceitassem tal necessidade e construíssem crenças, tradições e valores dentro de suas culturas que sustentassem essas práticas essenciais.

Consequentemente, mulheres escolhiam ou preferiam atividades econômicas que pudessem ser combinadas com facilidade aos deveres da maternidade.

Embora seja razoável presumir que algumas mulheres em cada tribo ou bando fossem fisicamente capazes de caçar, também pode se presumir que não queriam participar de caçadas a grandes animais com regularidade, pois ficariam sobrecarregadas fisicamente com filhos na barriga, nos quadris ou nas costas. Além disso, embora um bebê carregado nas costas possa não ser um impedimento para a mãe participar de uma caçada, um bebê chorando pode ser. Exemplos citados por antropólogos de tribos de caçadores-coletores no mundo contemporâneo, nas quais são feitos acordos alternativos para os cuidados dos filhos e nas quais as mulheres participam de caçadas de modo ocasional, não contradizem o argumento anterior.[10] Apenas mostram o que as sociedades podem fazer com relação a tentativas e organização; não mostram, porém, qual foi o provável modo predominante, do âmbito histórico, que permitiu a sobrevivência das sociedades. É óbvio que, dada a curta e precária expectativa de vida do Período Neolítico que mencionei antes, as tribos que colocavam em risco a vida de mulheres núbeis em caçadas ou guerras, assim aumentando a probabilidade de que se machucassem em acidentes, não tendiam a sobreviver tão bem quanto tribos em que essas mulheres trabalhavam de outra maneira.

Portanto, a primeira divisão sexual do trabalho, pela qual homens caçavam grandes animais e mulheres e crianças caçavam pequenos animais e coletavam alimentos, parece ter se originado de diferenças biológicas entre os sexos.[11] Não se trata de diferenças de força ou resistência, mas unicamente reprodutivas – em especial, a capacidade de amamentar bebês. Posto isso, quero enfatizar que minha aceitação de uma "explicação biológica" só é aplicável aos primeiros estágios do desenvolvimento humano e não significa que a divisão sexual do trabalho ocorrida depois, com base na maternidade, seja "natural". Pelo contrário, mostrarei que a dominância masculina é um fenômeno histórico porque surgiu de um fato biologicamente determinado e tornou-se uma estrutura criada e reforçada em termos culturais ao longo do tempo.

Minha síntese não pretende sugerir que todas as sociedades primitivas sejam organizadas de tal maneira, a fim de impedir que mães exerçam atividades econômicas. Sabemos, pelo estudo de sociedades primitivas do passado e do presente, que os grupos encontram várias formas de estruturar a divisão do trabalho para mães que cuidam de seus filhos e também para mães livres para uma grande variedade de atividades econômicas. Algumas mães levam os filhos com elas por longas distâncias; em outros casos, idosos e filhos mais velhos atuam como cuidadores.[12] Fica claro que, para as mulheres, a ligação entre ter e criar filhos é determinada culturalmente e sujeita à manipulação social. Meu objetivo é salientar que a mais antiga divisão sexual do trabalho, segundo a qual as mulheres *escolheram* ocupações compatíveis com a maternidade e a criação dos filhos, era *funcional*, por isso satisfatória tanto para homens quanto para mulheres.

A infância prolongada e vulnerável dos humanos cria o forte laço materno. Essa relação, necessária do ponto de vista social, se fortalece pela evolução durante os estágios iniciais do desenvolvimento da humanidade. Perante situações novas e ambientes instáveis, é provável que tribos e grupos nos quais as mulheres não exerciam bem o papel de mães nem zelavam pela saúde e sobrevivência das mulheres núbeis não tenham conseguido sobreviver. Ou, por outro lado, grupos que aceitavam e institucionalizavam uma divisão sexual do trabalho que fosse funcional tinham mais chances de sobreviver.

Podemos apenas especular sobre as personalidades e autopercepções de pessoas que viveram sob as condições predominantes no Neolítico. A necessidade deve ter imposto limitações aos homens, bem como às mulheres. Era preciso ter coragem para deixar o abrigo da caverna ou cabana para enfrentar animais selvagens com armas primitivas, vagar longe de casa e arriscar encontros com tribos vizinhas possivelmente perigosas. Homens e mulheres devem ter desenvolvido a coragem necessária para a autodefesa e a defesa da prole. Devido à tendência cultural de se concentrar nas atividades de homens, etnógrafos nos forneceram muita informação sobre as consequências do desenvolvimento da autoconfiança e competência do homem-caçador. Com base em evidências etnográficas, Simone de Beauvoir especulou que foi essa divisão inicial do trabalho a origem da desigualdade entre os sexos, que condenou a mulher à "imanência" – a busca pelo trabalho diário, repetitivo e sem fim –, ao contrário do que ocorreu com a bravura do homem, que o levou à "transcendência". A fabricação de ferramentas, invenções, o desenvolvimento de armas – descreve-se tudo isso como oriundo das atividades do homem em busca de subsistência.[13] Mas o crescimento psicológico das mulheres recebeu bem menos atenção e costuma ser descrito em termos mais condizentes com os relativos a uma dona de casa moderna do que a uma integrante de tribo da Idade da Pedra.

Elise Boulding, em seu resumo do passado das mulheres, sintetizou conhecimentos antropológicos para apresentar uma interpretação bem diferente. Boulding enxerga nas sociedades neolíticas um compartilhamento igualitário de trabalho no qual cada sexo desenvolveu habilidades e conhecimento apropriados essenciais para a sobrevivência do grupo. Ela nos conta que a coleta de alimentos exigia um conhecimento elaborado de ecologia, plantas, árvores e raízes, além de suas propriedades como alimento e medicamento. Descreve a mulher primitiva como guardiã do fogo doméstico, como a inventora de recipientes de argila e tecido, que permitiam que os excedentes da tribo fossem guardados para épocas de escassez. Descreve ainda a mulher como alguém que extraía de plantas, árvores e frutas os segredos da transformação de seus produtos em substâncias curativas, tinturas, cânhamo, fios e roupas. A mulher sabia como transformar matéria-prima e animais mortos em alimento. Suas habilidades devem ter sido tão diversas quanto as do homem, e por certo tão essenciais quanto as dele. Ela tinha talvez mais conhecimento ou pelo menos tanto quanto o homem; é fácil imaginar que devia ser o suficiente para ela. Na criação de rituais e ritos, de música, dança e poesia, ela teve tanta participação quanto ele. E, ainda assim, devia ser responsável por gerar e criar filhos. A mulher, na sociedade pré-civilizada, deve ter sido igual ao homem e pode muito bem ter se considerado superior a ele.[14]

A literatura psicanalítica e, mais recentemente, a reinterpretação feminista de Nancy Chodorow nos oferece descrições úteis do processo pelo qual o gênero foi criado com base no fato de que as mulheres são responsáveis pelos cuidados dos filhos. Vejamos se essas teorias têm validade para descrever o processo de desenvolvimento histórico. Chodorow argumenta que "a relação com a mãe difere de modo sistemático para meninos e meninas, desde os períodos mais antigos".[15] Meninos e meninas aprendem a esperar de mulheres o amor infinito e acolhedor de uma mãe, mas também associam a mulheres o medo de suas fraquezas. A fim de encontrar a própria identidade, meninos se desenvolvem como "diferentes da mãe"; identificam-se com o pai e repudiam expressões de sentimentos, preferindo a ação. Uma vez que são as mulheres que criam os filhos, Chodorow diz:

> [...] meninas em crescimento se definem e sentem-se em conexão com o outro; a experiência de si mesma como meninas apresenta limites de ego mais flexíveis ou permeáveis. Meninos se definem com mais isolamento e distinção, com uma noção maior de limites rígidos de ego e diferenciação. O senso se si básico feminino é conectado com o mundo, o senso de si básico masculino é isolado.[16]

Pela forma como sua individualidade se define em comparação com a mãe cuidadora, meninos são preparados para participar da esfera pública. Meninas, identificando-se com a mãe e sempre mantendo a relação primária próxima com ela, ainda que transfiram o interesse amoroso para homens, são preparadas para maior participação nas "esferas dos relacionamentos". Meninos e meninas definidos pelo gênero são preparados "para assumir papéis de gênero adultos, que, em grande parte, situam mulheres dentro da esfera de reprodução em uma sociedade desigual em termos de sexo".[17]

A sofisticada reinterpretação feminista de Chodorow da explicação freudiana para a criação de personalidades definidas por gênero é embasada pela sociedade industrial ocidental e seus relacionamentos por afinidade e familiares. É duvidoso, porém, que seja aplicável a pessoas não brancas que vivam dentro dessas sociedades, motivo pelo qual devemos ser cautelosos ao generalizar com base nisso. Ainda assim, seu argumento para a base psicológica que sustenta as relações e instituições sociais é sólido. Ela e outros argumentam de maneira convincente que devemos prestar atenção à "maternidade" na sociedade patriarcal, em sua estrutura e nas relações que ela gera, se quisermos alterar as relações entre os sexos e acabar com a subordinação das mulheres.[18]

Eu especularia que o tipo de formação de personalidade que Chodorow descreve como resultado de mulheres que criam filhos em sociedades industrializadas atuais não ocorria em sociedades primitivas do Neolítico. Em vez disso, as atividades de criação e cuidados das mulheres, associadas a sua autossuficiência na coleta de alimentos e senso de competência para diversas habilidades essenciais à vida, devem ter sido consideradas por homens e mulheres como fonte de força e, é bem provável, poder mágico. Em algumas sociedades, mulheres zelosas guardavam os "segredos" de seu grupo, sua magia, o conhecimento sobre ervas curativas. A antropóloga Lois Paul, cujo relato gira em torno de uma aldeia indígena da Guatemala no século XX, diz que o mistério e o pavor em relação à menstruação contribuem para o "senso de participação nos poderes místicos do universo" das mulheres. Elas manipulam o medo dos homens de que o sangue menstrual ameace sua virilidade, transformando a menstruação em uma arma simbólica.[19]

Na sociedade civilizada, são as meninas que têm mais dificuldade na formação do ego. Eu diria que, na sociedade primitiva, esse fardo deve ter sido dos meninos, cujo medo e admiração pela mãe deve ter se transformado por ação coletiva em identificação com o grupo masculino. Se as mães e seus filhos pequenos se uniram a outros grupos de mães-filhos para atividades de coleta e processamento de alimentos, ou se os homens tiveram a iniciativa de levar os meninos ao grupo – isso permanece no âmbito da conjectura. As evidências de sociedades primitivas sobreviventes mostram diversas maneiras de estruturação da divisão sexual do trabalho em instituições da sociedade, que unem meninos a homens: preparação para ritos de iniciação separada por sexo; residências com membros do mesmo sexo e participação em rituais com membros do mesmo sexo são apenas alguns exemplos. Inevitavelmente, sair em grupos para caçar grandes animais levava à formação de laços, que devem ter sido muito fortalecidos pela guerra e pela preparação necessária para transformar meninos em guerreiros. Era essencial que as mulheres tivessem habilidades de maternidade também eficazes para garantir a sobrevivência tribal, que deviam ser bastante valorizadas – assim como as habilidades de caça e guerra dos homens. Pode-se supor que tribos que não criavam homens capacitados para a guerra e a defesa acabavam sucumbindo às tribos que fomentavam essas habilidades nos homens. Esses argumentos evolutivos são apresentados com frequência, mas estou aqui falando também em favor de um argumento psicológico com base em condições históricas variáveis. A formação do ego do indivíduo do sexo masculino, que deve ter ocorrido em um contexto de medo, admiração e possivelmente pavor da mulher, pode ter levado os homens à criação de instituições sociais para incentivar o ego, aumentar a autoconfiança e validar sua noção de valor.

Teóricos já ofereceram várias hipóteses para explicar a ascensão do homem, o guerreiro, e sua propensão para criar estruturas militaristas. Essas variam de explicações biológicas (a concentração mais alta de testosterona no homem e sua maior força o tornam mais agressivo) a psicológicas (o homem compensa sua incapacidade de dar à luz com dominância sexual sobre mulheres e agressividade para com outros homens). Freud via a origem da agressividade masculina na rivalidade edipiana entre pai e filho pelo amor da mãe e supunha que os homens tivessem construído a civilização para compensar a frustração de seus instintos sexuais na primeira infância. As feministas, começando por Simone de Beauvoir, foram muito influenciadas por tais ideias, o que tornou possível a explicação de que o patriarcado resultou ou da biologia masculina ou da psicologia masculina. Assim, Susan Brownmiller vê a *capacidade* que o homem tem de estuprar como causa da *propensão* a estuprar mulheres, e mostra como isso levou à dominância dos homens sobre as mulheres e à supremacia masculina. Elizabeth Fisher argumentou de modo engenhoso que a domesticação de animais ensinou ao homem seu papel na procriação, e que a prática da reprodução forçada de animais deu-lhe a ideia de estuprar mulheres. Ela alegou que a brutalização e a violência relacionadas à domesticação de animais geraram a dominância sexual e a agressividade institucionalizada do homem. Em época mais recente, Mary O'Brien criou uma explicação elaborada da origem da dominância masculina com base na necessidade psicológica do homem de compensar a incapacidade de dar à luz com a construção de instituições de dominância, e, tal como Fisher, situou essa "descoberta" no período da descoberta da domesticação de animais.[20]

Todas essas hipóteses, embora nos conduzam a direções interessantes, pecam pela tendência a buscar explicações de causa única; e as que embasam seus argumentos em descobertas relacionadas à pecuária estão, de fato, erradas. A pecuária foi introduzida, ao menos no Oriente Próximo, em cerca de 8 mil a.C., e temos evidências de sociedades relativamente igualitárias, como em Çatal Hüyük, que praticaram a pecuária 2 mil a 4 mil anos depois. Portanto, não pode haver uma relação causal. Parece-me bem mais provável que a ocorrência de conflitos intertribais durante períodos de escassez econômica tenha fomentado a ascensão ao poder de homens que tenham realizado grandes feitos militares. Como discutiremos mais adiante, o grande prestígio e a reputação de que gozavam podem ter aumentado a propensão a exercer autoridade sobre as mulheres e, depois, sobre os homens da mesma tribo. Mas apenas esses fatores não são suficientes para explicar a vasta mudança ocorrida na sociedade com o advento do sedentarismo e da agricultura. Para entender esse panorama em toda a sua complexidade, nosso modelo teórico deve agora levar em consideração a prática do comércio de mulheres.[21]

O comércio de mulheres, um fenômeno observado em sociedades tribais em diversas regiões pelo mundo afora, foi identificado pelo antropólogo Claude Lévi-Strauss como a principal causa da subordinação feminina. Pode assumir várias formas, tais como a remoção forçada de mulheres de suas tribos (roubo de noivas); defloramento ritual ou estupro; casamentos arranjados. É sempre precedido de tabus sobre endogamia e pela doutrinação de mulheres, da mais tenra infância em diante, para a aceitação de sua obrigação para com seus parentes no sentido de consentir com casamentos impostos. Lévi-Strauss diz:

> A relação total de comércio que constitui o casamento não é estabelecida entre um homem e uma mulher [...] mas entre dois grupos de homens, e a mulher representa apenas um dos objetos na transação, não uma das partes. [...] Isso é verdadeiro mesmo quando os sentimentos da garota são levados em consideração, como, aliás, costuma ser o caso. Ao consentir com a união proposta, ela precipita ou permite que a transação se efetue; ela não pode alterar sua natureza.[22]

Lévi-Strauss explica que, nesse processo, mulheres são "reificadas"; passam a ser desumanizadas e vistas mais como coisas do que como seres humanos.

Inúmeras antropólogas feministas aceitaram essa posição e elaboraram o tema. A matrilocalidade estrutura o parentesco de forma que um homem deixe sua família de origem para morar com a esposa ou a família da esposa. A patrilocalidade estrutura o parentesco de modo que a mulher tenha de deixar sua família de origem e morar com o marido ou a família dele. A observação desse fato gerou a suposição de que a mudança no parentesco, de laços matrilineares para patrilineares, seria um ponto decisivo na relação entre os sexos, coincidindo com a subordinação das mulheres. Mas como e por que esse sistema se desenvolveu? Já discutimos o cenário no qual os homens, possivelmente recém-alçados ao poder em razão de suas habilidades para a guerra, coagiram mulheres contra a vontade delas. Mas por que as mulheres eram comercializadas, e não os homens? C. D. Darlington oferece uma explicação. Ele vê a exogamia como uma inovação cultural que se torna aceita por proporcionar uma vantagem evolutiva. Propõe a existência de um desejo instintivo nos seres humanos de controlar a população para a "densidade ideal" em determinado ambiente. As tribos conseguem isso por meio de controle sexual, de rituais que designam homens e mulheres para papéis sexuais apropriados, e recorrendo ao aborto, ao infanticídio e à homossexualidade quando necessário. De acordo com esse argumento evolucionista em essência, o controle populacional tornou obrigatório o controle sobre a sexualidade feminina.[23]

Existem outras explicações possíveis: supondo-se que homens adultos fossem comercializados entre as tribos, o que garantiria a lealdade deles à nova tribo? O laço entre homens e sua prole ainda não era forte o bastante para assegurar que eles fossem submissos pelo bem dos filhos. Os homens seriam capazes de atos de violência contra os integrantes da tribo estranha; com a experiência em caça e viagens de longa distância, poderiam escapar facilmente e depois retornar como guerreiros em busca de vingança. As mulheres, por outro lado, seriam coagidas com mais facilidade, muito provavelmente por meio do estupro. Uma vez casadas ou mães, seriam leais aos filhos e aos parentes dos filhos, e assim criariam laços fortes com a tribo de afiliação. Foi assim, de fato, que a escravidão se desenvolveu ao longo da história, como veremos mais adiante. Mais uma vez, a função biológica da mulher a tornou mais adaptável para esse novo papel de fantoche, criado pela cultura.

Pode-se também admitir que não mulheres, mas crianças de ambos os sexos, tenham sido usadas como fantoches a fim de assegurar a paz entre as tribos, uma vez que eram utilizadas com frequência no período histórico entre as elites dominantes. É provável que a prática do comércio de mulheres tenha começado assim. Crianças de ambos os sexos eram comercializadas e, na maturidade, casavam-se na nova tribo.

Boulding, sempre destacando a "agência" das mulheres, entende que eram elas – na função de zeladoras do lar – que tratavam das negociações necessárias que levavam à cópula intertribal. As mulheres desenvolviam flexibilidade e sofisticação culturais por meio do papel de elo entre tribos. Retiradas da própria cultura, abarcavam duas culturas e aprendiam os costumes de ambas. O conhecimento obtido daí pôde dar a elas acesso a poder e com certeza influência.[24]

Considero as observações de Boulding úteis para reconstruir o processo gradual da instituição do comércio de mulheres, que estas podem ter iniciado, ou do qual podem ter participado. Na literatura antropológica, temos alguns exemplos de rainhas, no papel de chefe de estado, que adquiriam muitas "esposas", para as quais depois arranjavam casamentos que serviam para aumentar a riqueza e a influência da própria rainha.[25]

Se meninos e meninas eram comercializados como fantoches, e sua prole, incorporada à nova tribo, é claro que a tribo com mais meninas do que meninos aumentaria de população com mais rapidez em comparação com a tribo que aceitasse mais meninos. Enquanto as crianças eram uma ameaça à sobrevivência da tribo ou, na melhor das hipóteses, uma desvantagem, tais distinções não eram observadas ou não importavam. Mas se, em razão de mudanças no ambiente ou na economia da tribo, as crianças passassem a se tornar um recurso, como possível força de trabalho, supõe-se que o comércio de crianças de ambos os sexos tenha dado lugar ao comércio de mulheres. Os fatores que originam esse desenvolvimento são bem explicados, creio, por antropólogos estruturalistas marxistas.

O processo que discutimos agora ocorre em épocas diferentes, em diferentes partes do mundo; ainda assim, apresenta regularidade de causas e resultado. Aproximadamente na mesma época em que a caça/coleta ou a horticultura dá lugar à agricultura, o sistema de parentesco tende a mudar de matrilinear para patrilinear, e a propriedade privada se desenvolve. Existe, como já vimos, discordância sobre a sequência de eventos. Engels e seus seguidores acham que a propriedade privada veio antes, *causando* "a grande derrota histórica do sexo feminino". Lévi-Strauss e Claude Meillassoux acreditam que foi pelo comércio de mulheres que a propriedade privada acabou sendo criada. Meillassoux oferece uma descrição detalhada do estágio de transição.

Em sociedades de caçadores-coletores, homens, mulheres e crianças participam da produção e consomem o que produzem. As relações sociais entre eles são instáveis, sem estrutura, voluntárias. Não existe a necessidade de estruturas de parentesco ou transações planejadas entre as tribos. Esse modelo conceitual (para o qual é um tanto difícil encontrar exemplos reais) dá lugar a um modelo de transição, um estado intermediário – a sociedade de horticultura. A colheita, com base em raízes e mudas, é instável e sujeita a variações climáticas. A incapacidade de manter a colheita ao longo de vários anos faz com que as pessoas dependam de caça, pesca e coleta como complemento alimentar. Nesse período, quando abundam os sistemas matrilineares e matrilocais, a sobrevivência do grupo exige o equilíbrio demográfico de homens e mulheres. Meillassoux argumenta que a vulnerabilidade biológica das mulheres no parto fez as tribos buscarem mais mulheres de outros grupos, e que essa tendência ao roubo de mulheres levou a constantes conflitos intertribais. No processo, surgiu a cultura do guerreiro. Outra consequência desse roubo de mulheres é que as mulheres conquistadas eram protegidas pelos homens que as haviam conquistado ou por toda a tribo conquistadora. Como resultado, as mulheres eram consideradas bens, coisas – elas foram reificadas –, enquanto os homens as reificavam porque as conquistaram e protegeram. A capacidade reprodutiva das mulheres é reconhecida primeiro como um recurso da tribo; depois, conforme se desenvolvem as elites dominantes, é adquirida como propriedade de um grupo aparentado específico.

Isso ocorre com o desenvolvimento da agricultura. As condições materiais da agricultura de grãos exigem coesão e continuidade do grupo ao longo do tempo, assim fortalecendo a estrutura da família. Para fazer a colheita, trabalhadores de um ciclo de produção ficam devendo alimentos e sementes a trabalhadores de um ciclo de produção anterior. Como a quantidade de alimentos depende da disponibilidade de trabalho, a produção passa a ser a principal preocupação. Isso traz duas consequências: fortalece a influência de homens mais velhos e aumenta o incentivo da tribo para a aquisição de mais mulheres. Na sociedade plenamente desenvolvida com base na agricultura de arado, mulheres e crianças são indispensáveis ao processo de produção, que é cíclico e trabalhoso. Crianças tornam-se, assim, um recurso econômico. Nesse estágio, as tribos buscam adquirir o potencial reprodutivo das mulheres, em vez das mulheres em si. Homens não geram bebês diretamente; assim, as mulheres, não os homens, é que são comercializadas. Essa prática torna-se institucionalizada em tabus de incesto e em padrões de casamento patrilocal. Homens mais velhos, que oferecem continuidade no conhecimento sobre produção, passam a mistificar esses "segredos" e exercem poder sobre os homens mais novos por meio do controle de alimentos, conhecimento e mulheres. Eles controlam o comércio de mulheres, impõem restrições sobre seu comportamento sexual e obtêm propriedade privada delas. Os homens mais novos devem oferecer serviços de mão de obra para os mais velhos em troca do privilégio de conseguir acesso a mulheres. Sob tais circunstâncias, as mulheres também se tornam presa de guerra para os guerreiros, o que encoraja e reforça a dominância de homens mais velhos sobre a comunidade. Por fim, a "grande derrota histórica das mulheres" por meio da destruição da matrilinearidade e da matrilocalidade torna-se possível e se prova vantajosa para as tribos que as conquistam.

Deve-se notar que, no esquema de Meillassoux, o controle sobre a reprodução (sexualidade feminina) *precede* a obtenção de propriedade privada. Assim, Meillassoux subverte Engels, assim como Marx fez com Hegel.

A obra de Meillassoux cria novas perspectivas no debate sobre origens, embora críticas feministas devam se opor a seu modelo androcêntrico, no qual as mulheres representam apenas vítimas passivas.[26] Devemos também observar que o modelo de Meillassoux deixa claro que não é a mulher que é reificada, mas sim sua capacidade reprodutiva, ainda que ele e outros antropólogos estruturalistas continuem a falar da reificação de mulheres. A distinção é importante, e a discutiremos mais adiante. Existem outras perguntas que a teoria dele não responde. Como os homens mais velhos conseguiram o controle sobre a agricultura? Se nossas especulações iniciais sobre relações sociais entre os sexos em tribos de caçadores-coletores estiverem corretas, e se o fato em geral aceito de que foram as mulheres que desenvolveram a horticultura for preciso, seria esperado que as mulheres controlassem o produto do trabalho agrícola. Mas neste ponto devemos considerar outros fatores.

Nem todas as sociedades passaram pelo estágio da horticultura. Em muitas, o pastoreio e a pecuária, sozinhos ou em conjunto com atividades de coleta, precederam o desenvolvimento da agricultura. É muito provável que a pecuária tenha sido desenvolvida pelos homens. Era uma ocupação que gerava o acúmulo de excedentes de gado, carne ou peles. Seria de esperar que esses excedentes fossem acumulados pelos homens que o geravam. Além disso, a agricultura de arado a princípio exigia a força de homens, e com certeza não era uma ocupação que mulheres grávidas ou lactantes teriam escolhido, exceto de forma auxiliar. Assim, a prática econômica da agricultura reforçou o controle dos homens sobre os excedentes, que também podem ter sido obtidos em conflitos intertribais. Outro fator que pode ter contribuído para o desenvolvimento da propriedade privada foi a distribuição assimétrica de tempo livre. As atividades de horticultura são mais produtivas do que a coleta de subsistência e geram tempo livre. Mas a distribuição deste é desigual: homens se beneficiam mais do que mulheres, pois as atividades de preparação de alimentos e a criação dos filhos continuam a cargo das mulheres. Assim, presume-se que o homem podia usar o novo tempo livre para desenvolver suas habilidades artesanais, iniciar rituais para aumentar seu poder e influência e controlar os excedentes. Não quero sugerir aqui determinismo ou manipulação consciente – é exatamente o contrário. As coisas se desenvolveram de certa maneira, causando determinadas consequências que nem homens nem mulheres planejaram. Eles não tinham como saber das consequências, da mesma forma que os homens modernos que deram início ao admirável mundo novo da industrialização não tinham como saber de suas consequências em relação à poluição e seu impacto sobre a ecologia. Quando a consciência do processo e de suas consequências se desenvolveu, já era tarde demais – pelo menos para as mulheres – para interromper o processo.

O antropólogo dinamarquês Peter Aaby aponta que as evidências de Meillassoux eram amplamente baseadas no modelo europeu, envolvendo a interação entre atividades de horticultura e pecuária, e em exemplos de indígenas das planícies da América do Sul. Aaby cita casos, tais como os de tribos de caçadores da Austrália, nos quais há o controle de mulheres, sem que existam atividades de horticultura. Depois ele cita o caso dos iroqueses, uma sociedade na qual mulheres não eram nem reificadas nem dominadas, como exemplo de adeptos da horticultura que não recorrem à dominância masculina. Ele argumenta que, em condições ecologicamente favoráveis, seria possível manter o equilíbrio demográfico dentro de uma tribo sem a necessidade da importação de mulheres. Não apenas as relações de produção, mas também "ecologia e reprodução sociobiológica são fatores determinantes ou críticos [...]".[27] Entretanto, como todas as sociedades de agricultura reificaram a capacidade reprodutiva das mulheres, não a dos homens, deve-se concluir que tais sistemas têm uma vantagem no que diz respeito à expansão e apropriação de excedentes em relação aos sistemas baseados na complementaridade entre os sexos. Nestes, não existem meios de forçar os produtores a aumentar a produção.

As ferramentas neolíticas eram relativamente simples, então qualquer um poderia fabricá-las. Terras não eram recursos escassos. Assim, nem ferramentas nem terras representavam oportunidades para apropriação. Mas, em uma situação na qual condições ecológicas e irregularidades na reprodução biológica ameaçavam a sobrevivência do grupo, as pessoas procuravam mais reprodutores – ou seja, mulheres. A apropriação de homens, tais como prisioneiros (o que ocorre apenas em estágio posterior), não supriria as necessidades de sobrevivência do grupo. Portanto, a primeira apropriação de propriedade privada é a apropriação do trabalho de mulheres como *reprodutoras*.[28]

Aaby conclui:

> A conexão entre a reificação de mulheres de um lado e o Estado e a propriedade privada do outro é o exato oposto do que Engels e seus seguidores propõem. Sem a reificação de mulheres como característica socioestrutural historicamente determinada, a origem da propriedade privada e do Estado permanecerá inexplicável.[29]

Se seguirmos o argumento de Aaby, que considero persuasivo, devemos concluir que, durante a revolução da agricultura, a exploração de trabalho humano e a exploração sexual de mulheres se uniram de forma inextricável.

A história da civilização é a história de homens e mulheres que lutam motivados por necessidade, dependência vulnerável da natureza, até a liberdade e o domínio parcial desta. Nessa luta, mulheres foram limitadas por mais tempo a atividades básicas da espécie em comparação com os homens, portanto, eram mais vulneráveis a desvantagens. Meu argumento faz uma distinção categórica entre necessidade biológica, à qual tanto homens quanto mulheres foram submetidos e se adaptaram, e hábitos e instituições construídos culturalmente, que colocaram à força mulheres em papéis subordinados. Tentei mostrar como as mulheres acabaram concordando com uma divisão sexual do trabalho, que em algum momento as colocaria em desvantagem, sem poder prever as consequências posteriores.

A declaração de Freud, que discuti em contexto diferente, de que "anatomia é destino" para mulheres, está errada, porque é desprovida de contexto histórico e projeta o passado distante no presente sem reconhecer as mudanças ocorridas ao longo do tempo. Pior, essa declaração é interpretada como uma prescrição para o presente e o futuro: não apenas a anatomia é destino para as mulheres, como *deve sê-lo*. O que Freud deveria ter dito é que, para as mulheres, anatomia *já foi* destino. Essa declaração é precisa e leva em consideração o contexto histórico. O que já foi não é mais; não precisa nem deve mais sê-lo.

Com Meillassoux e Aaby, saímos do campo da especulação puramente teórica para a consideração de provas com base em dados antropológicos de sociedades primitivas no tempo histórico. Levamos em consideração evidências materiais, tais como ecologia, clima e fatores demográficos, e destacamos a complexa interação de vários fatores que devem ter afetado os desenvolvimentos que tentamos entender. Não podemos apresentar evidências sólidas dessas transições pré-históricas senão por inferência e comparação com o que sabemos. Como veremos, a hipótese explicativa que propusemos pode ser comparada com evidências históricas posteriores em vários pontos.

Há poucos fatos dos quais podemos ter certeza com base em evidências arqueológicas. Em algum momento durante a revolução da agricultura, sociedades relativamente igualitárias, com divisão sexual do trabalho baseada em necessidade biológica, deram espaço a sociedades mais estruturadas, nas quais eram comuns a propriedade privada e o comércio de mulheres com base no tabu do incesto e na exogamia. As primeiras sociedades eram muitas vezes matrilineares e matrilocais, enquanto as últimas sociedades sobreviventes eram, de modo predominante, patrilineares e patrilocais. Não existem evidências de um processo inverso, passando de patrilinearidade para matrilinearidade. As sociedades mais complexas faziam a divisão do trabalho não mais com base apenas em distinções biológicas, mas também em hierarquia e no poder de alguns homens sobre outros e todas as mulheres. Inúmeros acadêmicos concluíram que a mudança descrita aqui coincide com a formação de estados arcaicos.[30] Por isso, é com esse período que deve acabar a especulação teórica e começar a pesquisa histórica.

TRÊS

A ESPOSA SUBSTITUTA E O FANTOCHE

O PROCESSO PELO QUAL aldeias neolíticas esparsas se tornaram comunidades agrícolas, depois centros urbanos, e enfim estados, é chamado de "revolução urbana" ou "ascensão da civilização". É um processo que ocorre em épocas diferentes, em locais diferentes, no mundo todo: primeiro, nos grandes vales de rios e costas da China, da Mesopotâmia, do Egito, da Índia e da Mesoamérica; depois na África, no norte da Europa e na Malásia. Estados arcaicos caracterizam-se em toda parte pelo surgimento de classes e hierarquias relacionadas à propriedade; produção de bens consumíveis com alto grau de especialização e comércio organizado entre regiões distantes; urbanismo, aparecimento e consolidação de elites militares; realeza; institucionalização da escravidão; transição de dominância por parentesco a famílias patriarcais como principal forma de distribuição de posses e poder. Na Mesopotâmia, também ocorrem mudanças importantes na posição das mulheres: a subordinação feminina dentro da família passa a ser institucionalizada e codificada pela lei; a prostituição se estabelece e se regula; com crescente especialização de trabalho, as mulheres são excluídas aos poucos de determinadas ocupações e profissões. Após a invenção da escrita e do estabelecimento do ensino formal, as mulheres são excluídas do mesmo acesso a tal educação. As cosmogonias, que oferecem a base para o estado arcaico, subjugam divindades femininas a deuses masculinos superiores e apresentam mitos de origem que legitimam a supremacia masculina.[1]

A maioria das teorias sobre a origem do Estado arcaico são de causa única, de "Primeiro Motor Imóvel", tal como na metafísica aristotélica,* destacando como causas, por sua vez, as seguintes: acúmulo de capital em razão de novas tecnologias, o que resulta em estratificação e luta de classes (Marx, Engels, Childe); o surgimento de burocracias sólidas por causa da necessidade de desenvolvimento de projetos de irrigação em grande escala (Wittfogel); aumento da população e crescimento populacional (Fried); crescimento populacional em um ambiente limitado, resultando em militarismo, que, por sua vez, origina a formação do Estado (Carneiro). Cada uma dessas explicações foi criticada e substituída por explicações mais complexas e guiadas pelo sistema, evidenciando a interação de uma variedade de fatores. Robert McC. Adams, embora reconhecesse a importância de fatores ambientais e tecnológicos no crescimento das civilizações, enfatizou que o núcleo da revolução urbana são as mudanças na organização social. A intensificação da produção agrícola gerada pela especialização resultou em uma base alimentar estável, que permitiu o aumento da população. A redistribuição de alimentos era feita pela comunidade do templo, tendo esse grupo o poder de coagir fazendeiros e pastores para que produzissem excedentes. Isso podia ser feito com o aumento da irrigação, que, por sua vez, aumentava o poder da elite do templo e gerava distinções mais acentuadas de riqueza entre os que possuíam e os que não possuíam terras próximas ao fornecimento constante de água. Essa formação inicial de classes originou outra mudança importante na estrutura da sociedade – de baseada em parentesco para baseada em classes.[2]

É essa mudança que tem particular importância para a história das mulheres. Muitas autoras feministas chamaram atenção recentemente para esse aspecto da revolução urbana, algo que será explorado mais adiante neste capítulo. A antropóloga Rayna Rapp aponta o conflito entre grupos de parentes e elites em ascensão e conclui que "as estruturas de parentesco foram as que obtiveram maior fracasso no processo de civilização".

---

* O princípio que move toda a realidade ao mesmo tempo que não se move e não é movido por nenhum outro Ser. (N. E.)

> Em sociedades pré-Estado, a produção social total era organizada pelas relações de parentesco. Conforme os estados foram surgindo gradualmente, as estruturas de parentesco foram desmanteladas e transformadas para manter a existência e a legitimação de domínios politizados mais poderosos. Nesse processo [...] as mulheres foram subordinadas com (e em relação a) o parentesco.[3]

No caso de sociedades mesopotâmicas, precisaremos examinar em detalhes como esse processo de transformação ocorreu e por que aconteceu daquela maneira. Não devemos imaginá-lo como um processo linear, que se desenvolveu de modo uniforme em diferentes regiões, mas como um acréscimo lento de mudanças incrementais, que ocorreu em velocidades diferentes, em regiões diferentes e com resultados diversos. Nas palavras de Charles Redman, deve "ser conceituado como uma série de processos incrementais que interagiram e foram ativados por condições culturais e ecológicas favoráveis, e continuaram a se desenvolver por meio de interações mutuamente reforçadas".[4] No total, foram três os estágios da revolução urbana na Mesopotâmia: o surgimento das cidades-templos, o crescimento das cidades-Estados e o desenvolvimento de estados nacionais.

Discutimos antes sobre as cidades neolíticas de tamanho considerável, tais como Çatal Hüyük e Hacilar, na Anatólia, no sexto e no oitavo milênios a.C. Mesmo nesses primeiros assentamentos, os costumes relacionados aos enterros revelam diferenças de riqueza e *status* entre os habitantes, bem como a existência de especialização em habilidades artesanais e comércio distante. Pode-se presumir que existiam comunidades semelhantes em aldeias e cidades da região da Mesopotâmia. Embora Çatal Hüyük e Hacilar tenham desaparecido como assentamentos antes de 5000 a.C., as comunidades rurais na Mesopotâmia se espalharam aos poucos em direção às planícies do sul. Populações crescentes em um espaço limitado de terra, que era fértil apenas se houvesse água disponível, levaram, de forma inevitável, ao desenvolvimento da irrigação. Isso resultaria em distinções de riqueza, dependendo da localização da terra de um fazendeiro, e em tensões sobre direitos e interesses entre propriedades comuns e privadas.

Em um espaço limitado em termos ecológicos, as populações crescentes só podem ser abastecidas com o aumento da produção agrícola ou com a expansão.

O primeiro fator originou o desenvolvimento das elites, e o segundo resultou no desenvolvimento do militarismo – a princípio de maneira voluntária, depois, profissional. Na Mesopotâmia, essas formações sociais ocorreram como cidades-templos, que se desenvolveram no quarto e no terceiro milênios a.C.[5] Em condições de conflitos intertribais, a existência de cidades é como um ímã para as populações de aldeias próximas, que migram para a cidade em busca de trabalho ou proteção em tempos de guerra ou escassez. Essas populações se tornaram trabalhadores em grandes empreendimentos, que viabilizaram a construção de enormes templos e projetos de irrigação centralizados. O templo reunia no complexo atividades religiosas, políticas e econômicas. Evidências arqueológicas mostram que, de 3000 a.C. em diante, as hierarquias do templo coordenaram a construção e manutenção de um sistema de canais de vários quilômetros de extensão, que exigiu a cooperação de diversas comunidades. O financiamento desses grandes empreendimentos, a manutenção de equipes de trabalho pagas em rações e o investimento de excedentes na produção em massa de determinados produtos artesanais para exportação, tudo isso resultou na consolidação do poder e na especialização de funções nas mãos da burocracia do templo. O templo fomentou também o desenvolvimento de trabalhos artesanais, o que implica o fortalecimento da especialização nesses trabalhos, entre eles, a metalurgia e a produção em grande escala de tecidos para exportação. O templo controlava a matéria-prima e monopolizava o comércio. Por sua vez, a administração desses grandes projetos fomentou o surgimento de elites com habilidades administrativas e acabou resultando no desenvolvimento de sistemas de informações padronizados.

Os primeiros sistemas de símbolos, ou sinais, desenvolveram-se com as atividades comerciais e de contabilidade. Desses sinais, desenvolveram-se sistemas de contagem e escrita.[6] As primeiras tábuas de argila na Suméria eram listas de ração; registros de tributos e doações; e listas de nomes divinos. A invenção da escrita em seu pleno desenvolvimento, que incorporava elementos gramaticais, ocorreu pouco depois de 3000 a.C. na Suméria. Isso foi um divisor de águas no desenvolvimento da civilização mesopotâmica. Em geral, acredita-se que a escrita surgiu nos templos e palácios, sendo um conhecimento que fortalecia muito o papel de liderança das elites. As escolas formavam escribas sistematicamente para que atendessem todas as necessidades do governo, entre elas, conhecimento sacro. Depois, a organização de arquivos institucionalizou ainda mais a administração de atividades econômicas e políticas nos templos e palácios. É com a invenção da escrita e a preservação de registros escritos que a história começa, é claro.

O período proto-histórico (cerca de 3500-2800 a.C.) coincide com o antigo período arqueológico da dinastia de Uruk V. Pode-se presumir que, durante esse período, as elites militares se desenvolveram junto às elites do templo e logo se tornaram uma força rival e independente na sociedade. Militares poderosos primeiro tornavam-se chefes em aldeias e depois estabeleciam dominância sobre terras e rebanhos antes pertencentes ao templo, deixando aos poucos os sacerdotes em segundo plano. Examinaremos em detalhes esse processo no caso de Urukagina de Lagash.[7] Depois, os mais poderosos desses chefes se autonomeavam reis, usurpando o poder dos templos e tratando as propriedades deles como suas. Nos séculos seguintes de conflitos entre cidades, o mais poderoso desses soberanos reunia diversas dessas cidades-Estados em um reino ou estado nacional.[8]

O desenvolvimento do militarismo, aliado à necessidade de uma grande força de trabalho para a construção de projetos públicos, originou a prática de transformar prisioneiros em escravos e a consequente institucionalização da escravidão – e, com isso, a institucionalização de classes estruturadas. No próximo capítulo, discutiremos esse desenvolvimento e seu impacto sobre as mulheres em detalhes. O que nos interessa aqui é que todos esses vários processos interativos e de reforço mútuo caminharam para fortalecer a dominância masculina na vida pública e nas relações externas, enquanto enfraqueceram o poder de estruturas comuns e baseadas em relações de parentesco. No período proto-histórico, manteve-se a importância de grupos de parentes, alguns com títulos de terras, outros recrutando associações de artesãos ou organizando recrutamentos para o serviço militar. Em sua comparação da revolução urbana entre Mesopotâmia (3900-2300 a.C.) e México Central (100 a.C.-1500 d.C.), Robert McC. Adams encontra uma função semelhante realizada por grupos de parentes mexicanos, os *calpulli*, que distribuem riqueza e poder no Estado novo. Eles formam guildas, fornecem homens para o exército e designam escravos para o Estado. Conforme o Estado se consolida, solidificam-se mudanças nas estruturas de parentesco.[9]

No Império Inca, os conquistadores estenderam seu domínio, obrigando as aldeias conquistadas a fornecer mulheres virgens para servir ao Estado e como possíveis esposas de nobres incas. Essa interferência nos padrões sexuais e maritais dos povos conquistados teve a dupla função de enfraquecer as estruturas de parentesco e destacar grupos específicos de parentes para que formassem alianças com os conquistadores.[10] Veremos um processo semelhante em andamento na Mesopotâmia, na prática de destruir cidades conquistadas, matar os homens e condenar mulheres e crianças à escravidão na terra dos conquistadores, e também no estabelecimento de alianças de casamento entre soberanos para consolidar a cooperação interestadual.

O trabalho arqueológico na Mesopotâmia em tempos modernos descobriu dezenas de milhares de tábuas de argila que documentam a ordem social na Suméria, no terceiro milênio a.C., e na Babilônia, no segundo milênio a.C., o que usaremos para enfatizar as mudanças na posição das mulheres. Tais fontes podem ser comparadas e relacionadas com selos, estátuas e outros artefatos, e também com as habituais evidências arqueológicas de túmulos e cidades. Como muitas das tábuas de argila contêm poemas, hinos e leis, além de indícios mais mundanos de transações comerciais e domésticas, podemos reconstruir essa civilização da Idade do Bronze com mais evidências do que ocorre com outras civilizações iniciais. Como acontecerá com boa parte do período histórico posterior a esse, é mais fácil encontrar evidências de mulheres de classes altas do que de mulheres de classes mais baixas. Uma vez que a intenção não é escrever a história social das mulheres no Antigo Oriente Próximo, mas sim traçar a evolução dos conceitos de gênero, nosso relato selecionará modelos e momentos significativos em vez de tentar fazer uma reconstrução histórica completa.

Uma das mais antigas imagens de mulher na Suméria é a cabeça cuidadosamente esculpida de Uruk, retratando uma mulher de muita dignidade e beleza, que pode ter sido uma sacerdotisa, uma rainha ou uma deusa. Essa escultura singular, datada entre 3100 e 2900 a.C., personifica os importantes papéis desempenhados por mulheres aristocráticas, que eram ativas na administração de templos e palácios e na economia (ver Ilustração 5, na seção Ilustrações).

É característico da liderança, nesse período inicial, que haja essa fusão de poder divino e secular personificado pelo soberano. A lista real, documento escrito em cerca de 1800 a.C., registra as sucessivas dinastias das maiores cidades da Mesopotâmia até o terceiro milênio. Embora as cronologias estejam um tanto superestimadas, arqueólogos confirmaram alguns dos dados com outras evidências. As primeiras dinastias sumérias encontravam-se nas cidades de Kish, Warka e Ur. De acordo com a lista real, a fundadora da dinastia de Kish foi a rainha Ku-Baba, que, segundo a lista, reinou por cem anos. Ela é identificada como ex-taberneira, ocupação que a situa em um lugar marginalizado pela sociedade. Mais tarde, foi identificada como a deusa Kubaba, venerada no norte da Mesopotâmia.[11] Ela é a única mulher cuja descrição na lista real diz que reinou por mérito próprio, mas a fusão de sua personalidade histórica com a de uma divindade não é diferente da do semideus mítico Gilgamesh, soberano de Warka, que supostamente reinou no período dinástico antigo e cuja existência histórica não se sustenta por evidências sólidas, embora suas façanhas estejam imortalizadas na epopeia de Gilgamesh.

As escavações feitas em Ur em 1922-1934 por *Sir* Leonard Woolley em nome do Museu Britânico nos oferecem uma compreensão surpreendente da estrutura social da sociedade suméria no período dinástico antigo, por volta de 2500 a.C. A descoberta de 1.850 túmulos, entre os quais 16 túmulos reais, rendeu informações importantes sobre costumes relacionados a enterros em uma sociedade caracterizada por estratificação de classes, além de riqueza e desenvolvimento artístico, bem como com tecnologia razoavelmente avançada.

Em um dos túmulos, um selo de lápis-lazúli com a inscrição "Ninbanda, a rainha, esposa de Mesanepada" identifica uma mulher, que pode ter sido esposa de um rei da primeira dinastia de Ur. As evidências da existência de seu marido são importantes porque confirmam a precisão histórica da lista real suméria.[12]

São de particular interesse para nós os achados do túmulo real 789, de um rei cuja identidade não foi estabelecida com clareza, e do túmulo 800, da rainha Pu-abi, que provavelmente viveu por volta de 2500 a.C.[13] A identidade dela foi estabelecida por um selo cilíndrico de lápis-lazúli com a inscrição de seu nome encontrado junto ao corpo. Nos dois casos, o corpo real foi encontrado em uma câmara de pedra, com vários outros, presume-se que de servos. Essas evidências de sacrifício humano prestam esclarecimento a um conjunto de crenças e valores religiosos associados apenas a esse período inicial. É significativo o fato de as centenas de outros túmulos nos cemitérios de Ur não indicarem sacrifício humano; apenas os túmulos reais o fazem. Também é notável que duas rainhas tenham sido enterradas com seus servos, assim como os reis, o que indicaria ser a realeza o objeto de reverência com sacrifício humano, e que nesse período inicial essa qualidade divina pudesse estar presente tanto em uma mulher quanto em um homem.[14]

Nos túmulos 789 e 800, a câmara estava localizada no fim de um fosso fundo, que formava o túmulo coletivo para o séquito da pessoa em questão. O corpo da rainha foi encontrado em um esquife; ela foi enterrada com um adorno luxuoso na cabeça, feito de ouro, lápis-lazúli e cornalina e uma taça requintada na mão. Duas criadas estavam curvadas diante de seu esquife, cercado por oferendas feitas de rico trabalho em metal e pedra. Woolley supôs que, durante a cerimônia de sepultamento, a rainha e seus servos pessoais eram enterrados primeiro, na câmara mais baixa do túmulo, que depois era selada. A segunda fase da cerimônia de sepultamento ocorria no fosso ao redor da câmara, onde acendiam fogueiras, realizavam um banquete e faziam oferendas aos deuses. Então, os principais servos domésticos e cortesãos eram agrupados no fosso. Devia ocorrer algum tipo de cerimônia, porque os músicos no fosso foram enterrados ainda com os dedos nos instrumentos. É provável que os que eram feitos de sacrifícios humanos fossem drogados ou envenenados primeiro, como evidenciado pela presença de copos perto de cada corpo, e depois o fosso era murado e coberto com terra.[15]

No túmulo 789, o túmulo do rei, foram encontradas ossadas de seis soldados. Presume-se que fossem guardiões do fosso, que haviam conduzido carroças de quatro rodas puxadas por bois. Em cada carroça, o corpo do condutor permanecia na posição apropriada para a tarefa. Contra a parede havia nove corpos de mulheres adornadas com joias finas; no total, eram 63 homens e mulheres enterrados com o rei. Em data posterior, parte da entrada para esse túmulo foi reutilizada para o túmulo 800, o túmulo da rainha. Nessa entrada havia uma espécie de trenó puxado por bois, uma lira e outros utensílios domésticos valiosos, além de ossadas de dez homens e dez mulheres. As mulheres usavam adornos de cabeça elaborados e joias, e podem ter sido instrumentistas da corte.

Outro túmulo, chamado de Grande Fosso da Morte, continha os corpos de seis homens e 68 mulheres com ricos adornos. Novamente, seis guardas estavam alinhados na entrada; as mulheres eram quatro harpistas e 64 damas de companhia usando fitas de ouro e prata nos cabelos. A disposição dos túmulos, a decoração e os objetos deixam claro que, no caso de túmulos coletivos, não apenas havia neles servos pessoais, provavelmente escravos, enterrados com a realeza, como também a maioria dos outros corpos era de cortesãos e pessoas ilustres. De acordo com Woolley:

> Sem dúvida, essas pessoas não eram escravos ordinários mortos como gado, mas pessoas honoráveis, de uniforme, que participaram, espera-se, voluntariamente de um ritual que, para elas, era apenas a passagem de um mundo para outro, de servir a um deus na terra para servir a esse mesmo deus em outra esfera.[16]

O último ponto é crucial para a interpretação dos achados nos cemitérios de Ur. Sabemos que, em período posterior, os reis sumérios eram idolatrados após a morte e até durante a vida. Essas evidências de sacrifício humano parecem indicar que a prática começou antes, no período proto-histórico. Se o rei ou a rainha tinha atributos divinos e incorporava a divindade, servir a eles em outro mundo, o mundo dos deuses, devia significar não o supremo sacrifício, mas a suprema honra. As ossadas nas covas não apresentavam marcas de violência ou luta, portanto, são testemunhas silenciosas de uma crença na divindade de reis e rainhas.[17] Outra implicação interessante dos achados de Ur diz respeito ao evidente desperdício de bens funerários caros e manufaturados com excelência. Como estes estavam sobretudo em túmulos reais, o enterro de tais bens pode ter tido alguma função para o sucessor real. O desperdício de recursos a serviço dos deuses é um ritual que estabelece a legitimidade do sucessor, que podia assumir a autoridade ao renunciar à riqueza de seu antecessor. Isso confirma a interpretação de que "rituais ainda eram necessários para manter a autoridade do rei durante períodos de sucessão", um fato que outras evidências históricas tendem a sustentar.[18] O enterro dos principais servos e criados do rei era também uma garantia de que o novo rei começaria do zero, com o próprio grupo de seguidores fiéis.

Os túmulos reais de Ur nos contam que as rainhas compartilhavam de *status*, poder, riqueza e atribuição divina imputados aos reis. Eles nos contam sobre a riqueza e o alto *status* de algumas mulheres em cortes sumérias, sobre suas variadas habilidades artesanais, além dos óbvios privilégios econômicos. Mas o predomínio esmagador de ossadas femininas em relação às masculinas entre os criados enterrados também demonstra a grande vulnerabilidade e dependência delas na condição de servas.

A disposição dos servos reais para seguir seus senhores até a morte refletia algumas crenças básicas da religião suméria. O mundo e os seres humanos haviam sido criados para servir aos deuses. As pessoas não tinham livre-arbítrio, sendo governadas pela decisão dos deuses. Os deuses eram senhores, proprietários das cidades e dos templos, que governavam por meio de seus representantes humanos. Podiam ser sumos sacerdotes ou soberanos seculares que a princípio governavam como representantes de um conselho de anciãos. Em tempos de crise, esses soberanos podiam expandir seu poder pessoal e entrar em conflito com a autoridade do templo. Soberanos seculares surgiam em diferentes cidades, em circunstâncias diversas, mas logo estabeleciam a própria base de poder.[19]

Assim, em Lagash, por volta de 2350 a.C., o soberano Lugalanda tomou o poder dos templos mais importantes – os dos deuses Ningirsu e Shulshag e o da deusa Bau –, colocando-os sob administração de uma autoridade que ele havia nomeado e que não era sacerdote, e também nomeando a si mesmo, a esposa Baranamtarra e outros membros da família como administradores do templo. Ele ainda se referia a esses templos como propriedade privada do *ensi* (soberano), não citava mais o nome das divindades nos documentos dos templos e cobrava impostos do sacerdócio. Lugalanda e sua esposa se tornaram os maiores proprietários de terras. A esposa, Baranamtarra, compartilhava do poder do *ensi*, administrando seu patrimônio particular e o patrimônio do templo de Bau. Também enviava missões diplomáticas a estados vizinhos e comprava e vendia escravos.[20]

Felizmente, extensos registros financeiros do templo da deusa Bau foram preservados. Eles abrangem os anos de Lugalanda e de seu sucessor Urukagina, um período no qual as tensões entre rei e comunidade são visíveis e a autoridade do rei é reforçada. O breve reinado de Urukagina foi marcado por suas "reformas", que ele registrou em forma de inscrições em edifícios. Urukagina tomou o poder de Lugalanda, alegando agir em nome de "barqueiros, pastores, pescadores e fazendeiros", deixando também implícito que fora ajudado pelo sacerdócio.[21] No segundo ano de seu reinado, Urukagina se autoproclamou rei, assumindo o título de *lugal*.

As reformas que Urukagina promulgou em seu édito são a primeira tentativa documentada de estabelecer direitos básicos legais para os cidadãos. Urukagina acusou seu antecessor de ter usurpado a propriedade dos deuses nos templos e afirmou que tinha uma aliança com o deus-cidade de Lagash para proteger dos poderosos os fracos e as viúvas. Afirmou que, sob o reinado de Lugalanda, os "homens do *ensi*" começaram a tomar o controle das terras que eram propriedade privada, invadindo pomares e se apropriando das frutas à força. Ao mesmo tempo, ocorrera abuso de poder do sacerdócio por meio da cobrança de impostos exorbitantes para enterros e rituais religiosos. Urukagina decretou a correção dos impostos, restringiu o poder de autoridades corruptas e governou os templos em nome dos deuses. Mas a avaliação sobre o efeito dessas reformas divide acadêmicos. Uma das escolas considera seu reinado uma espécie de revolução popular na qual homens livres lutaram contra ricos donos de escravos; outra o enxerga como um indício da transição de "economia de templo" para o poder secular e da realeza.[22] Em uma análise mais recente, K. Maekawa vê as "reformas" de Urukagina como uma expansão do poder real, pois ele desenvolveu o conceito de realeza dotada de sanção divina e o estendeu aos domínios da esposa, a saber, o templo da deusa Bau. A equipe de trabalho desse templo cresceu muito no ano em que Urukagina se autoproclamou *lugal*. O conceito de realeza dotada de divindade já havia começado a se estabelecer no reinado dos antecessores de Urukagina, mas ele o concretizou ao instituir o templo de Bau como o segundo mais importante de Lagash.[23] Embora Urukagina alegasse ter ordenado as reformas sob orientação divina, para acabar com os abusos de poder ocorridos no reinado de seu antecessor, elas podem tão somente ter fortalecido sua posição. Não há registros disponíveis de outras cidades-templos, o que nos permitiria avaliar se esse desenvolvimento era algo comum – e Maekawa parece pensar que não era –, mas os documentos nos oferecem um entendimento significativo da maneira como pode ter ocorrido a transição para essa realeza com um novo nível de autoridade.

Os documentos do reinado de Urukagina nos oferecem um olhar aterrorizante da vida das mulheres. Lê-se em um dos éditos de Urukagina: "Mulheres de outros tempos se casavam com dois homens, mas as mulheres de hoje foram obrigadas a abandonar esse crime".[24] O édito continua e afirma que mulheres que cometiam esse "crime" na época de Urukagina eram apedrejadas, tendo sua intenção maligna inscrita nas pedras. Em outro trecho, o édito afirma que, "se uma mulher falar [...] de forma completamente desrespeitosa com um homem, sua boca será esmagada com um tijolo refratário".[25] Analistas feministas recentes interpretaram esses "éditos" como prova da antiga prática de poliandria e de seu fim durante o regime de Urukagina.[26] Essa interpretação parece não ter consistência, uma vez que não há nenhuma outra evidência disponível, em nenhum lugar da Mesopotâmia, da prática de poliandria no terceiro milênio a.C. A interpretação de textos cuneiformes é um assunto bastante complexo e técnico, que costuma depender da corroboração de evidências de outros textos ou de artefatos arqueológicos. Assiriólogos são, não sem motivo, cautelosos ao interpretar esse édito na ausência de tais evidências. Existem, entretanto, pelo menos duas possíveis interpretações alternativas do texto: uma é a de que faz referência a uma correção de impostos, pela qual o imposto sobre divórcio foi eliminado, acabando, assim, com o abuso que a mulher sofria quando não podia garantir o divórcio por causa de seu alto custo e se casava de novo. A outra possível interpretação é a de que o édito se refere a viúvas e proíbe que elas se casem novamente. A última me parece ser a interpretação mais provável, uma vez que restrições sobre viúvas se casarem de novo aparecem em vários códigos de leis da Mesopotâmia, tendo sido decretadas melhorias na situação delas só bem mais tarde, no conjunto de leis conhecido como Código de Hamurabi.[27]

O segundo édito, sobre os comentários de uma mulher dirigidos a um homem, é ainda mais difícil de ser interpretado. Se ele fizer referência a proposta sexual ou declaração caluniosa de uma mulher a um homem, a punição é relativamente leve em termos de padrões mesopotâmicos de justiça. O máximo que podemos dizer sobre isso é que parece um exemplo inicial do controle do comportamento feminino por autoridades seculares, embora devamos lembrar que os éditos de Urukagina não tinham peso de lei. A interpretação de que os éditos de Urukagina denotem uma deterioração acentuada e decisiva no *status* das mulheres parece não ser comprovada, sobretudo em razão das evidências adicionais de mulheres em posições de poder, que discutiremos a seguir.

Em outra de suas "reformas", Urukagina decretou que o pagamento e a compensação em alimentos para três empregados funerários homens fossem reduzidos de modo drástico e que uma suma sacerdotisa fosse adicionada à lista de empregados funerários pagos. Isso não revela nada sobre as mudanças no *status* das mulheres, mas mostra a presença de mulheres em altos postos religiosos, fato corroborado por várias evidências.

Os registros econômicos do templo Bau oferecem uma imagem vívida dos diversos papéis e funções das mulheres desempenhados no início do terceiro milênio, pelo menos em Lagash. O templo da deusa Bau, embora sua área se estendesse por apenas 2,6 quilômetros quadrados, empregava de mil a 1.200 pessoas ao longo de um ano. Toda a administração desse templo e da equipe de trabalho ficava nas mãos da rainha Shagshag, esposa de Urukagina, que também cuidava do templo dedicado aos filhos da deusa Bau, este nominalmente sob a administração dos filhos do casal real. Como administradora desses dois templos, a rainha exercia autoridade legal e econômica sobre seus domínios. Também atuava como suma sacerdotisa do templo.[28]

No primeiro ano do reinado de Urukagina, a equipe doméstica de trabalho da rainha consistia de 150 escravas trabalhando como fiandeiras e bordadeiras de lã, cervejeiras, moleiras e cozinheiras. A lista de pagamento menciona ainda uma cantora e diversos músicos. Outros trabalhadores eram homens livres, que recebiam suprimento semanal de alimentos e também espigas de milho e animais de arado. Cem pescadores forneciam peixe. O fazendeiro de porcos empregava seis escravas para moer os grãos para a alimentação dos porcos. Na cozinha, trabalhavam 15 cozinheiros e 27 escravas, que faziam trabalho servil. A cervejaria empregava 40 funcionários homens, que eram livres, e seis escravas. Cerca de 90 funcionários cuidavam dos animais, entre eles, cinco fazendeiros de gado, cujo chefe era irmão da rainha. Essa informação interessante das listas de pagamento nos conta por acaso que a rainha, assim como provavelmente seu marido, era plebeia de nascimento.[29]

O registro mostra que, no reinado do antecessor de Urukagina, cada uma das crianças reais tinha um conjunto de servos e era dona de propriedades independentes. Cada criança tinha uma ama de leite, uma babá, diversas criadas, um cozinheiro, um ferreiro, várias escravas moleiras, um jardineiro e diversos ajudantes de jardinagem. Essa extravagância se restringiu, de certa forma, sob o regime de Urukagina. Não há amas de leites na lista, talvez porque as crianças já estivessem grandes para isso, e também não há babás. Cada criança tinha um ou dois servos pessoais, e um cabeleireiro atendia a todas. Todas as crianças possuíam ainda terras próprias, bem como escravos e artesãos necessários para a manutenção dessas terras. Apesar de suas afirmações em contrário, o rei Urukagina consolidou seu poder pessoal e familiar e também suas propriedades, e é possível observar isso pela comparação das listas de equipes de trabalho do templo de Bau referentes a cada ano do regime de Urukagina: Ano I - 434; Ano II, o ano em que se autoproclamou *lugal* - 699; Ano III - 678. Uma lista de escravas e seus filhos mantida à parte mostra um aumento drástico semelhante no Ano II: Ano I - 135; Ano II - 229; Ano III - 206; Ano IV - 285; Ano V - 188; Ano VI - 221.[30]

Urukagina foi derrotado de forma violenta por outro rei usurpador, Lugalzagesi, da cidade de Umma. Embora ele tenha expandido suas terras e se autonomeado soberano absoluto de toda a Suméria, não conseguiu consolidar suas conquistas e administrá-las como um estado unificado. Esse feito foi realizado pelo homem que o derrotou e acabou com a independência de Lagash, o rei Sargão da Acádia (cerca de 2350-2230 a.C.). No período de Urukagina, podemos então observar os primeiros estágios da formação de realeza e cidades-Estados, que precede a formação de Estados-nações. Percebemos que o militarismo e o emprego de mulheres escravas nos Estados-templos já estão bem estabelecidos. Também percebemos tensões e conflitos entre vários grupos de donos de propriedades: o rei e seus homens, donos de terras privadas e de escravos; os sacerdotes administradores dos Estados-templos e as comunidades independentes de pequenos proprietários de terras. Nesses conflitos, usurpadores da realeza, que, por definição, eram homens militares, usaram suas famílias, principalmente as esposas, para consolidar e garantir seu poder. Assim, mulheres dessa classe tinham posições de significativo poder econômico, legal e judicial e podiam, com relativa frequência, representar os maridos em todos os âmbitos. Ao mesmo tempo, mulheres de classes mais baixas desempenhavam diversos papéis econômicos como artesãs e trabalhadoras da indústria doméstica, enquanto escravas estrangeiras representavam grande parte da força de trabalho dos templos. Devemos também observar que, logo no primeiro esforço de um rei para estabelecer a lei e a ordem proclamando um édito, um dos aspectos da regulação diz respeito ao papel de gênero das mulheres: ou seja, o direito de se casar de novo e a maneira como falam com homens. Esse fato, embora inconclusivo de forma isolada, terá grande significado quando analisarmos mais tarde os diversos códigos de leis. Nesse aspecto, o "édito" de Urukagina está próximo ao início de um lento e inconstante processo de transição do *status* das mulheres e de definição de gênero que levou quase 2.500 anos. É esse processo que este livro busca documentar e interpretar.

O rei Sargão da Acádia, um soberano semita, fundou uma dinastia que se estendeu por partes da Suméria, Assur (Assíria), Elam e o vale do Eufrates (cerca de 2371-2316 a.C.). Para governar esse domínio vasto e sem lei, Sargão instituiu cidades de guarnição e fez alianças. Também fortaleceu seu regime ao colocar gente de confiança para governar as cidades-Estados antes independentes, que agora faziam parte de seu domínio. Ele nomeou a filha Enheduanna suma sacerdotisa do templo do deus da Lua na cidade de Ur e do templo de An, o supremo deus do paraíso, em Uruk. Uma vez que Enheduanna era também devota de longa data da deusa suméria Inanna, sua nomeação simbolizava a fusão de Inanna com a deusa acádia Ishtar. Segundo parece, Enheduanna era extremamente talentosa e politicamente perspicaz. Sargão falava a língua acádia e a promoveu a idioma administrativo oficial, mas sua filha era uma ilustre poetisa (a primeira poetisa conhecida da história) e escrevia em língua suméria. Um acadêmico diz que ela "usava esses talentos para propagandear [...] a união de sumérios e acádios em um estado capaz de levar o regime mesopotâmico [...] às mais longas distâncias do Oriente Próximo Asiático".[31]

A poesia e os hinos à deusa Inanna de autoria de Enheduanna perduraram além dela. Após a morte de Sargão, o novo soberano de Ur tirou Enheduanna de sua posição de suma sacerdotisa. Ela escreveu sobre essa injustiça em um longo hino, apelando à deusa Inanna para curar suas feridas e fazê-la retornar ao ofício. Enheduanna é citada e comentada como poetisa com frequência em escritos sumérios posteriores.[32]

De forma semelhante, o neto de Sargão, Naram-Sin, o Grande, nomeou a filha Enmenanna suma sacerdotisa em Ur. Essa prática foi depois seguida por soberanos sumérios e acádios por 500 anos. O registro escrito mostra que

"13 sacerdotisas reais ocuparam a posição por uma média de 35 a 40 anos (por volta de 2280-1800 a.C.)".[33]

Depois do colapso do Império Sargônico e da longa e complexa luta por dominância entre as cidades-Estados da Mesopotâmia, vários soberanos promoveram casamentos dinásticos e diplomáticos como forma de consolidar benefícios militares e evitar conflitos. Por exemplo, no período da terceira dinastia de Ur, os soberanos de Ur arranjavam casamentos entre suas filhas e os filhos dos soberanos de Mari e outras cidades. Alguns poemas e canções de amor escritos por "damas do império da dinastia de Ur III" foram preservados.[34] A tradição de casamentos dinásticos continuou no Oriente Próximo e em outros lugares e épocas, sempre que os soberanos dinásticos precisavam legitimar ou fortalecer o regime sobre territórios conquistados ou vizinhos. Era uma maneira mais nobre e elaborada de "comércio de mulheres" praticado muito antes em quase todas as sociedades, limitando as filhas de famílias governantes de classe alta a um papel especial e bastante ambicioso. De certo modo, elas eram apenas fantoches dos projetos diplomáticos e ambições imperialistas de suas famílias; em nada diferentes dos irmãos, que às vezes eram forçados a casamentos e não tinham mais poder de escolha do que as mulheres. Ainda assim, como qualquer estudo minucioso de casos específicos deve mostrar, essas princesas costumavam ser influentes, ativas politicamente e poderosas.[35] O papel delas como futuras esposas em casamentos diplomáticos exigia que recebessem a melhor educação disponível. É muito provável que essa tendência a educar princesas para que pudessem ser informantes e representantes diplomáticas dos interesses da família depois de casadas conte como evidência ocasional de oportunidades educacionais "iguais" para mulheres, mesmo diante da desvantagem educacional geral feminina ao longo do tempo histórico. O que deve ser lembrado é que esse pequeno grupo de filhas da classe dominante nunca representou todas as mulheres da época e da sociedade.

Diversos textos legais da terceira dinastia de Ur, conhecidos como o Código de Ur-Nammu, além do Código de Lipit-Ishtar das dinastias de Isin e Lara, perduraram para nos mostrar um pouco da vida social e econômica da época. Durante esse período, a prática de nomear princesas como sumas sacerdotisas continuou. A nobre e muito característica estátua da sacerdotisa Enannatumma de Isin, que supostamente representa também a deusa Ningal, é prova do prestígio e da honra sempre creditados às mulheres do sacerdócio.[36]

No período de 2000-1800 a.C., os contínuos conflitos e a fragmentação política marcam a instável luta por poder de várias cidades e cidades-Estados. Por volta de 1965 a.C., Shin-kashid de Isin conquistou Uruk e fundou uma dinastia, construindo um templo na cidade de Durum e lá instituindo sua filha Nin-shatapad como suma sacerdotisa. Quando o rei de Lara derrotou o pai dela e acabou com seu reinado, Nin-shatapad foi exilada. Ela escreveu uma carta eloquente a seu conquistador, apelando à generosidade dele para poupar a cidade de Durum e seu templo e restituí-la à função sacerdotal. Essa carta tornou-se um modelo do tipo e foi incluída no currículo da escola de escribas onde a própria havia se formado.[37] Esse incidente é importante não apenas para nos mostrar a iniciativa de uma mulher na área de relações públicas, mas também porque nos oferece evidências de que as mulheres desse período ainda eram formadas escribas.

Conforme traçamos o desenvolvimento do papel da esposa real e da filha real como "substitutas" do marido e do pai, podemos encontrar evidências em outro lugar e cultura, a cidade de Mari, que ficava localizada mais ao norte da Suméria, onde hoje é a fronteira Iraque-Síria. Uma compilação de documentos reais, datados de 1790 a 1745 a.C., descrevem uma sociedade que dava às mulheres da elite grande alcance em atividades econômicas e políticas. As mulheres, assim como os homens, possuíam e administravam propriedades, podiam fazer contratos no próprio nome, abrir processos e atuar como testemunhas. Participavam ainda de transações comerciais e legais como adoções, vendas de propriedades, realização e recebimento de empréstimos. Algumas mulheres aparecem nas listas que mostram quem presenteava o rei; tais presentes eram um imposto ou um tributo de vassalo, o que indicava que a mulher tinha posição política e direitos. As mulheres eram também escribas, instrumentistas e cantoras. Realizavam funções importantes como sacerdotisas, adivinhas e profetisas. Como o rei consultava com regularidade profetas e adivinhos antes de tomar qualquer decisão importante ou antes de ir à guerra, essas pessoas eram, na verdade, conselheiros do rei. O fato de os documentos de Mari não fazerem distinção entre o valor de profetas e profetisas demonstra o *status* relativamente igual das mulheres da elite na sociedade de Mari.[38] O assiriólogo Bernard Frank Batto explica a posição das mulheres em Mari em comparação com outras culturas da Mesopotâmia como um vestígio cultural de um estágio anterior de desenvolvimento:

> Apenas recém-saídos do estágio tribal, esses soberanos amoritas mantiveram muitas das características da herança tribal em suas políticas econômicas emergentes. Ao contrário das cidades-Estados desenvolvidas, com posições e cadeia de comando mais demarcadas e institucionalizadas, os reis amoritas do norte parecem ter mantido um estilo "patriarcal" de governo. Toda a autoridade ficava nas mãos do rei, que supervisionava pessoalmente todas as operações, ou pelo menos delegava pessoalmente tal autoridade caso fosse necessário.[39]

A sugestão de que o papel de "substitutas" das mulheres seja característico de um conceito mais inicial de regime real é intrigante e corrobora minha análise de que o *status* e os papéis das mulheres se tornam mais limitados conforme o aparato do Estado se torna mais complexo.

Alguns dos documentos de Mari fornecem um retrato nítido das vidas e atividades dessas damas reais no papel de suplentes de seus parentes homens. A rainha, primeira esposa do rei, tinha poder independente no palácio, no templo, em oficinas e atuava como substituta do rei quando ele estava ausente por motivos de guerra ou missão diplomática. Por conta própria, ela administrava sua propriedade e supervisionava a equipe de trabalho feminina do palácio. As esposas secundárias do rei, em ordem de classificação, eram acomodadas em palácios distantes, que o rei parecia visitar a intervalos regulares, e onde elas realizavam tarefas administrativas semelhantes. Uma delas era Kunshimatum, a esposa secundária do rei Yasmah-Addu de Mari. Uma carta escrita por ela revela a extensão e os limites de seus poderes. Ela havia estabelecido e administrado a "casa" (palácio) do rei, e orava por ele com regularidade perante o deus Dagan. Porém, por algum motivo não explicado, era considerada pessoa indesejada e falsamente acusada de má administração. "A casa que estabeleci será entregue (a outra pessoa)?". Kunshimatum apelou ao rei:

> Então por que me alienaram completamente de sua afeição? O que eu tomei de sua casa? Instrua seus fiscais para que inspecionem sua casa [...]. Salve minha vida. Você

sabe que (!) estas são (as palavras) que suplico perante Dagan por você: "Que tudo fique bem com Yasmah-Addu para que eu também possa prosperar sob sua proteção".[40]

O poder da esposa, como o do vassalo homem, dependia da vontade e do capricho do rei. Como um vassalo feudal de uma época posterior, Kunshimatum entendia que somente com a proteção de seu senhor havia segurança para ela. Em seu caso, essa proteção não foi muito eficaz. Yasmah-Addu, ele próprio um usurpador assírio, foi derrotado por Zimri-Lim, que assim recuperou o trono dos antepassados. Nesse momento, Kunshimatum e todas as outras damas reais se tornaram prisioneiras de guerra para o conquistador. Mais tarde, em Israel, o vencedor adquiriu o harém do rei anterior como parte da legitimação de seu direito ao trono.[41] O mesmo destino tiveram as muitas filhas de outro rei de Mari, que reinou antes de Zimri-Lim. Quando o pai foi deposto por um conquistador assírio, essas filhas criadas nobremente, que haviam sido formadas na arte do canto, foram entregues como escravas a uma autoridade secundária do novo governo. Não foram enviadas às fábricas têxteis, mas se tornaram escravas domésticas.[42]

A correspondência da rainha Shibtu com seu marido, o rei Zimri-Lim, tem especial importância. B. F. Batto comenta sobre ela: "O papel de Shibtu é excepcional no alcance e na absoluta multiplicidade de atividades nas quais estava envolvida [...]. Sua influência era sentida em toda parte. Não surpreende que tantos a estimassem".[43]

A rainha Shibtu atuava como suplente do marido durante suas ausências frequentes. Recebia relatórios dos administradores da cidade de Mari. O governante de Terqa, uma cidade vizinha, respondia à rainha sobre assuntos comerciais e executava suas ordens. Os governantes e reis subordinados a homenageavam em termos geralmente reservados apenas ao soberano.[44] Shibtu ofertava sacrifícios, supervisionava oráculos e profecias, e eventos de grande importância, sobre os quais ela aconselhava o rei com regularidade. Também executava as ordens do rei. Em certa ocasião, o marido ordenou que ela selecionasse algumas prisioneiras que estava enviando para casa:

Entre elas há algumas sacerdotisas *ugbabatum*. Selecione as sacerdotisas *ugbabatum* e as envie (isto é, o resto) para a casa das tecelãs [...]. Escolha dentre as 30 tecelãs

> – ou quantas forem de escolha (e) atraentes, que não tenham defeitos (!) dos pés à cabeça – e as envie para Wara-ilisu. E Wara-ilisu deve dar a elas o véu de Subartu (?). Além disso, o documento do *status* delas deve ser alterado. Dê orientações sobre as rações, para que a aparência delas não piore. E, quando selecionar as tecelãs, deixe que Wara-ilisu as guarde (?) [...].[45]

Aqui, é óbvio, o rei instruiu a esposa a selecionar mulheres dentre as prisioneiras para seu harém. Sua preocupação quanto à beleza delas e as instruções de que recebessem alimentação adequada para manter a aparência são prova disso. Mas, em carta posterior, o rei revogou sua ordem. Ele escreveu à esposa: "Haverá mais prisioneiras de guerra a meu dispor [...]. Eu mesmo selecionarei dentre estas quais pegarei, as garotas para o véu, e as enviarei a você".[46]

A cooperação da esposa nessa questão é dada como certa, e supõe-se que o uso sexual das prisioneiras por seu marido, que servia não apenas para satisfazê-lo sexualmente, mas também para aumentar seus domínios e *status*, era algo rotineiro. Ainda assim, como vimos pelo caso de Kunshimatum, qualquer nova conexão sexual do marido era uma possibilidade de ameaça à posição da primeira esposa, mesmo que ela estivesse legalmente em uma situação mais segura do que as esposas secundárias.

O rei Zimri-Lim arranjava casamentos políticos para as filhas. Quando ele casou sua filha Kirum com Khaya-Sumu, soberano de Ilansura, também a nomeou prefeita da cidade de Khaya-Sumu. Kirum, que parece ter sido uma mulher determinada, exercia sua autoridade como prefeita. Também se correspondia com o pai a respeito de assuntos políticos e o aconselhava sem limitações. Suas atividades desagradavam o marido, que se tornou cada vez mais cruel com ela. O conflito conjugal agravou-se pelo fato de que Khaya-Sumu também havia se casado com uma irmã ou meia-irmã de Kirum, uma mulher chamada Shibatum. O relacionamento entre as duas irmãs, qual delas foi a primeira esposa e qual era a secundária, não está claro nos documentos disponíveis.[47] O casamento de duas irmãs com o mesmo homem ocorreu em inúmeros casos na sociedade mesopotâmica. Nesse caso específico, terminou mal para Kirum. O marido tinha clara preferência por Shibatum, e o casamento deu tão errado, que Kirum pediu ao pai permissão para voltar para casa, o que seria equivalente ao divórcio. Em uma carta ao pai, descreveu em detalhes uma discussão dentre uma longa lista de brigas domésticas:

> (K)Haya-Sumu levantou-se e (disse) diretamente a mim. "Você comanda a prefeitura aqui. (Mas) como eu (por certo) vou matá-la, deixe-o vir – sua estrela – e levá-la de volta".[48]

"Sua estrela" é como ela se referia ao pai. A carta continua:

> Ela levantou-se, Shimatum, diante de mim (dizendo) o que segue: "Quanto a mim, deixe minha estrela fazer o que ele quiser comigo, (mas) eu farei o que eu quiser!". Se ele (o rei) não me levar de volta, eu morrerei; não vou viver.[49]

A despeito desse apelo desesperado de Kirum, seu pai aparentemente não fez nada. Na carta seguinte, Kirum ameaçou tomar medidas mais drásticas: "Se o meu senhor não me levar de volta, irei até Mari (e lá) pularei (cairei) do telhado". Isso surtiu o efeito desejado. O pai, mais uma vez ausente a trabalho, instruiu a esposa a providenciar a volta de Kirum para Mari. Não existe registro formal de divórcio, mas o efeito foi o mesmo.[50]

O rei Zimri-Lim tinha várias filhas. Oito delas foram entregues em casamento a vassalos do pai com o intuito de que isso os aproximasse do rei. Essas mulheres costumavam atuar como mediadoras entre o pai e o marido. Assim, uma das filhas, Tizpatum, apelou ao pai para que enviasse cem tropas para ajudar o marido em um conflito local. "Do contrário", disse ela,

> o inimigo vai tomar a cidade. Agora, justamente por minha causa, as pessoas estão preocupadas com ele, dizendo: "Como ele pode ser casado com a filha de Zimri-Lim e ser leal a Zimri-Lim!". Deixe meu pai e senhor saber disso.[51]

É nítido que o objetivo desses casamentos diplomáticos era garantir alianças entre os soberanos locais e suas obrigações mútuas implícitas. É impossível não se deixar afetar pelo tom competente e assertivo da carta da filha.

Outra das filhas em um casamento diplomático não se saiu tão bem. Suas cartas são longos e detalhados protestos sobre como o marido a tratava mal.

Ela também apelou ao pai para que a levasse de volta para casa. Em seu caso, o rei aconselhou: "Vá e cuide de sua casa. Mas, se isso não for possível, cubra a cabeça e venha até mim". Esse conselho não surtiu o efeito desejado. A filha fugiu para os domínios de um soberano vizinho, onde o marido se contentou em deixá-la como praticamente prisioneira. O desfecho de seus problemas conjugais é desconhecido.[52]

Duas das filhas do rei eram sacerdotisas *naditum*, uma delas dedicada ao deus Samas e a sua consorte Aya em Sippur. Como todas as sacerdotisas, ela havia levado um dote para o templo e continuou sendo sustentada pela família. Algumas *naditum* eram bastante ativas em empreendimentos comerciais, comprando e vendendo propriedades e escravos e fornecendo empréstimos a taxas de juros comuns de agiotas. A maioria delas mantinha escravos para fazer o trabalho servil. No caso de Erishti-Aya, ela morava em um claustro e não estava satisfeita com isso. Realizava um trabalho importante, sempre orando pelo rei. Ela o informou desse fato para sustentar sua reivindicação por rações adequadas. As cartas têm um tom de lamento:

> Agora a(s) filha(s) de sua casa [...] estão recebendo suas rações de cereais, roupas e cerveja boa. Ainda que apenas eu seja a mulher que ora por você, não recebo suprimentos.[53]

Esse tema é recorrente em várias de suas cartas. Em uma delas, escrita para a mãe, ela diz:

> Eu sou filha do rei! Você é esposa do rei! Mesmo desconsiderando as tábuas com as quais seu marido e você me fizeram entrar no claustro – eles tratam bem soldados capturados como presos de guerra! Vocês, então, me tratem bem![54]

Não fica claro se o motivo das reclamações era porque os pais a negligenciavam ou se a negligência era da parte das autoridades do templo. Uma de suas declarações parece indicar a segunda opção: "Minhas rações de cereais e roupas, com as quais (meu) pai me mantém viva, eles (uma vez) me deram, então faça com que me deem (as rações agora) para que eu não morra de fome".[55] B. F. Batto observa que protestos semelhantes aparecem em cartas de várias *naditum* em Sippur. Isso pode refletir, ele acha, "uma padronização que de certa forma prejudica nossa noção de urgência".[56] Também pode representar corrupção ou negligência da parte das autoridades do templo.

Erishti-Aya pode ter sido vitimada pela família ou por seus superiores no templo, mas sua própria postura em relação a quem trabalhava para ela não era nada generosa. Ela escreveu ao pai: "Ano passado você me mandou duas escravas e uma (dessas) escravas precisou morrer! Agora você me trouxe (mais) duas escravas (e destas) uma escrava precisou morrer!". A própria princesa, segundo seus protestos, ameaçada de "morrer de fome", sentia apenas aborrecimento e irritação pela morte de duas escravas.[57]

Estas são algumas das informações que temos sobre as filhas do rei Zimri-Lim. Suas cartas nos oferecem um olhar íntimo da vida familiar de cerca de 2.500 anos atrás e mostram um grupo de mulheres articuladas e determinadas envolvidas em assuntos públicos e privados, defendendo seus direitos de maneira autoconfiante. Eram um grupo excepcional de mulheres? Sabemos que Zimri-Lim delegava mais autoridade e poder à mulher em sua família do que era o costume. Por exemplo: uma mulher chamada Addu-duri, que pode ter sido sua mãe ou irmã mais velha, atuava como sua suplente supervisionando oferendas religiosas e oráculos em Mari; ela comprava suprimentos e, em outros momentos, tomava decisões legais.[58] Não podemos dizer com certeza se a outras princesas era dada autoridade semelhante. Por outro lado, pode-se concluir, com base na reação violenta e bem-sucedida do marido de Kirum, que a concessão de autoridade independente à esposa pelo pai dela era uma prática incomum e inaceitável.

As ricas imagens que restaram da civilização mesopotâmica corroboram a suposição de que as mulheres da elite eram respeitadas e conferiam dignidade a uma cultura que conseguia enxergar sabedoria e autoridade na figura feminina (ver Ilustrações 5, 14 e 15 na Seção Ilustrações).

Após uma visão geral de fragmentos de evidências relacionadas a mulheres mesopotâmicas em diferentes culturas ao longo de um período de 1.400 anos, o que aprendemos? Vimos evidências extensas de sociedades nas quais a participação ativa de mulheres na vida econômica, religiosa e política era dada como certa. Igualmente dada como certa era a dependência delas e a obrigação em relação aos parentes homens e/ou maridos.

Para a elite dominante, o interesse próprio como usurpadores da realeza exigia que o estabelecimento de poder se tornasse o que um analista, de maneira sagaz, chamou de "burocracia patrimonial".[59] A garantia do poder deles dependia da distribuição de familiares em importantes posições subordinadas de poder. Tais familiares, nesse período inicial, costumavam ser mulheres – esposas, concubinas ou filhas – que, digamos assim, tornaram-se as primeiras senhoras feudais de seus maridos/pais/reis. Assim, surgiu o papel da "esposa como suplente", no qual encontraremos mulheres a partir desse período. Observamos a extensão e os limites do poder delas representado pela rainha Shibtu, que executava as ordens do marido ao governar o reino e selecionar mulheres dentre as prisioneiras para o harém dele. Sua imagem pode ser uma metáfora perspicaz para o que significa, o que significava na época e o que significou por quase 3 mil anos para uma mulher pertencer à classe alta. O papel da rainha Shibtu de "esposa como suplente" é a posição mais alta à qual essas mulheres podem aspirar. O poder delas deriva inteiramente do homem do qual dependem. A influência e o verdadeiro papel em moldar os eventos são reais, assim como o poder sobre homens e mulheres de classes mais baixas que elas possuem ou controlam. Mas, em relação à sexualidade, são completamente subordinadas aos homens. Aliás, como vimos nos casos de diversas esposas reais, o poder delas na vida econômica e política depende do quanto é satisfatória a servidão sexual a seus homens. Se não os agradarem mais, como no caso de Kirum ou Kunshimatum, perdem o poder por capricho de seus senhores.

Assim, as mulheres acabaram se percebendo, de forma bem realista, dependentes dos homens. Isso se manifesta com perfeição na oração de Kunshimatum. Assim como o vassalo feudal de uma época posterior, ela entendeu que sua única segurança era a proteção de seu senhor. É impressionante e assustador contemplar que ela orava não pela própria proteção, como o interesse próprio dita, mas por seu senhor, "para que eu também possa prosperar sob sua proteção". O que vemos aqui é o surgimento de um conjunto de relações de poder nas quais os homens adquiriram poder sobre outros homens e sobre todas as mulheres. Assim, os homens da elite se viam como aqueles que podiam adquirir poder sobre outros, riqueza em bens e em servidão sexual, ou seja, a aquisição de escravas e concubinas para um harém. Mulheres, mesmo as mais seguras, bem-nascidas e autoconfiantes, viam-se como pessoas dependentes da proteção de um homem. Este é o mundo feminino do contrato social: mulheres cuja autonomia lhes é negada dependem de proteção e se empenham para conseguir o melhor acordo possível para elas mesmas e seus filhos.

Se nos lembrarmos de que estamos aqui descrevendo um período histórico no qual nem os códigos de leis formais haviam sido escritos ainda, podemos começar a perceber quanto as definições patriarcais de gênero estão enraizadas na civilização ocidental. A matriz das relações patriarcais entre os sexos já tinha um lugar fixo antes dos desenvolvimentos econômico e político institucionalizarem por completo o Estado e muito antes de a ideologia do patriarcado ser desenvolvida. Nesse estágio inicial, a transição de uma classe para outra ainda era relativamente fluida, e a ascensão social era uma possibilidade distinta, até mesmo para as classes mais baixas. De forma gradual, fazer parte de uma classe específica passou a ser algo hereditário. A transição definitiva para a nova organização social era a institucionalização da escravidão.

A fim de entender mais sobre a conexão entre estrutura familiar, o desenvolvimento da escravidão como sistema de classes e a institucionalização do poder do Estado, devemos observar com mais atenção esses aspectos do desenvolvimento histórico e tentar reconstruir a tessitura de vidas femininas que não faziam parte da elite.

QUATRO

A MULHER ESCRAVA

FONTES HISTÓRICAS SOBRE A ORIGEM da escravidão são escassas, especulativas e difíceis de avaliar. A escravidão raramente ocorre, se tanto, em sociedades de caçadores-coletores, mas aparece em regiões e épocas muito distintas com o advento da pastorícia, e depois com a agricultura, a urbanização e a formação do Estado. A maioria das autoridades concluiu que a escravidão deriva da guerra e da conquista. As fontes de escravidão que costumam ser citadas são: captura em guerra; punição por algum crime; venda por algum familiar; venda de si mesmo por débito; e escravidão por dívida.[1] A escravidão é a primeira forma *institucionalizada* de dominância hierárquica na história humana; relaciona-se ao estabelecimento de uma economia de mercado, de hierarquias e do Estado. Por mais opressiva e brutal que, sem dúvida nenhuma, tenha sido para suas vítimas, a escravidão representou um avanço essencial no processo de organização econômica, avanço no qual se baseou o desenvolvimento da antiga civilização. Assim, podemos falar justificadamente na "invenção da escravidão" como um divisor de águas crucial para a humanidade.

A escravidão só podia ocorrer onde existissem determinadas precondições: era preciso haver excedentes de alimentos; meios de reprimir prisioneiros resistentes; distinção (visual e conceitual) entre escravos e escravizadores.[2] Em muitas sociedades nas quais existia, de alguma maneira, a prática de possuir escravos, não havia um *status* fixo de escravo, apenas vários graus de subordinação e trabalho forçado. Para que o *status* de escravo fosse institucionalizado, as pessoas precisavam ter como certa que a possibilidade dessa dominância teria mesmo resultado positivo. A "invenção da escravidão" baseou-se na ideia de que um grupo de pessoas pode ser classificado como um grupo externo, marcado a ferro como escravizável, forçado ao trabalho e à subordinação – e de que esse estigma de ser escravizável, combinado com a realidade de seu *status*, faria o grupo aceitar isso como fato.[3] Além disso, era necessário que essa escravização não apenas durasse a vida inteira do escravo, mas que também o *status* de escravo pudesse ser fixado de modo permanente ao grupo dessas pessoas, antes livres, e a seus descendentes.

A invenção crucial, para além de brutalizar outro ser humano e forçá-lo a trabalhar contra sua vontade, foi a possibilidade de classificar o grupo a ser dominado como completamente diferente do grupo que exerce dominância. É evidente que tal diferença fica mais óbvia quando o grupo escravizado são membros de uma tribo estrangeira, literalmente "outros". Ainda assim, para estender o conceito e transformar os escravizados em *escravos*, de alguma forma *diferentes* de seres humanos, os homens já deviam saber que essa classificação funcionaria de fato. Sabemos que constructos mentais costumam vir de algum modelo da realidade e consistem de um novo ordenamento de experiência passada. Essa experiência, disponível aos homens antes da invenção da escravidão, era a subordinação de mulheres do próprio grupo.

A opressão de mulheres precede a escravidão e a torna possível. Vimos em capítulos anteriores como homens e mulheres construíram as relações sociais que deram origem a dominância e hierarquias. Vimos como a confluência de inúmeros fatores resultou na assimetria sexual e na divisão de trabalho com pesos desiguais para homens e mulheres. A partir disso, o parentesco estruturou as relações sociais de tal forma, que mulheres eram comercializadas para casamento e homens tinham certos direitos sobre as mulheres que estas não tinham sobre eles. A sexualidade e o potencial reprodutivo das mulheres se tornaram mercadorias a ser comercializadas ou adquiridas para servir a famílias; então, as mulheres eram consideradas um grupo com menos autonomia do que os homens. Em algumas sociedades, como na China, as mulheres continuaram sendo estranhas marginalizadas em relação ao grupo de seus parentes. Enquanto os homens "faziam parte" de uma família ou linhagem, as mulheres "pertenciam a" homens que adquirissem direitos sobre elas.[4] Na maioria das sociedades, as mulheres são mais vulneráveis à marginalidade do que os homens. Uma vez privadas da proteção de um parente homem por razão de morte, separação ou por não ser mais desejada como parceira sexual, a mulher se torna marginalizada. Logo no início da formação do Estado e do estabelecimento de hierarquias e classes, os homens devem ter observado essa vulnerabilidade maior nas mulheres e aprenderam assim que podiam usar diferenças para separar e dividir um grupo de pessoas de outro. Essas diferenças podem ser "naturais" e biológicas, como sexo e idade, ou podem ser criadas pelo homem, como aprisionamento e marcação a ferro.

A "invenção da escravidão" envolve o desenvolvimento de técnicas de escravização permanente e do conceito, tanto para o dominante quanto para o dominado, de que a impotência permanente de um lado e o poder total do outro são condições aceitáveis de interação social. Como apontou Orlando Patterson em seu estudo completo da sociologia da escravidão, as técnicas de escravização tinham três aspectos característicos: (1) a escravidão começou como um substituto para mortes em geral violentas, sendo, "de modo peculiar, uma permuta condicional"; (2) o escravo passava por "alienação natal"; ou seja, ele ou ela era "isolado de todas as reivindicações de nascimento" e da participação legítima de direito em uma ordem social; (3) o "escravo era desonrado de forma generalizada".[5] Evidências históricas sugerem que esse processo de escravização foi desenvolvido e aperfeiçoado a princípio com mulheres prisioneiras de guerra; que foi reforçado por já conhecidas práticas de comércio de mulheres para casamento e concubinato. Durante um longo período, talvez séculos, enquanto homens inimigos eram mortos pelos captores, gravemente mutilados ou levados para áreas distantes e isoladas, mulheres e crianças tornavam-se prisioneiras e se incorporavam a casas e à sociedade dos captores. É difícil saber o que inicialmente levou os homens à "permuta condicional da morte" para mulheres e crianças. É mais provável que a maior vulnerabilidade física e debilidade fizessem-nas apresentar menos ameaça se fossem aprisionadas do que os guerreiros inimigos do sexo masculino. A "alienação natal" foi obtida com rapidez ao se transportá-las para longe dos povoados de origem, que costumavam estar fisicamente destruídos. Como seus parentes homens haviam sido mortos, essas prisioneiras não tinham esperança de resgate ou fuga. O isolamento e o desespero delas aumentavam a sensação de poder de seus captores. O processo de desonra podia, no caso das mulheres, ser combinado com o ato derradeiro da dominância masculina: o estupro de prisioneiras. Se uma mulher fosse capturada com os filhos, se sujeitaria a quaisquer condições impostas pelos captores para garantir a sobrevivência deles. Se não tivesse filhos, o estupro ou uso sexual logo a faria engravidar, e a experiência mostraria aos captores que as mulheres suportariam e se adaptariam à escravidão na esperança de salvar os filhos e em algum momento melhorar sua sina.

A maioria dos historiadores que abordam o tema escravidão observou o fato de que a maior parte das primeiras pessoas escravizadas eram mulheres, mas não deram muita importância a isso. O item "Escravidão" da *Encyclopaedia Britannica* afirma:

> A guerra foi a primeira fonte de escravos do Antigo Oriente Próximo. [...] Originalmente, parece que os prisioneiros eram executados; depois as mulheres, e então os homens foram poupados para servir a seus captores.[6]

Outro historiador observa:

> Pode ser significativo que escravos homens apareçam não apenas mais tarde, como também em menor quantidade do que escravas mulheres. [...] É provável que os meios para a detenção e o emprego eficaz de escravos homens ainda não houvessem sido providenciados, então eles costumavam ser mortos.[7]

Como o assiriólogo I. M. Diakonoff aponta, manter prisioneiros de guerra homens era perigoso:

> Forçar um destacamento de escravos prisioneiros – isto é, ex-guerreiros livres – a trabalhar em um campo com enxadas de cobre exigiria aproximadamente o dobro de soldados armados para vigiá-los, porque, em um conflito armado, uma enxada de cobre não era tão diferente de um machadinho de cobre, que era a arma comum dos guerreiros daquela época. [...] Portanto, todos os prisioneiros de guerra homens

eram mortos no ato, e apenas escravas mulheres eram usadas, em qualquer quantidade, na economia do Estado.[8]

Mesmo onde existia a necessidade econômica de uma grande força de trabalho escravo, não havia força de trabalho masculina suficiente disponível entre os captores para vigiar os prisioneiros dia e noite, garantindo assim a inofensividade deles. Povos diferentes precisaram de tempos diferentes para perceber que seres humanos podiam ser escravizados e controlados por outros meios que não a força bruta.

Orlando Patterson descreveu alguns dos meios pelos quais pessoas livres eram transformadas em escravos:

> Escravos eram sempre pessoas que haviam sido desonradas de forma generalizada. [...] O escravo não podia ter honra por causa da origem de seu *status*, da indignidade e da totalidade de sua dívida, da ausência de qualquer existência social independente, mas, acima de tudo, porque ele não tinha poder, a não ser por intermédio do outro.[9]

Um aspecto desse processo de "desonra" é o corte de laços familiares:

> A recusa formal de reconhecer as relações sociais do escravo teve profundas implicações emocionais e sociais. Em todas as sociedades escravocratas, casais de escravos podiam ser e eram separados à força, e as "esposas" consensuais dos escravos eram obrigadas a ceder aos apelos sexuais de seus senhores; escravos não tinham custódia ou direitos sobre os filhos, e os filhos não herdavam direitos nem tinham nenhum dever para com os pais.[10]

Com foco tipicamente androcêntrico, Patterson inclui escravas mulheres no genérico "ele", ignorando a prioridade histórica da escravização de mulheres e, portanto, deixando escapar a diferença significativa implícita na forma como a escravidão é vivenciada por homens e mulheres.

O impacto do estupro sobre o grupo conquistado era duplo: desonrava as mulheres e, por consequência, representava uma castração simbólica dos homens. Homens de sociedades patriarcais que não podem proteger a pureza sexual de suas esposas, irmãs e filhas sentem-se impotentes e desonrados. O costume de estuprar as mulheres de um grupo conquistado permaneceu como prática de guerra e conquista do segundo milênio a.C. até o presente. Trata-se de uma prática social que, assim como a tortura de prisioneiros, resiste ao "progresso", a reformas humanitárias e a considerações éticas e morais mais sofisticadas. Sugiro que seja esse o caso, porque é uma prática incorporada e essencial à estrutura das instituições patriarcais, e delas inseparável. É no início do sistema, antes da formação de classes, que podemos vê-la em sua mais pura essência.

O próprio conceito de honra, para os homens, inclui autonomia, o poder de dispor de si e decidir por si mesmo, e o direito de que essa autonomia seja reconhecida por outros. Mas mulheres, sob o controle do patriarcado, não dispõem de si nem decidem por si mesmas. Seus corpos e serviços sexuais estão à disposição de seu grupo de parentes, maridos, pais. As mulheres não têm custódia nem poder sobre seus filhos. Mulheres não têm "honra". O conceito de que a honra de uma mulher está em sua virgindade e em sua fidelidade sexual ao marido ainda não havia sido plenamente desenvolvido no segundo milênio a.C. Defendo que a escravização sexual de mulheres prisioneiras foi, na realidade, um passo no desenvolvimento e na elaboração das instituições patriarcais, como o casamento patriarcal e sua contínua ideologia de colocar a "honra" feminina na castidade. A invenção cultural da escravidão baseia-se tanto na elaboração de símbolos de subordinação das mulheres quanto na conquista real de mulheres. Subjugando mulheres do próprio grupo, e depois mulheres prisioneiras, os homens aprenderam o poder simbólico do controle sexual sobre os homens e elaboraram a linguagem simbólica na qual expressar dominância e criar uma classe de pessoas escravizadas do âmbito psicológico. Com a experiência da escravização de mulheres e crianças, os homens entenderam que todos os seres humanos podem tolerar a escravidão, e desenvolveram técnicas e formas de escravização que lhes permitiriam transformar essa dominância absoluta em instituição social.

Existem sólidas evidências históricas da preponderância da prática de matar ou mutilar prisioneiros homens e da escravização e do estupro contra grande escala de mulheres prisioneiras. As primeiras referências ao tratamento de inimigos sobreviventes na Mesopotâmia datam de 2500 a.C. Na Estela dos Abutres, Eannatum, soberano de Lagash, registrou sua vitória sobre a cidade de Umma e descreveu como os vitoriosos empilharam milhares de corpos de inimigos em grandes amontoados. Mais tarde, o segundo rei da dinastia sargônica, Rimush, descreveu a conquista de diversas cidades da Babilônia e a morte de milhares de homens em cada uma delas, bem como a tomada de milhares de prisioneiros. Uma inscrição do rei Shu-Sin da terceira dinastia de Ur (cerca de 2043-2034 a.C.) descreve como ele instalou os "escravos" inimigos, uma presa de guerra da cidade derrotada de Simanum, em uma distante cidade fronteiriça. Essa presa de guerra aparentemente consistia de homens civis capturados e guerreiros inimigos, que depois eram libertados. Em diversos textos babilônicos, há outras referências à "presa de guerra" tomada e ofertada a vários templos. A expressão "presa de guerra" aplicava-se a produtos, animais e pessoas. Guerreiros inimigos eram amarrados logo após a captura ou presos com madeira, um tipo de coleira ou parelha.[11] Em um estudo de todas as fontes disponíveis sobre prisioneiros da Babilônia, I. J. Gelb afirma:

> Pode ser dado como certo que, enquanto prisioneiros de guerra permaneciam escravos à disposição da coroa, eles trabalhavam até a morte sob as condições mais desumanas, morriam de doença ou fugiam sempre que possível.[12]

Existem algumas referências nos textos a prisioneiros de guerra que foram cegados e obrigados a trabalhar em pomares. Um desses textos é pré-sargônico e trata de 12 prisioneiros homens de uma cidade em Elam que foram cegados. O outro texto, registro do templo da deusa Bau em Lagash citados antes, também menciona "homens cegos" que trabalhavam em pomares. Nesse caso, assiriólogos discordam quanto ao significado do termo *igi-du-nu*. Muitos sugerem que significa "incapaz", portanto, uma metáfora para "cego", ou que pode se referir a homens cegos de nascença que foram empregados assim. I. J. Gelb tende a vê-los como prisioneiros que foram cegados e aponta evidências adicionais do período neoassírio de que prisioneiros de guerra homens eram cegados.[13] A retirada dos olhos de 14.400 prisioneiros capturados pelos assírios está registrada em uma inscrição de Salmanaser (cerca de 1250-1200 a.C.).[14]

O Antigo Testamento menciona inúmeros casos de cegueira forçada a prisioneiros de guerra: Sansão (Juízes 17:21), Zedequias (2 Reis 25:7) e a história dos homens de Jabesh (2 Samuel 11:2). Heródoto escreve no Livro IV, 2, sobre a cegueira de prisioneiros de guerra praticada pelo povo cita.[15] Também na China, onde a escravidão se desenvolveu sobretudo fora do sistema penal, criminosos eram punidos com mutilação. A mutilação costumava consistir em tatuagem facial, amputação de nariz e pés, e castração. O tipo de mutilação dependia da gravidade do crime. Podia ser aplicada ao criminoso ou a membros de sua família. O Código de Leis de Han afirma que "as esposas e os filhos de criminosos são confiscados como escravos e escravas e tatuados no rosto". Pessoas assim mutiladas formavam uma classe à parte e eram incumbidas de tarefas modestas, vivendo em um "estado de escravidão".[16] A castração como forma de punição por crimes e, depois, como modo de adequar escravos para o trabalho em haréns era muito comum na Antiga China e na Mesopotâmia. A prática resultou no desenvolvimento do eunuquismo político na China, na Pérsia, na Roma Antiga, em Bizâncio, no Egito, na Síria e na África. A prática é de interesse para esta discussão à medida que ilustra a necessidade de marcas visíveis e marginalização de pessoas a fim de designá-las como escravas permanentes, e também por mostrar o uso de controle sexual a fim de reforçar e perpetuar a escravização de uma pessoa.[17]

Dois textos administrativos mesopotâmicos, escritos com cinco meses de diferença e datados do reinado de Bur-Sin (terceira dinastia de Ur), oferecem-nos informações sobre 197 mulheres e crianças prisioneiras. No primeiro, são fornecidas rações para 121 mulheres (relata-se que 46 morreram) e 28 crianças, das quais se relata que apenas 5 estão vivas. Das 121 mulheres vivas, indica-se que 23 estão doentes. No segundo texto, são listadas como sobreviventes 49 mulheres e 10 crianças, que recebem rações de farinha e cerveja. Das 24 mulheres doentes mencionadas na primeira lista, apenas 5 estão na segunda lista, o que sugere a possibilidade de que apenas essas 5 sobreviveram à doença. Uma vez que as rações de alimentos fornecidas aos prisioneiros eram do mesmo padrão que as dos servos, as altas taxas de mortalidade e doença de prisioneiros indicam condições muito mais severas durante o transporte do campo de batalha até o local do aprisionamento ou um período de quase inanição por causa de problemas de distribuição e divisão de rações.

Outro desses textos descreve a presa de guerra ofertada ao templo em Umma como 113 mulheres e 59 crianças. I. J. Gelb também relata que "mulheres prisioneiras foram utilizadas na construção do palácio de Bur-Sin. Esse tipo de trabalho pesado não costumava ser realizado por mulheres locais".[18]

Nas listas de ração do templo de Bau em Lagash, datadas de cerca de 2350 a.C., todos os trabalhadores do templo estão listados de acordo com seu *status* e trabalho realizado. Há uma lista à parte de "mulheres escravas e seus filhos". A maioria delas preparava e fiava lã, algumas moíam grãos; outras trabalhavam na cozinha e na cervejaria ou cuidavam de animais domésticos.[19] Como pertenciam ao lar da rainha, esse grupo em particular não era de escravas do harém nem de servas sexuais. Nesse período inicial, não existem registros da existência de haréns de modo geral, e, no caso específico do templo de Bau, não há disponibilidade de registros compatíveis do lar do rei. As escravas do templo de Bau não eram membros de famílias cujos chefes eram homens, uma vez que tais famílias eram relacionadas em uma lista de ração à parte. Se essas mulheres fossem usadas para fins sexuais, seria esperado um aumento na quantidade de filhos por mulher com o passar dos anos, mas não parece ter sido o caso. A proporção relativamente equilibrada de mães e filhos – o dobro de mães – sugere que essas mulheres tenham sido escravizadas com seus filhos e eram usadas apenas como trabalhadoras.[20]

Cerca de 500 anos depois, as cartas do rei Zimri-Lim de Mari, mencionadas antes, ilustram a tomada de prisioneiras de guerra como "presa" e a incorporação destas ao lar do rei como trabalhadoras têxteis. Mas, naquele caso, a seleção das mulheres mais bonitas para trabalho especial parece indicar a existência de um harém, ou pelo menos a prática de usar essas mulheres como concubinas para ele mesmo e talvez para seus servos.[21]

Datados do mesmo período que os registros do templo de Bau, aproximadamente, os registros do templo de Samas em Sippar mostram uma quantidade relativamente pequena de escravos em relação à população total. Dos 18 mil nomes listados, 300 são de escravos, dois terços dos quais sendo de mulheres. Essa predominância de escravas em relação a escravos parece ter sido comum na realidade da Antiga Babilônia. Reflete também o uso predominante de escravas em casas privadas.[22]

A *Ilíada*, poema escrito no oitavo século a.C., reflete uma situação social existente na Grécia em cerca de 1200 a.C.[23] No Livro I da *Ilíada*, a prática de escravizar mulheres capturadas e distribuí-las aos guerreiros como presa de guerra é mencionada casualmente inúmeras vezes. A concubina do rei Agamenon, Criseida, uma prisioneira de guerra de origem nobre, é reivindicada por seu pai, um sacerdote. Temendo a ira dos deuses, os guerreiros argonautas pressionam o rei para que devolva a moça. Agamenon concorda com relutância, mas exige outra presa em troca de Criseida. Ele é informado de que isso seria impossível, visto que a presa de guerra já havia sido distribuída. A presa de guerra consistia de mulheres capturadas, e a prática é tão comum, que Homero não precisa explicá-la. Agamenon, então, insiste em tomar a concubina de Aquiles, com estas palavras:

> [...] Mas tomarei Briseida, de belo rosto, sua presa, eu mesmo indo até seu refúgio, e você verá quanto eu sou melhor do que você, e outro homem pode recuar de se comparar a mim e competir comigo.[24]

Aqui Agamenon afirma com clareza exemplar o significado da escravização de mulheres: ganhar *status* e honra entre os homens. Após Agamenon levar a cabo sua ameaça e tomar Briseida à força, o que faz Aquiles se isolar em sua tenda e se retirar da batalha, o rei não a toca. Na verdade, ele não a queria; desejava apenas ganhar a disputa com Aquiles – um belo exemplo de reificação de mulheres. Muito tempo depois, quando, em grande parte por causa da retirada de Aquiles e do descontentamento dos deuses, os gregos encaram a derrota, Agamenom admite sua culpa na disputa com Aquiles. Na frente de seus comandantes e homens reunidos, o rei propõe devolver Briseida e faz um grande juramento:

> [...] que eu nunca me deitei com ela como é natural de seres humanos, entre homens e mulheres.[25]

Tentando induzir Aquiles a se juntar à batalha, ele oferece presentes em ouro, cavalos e promessas:

> Eu darei a ele sete mulheres de Lesbos, cujo trabalho manual é irrepreensível. [...] e cuja beleza supera a de todas as raças de mulheres.[26]

Ele também oferece uma de suas três filhas, à escolha de Aquiles, em casamento. Após a derrota de Troia, Agamenon diz:

> Deixe-o escolher 20 mulheres troianas, que são as mais atraentes de todas depois de Helena de Argos.[27]

Nada disso impressiona Aquiles, que recusa todas as oferendas. Quando Aquiles vai dormir, o poeta nos diz:

> [...] e uma mulher se deita ao lado dele, alguém que ele havia tirado de Lesbos, filha de Forbas, Diomeda, de face rosada. No lado oposto, Pátroclo se deitava com outra garota, Ífis, de bela cintura, que o brilhante Aquiles lhe havia dado quando tomou Esquiro, refúgio de Enieu.[28]

Não há menção na *Ilíada* de guerreiros escravizados.

O destino que aguarda os derrotados também é descrito por uma das mulheres troianas como:

> [...] as dores que atingem os homens quando a cidade deles é tomada: matam os homens, e o fogo transforma a cidade em cinzas, e estranhos levam as crianças e as mulheres de cintura fina embora. [...][29]

E Heitor de Troia, falando com a esposa Andrômaca na véspera da batalha, confessa não estar tão preocupado com a dor da perda de determinados colegas guerreiros nem com a de seu pai e sua mãe:

> [...] quanto me preocupa pensar em você em lágrimas, quando algum aqueu de armadura de bronze levá-la, tirando sua liberdade: e em Argos você precisar trabalhar em outro tear e carregar água da nascente Messeida ou Hipereia, tudo contra a sua vontade. [...][30]

A escravização de prisioneiras, e seu uso como concubinas e presa de guerra, manteve-se desde a época do épico de Homero até o período moderno. Sobre a Grécia dos séculos IX e X a.C., o historiador M. I. Finley afirma:

> Existiam numerosos escravos; eles eram propriedade, ficavam disponíveis. Com mais exatidão, havia escravas mulheres, pois guerras e invasões eram as maiores fontes de fornecimento, e quase não havia motivo, econômico ou moral, para poupar a vida dos homens derrotados. Como regra, os heróis matavam os homens e levavam as mulheres, independentemente da posição.[31]

O historiador William Westermann, com base em um estudo detalhado de fontes históricas e literárias, descreve a prática da escravização de prisioneiras em toda a Antiguidade.[32] Durante a guerra do Peloponeso, por exemplo, afirma Westermann, os gregos matavam os inimigos homens em vez de recorrer à "prática estabelecida de trocar prisioneiros e soltar homens capturados mediante pagamento de resgate. As mulheres prisioneiras, nesses casos, costumavam ser colocadas no mercado como escravas".[33] Tucídides, em sua obra *História da Guerra do Peloponeso*, menciona vários exemplos de assassinato de prisioneiros homens e escravização de prisioneiras mulheres. Alguns exemplos podem nos dar uma explicação mais adequada: "o número de plateus mortos foi de pelo menos 200 [...] e as mulheres foram vendidas como escravas". Depois: homens corcireus foram mortos, "mas as mulheres que haviam sido capturadas no forte foram vendidas para fins de escravidão". E em outro trecho: "Os atenienses reduziram os cioneus sitiando-os, mataram os homens adultos e fizeram mulheres e crianças de escravas".[34]

A prática não estava restrita aos gregos e romanos. Sobre tribos germânicas no Império Romano, aproximadamente no século II d.C., E. A. Thompson escreve:

> Alguns povos germânicos matavam seus prisioneiros, ou, fosse como fosse, os prisioneiros homens adultos após uma campanha [...]. Agora é uma prática bastante comum entre os povos primitivos matar os guerreiros de um inimigo derrotado e escravizar as mulheres e seus filhos. Mas essa prática é comum apenas nos estágios mais baixos de desenvolvimento da agricultura. Nos estágios mais avançados, a frequência do costume cai de modo drástico, enquanto ocorre um aumento igualmente drástico na prática de escravizar guerreiros capturados.[35]

É óbvio que a dominância praticada a princípio sobre mulheres do próprio grupo foi transferida com mais facilidade a mulheres capturadas do que a homens nessa mesma situação.[36]

Evidências linguísticas de que mulheres foram escravizadas antes dos homens também são sugestivas: o sinal cuneiforme acádio para "mulher escrava" era "mulher" mais "montanha", o que parece indicar a origem estrangeira de mulheres escravas. Aliás, a maioria dos escravos vinha das montanhas do leste, provavelmente da área de Subartu. De acordo com uma autoridade no assunto, o sinal para "mulher escrava" aparece antes do sinal para "homem escravo".[37] Isso parece significar que as mulheres, a maioria prisioneiras de guerra, foram escravizadas antes dos homens.

A. Bakir, ao descrever a escravidão no Egito faraônico, aponta que o verbo "escravizar" significa "trabalho forçado". O substantivo MR(Y)T, que significa prisioneiros de guerra e servos do templo, também pode significar "pente de tear".[38] Isso é interessante, porque mulheres escravas eram bastante utilizadas como tecelãs e trabalhadoras têxteis no Egito e em toda a Antiguidade.

Em um estudo sobre a terminologia grega da escravidão, Fritz Gschnitzer mostra que a palavra grega *doela* (*doulos*) aparece na forma feminina duas vezes na epopeia homérica, mas nunca na forma masculina. Ele observa que há uma quantidade bem maior de mulheres escravas mencionadas nessa epopeia em comparação à de homens, explicando ainda, em uma nota de rodapé, que os gregos tendiam a matar prisioneiros homens e escravizar as mulheres. De forma interessante, em referência ao assunto que será discutido a seguir, alguns escritores afirmam que a palavra *doulē* tem o significado duplo de escrava e concubina. De modo semelhante, o termo *amphipolos* (criada, dama de companhia), que é restrito a mulheres no uso grego desde o período micênico, é também usado às vezes para descrever mulheres escravas. Gschnitzer acha que o termo era utilizado para designar mulheres escravizadas que antes eram livres. Isso confirmaria a prática de escravizar mulheres conquistadas e usá-las como servas domésticas.[39]

Fatores biológicos e culturais predispuseram homens a escravizar mulheres antes que aprendessem a escravizar homens. Para as mulheres, o terror físico e a coerção, ingredientes essenciais no processo de transformar pessoas livres em escravos, tomaram a forma de estupro. As mulheres eram subjugadas fisicamente por meio de estupros; uma vez grávidas, podiam se apegar a seus senhores em termos psicológicos. Daí surgiu a institucionalização do concubinato, que se tornou o instrumento social para integrar mulheres prisioneiras às famílias dos captores, garantindo a estes não apenas seus serviços fiéis, mas também o de seus filhos.

Todos os historiadores que escreveram sobre escravidão descreveram o uso sexual de mulheres escravizadas. Robin Winks, resumindo o conhecimento histórico existente sobre o assunto, afirma: "O livre acesso sexual a escravas as distingue de todas as outras pessoas tanto quanto sua classificação jurídica como propriedade".[40]

Sobre a escravidão babilônica, Isaac Mendelsohn escreve:

> No caso da mulher escrava, o senhor tinha direito não apenas sobre seu trabalho, mas sobre seu corpo. Ele ou um membro da família podia conviver livremente com ela sem assumir a menor obrigação.[41]

A mulher escrava da Babilônia podia também ser alugada como prostituta por um preço fixo, às vezes a um dono de bordel, às vezes a clientes particulares, com o senhor ficando com o pagamento. Essa prática se disseminou por todo o Oriente Próximo, no Egito, na Grécia e na Roma da Antiguidade – de fato, onde quer que existisse escravidão. Ao descrever a escravidão grega no nono e no décimo séculos a.C., M. I. Finley diz: "O lugar da mulher escrava era em casa, lavando, costurando, limpando, moendo alimentos. [...] Se elas fossem jovens, entretanto, o lugar delas também era na cama do senhor".[42] Jovens escravas abasteciam os bordéis e haréns da Antiguidade.

No período moderno, ocorreu na África, na América Latina, nos Estados Unidos e no Caribe. A prática é mundial; exemplos podem ser citados para cada época e cada sociedade escravocrata.

Na Malásia Britânica do século XIX, devedores escravizados tornavam-se "criados" na casa do credor, fazendo suas vontades e servindo como seguidores em aventuras militares. Mulheres escravas ou servas domésticas, adquiridas por meio de escravidão por dívida ou invasões de povoados, eram usadas como trabalhadoras domésticas e objetos sexuais, "dadas" pelos credores a seus serventes homens.[43]

Na China, do terceiro século a.C. até o vigésimo século d.C., a "compra de concubinas" era uma prática estabelecida. O mesmo fim era alcançado pela adoção, por parte dos ricos, de crianças vendidas pelos pais pobres em épocas de escassez. O tráfico de meninas, na forma do sistema de adoção de crianças *Mui Tsai*, ou "Irmãzinha", chegou ao século XX, apesar da proibição da escravidão em 1909. Como descreve o próprio nome, consistia sobretudo no tráfico de crianças do sexo feminino, criadas para que se tornassem prostitutas ou servas sexuais.[44]

O Relatório da ONU de 1948, ao descrever as condições contemporâneas em diversos países muçulmanos, afirma: "A maioria das mulheres escravas combina as funções de servas e concubinas em qualquer lar árabe que tenha recursos para manter uma escrava".[45]

A prática de usar mulheres escravas como servas e objetos sexuais tornou-se o padrão para a dominância de classe sobre as mulheres em todos os períodos históricos. De mulheres de classes subordinadas (servas, camponesas, trabalhadoras), esperava-se a servidão sexual a homens de classes mais altas, com ou sem o consentimento delas. O *droit du seigneur* feudal, o direito à primeira noite, que pertence ao senhor que concedeu à serva o direito de se casar, institucionalizou uma prática já bem estabelecida.

O uso sexual de servas por seus senhores é um dos temas da literatura europeia do século XIX, inclusive na Rússia czarista e na Noruega democrática. O uso sexual de mulheres negras por qualquer homem branco também era característico das relações raciais nos Estados Unidos nos séculos XVIII e XIX, mas resistiu à abolição da escravidão e se tornou, século XX adentro, uma das características de opressão de raça e classe.[46]

Assim, desde o início, a escravidão significa algo diferente para homens e mulheres. Tanto homens quanto mulheres, uma vez escravizados, eram completamente subordinados ao poder de outros; perdiam autonomia e honra. Homens e mulheres escravos precisavam realizar trabalho não remunerado e não raro serviços pessoais para os senhores. Mas, para as mulheres, a escravidão significava, de modo inevitável, também a servidão sexual a seus senhores ou àqueles que os senhores designassem em seu lugar. Existem, é claro, em sistemas de escravidão mais desenvolvidos, vários exemplos de uso e abuso sexual de escravos homens por senhores ou senhoras, mas são exceções. Para as mulheres, a exploração sexual representava a própria definição da escravidão, assim como *não* representava para os homens. De maneira semelhante, do período inicial do desenvolvimento de classes até o presente, a dominância sexual de homens de classes mais altas sobre mulheres de classes mais baixas é o próprio símbolo da opressão de classe das mulheres. Sem sombra de dúvida, a opressão de classes jamais pode ser considerada equivalente para homens e mulheres.

Assim como a subordinação das mulheres pelos homens forneceu o modelo conceitual para a criação da escravidão como instituição, a família patriarcal forneceu o modelo estrutural. Na sociedade mesopotâmica, bem como em qualquer outro lugar, a dominância patriarcal na família tomava várias formas: a autoridade absoluta de um homem sobre os filhos; a autoridade sobre a esposa limitada por obrigações recíprocas com os parentes dela; e o concubinato.

O pai tinha o poder de vida e morte sobre seus filhos.[47] Tinha o poder de cometer infanticídio por abandono ou desamparo. Podia dar as filhas em casamento em troca de um preço para a noiva, mesmo durante sua infância, ou designá-las a uma vida de celibato a serviço do templo. Podia arranjar casamentos para filhos de ambos os sexos. Um homem podia penhorar sua esposa, suas concubinas e seus filhos como garantia por uma dívida sua; se não conseguisse pagá-la, essas "garantias" se tornariam escravos por dívida. Esse poder vinha do conceito de que todo o grupo de parentes de uma pessoa era responsável por qualquer prejuízo de seus membros. A Lei Hitita antiga assim especificava:

> Se um servo aborrecer seu senhor, ou matam-no ou ferem seu nariz, seus olhos ou suas orelhas; ou ele [o senhor] o responsabiliza, e também sua esposa, seus filhos, seu irmão, sua irmã, seus parentes por casamento e sua família, seja um servo homem ou uma serva mulher.[48]

Nesse caso, que diz respeito a escravos (servos), a punição parece ser equivalente para parentes homens ou mulheres.

O Código de Hamurabi, que provavelmente foi publicado em sua forma atual no quadragésimo ano de reinado de Hamurabi, ou seja, em 1752 a.C., de acordo com Driver e Miles, "não é uma compilação de leis existentes com suas emendas. [...] É uma série de emendas e reformulações de partes da lei em vigor quando foi escrito".[49] Driver e Miles admitem a existência de uma Lei Mesopotâmica comum no terceiro milênio a.C.[50] Sendo assim, podemos argumentar que as condições sociais refletidas nessas leis são, de modo geral, uma representação da sociedade mesopotâmica.

O Código de Hamurabi definiu o tratamento de dívidas por penhora e impôs certos limites para possíveis abusos. Um homem incapaz de pagar uma dívida poderia penhorar sua esposa e filhos, suas concubinas e filhos, e seus escravos. Poderia fazer isso de duas maneiras: oferecendo seus dependentes como garantia para um empréstimo feito de um mercador a fim de reembolsar sua dívida, ou vendendo diretamente suas garantias. No primeiro caso, o parente podia ser redimido dentro de determinado período em troca do dinheiro emprestado, mas, se o devedor não conseguisse reembolsar sua dívida, as garantias se tornavam escravos comuns, sujeitos a revenda pelo novo dono. No segundo caso, as garantias se tornavam escravos de imediato.[51] O abuso físico dos escravos por dívida era restrito pelo CH § 116, que declara que, se uma garantia de dívida que fosse filho de um homem livre morresse por maus-tratos na casa do credor, e se esses maus-tratos pudessem ser comprovados, o filho do credor seria morto. Mas, se a garantia de dívida fosse um escravo, não alguém que nasceu livre, uma multa em dinheiro seria cobrada, e a dívida estaria liquidada.[52] A clara implicação dessa lei é de que o filho de qualquer homem poderia ser descartado por um delito do pai, e que os filhos tinham ainda menos direitos do que as garantias de dívida. O fato de não haver menção de penalidades no caso de maus-tratos a mulheres que eram garantias de dívida pode indicar que maltratá-las era algo visto com mais tranquilidade. Por outro lado, o Código de Hamurabi (CH § 117) na verdade representa uma melhora na condição de escravos por dívida ao limitar os serviços da esposa e dos filhos de um devedor a três anos, período após o qual seriam libertados. Antes eles podiam ser mantidos por toda a vida. O CH § 119 especificava que um homem que oferecesse como garantia de dívida sua escrava-concubina, que fosse mãe de filhos dele, mesmo em venda direta, tinha o direito de resgatá-la do novo comprador se reembolsasse o valor da compra.[53] Embora essas disposições tenham representado certa melhora na sina de mulheres oferecidas como garantia de dívidas, na verdade, elas protegiam os direitos dos maridos (devedores) em oposição aos direitos dos credores. Duas premissas básicas subjacentes a essas leis permaneceram intocadas: a de que parentes homens têm o direito de dispor de parentes mulheres e a de que a esposa e os filhos de um homem fazem parte de sua propriedade e devem ser usados como tal.

A autoridade absoluta do pai sobre os filhos deu aos homens um modelo conceitual de dominância e dependência temporárias em razão da vulnerabilidade dos jovens. Mas tal modelo não era inadequado para conceituar a dominância permanente de um ser humano sobre outros. O estado de dependência dos jovens era autolimitante; o jovem, por sua vez, chegaria à idade de dominância. Além disso, esperava-se dos jovens que cumprissem obrigações recíprocas com seus familiares mais velhos. Portanto, a autoridade parental precisava funcionar sob o controle tanto do ciclo da vida quanto do futuro poder em potencial dos jovens. O garoto, observando como seu pai tratava seu avô, aprendia sozinho como tratar o pai quando chegasse sua vez. Assim, o primeiro modelo de interação social com um igual que não fosse totalmente livre era a relação social entre marido e esposa. A esposa, cuja sexualidade já havia sido reificada como uma espécie de propriedade no comércio matrimonial, ainda possuía determinados direitos legais e de propriedade, e poderia impor, pela proteção de seus parentes, certas obrigações às quais tinha direito. É o concubinato, evoluindo dos privilégios patriarcais de homens dominantes da família, que representa a transição de dependência no casamento para a falta de liberdade.

Não existem evidências históricas suficientes para determinar com certeza se o concubinato precede a escravidão ou se surgiu dela. Embora saibamos de muitos exemplos nos quais homens tinham a primeira esposa e a esposa secundária, às vezes casando-se com duas irmãs, em outras adquirindo a esposa secundária depois, a institucionalização do concubinato envolvendo mulheres escravas parece ter ocorrido antes da promulgação do Código de Hamurabi. Encontramos no Código diversas regras sobre concubinas escravas e seus direitos como esposas e mães, e referentes à herança de direitos de seus filhos. Não se pode estabelecer com propriedade, com base em evidências disponíveis, se foi a pronta disponibilidade de mulheres prisioneiras para o serviço doméstico ou o aumento do empobrecimento de agricultores antes independentes que resultou em maior disponibilidade de escravos por dívida, contribuindo assim para a disseminação do concubinato. Parece provável que os dois fatores tenham sido relevantes.

É óbvio que a crescente importância de manter a propriedade privada na família estimulou o desenvolvimento do concubinato como instituição para a preservação das relações patriarcais de propriedade. A falta de filhos de um casal, com as implicações de perda de propriedade na linhagem masculina, podia ser remediada trazendo-se uma concubina para a casa. Um contrato de venda babilônico diz o seguinte:

> No 12º ano de Hamurabi, Bunene-abi e sua esposa Belessunu compraram Shamash-nuri de seu pai pelo preço de 5 *shekels* de prata. [...] Para Bunene-abi, ela é uma esposa, e, para Belessunu, ela é uma escrava.[54]

É de particular interesse aqui o fato de a concubina ter dupla função: realiza serviços sexuais para o senhor, com o conhecimento e o consentimento da esposa, e é serva desta. Isso difere bastante do relacionamento entre primeira esposa e esposas subsequentes, de muitas sociedades polígamas, em que o *status* da segunda e da terceira esposas é igual ao da primeira. Cada esposa e seus filhos têm determinados direitos, assim como uma residência específica e obrigações sexuais e econômicas que o marido precisa cumprir de modo a não violar os direitos de nenhuma delas. Assim, a relação entre servidão sexual ao senhor e prestação de serviços profissionais à esposa parece ser uma característica comum do concubinato no patriarcado.

As narrativas bíblicas do Gênesis, escrito entre 1200 e 500 a.C., refletem uma realidade social semelhante à descrita no contrato de venda babilônico (cerca de 1700 a.C.).

Sarai, envelhecendo sem filhos, implora a Abrão para que tenha relações sexuais com sua criada Agar:

> E Sarai disse a Abrão: "Eis que o Senhor me impede de ter filhos; suplico que vá até minha criada; pode ser que eu tenha filhos através dela". E Abrão ouviu a voz de Sarai.[55]

De forma semelhante, Raquel implorou ao marido Jacó:

> Eis minha criada Bila, vá até ela; que ela possa ter filhos sobre meus joelhos e que eu também tenha filhos através dela.[56]

Há várias deduções implícitas nesses relatos: a mulher escrava deve servidão sexual ao marido de sua senhora, e o fruto dessa relação conta como prole da senhora. Todas as mulheres devem servidão sexual aos homens em cuja casa moram e são obrigadas, em troca de "proteção", a gerar filhos. Se elas não puderem, suas escravas podem substituí-las nessa função, da mesma maneira que um homem pode pagar uma dívida com a garantia do trabalho de seu escravo ao credor. O *status* dependente da esposa "livre" está implícito na patética declaração de Sarai: "Pode ser que eu tenha filhos através dela". A mulher estéril é considerada defeituosa e inútil; apenas o ato de ter filhos a redimirá. Raquel, antes de oferecer sua criada a Jacó, exclama: "Dê-me filhos ou morrerei".[57] Quando enfim "Deus a ouviu e abriu seu ventre", ela disse: "Deus tirou de mim a humilhação".[58] Não se pode fazer afirmação mais clara sobre a reificação de mulheres e o uso instrumental de esposas.

O Código de Hamurabi especifica um sistema semelhante à prática bíblica no caso de homens casados com uma *naditum*, uma sacerdotisa proibida de ter filhos. A *naditum* oferece sua escrava ao marido para ter filhos ou, se não o fizer, o marido tem direito a uma esposa secundária, uma *sugetum*, uma sacerdotisa de nível inferior ou um tipo de "irmã leiga" para gerar filhos dele.[59] Se os filhos forem de uma escrava, são considerados filhos da esposa principal, como no caso de Raquel. O CH § 146 trata do caso de uma escrava oferecida por uma sacerdotisa a seu marido, que teve filhos com ele e depois "quer se igualar à senhora por ter tido filhos dele". Nesse caso, a senhora não pode vendê-la, mas pode "somá-la às demais escravas". Se ela não tiver tido filhos, a senhora pode vendê-la.[60]

Vemos nesses casos, como no caso de Shamash-nuri, a ambiguidade da posição da concubina. O CH § 171 especifica que um pai pode legitimar seus filhos com uma escrava concubina aceitando-os publicamente durante sua vida. Se ele não legitimar os filhos de sua escrava concubina, ela e os filhos tornam-se livres após a morte do pai, mas sem direito à herança. Fica evidente que a mulher escrava melhorou sua condição e a de seus filhos pelo concubinato; mas ela nunca deixou de ser a escrava da primeira esposa e precisou reconhecer esse papel ambíguo publicamente.[61]

O padrão de libertar concubinas que tivessem gerado filhos foi incorporado à lei islâmica e se espalhou pelo mundo com a difusão do islamismo. Assim, é uma das características mais comuns da escravidão mundial. De forma semelhante, na Malásia britânica do século XIX, uma escrava concubina tinha direito à liberdade se tivesse gerado filhos de seu senhor.[62]

O caso chinês, de certo modo, é especial, pois as concubinas podiam alcançar as mais altas posições na sociedade. Durante a dinastia Han, reis e altas autoridades não raro casavam-se com suas concubinas, algumas delas tornando-se assim imperatrizes e mães de reis. Por esse motivo, famílias aristocráticas competiam pelo privilégio de oferecer filhas à corte como concubinas. Ainda assim, em períodos posteriores, uma criança filha de uma pessoa livre com uma pessoa escrava era sempre considerada escrava.[63]

O concubinato como forma de ascensão social para mulheres também ocorreu de forma relativamente diferente no Império Inca pré-colombiano (cerca de 1438-1532 d.C.). Com a expansão do Império Inca, a hierarquia de conquista consolidou seu poder controlando a reprodução entre as províncias conquistadas. Isso ocorreu com a instituição da *aclla* - pela qual as virgens das áreas conquistadas, as *acllas*, eram recrutadas a serviço do Estado, retiradas de suas aldeias e colocadas para trabalhar com tecelagem e preparação de alimentos para rituais. Geralmente selecionadas entre as famílias locais de classe alta, essas virgens eram destinadas a servir ao deus do Sol ou se tornavam esposas secundárias do Inca. Podiam também ser distribuídas pelo Estado aos homens da nobreza. Eram respeitadas e influentes, por isso, muitas famílias locais consideravam uma grande honra dispor das filhas para esse serviço.[64] A ambiguidade do concubinato fica tão evidente aqui quanto nos outros exemplos citados.

Segundo suposição da antropóloga Sherry Ortner, a evolução da hipergamia (casamento de mulheres de classe baixa com homens de classe alta para fins de ascensão social) ou de alianças verticais é um elemento importante de controle social em sociedades estratificadas. A hipergamia depende da castidade forçada de moças de classe baixa antes do casamento. A pureza de uma filha ou irmã pode torná-la elegível a ser a esposa ou concubina de um nobre ou ser selecionada para servir ao templo. Assim, a pureza feminina se torna um recurso familiar, guardado com zelo pelos homens da família. Ortner sugere que essa explicação torna plausível a cooperação da mulher com sua própria subordinação.[65] No contexto do meu argumento, também ilustra os limites permeáveis entre o *status* de esposa, concubina e escrava.

Existem ainda evidências linguísticas que mostram a conexão essencial entre o concubinato e a escravização de mulheres.

A palavra chinesa para "mulher escrava" usada no terceiro e no segundo séculos a.C. era *pi*, que também significa "humilde". Ela era usada também para descrever uma concubina de nível inferior ou uma esposa de origem humilde. Resumindo a posição de escravos na China naquele período, o historiador E. G. Pulleyblank afirma: "Um escravo era um membro inferior da família de seu senhor e sujeito às mesmas obrigações [...] que uma criança ou uma concubina".[66]

Uma palavra posterior para "escravo", em uso após o segundo século a.C., era *nu*, cujos símbolos eram "mão" e "mulher". Pulleyblank observa:

> Existe outra palavra de pronúncia idêntica a "nu", "escravo", mas escrita de forma diferente, que aparece em textos iniciais com o significado de "criança" ou, de forma coletiva, "esposa e filhos".

Ele cita inúmeros exemplos desse uso da palavra e conclui:

> É muito provável, penso eu, que as duas palavras sejam idênticas e que o sentido de "escravo" seja uma derivação posterior do significado original de "criança" e "esposa e filhos".[67]

Isso faz sentido como referência à prática de escravizar esposas e filhos de criminosos, o que é especificado no Código de Shang Yang (cerca de 350 a.C.).

C. Martin Wilbur observa: "Os termos 'mulher escrava' e 'concubina' às vezes aparecem juntos, como se não existisse grande distinção entre os dois".[68]

De maneira semelhante, o termo assírio *asirtu*, ou *esirtu*, que deriva da raiz *esēru*, "amarrar", é traduzido de modo variado como "mulher prisioneira" e "concubina".[69]

S. I. Feigin conclui:

> A mulher prisioneira não tinha a mesma posição em todos os lugares. Mas em nenhum lugar ela era livre, e em todo lugar atuava como concubina. Em geral, a mulher prisioneira tinha mais chances de ascensão do que o *asiru*, o homem prisioneiro.[70]

Seja vendo o "concubinato" como uma oportunidade de ascensão social ou como mais um modo de dominância e exploração, a instituição dele foi não apenas estruturalmente significativa, mas crucial para ajudar homens e mulheres a definir o conceito de liberdade e de falta dela.

Em civilizações antigas, assim como mais tarde na história, várias manifestações de dependência e falta de liberdade coexistiam. Sem dúvida, as relações patriarcais de família, o concubinato e a escravização de estrangeiros coexistiam na Babilônia, na China, no Egito e em outros lugares. Mas é evidente que o conceito de hierarquia e de imposição de falta de liberdade, e por fim a ideia de *falta perpétua de liberdade*, conforme representada pelo *status* de um escravo permanente, levaram algum tempo para crescer e evoluir. Em períodos posteriores da história, o conceito de *liberdade* como direito inalienável de todos os seres humanos levaria muitos séculos para se estabelecer. No estado arcaico e nas cidades-Estados da Antiguidade, um escravo era considerado uma espécie de propriedade, mas ao mesmo tempo um membro dependente da família, com direito a certa proteção. De maneira gradual, conforme a escravidão se tornava o sistema dominante, o *status* de escravo representava uma categoria inferior de humanos, que passavam o estigma permanente de seu *status* a gerações futuras. Se esse tipo de escravo é considerado produto final de um processo gradual de desenvolvimento de estratificação, e se a esposa sob a dominância/proteção patriarcal é vista como a manifestação inicial desse processo, então a concubina está em algum lugar entre essas duas manifestações.

No período de aproximadamente mil anos, a ideia de "escravidão" foi colocada em prática e institucionalizada de maneira a refletir a própria definição de "mulher". Pessoas do sexo feminino, cujas funções sexuais e reprodutivas haviam sido reificadas em transações de casamento, eram, no fim do período em discussão, em essência, consideradas diferentes dos homens em relação às esferas pública e privada. Assim como as posições de classe dos homens foram consolidadas e definidas pela relação deles com a propriedade e os meios de produção, a posição de classe das mulheres foi definida por suas relações sexuais.

A distinção entre uma mulher casada e livre e uma escrava manifestava-se em níveis de falta de liberdade. A principal diferença de classe entre uma esposa que vivia sob a dominância/proteção patriarcal do marido e uma escrava que vivia sob a dominância/proteção de seu senhor era que a esposa poderia ser dona de escravo, homem ou mulher, e de outras propriedades. A escrava não podia sequer ser dona de si mesma. A esposa Belessunu, por exemplo, podia ser dona da escrava Shamash-nuri, cujo trabalho a aliviava de determinadas tarefas árduas. Mas Belessunu, a não ser que se divorciasse do marido, não podia fugir por completo das responsabilidades domésticas nem da servidão sexual que se esperava dela. Shamash-nuri, por outro lado, carregava sempre consigo a dupla opressão de trabalho escravo e escravidão sexual.[71]

A hierarquia entre os homens era embasada nas relações de propriedade, sendo reforçada com poder militar. O lugar das mulheres na hierarquia era mediado pelo *status* dos homens de quem elas dependiam. Na base, ficavam as mulheres escravas, cuja sexualidade era usada por homens poderosos como se fosse uma mercadoria; no meio, ficava a escrava-concubina, cujo desempenho sexual poderia resultar em sua ascensão social, na concessão de alguns privilégios e no direito à herança para os filhos; no topo ficava a esposa, cuja servidão sexual a um homem dava-lhe direitos legais e de propriedade. Em algum lugar além da esposa estavam as mulheres excepcionais, que, em razão da virgindade e da função religiosa, gozavam de direitos de outro modo reservados apenas aos homens.

Vamos por fim, mais uma vez, recorrer à literatura para uma explicação metafórica do significado desse desenvolvimento histórico.

A maneira como a competição entre homens se manifesta pela posse e reificação de mulheres foi ilustrada na história de Aquiles, Agamenon e a mulher escrava Briseida. As complexidades das relações homem-mulher em um cenário patriarcal de poder masculino desenfreado são bem ilustradas em outro épico de Homero, a *Odisseia*. Na ausência de Ulisses, pretendentes assediavam sua esposa, Penélope. Ela defendeu sua virtude com uma artimanha: disse a eles que aceitaria um deles quando terminasse de tecer. Penélope tecia com afinco o dia todo, mas passava as noites desfazendo o que havia tecido.

A esposa da tecelagem infinita protege sua virtude com o fruto de seu trabalho, desempenhando com perfeição seu duplo papel econômico e sexual. Enquanto isso, o viajante Ulisses se envolve em diversas aventuras sexuais e heroicas. Ao retornar, Ulisses, furioso, e não sem razão, com a ameaça a seus interesses representada pelos pretendentes, acusa-os:

> Vocês destruíram minha casa, dormiram com as criadas à força e cortejaram minha esposa de forma traiçoeira enquanto eu ainda estava vivo. [...][72]

Em uma disputa feroz, ele mata todos os pretendentes no pátio de sua casa e manda buscar a escrava Euricleia. Antes, ficamos sabendo que Euricleia havia sido comprada "bem jovem" por Laertes, pai de Ulisses, pelo "preço de 20 bois":

> E ele a reverenciava mesmo como reverenciava sua querida esposa nos salões, mas nunca se deitou com ela, pois evitava a ira da esposa.[73]

Euricleia, mesmo sendo uma serva, estava encarregada de 50 criadas de propriedade de Ulisses. Ele ordena: "Conte-me a história das mulheres de meus salões, quais delas me desonram e quais são inocentes".[74]

Euricleia diz:

> Tens 50 criadas em teus salões a quem ensinamos os meandros dos cuidados com a casa, a cardar lã e oferecer servidão. Doze delas seguiram o caminho da vergonha. [...][75]

O garoto, Telêmaco, jovem demais para proteger a mãe e, claro, incapaz de proteger as criadas, observava enquanto o pai assassinava os pretendentes. Mas então Ulisses ordena que ele traga as escravas culpadas e as faça carregar os corpos e lavar o salão. Depois, Telêmaco deverá matá-las "com suas longas espadas". Mas Telêmaco, subitamente introduzido à masculinidade, recusa-se "a tirar a vida dessas mulheres com uma morte limpa, elas que trouxeram desonra a mim e a minha mãe, e se deitaram com esses galanteadores". Em vez disso, ele estrangula as mulheres amarrando laços em volta do pescoço delas e içando-as por uma corda robusta. O poeta nos conta: "Os pés delas se debateram por um breve momento, mas não por muito tempo".[76]

As escravas virtuosas, assim, com rapidez,

> [...] abraçam Ulisses sorridentes e o beijam e afagam sua cabeça, seus ombros e suas mãos com carinho [...] e um doce desejo de chorar e lamentar-se o tomou, pois ele se lembrava de cada uma delas.[77]

Mulheres escravas, estupradas pelos pretendentes, são mortas pela desonra que trouxeram à casa do senhor. O jovem, que não é forte o bastante para protegê-las, é forte o bastante para matá-las, e de modo brutal. Mas antes elas precisam realizar os serviços domésticos – a morte delas é adiada até que tenham retirado os corpos e limpado o salão, preparando o cenário para o idílio de alegria doméstica, que ocorrerá assim que a desonra da casa tiver sido vingada de maneira apropriada com a morte delas mesmas.

É um tanto assustador perceber o estereótipo da escravidão norte-americana – as criancinhas alegres e as escravas encantadas abraçando e beijando o senhor que retorna à plantação – nesse clássico emblema. As escravas virtuosas, por certo felizes por estarem vivas, beijam "com carinho" o senhor, que, por sua vez, é levado às lágrimas e sente um doce desejo (presumivelmente com conotação sexual), "pois ele se lembrava de cada uma delas".

Penélope, com destreza e trabalho incessante, foi capaz de defender a própria honra, mas não tentou evitar, nem podia, o assassinato de suas escravas. Barreiras de classe unem Penélope ao marido e ao filho. As vítimas de estupro são culpadas; são desonradas por serem desonrosas. A violação cometida contra elas não configura estupro ou crime sexual, mas um crime de propriedade contra o senhor, que é dono delas. Enfim, as mulheres subordinadas, todas escravas, são divididas: a escrava Euricleia, mero instrumento das vontades de seu senhor e alguém que age totalmente de acordo com os interesses dele; as "boas" escravas separadas das "más". Nenhum vínculo de fraternidade pode ser formado em tais condições. Quanto ao senhor, seu amor se manifesta de forma violenta e possessiva. Matar e sentir um doce desejo não são incompatíveis para ele. E o filho do senhor se torna homem ao participar do ataque às escravas.

Aqui o poeta nos oferece uma cena doméstica metafórica das relações entre os sexos no patriarcado. Foi reencenada na China imperial, nas rudimentares comunidades gregas e turcas, de tempos antigos até o século XX, e na vitimação contemporânea dos filhos ilegítimos de mulheres vietnamitas e coreanas com soldados norte-americanos. Também foi reencenada na expulsão indiscriminada, pela própria família, de mulheres de Bangladesh estupradas por soldados paquistaneses invasores.

Isso, em sua manifestação mais extrema, é o produto final de um longo processo histórico de desenvolvimento.

Começou muito antes, em tempos pré-históricos, quando a primeira divisão sexual do trabalho imposta pela necessidade biológica evolutiva demonstrou a homens e mulheres que era possível fazer distinções entre as pessoas com base em características visíveis. Atribuíam-se pessoas a um grupo apenas em razão de seu sexo. É desse potencial socialpsicológico que depende a dominância estabelecida mais tarde. Em condições de complementaridade – interdependência mútua –, as pessoas aceitavam prontamente que grupos divididos por sexo tivessem atividades, privilégios e obrigações diferentes. É bem provável que a subordinação de "mulheres como grupo" a "homens como grupo", que deve ter levado séculos para se estabelecer com solidez, tenha ocorrido em um contexto de complacência dentro de cada grupo de parentes, a complacência dos jovens em relação aos mais velhos. Essa forma de complacência, considerada cíclica, portanto justa – cada pessoa tem sua vez na subordinação e na dominância –, criou um modelo aceitável de complacência em grupo. Quando as mulheres descobriram que o novo tipo de complacência exigida delas não era da mesma categoria, o sistema já devia estar estabelecido com tanta solidez, que parecia irrevogável.

Como Meillassoux apontou, uma vez estabelecida a dominância masculina, as mulheres passaram a ser vistas de uma nova maneira. Elas podem até, a princípio, ter sido consideradas mais próximas da "natureza" do que da "cultura", portanto, inferiores, embora não destituídas de poder. Uma vez comercializadas, não eram mais consideradas seres humanos, mas sim instrumentos à disposição dos homens, semelhantes a uma mercadoria. "As mulheres passam a ser reificadas porque são conquistadas e protegidas, enquanto os homens passam a ser os reificadores porque conquistam e protegem."[78] O estigma de pertencer a um grupo que pode ser dominado reforça a distinção inicial. Não vai demorar para que as mulheres comecem a ser vistas como um grupo inferior.

O precedente de considerar mulheres um grupo inferior permite a transferência desse estigma a qualquer outro grupo que seja escravizável. A subordinação doméstica de mulheres criou o modelo com base no qual a escravidão se desenvolveu como instituição social.

Quando um grupo é marcado como escravizado, ele carrega o estigma de ter sido escravizado e, pior, o de pertencer a um grupo que é escravizável.[79] Esse estigma torna-se um fator de reforço que justifica a prática da escravização na mentalidade do grupo dominante e na mentalidade do grupo escravizado. Se esse estigma for internalizado plenamente pelo grupo escravizado – processo que leva muitas gerações e exige o isolamento intelectual desse grupo –, a escravização passa a ser entendida como "natural", portanto, aceitável.

Quando a escravidão se tornou comum, a subordinação de mulheres já era um fato histórico. Se, naquele momento, pensava-se nisso de alguma maneira, deve-se ter incorporado à subordinação de mulheres um pouco do estigma da escravidão: escravos eram, assim como as mulheres, pessoas inferiores que podiam ser escravizadas. As mulheres, sempre disponíveis para a subordinação, eram agora consideradas escravas por serem como os escravos.[80] A relação entre as duas condições estava na premissa de que todas as mulheres precisavam aceitar como fato o controle de sua sexualidade e de sua função reprodutiva por homens ou instituições dominadas por eles. Para mulheres escravas, a exploração econômica e a exploração sexual estavam ligadas do ponto de vista histórico. A liberdade de outras mulheres, que nunca foi a liberdade de homens, dependia da escravidão de algumas mulheres, e sempre foi limitada pelas restrições de mobilidade e acesso a conhecimento e capacitação. De modo oposto, para homens, o poder estava conceitualmente relacionado à violência e à dominação sexual. O poder masculino depende tanto da disponibilidade de serviços sexuais e econômicos de mulheres na esfera doméstica quanto da disponibilidade e do desempenho tranquilo da força militar.

Distinções de classe e raça, ambas manifestadas a princípio na institucionalização da escravidão, baseiam-se no inextricável sistema de dominância sexual e exploração econômica presente na família patriarcal e no estado arcaico.

CINCO

A ESPOSA E A CONCUBINA

As três maiores compilações preservadas de Leis Mesopotâmicas – o Código de Hamurabi (CH), as Leis Médio-Assírias (LMA), as Leis Hititas (LH) – e a Lei Bíblica são uma rica fonte para análise histórica.[1]

O Império Babilônico sobre o qual reinou Hamurabi englobava gente de origens étnicas e culturais diferentes e se estendia do Eufrates até as margens do Tigre, embora seus contemporâneos o considerassem apenas um rei poderoso entre inúmeros outros.[2] Hamurabi, ao compilar e emendar os já existentes códigos de leis desse povo diverso sobre o qual reinava, revestiu-os da autoridade de sua posição e da sanção do deus Samas, a fim de expandir o uso e a autoridade dessas leis para todo o seu domínio. Seu código, gravado em uma estela de diorito por volta de 1750 a.C., incluía uma grande consolidação de leis já aplicadas havia centenas de anos. As Leis Hititas e as Leis Médio-Assírias datam do décimo quinto ao décimo primeiro séculos. O código da Aliança foi registrado em algum momento entre o fim do nono e o início do oitavo séculos a.C., sendo embasado em leis formuladas e em vigor havia pelo menos 300 anos.

Observando esses códigos de leis, que representam quatro sociedades diferentes ao longo de um período de milhares de anos, poderíamos desistir da possibilidade de obter uma compreensão sólida das sociedades em questão, não fosse o fato de que parece ter existido uma continuidade de conceitos legais e leis comuns entre elas.[3] Os Códigos de Leis Babilônicos e assírios demonstram paralelos consideráveis; não se sabe até que ponto, se é que ocorreu, as Leis Hititas foram influenciadas pelos outros dois códigos. As Leis Médio-Assírias são consideradas emendas e esclarecimentos das Leis de Hamurabi. A Lei Hebraica não demonstra influência hitita, mas metade das Leis da Aliança é análoga às Leis de Hamurabi, e outras leis fazem ainda referência, de alguma maneira, a outros Códigos de Leis Babilônicos.

Quando usamos leis como fonte para análise histórica, fazemos certas suposições metodológicas. Supomos que as leis reflitam condições sociais de modo muito específico. O princípio é bem explicado por J. M. Powis Smith:

> Em geral, pode-se dizer que a legislação não precede as condições de vida com as quais se pretende lidar, mas surge de condições e situações já existentes que ela busca conduzir e controlar.[4]

A promulgação de uma lei sempre indica que a prática que está sendo criticada ou sobre a qual se está legislando existe e se tornou problemática na sociedade. Por exemplo, se todos se casarem com o próprio primo ou se ninguém se casar com o próprio primo, não haverá a necessidade de uma lei que proíba ou permita a prática. Mas, quando encontramos uma lei que bane a prática de casamento entre primos, podemos presumir que (a) o costume existia e (b) havia se tornado problemático na sociedade.

Nos códigos de leis discutidos, vemos grande ênfase na regulamentação de comportamentos sexuais, com muito mais restrições impostas às mulheres do que aos homens. Isso se reflete na distribuição de temas que as leis abordam. Assim, das 282 leis do Código de Hamurabi, 73 abordam assuntos relativos a casamento e questões sexuais. Das 112 Leis Médio-Assírias restantes, cerca de 59 abordam os mesmos temas. Isso pode indicar a existência de um problema social naquele período ou pode apenas ser uma distorção pelo fato de os achados arqueológicos estarem incompletos. Mas mesmo que tábuas das LMA desconhecidas até o momento remediassem o desequilíbrio de alguma forma, a forte ênfase na regulamentação do casamento e da conduta das mulheres é impressionante. Das 200 Leis Hititas, apenas 26 tratam de casamento e regulamentação sexual; por outro lado, são mais restritivas para as mulheres do que as dos outros códigos.

Outra consideração metodológica é o fato de o que a lei prevê não ser necessariamente o que se praticava. Podemos presumir que boa parte da Lei Mesopotâmica pretendia registrar ideais de comportamento em vez de regras e precedentes para casos específicos. A Lei de Hamurabi pressupunha "um conjunto fixo de normas aceitas" de moral e comportamento social; apenas casos específicos precisavam de elucidação.[5] A. L. Oppenheim afirma de modo categórico que o CH "não mostra relação alguma com as práticas legais da época".[6] W. G. Lambert observa que a Lei de Hamurabi era, com frequência, impossível de se fazer cumprir, como a cláusula que previa que um cirurgião que não obtivesse sucesso na cirurgia fosse punido com o decepamento da mão. Isso pode ter sido cumprido em pouquíssimos casos; do contrário, logo teria acabado com a profissão. Além disso, a lei não costumava ser cumprida nem utilizada, como podemos ver pelo fato de que, de milhares de textos remanescentes de processos e transações comerciais, a lei é mencionada em apenas um ou dois casos.[7] Esses documentos, que embasam boa parte de nosso conhecimento sobre a sociedade babilônica, são registros criados sobretudo por gente de classe alta. Portanto, falta-nos o conhecimento sobre a realidade cotidiana de pessoas comuns, o que inseriria os códigos de leis em certo contexto. Com essas limitações em mente, seria um equívoco interpretar a lei de forma literal, ou seja, deduzir de sua existência que ela descrevia comportamentos reais. O que a lei faz é estabelecer limites para o comportamento admissível, além de nos oferecer orientações aproximadas sobre as estruturas sociais subjacentes às leis. Essas orientações nos dizem o que se deve ou não fazer; assim, descrevem melhor os *valores* de determinada sociedade do que sua realidade.

Em um período no qual ocorreram grandes mudanças em termos de propriedade e relações políticas, a importância variável de certas questões para os legisladores e compiladores pode nos contar algo sobre a consequente mudança de valores. A crescente ênfase dos Códigos de Leis da Mesopotâmia na regulamentação de crimes de propriedade, direitos e obrigações de devedores e controle de escravos, bem como na regulamentação da conduta sexual de mulheres, mostra que questões de gênero, classe e poder econômico eram problemáticas e exigiam definição, e que essa definição unia esses indivíduos de uma maneira bem específica. De forma semelhante, o rigor da punição para certos crimes é um indício dos valores da comunidade na época da codificação das leis. O Código de Hamurabi exige a pena de morte para: determinados tipos de roubo; arrombamento; conivência em fugas de escravos; construções com acidentes fatais como resultado; magia negra; sequestro; banditismo; estupro; incesto; causar determinados tipos de aborto; e adultério cometido por esposas.

A lei reflete as relações de classes e gêneros, e, comparando os diferentes códigos de leis, podemos determinar mudanças nessas relações. Por fim, observando os fatos que a lei dá como certos, podemos aprender alguma coisa sobre a estrutura especial e os valores da sociedade.

A Lei Mesopotâmica era administrada individualmente nas comunidades por juízes e anciãos que formavam um tribunal. É provável que testemunhas que juravam dizer a verdade fossem tanto compelidas pelo medo da censura de seus vizinhos quanto pelo respeito às abstrações da lei. Muitas das decisões dos juízes, que costumavam ser registradas em tábuas de argila e assinadas por testemunhas, foram preservadas e usadas por historiadores em suas análises sobre as várias leis. No período da Antiga Babilônia, as mulheres participavam do processo judicial como testemunhas e autoras de ações, e não apenas como acusadas.

Subjacente ao CH e às LMA está o conceito da *lex talionis*, a ideia de que a punição deve exigir uma retribuição física da parte culpada que reproduza a transgressão o máximo possível. Olho por olho, dente por dente etc. A Lei de Hamurabi e, até com mais firmeza, os códigos de leis assírios substituem ônus financeiros, como multas, e punição física controlada, como chicotadas, em algumas das transgressões. Costuma se considerar isso um "avanço" ao processo de simbolização de punição.[8] Outro aspecto do pensamento e da prática legal que formam esses códigos de leis diz respeito também à substituição: um homem pode designar membros de sua família, seus servos e/ou escravos para substituí-lo, sofrendo a punição por um crime que ele cometeu. Esse conceito conta mais sobre as reais relações de poder na sociedade do que as regulamentações específicas. É evidente que, naquela época, os homens eram poderosos o bastante para que *incorporassem* membros da família – mulheres e filhos de ambos os sexos – de modo a oferecê-los como substitutos em caso de punição. A prática de enterrar servos, escravos e serventes com reis e rainhas no mesmo túmulo é uma manifestação ainda mais antiga do poder de incorporar o outro. Esse poder residia a princípio apenas na figura de soberanos, que eram, eles mesmos, considerados deuses ou emissários diretos deles. Para entender o desenvolvimento da hierarquia de classes, é importante observar que esse princípio se estende a chefes de família civis e sem ligação com a realeza, e também notar que tais chefes de família eram, no período discutido, sempre homens.

O Código de Hamurabi reconhece três classes distintas de pessoas: o aristocrata, que inclui sacerdotes e autoridades do governo; o burguês; e escravos. A punição é classificada por classe, presumindo-se que o dano causado a alguém de classe alta mereça punição mais rigorosa do que o dano causado a alguém de classe baixa. Observaremos a seguir como o desenvolvimento e as distinções de classe são diferentes para homens e mulheres. Ao se discutir a Lei Mesopotâmica, é bom lembrar que o *status* de classe era fluido, e não necessariamente herdado. A sociedade da Antiga Mesopotâmia era caracterizada, como afirma um de seus principais estudiosos, A. Leo Oppenheim, por um "notável grau de mobilidade econômica: gente pobre espera ficar rica; os ricos têm medo de ficar pobres; ambos temem a interferência da administração do palácio".[9] A transição de um *status* de classe para outro era rápida e, no caso de devedores, não raro catastrófica para a economia familiar. Muito da Lei de Hamurabi faz referência à condição de devedores e suas famílias. A colheita de um ano ruim, seca ou quaisquer outros desastres familiares poderiam forçar um homem a fazer um empréstimo. Com as habituais taxas de juros dos agiotas à época, ele logo se via incapaz de pagar o principal da dívida para poder pagar os juros.[10] Podia adiar a inadimplência por um tempo usando a esposa ou os filhos como garantia. A Lei de Hamurabi limitava o período de escravização de garantias de dívida a três anos.[11] De acordo com o costume anterior, os devedores da Babilônia podiam ser escravizados por toda a vida.

O Código da Aliança Hebraico (Êxodo 21:2-11) dispõe que o homem escravo por dívida deve ser libertado após seis anos de servidão, deixando para trás esposa e filhos. Se ele escolher ficar com a família, será destinado à escravidão perpétua. A mulher escrava por dívida não deve ser libertada como o homem: ela pode ser redimida, oferecida em casamento ao filho do senhor ou pode se casar com o próprio senhor. A lei especifica que, se o senhor não se casar com ela, deve tratá-la bem ou ela deve ser solta.[12] Aqui supõe-se que a mulher escrava por dívida tenha sido usada como concubina durante sua escravização. Presume-se também que, uma vez em liberdade, ela não seria elegível para casamento, assim, poderia ser forçada à única alternativa: prostituição. J. M. Powis Smith acredita que "A lei [...] na realidade é cuidadosa e atenciosa com a mulher escrava, se levarmos em consideração as condições de vida às quais ela era submetida".[13] Prefiro dizer que a lei da Aliança oferece mais evidências do uso geral de mulheres escravas como concubinas e das nítidas diferenças entre as posições de classe entre escravos e escravas. Os homens, na escravidão hebraica, podiam voltar a viver como homens livres no sétimo ano. Mulheres escravas por dívida, por outro lado, podiam ascender socialmente ao concubinato ou até ao casamento, ou decair ao nível da prostituição. O destino delas era determinado pela servidão sexual. Encontraremos o princípio de que o *status* de classe de um homem é determinado por suas relações econômicas e o de uma mulher, por suas relações sexuais em inúmeros outros exemplos desse período de formação da sociedade de classes. Trata-se de um princípio que continuou válido por milhares de anos.

O que podemos aprender sobre as condições sociais das mulheres mesopotâmicas com base nos códigos de leis?

A sociedade patriarcal tinha como características a linhagem patrilinear, leis de propriedade que garantiam aos filhos meninos direito à herança, dominância masculina nas relações de propriedade e entre os sexos, burocracias militares, políticas e religiosas. Essas instituições eram sustentadas pela família patriarcal e, por sua vez, recriavam-na de modo incessante.

Famílias babilônicas valorizavam muito mais o nascimento de meninos do que o de meninas. Os filhos levavam adiante o nome da família e podiam aumentar a propriedade e o benefício da família por meio da boa administração, do heroísmo militar e/ou da servidão ao templo ou rei. Também eram considerados essenciais para o bem-estar dos pais na vida após a morte, pois apenas eles podiam realizar determinados rituais religiosos para os mortos. Por causa dessas considerações, casais sem filhos, eunucos ou homens e mulheres solteiros – dentre as mulheres solteiras, sobretudo as sacerdotisas – adotavam crianças para garantir o cuidado próprio na velhice.

A AUTORIDADE DO PAI sobre seus filhos era ilimitada, como já visto. No CH, o comportamento rebelde de um filho bater no pai era considerado crime grave, que podia ser punido decepando-se a mão do filho. No caso de um filho adotivo que quebrasse o vínculo parental repudiando o pai que o adotou, a pena era cortar a língua do filho (CH §§ 192-193). A Lei Hebraica é ainda mais rigorosa, exigindo a morte do filho pelo crime de bater no pai ou na mãe.[14] Vale observar aqui que, no CH, o principal crime é a rebelião do filho contra o pai, com a sacerdotisa desempenhando um papel social semelhante ao de pai. Apenas na Lei Hebraica o crime inclui o pai e a mãe. Entendo isso como um indício de melhoria do papel da mãe na Lei Hebraica.[15] A possibilidade de um comportamento rebelde por parte de uma filha não é mencionada nas leis, provavelmente porque ela podia facilmente ser forçada ao casamento ou vendida se o seu comportamento fosse um incômodo aos pais.

O grande valor que as filhas tinham para uma família era o potencial de serem noivas. O preço de noiva recebido por uma filha costumava ser usado para financiar a aquisição de uma noiva para o filho. Os casamentos na Mesopotâmia eram, em geral, arranjados pelo pai do noivo, em negociação com o pai da noiva. Às vezes, o próprio noivo negociava com o pai da noiva. A troca de presentes ou dinheiro, que selava o casamento, é tema de muitas leis do Código de Hamurabi. O pai do noivo pagava ao pai da noiva um presente de noivado (*biblum*) e um presente de noiva (*tirhâtum*), depois dos quais considerava-se a efetivação do noivado, embora a noiva permanecesse na casa do pai até que a união sexual consumasse o casamento. Em um acordo alternativo, feito geralmente em casos de noiva criança, ela era escolhida pelo pai do noivo e ia morar na casa do sogro. Até que chegasse o casamento, permanecia como serva na casa dos sogros. O fato de esse acordo dar margem a muitos abusos praticados pelo sogro pode ser observado pelas penas rigorosas no CH §§ 155-156 contra o sogro que estuprasse tal garota. Se o filho tivesse morado com a menina antes, o sogro era tratado como adúltero e sofria a pena de morte por afogamento. Se estuprasse uma menina virgem, o sogro deveria lhe pagar uma multa, devolver quaisquer bens que ela tivesse investido no casamento, tais como o dote, e levá-la de volta para a casa de seu pai.[16] É interessante que a lei diga nesse caso "e um marido atrás de seu coração pode se casar com ela". Esse é um dos poucos exemplos em que a lei permite à mulher certa liberdade de escolha em relação ao marido, sempre pressupondo que o pai concorde com a escolha. Devemos observar também a referência casual à possibilidade de o filho manter relações sexuais com a noiva criança. Não existe pena para ele, uma vez que, pelo noivado, ela já é sua propriedade.

Casamentos também podiam ser consumados pela assinatura de um contrato de casamento (*riksatum*).[17] Tais contratos podiam dotar a esposa de determinados direitos à propriedade, especificar condições para seus direitos em caso de separação e podiam salvá-la da possibilidade de se tornar escrava por dívidas contraídas pelo marido antes do casamento.

Após a consumação do casamento, o pai da noiva dá a ela um dote (*seriktum* na Babilônia), também conhecido como "acordo" (*nudunnum*). Se uma esposa tiver filhos meninos, seu *seriktum* é passado a eles à ocasião de sua morte (CH §§ 162, 172). A LMA § 29 dispõe de maneira semelhante sobre o dote ser passado de mãe para filhos.[18] Durante o casamento, o marido administra o *seriktum* da esposa; após sua morte, a esposa fica de posse dele e o utiliza até o fim da vida, mesmo se casar de novo (CH §§ 173-174).[19] Se o marido se divorciar da mulher por ela não ter tido filho menino ou por ter alguma doença, e quiser se casar com outra mulher, a primeira esposa tem o direito de ficar na casa dele e ser sustentada por ele até o fim da vida. Se ela não concordar e quiser sair de casa, tem direito à devolução de seu dote.[20] Quando uma esposa sem filhos meninos morre, seu pai deve devolver o presente de noiva ao genro, que, por sua vez, deve devolver o dote da esposa ao sogro.[21]

É óbvio que esses acordos financeiros amparados por lei só eram possíveis entre famílias de posses. Aliás, encorajando a homogamia – o casamento entre pessoas de mesmo *status* social –, essas leis garantiam que a propriedade permanecesse dentro da classe de pessoas de posses. Isso foi obtido com a concessão, aos filhos de ambos os sexos, de direito à herança, sendo que os filhos herdavam à ocasião da morte do pai, e as filhas recebiam herança em forma de dote. A supervisão rigorosa das moças para garantir a castidade antes do casamento e o grande controle da família sobre a escolha do noivo fortaleceram ainda mais a tendência à homogamia. O dote e o dinheiro do acordo formavam um fundo conjunto para o casal, o que tendia a tornar o casamento mais estável, pois cada um deles tinha sua parte. O marido desfrutava da administração das propriedades dele e da esposa durante a vida, mas tinha de preservar o dote da esposa, tanto para garantir a herança para os filhos quanto para que ela se sustentasse na viuvez. A esposa possuía o direito de uso do dote, portanto, tinha muito interesse em investir e aumentá-lo, da mesma maneira que as sacerdotisas *naditum* tinham. Isso explica a atividade comercial de mulheres aristocratas e seus consideráveis direitos civis e econômicos. A aparente contradição de mulheres de classe alta terem tais direitos econômicos, mesmo que os direitos sexuais fossem cada vez mais restritos, é um aspecto integrante da formação da família patriarcal. O antropólogo social Jack Goody, em seu cuidadoso estudo sobre os sistemas de casamento no mundo, caracterizou esse desenvolvimento como comum em sociedades da Eurásia baseadas em agricultura de arado, que apresentam complexa estratificação de classes e divisões elaboradas de trabalho. Tais sociedades costumam desenvolver casamentos monogâmicos patriarcais, homogamia, ênfase rigorosa na castidade pré-nupcial e alto grau de controle da sociedade sobre o comportamento sexual das mulheres. O caso da Mesopotâmia é um dos primeiros modelos dessa sociedade.[22]

Embora seja útil mostrar tais ligações e classificar as sociedades pelo mundo afora, revelando a conexão entre propriedade e gênero, devemos levar a análise além e observar que conceder direito de herança a filhos e filhas a fim de preservar a propriedade da família não significa que eles tenham direitos *iguais*. Na verdade, o exemplo da Mesopotâmia mostra com clareza que lá a propriedade passa de homem para homem, de chefe de família homem para chefe de família homem, mas passa *pelas* mulheres. A esposa tem o direito de uso de seu dote, porém é o marido (ou filhos meninos) quem tem direitos adquiridos dessa propriedade, que passa para esses filhos após a morte dela. Em caso de divórcio ou se ela não teve filhos meninos, o dote é devolvido ao pai (ou aos irmãos dela). Uma mulher não pode transferir ou legar sua propriedade; assim, seus direitos são bastante limitados. De forma ainda mais significativa, esses direitos, tais como são, dependem de sua servidão sexual e reprodutiva ao marido – em particular, ao lhe dar filhos meninos.

Onde antropólogos veem uma forte relação causal entre a regulamentação da herança e a propriedade marital e o comportamento sexual, assiriólogos se preocupam mais com casos específicos e como interpretá-los. Existem duas principais interpretações em relação à natureza do casamento babilônico. Na visão de Driver e Miles, a lei do casamento na Babilônia representa um avanço nos direitos das mulheres ao garantir seus direitos econômicos e legais no casamento. Do ponto de vista deles, o *tirhâtum* não é o preço de compra da noiva, mas um presente simbólico para selar o casamento, um vestígio cultural de um costume anterior de compra de noivas.[23] Driver e Miles não se detêm sobre a origem e o desenvolvimento do "costume anterior" de compra de noivas. Com base em evidências da criação de contratos de casamento, eles argumentam que tais contratos foram, a partir da época de Hamurabi, o passo fundamental para a legitimação do casamento e a diferenciação entre este e o concubinato. Mostram que os poucos contratos de casamento restantes da Babilônia são muito diferentes de notas de venda. Argumentam também que o fato de o preço de noiva estar sempre abaixo do preço de mercado de uma escrava mostra com clareza que não se tratava de uma representação de preço de venda.[24]

A opinião contrastante, defendida por Paul Koschaker e pela maioria dos assiriólogos europeus, é a de que o casamento babilônico ocorria por compra, e que o preço de noiva era, na verdade, o pagamento feito pelo noivo – ou sua família – pela noiva.[25] Koschaker chama atenção para a existência de duas formas de casamento na região da Mesopotâmia. A mais antiga, que perdurou durante um longo período, é o casamento sem residência conjunta. A esposa permanece na casa do pai (ou da mãe); o marido mora com ela como visitante ocasional ou permanente. Há indícios da existência dessas formas de casamento no Código de Hamurabi e no registro bíblico, em que é chamado de casamento *beena*. É uma forma de casamento que permite mais autonomia à mulher e lhe facilita o divórcio. Koschaker acha que o CH e as LMA formalizaram a outra forma, o casamento patriarcal, que aos poucos se tornou predominante. Nesse sistema de casamento, a esposa mora na casa do marido e é completamente dependente de seu sustento. O divórcio é, para a esposa, praticamente impossível de se conseguir. Koschaker acredita que esse sistema de casamento tenha começado como casamento por compra, mas que se desenvolveu aproximadamente na época de Gudea de Lagash (por volta de 1205 a.C.), tornando-se casamento por contrato escrito. Esse desenvolvimento era característico da sociedade suméria; mas sociedades semitas mantiveram a forma inicial de casamento patriarcal. Ambos os conceitos são representados no Código de Leis de Hamurabi.[26]

> O casamento semita por compra contrasta com a forma suméria de casamento, que também era, a princípio, casamento por compra, mas que há muito tempo transcendeu esse conceito. [...] Hamurabi, em sua sabedoria, incorporou os dois conceitos na lei. Junto ao casamento por compra, ele colocou o casamento sem o *tirhâtum*, e, junto a este, o presente de noivado sumério, o *nudunnum*.[27]

Assim Koschaker busca explicar as contradições da Lei de Hamurabi, para as quais chamamos atenção. Ele também alerta sobre a leitura vulgarizada de sua hipótese, interpretando-a como se a mulher fosse propriedade tal qual uma escrava. Ele concorda com Driver e Miles em relação ao preço de noiva não ser o equivalente econômico para a esposa. Mas, aponta ele, era seu equivalente judicial. "O casamento é um casamento por compra mesmo quando a relação jurídica resultante não seja a de posse da esposa, mas poder legal do marido sobre ela."[28] A distinção é bastante sugestiva do nosso ponto de vista precisamente porque define um novo tipo de relação de poder entre marido e esposa, para a qual não existia equivalente em sociedades anteriores.

Evidências antropológicas modernas parecem corroborar a reconstrução feita por Koschaker de uma evolução histórica do casamento sem residência conjunta para o casamento patrilocal patriarcal. O primeiro é mais característico de tribos nômades e de caçadores-coletores, enquanto o último ocorre em conexão com a agricultura de arado. Nem Driver e Miles nem Koschaker explicam de maneira adequada a origem do casamento por compra; eles apenas presumem sua existência e mostram como se deu. O entendimento dessa evolução só é possível se considerarmos a classe como fator. O casamento por compra era um fenômeno de classe e não se aplicava da mesma maneira a mulheres de todas as classes.

O direito consuetudinário segundo o qual os homens da família (pais, irmãos, tios) tinham de trocar familiares mulheres para fins de casamento precede o desenvolvimento da família patriarcal, tendo sido um dos fatores que a fizeram ascender. Com o desenvolvimento da propriedade privada e da estratificação de classes, esse direito consuetudinário passou a ter crucial importância econômica. Chefes de família homens agora tinham a obrigação de utilizar familiares para fins de casamento de modo a maximizar as riquezas da família e manter ou melhorar seu *status*. As mulheres desempenhavam um papel cada vez mais importante na economia familiar: não apenas como produtoras de bens econômicos, fazedoras e cuidadoras de crianças e trabalhadoras domésticas, mas também como pessoas cujos serviços sexuais foram transformados em mercadorias comercializáveis. Os serviços sexuais e reprodutivos das mulheres é que foram reificados, não as próprias mulheres.

Famílias de classe alta usavam o casamento das filhas para consolidar o próprio poder social e econômico. O casamento firmava alianças militares e comerciais. Os pais podiam oferecer algumas das filhas para servir aos deuses, o que tinha o benefício espiritual de garantir as bênçãos do deus e a vantagem econômica de que o dote da filha, dado ao templo, fosse devolvido à família após sua morte.[29] Então, o maior número de filhas, em detrimento do de filhos, é que podia ser transformado em vantagem para a família.

Em uma sociedade em que a propriedade de terra e rebanhos significava alto *status*, o objetivo do casamento passou a ser a perpetuação da linhagem familiar por meio de filhos meninos. A troca de presentes entre duas famílias ricas no casamento de seus filhos firmava as obrigações mútuas das duas famílias e garantia a passagem de propriedade para familiares homens. O motivo pelo qual o dote era entregue apenas depois de consumado o casamento era porque somente após a mulher se mostrar capaz (ou potencialmente capaz) de ter filhos meninos o objetivo inicial do contrato era atingido. Só então a esposa, como indivíduo, podia ter direitos econômicos e sociais. Mas a determinação sobre seu dote dever passar para os filhos meninos também significava que esses filhos pertenciam à família do pai e levariam adiante sua propriedade. As mulheres eram valorizadas sobretudo como procriadoras, e a dependência vitalícia delas de um homem era institucionalizada.[30]

As mesmas aspirações à homogamia e à ascensão social pelo casamento produziram resultados bem diferentes em famílias mais pobres. Para elas, a falta de dinheiro para o preço de noiva da esposa de um filho podia ser compensada com o casamento da filha. Mas, como relata a orientalista Elena Cassin: "quem não tinha uma filha jovem que pudesse ser trocada por dinheiro em uma transação de casamento era obrigado a abrir mão de parte do patrimônio da família, oferecendo como preço de noiva um pedaço de terra ou uma casa".[31] Tais transações podiam pavimentar o caminho para a ruína econômica da família e gerar dívidas e perda de *status*.

Quando isso ocorria, a família precisava usar as filhas (e talvez os filhos) como garantia de dívidas ou vendê-los como escravos. As filhas vendidas dessa maneira podiam se tornar concubinas, escravas domésticas comuns ou prostitutas. Também podiam ser compradas por um senhor como esposas para seus escravos. Em todos os casos, a família e a filha sofriam uma perda de *status* econômico e social.

Na família de classe baixa, que possuía poucos bens ou nenhum, as pessoas (filhos de ambos os sexos) se tornavam propriedade e eram vendidas para a escravidão ou casamentos degradantes. O principal objetivo era que, assim, abrissem mão de todos os direitos à propriedade da família na qual haviam nascido. Mas o acordo pelo qual o casamento de um filho com uma moça de mesma classe social era possível pela venda da irmã criava para a irmã um casamento por compra.

Vistas dessa forma, as duas interpretações opostas em relação ao casamento mesopotâmico podem ser reconciliadas. O casamento por compra e o casamento por contrato coexistiram desde a época da Lei de Hamurabi em diante. As duas formas de casamento se aplicavam a mulheres de classes diferentes. O conceito de que a noiva era parceira no casamento estava implícito no contrato de casamento de famílias de classe alta. Para mulheres de classe baixa, entretanto, o casamento significava escravidão doméstica. Na Lei Mesopotâmica, e mais ainda na Lei Hebraica, são feitas distinções crescentes entre as primeiras esposas (classe alta) e as concubinas (classe baixa). Todas as mulheres estão sob dominação e regulamentação sexual cada vez maior, mas o grau de falta de liberdade varia conforme a classe. Como mostramos, a esposa está em uma ponta do espectro, a escrava está na outra ponta, e a concubina ocupa uma posição intermediária. Seria um grande equívoco, porém, igualar a posição subordinada de esposa, que tinha direitos econômicos e legais, bem como a possibilidade de possuir outros seres humanos e lucrar com o trabalho deles, com a posição de escrava. Tal interpretação mistifica e invisibiliza as relações de classes.

As Leis de Hamurabi regulamentavam o comportamento sexual de modo a acentuar a diferença entre a apropriação de mulheres por escravização e a aquisição de mulheres pelo casamento. Em toda a Lei Mesopotâmica, e ainda mais na Lei Hebraica, podemos observar a drástica distinção entre primeiras esposas e concubinas, entre mulheres casadas e escravas.

A maioria dos casamentos era monogâmica. Discutimos antes as circunstâncias especiais nas quais um homem podia ter uma segunda esposa (concubina): se ele se casasse com uma sacerdotisa *naditum* ou se a esposa fosse estéril. Em ambos os casos, a mulher podia oferecer a ele uma escrava para ter os filhos em seu lugar. Ficava a critério do marido aceitar ou rejeitar esse acordo. A posição ambígua da concubina foi reforçada na Lei de Hamurabi, que a proibia de "se igualar à sua senhora".[32] Uma escrava concubina que tivesse filhos meninos e, por isso, almejasse *status* semelhante ao da senhora, poderia, de acordo com a lei, ser tratada como escrava, mas não vendida. Se ela não tivesse filhos meninos e cometesse essa transgressão, poderia ser vendida.[33]

Um contrato de casamento babilônico com uma segunda esposa especifica que a concubina é obrigada a servir à primeira esposa, moer suas refeições diárias e carregar sua cadeira até o templo.[34] A história bíblica da expulsão de Agar, a escrava oferecida pela estéril Sarai a Abrão para que tivesse o filho dele, ilustra a prática contínua de fazer distinção de *status* entre a primeira esposa e a escrava concubina.[35]

A Lei Hebraica, em particular, eleva a esposa legítima e mãe. Mencionemos apenas o progresso da Lei de Hamurabi, que exige que os filhos meninos respeitem os pais, para os Dez Mandamentos e o Êxodo 21:15, que torna lei fundamental que todos os filhos respeitem e honrem *ambos*, pai e mãe. As obrigações rigorosas das mulheres em relação a marido e filhos na Lei de Hamurabi e na Lei Hebraica podem, assim, ser vistas como um fortalecimento da família patriarcal, o que depende da cooperação voluntária das esposas em um sistema que lhes oferece benefícios de classe em troca de sua subordinação em questões sexuais.

A dominância masculina nas relações entre os sexos manifesta-se com mais clareza na institucionalização do duplo padrão na Lei Mesopotâmica.

A Lei de Hamurabi especificava a obrigação do homem de sustentar sua esposa (CH §§ 133-135) e identificava suas obrigações em relação aos parentes homens dela. Os casamentos costumavam ser monogâmicos, mas os homens podiam cometer adultério livremente com meretrizes e escravas. Em geral, o costume de ter uma segunda esposa de classe mais baixa ocorria apenas no período da Antiga Babilônia.[36]

A esposa era obrigada por lei a desempenhar seu papel econômico para satisfazer o marido. Um homem podia se divorciar da esposa ou reduzi-la ao *status* de escrava e se casar com uma segunda mulher se ela "persistisse em se comportar de forma néscia, arruinando a casa e depreciando o marido" (CH § 141). Nesse caso, o marido precisava buscar uma condenação em corte antes de dissolver o casamento.[37] Quanto às obrigações sexuais, a virgindade da noiva era condição para o casamento, e qualquer acordo poderia ser cancelado caso fosse descoberto que ela não era virgem. No casamento, a esposa devia fidelidade absoluta ao marido. L. M. Epstein, em seu estudo de leis e costumes relacionados ao sexo na Antiguidade, resume assim a posição da mulher:

> [...] o adultério só é possível da parte da esposa, pois ela é propriedade do marido, mas não da parte do marido. [...] a esposa deve lealdade ao próprio casamento; o marido deve lealdade ao casamento de outro homem.[38]

Aqui, Epstein parece concordar com Koschaker sobre o casamento constituir compra de esposa. Eu argumentaria que, embora a esposa gozasse de direitos consideráveis e específicos no casamento, *sexualmente* ela era propriedade do homem. Epstein destaca que, de acordo com o conceito de que "adultério era uma violação do direito à propriedade do marido", ele era a única parte prejudicada, e a "culpa da esposa merecia a pena de morte".[39] Assim, o CH § 129 prevê afogamento tanto para a esposa quanto para o adúltero. "Se o marido desejar que a esposa viva, então o rei deixará seu servo viver."[40] Essa linguagem sugere que um homem que pegar a esposa em flagrante deve levá-la até a corte do rei para julgamento. Na prática anterior, o homem e seu parente teriam se vingado sem o auxílio da lei. Outro princípio aqui envolve o conceito de que duas partes erradas devem receber a mesma punição. Se o marido escolher ser leniente com a esposa, a corte deve deixar que o adúltero saia impune. Uma lei paralela no Código Assírio (LMA § 15) é mais específica ao definir esse princípio: se o marido poupar a vida da esposa e "cortar o nariz de sua esposa, ele deve transformar o homem em eunuco; e eles devem desfigurar seu rosto inteiro. Mas, se ele poupar a esposa, ele também isentará o homem". As Leis Hititas §§ 197 e 198 preveem as mesmas penas e especificam que o marido, se escolher matar a esposa e o adúltero, não será punido. Se ele decidir levar o caso à corte, poderá poupar a vida de ambos. Se decidir que os dois devem ser punidos, a pena fica a critério do rei, que poderá matá-los ou libertá-los.[41]

Deixando de lado a assimetria na definição de adultério e a crueldade da punição, o notável sobre essas leis é a crescente autoridade dada ao Estado (rei) em relação à regulamentação de questões sexuais. Onde antes o controle da sexualidade de sua esposa era sem dúvida um assunto particular do marido, a Lei de Hamurabi envolve a corte, mas a principal decisão de vida ou morte continua a critério do marido. A lei assíria restringe o leque de opções do marido e especifica a natureza da punição que ele pode infligir. A lei hitita permite ao marido matar, mas retira-o por completo do processo de aplicar punição alternativa. A Lei Hebraica segue essa direção de modo ainda mais rigoroso, insistindo que os transgressores devem ser levados à corte e que "o adúltero e a adúltera por certo serão mortos" (Levítico 20:10; ver também Deuteronômio 22:22). A forma de punição descrita em Ezequiel 16:38-40 é a execução pública por apedrejamento.

Todos os códigos de leis buscam distinguir entre a esposa culpada, que mantém encontros sexuais dentro ou fora de casa, e a mulher que é estuprada. O estupro de uma noiva virgem que ainda esteja morando na casa do pai é considerado da mesma forma que o adultério. O estuprador é condenado à morte, enquanto ela, desde que prove que resistiu, sai impune (CH § 130).[42]

Para mulheres, mesmo a acusação de adultério pode ser fatal. Se o marido acusasse a esposa perante a corte, ela poderia se defender fazendo um juramento "pela vida de um deus" (CH § 131). Entretanto, se a acusação viesse não do marido, mas de pessoas da comunidade, a esposa poderia se defender apenas se submetendo à provação, ou seja, ela precisava "se atirar no rio pelo marido" (CH § 131). O deus do rio, então, decidia sobre sua culpa ou inocência.[43]

O divórcio era obtido com facilidade pelo marido, que só precisava fazer uma declaração pública de intenção de divórcio. Os privilégios do marido em relação ao divórcio eram restritos, entretanto, por uma série de disposições relacionadas à propriedade e ao sustento da esposa. Exigiam-se a devolução do dote, metade de suas propriedades ou no mínimo um pouco de prata como "dinheiro de abandono".[44]

Era difícil para uma esposa obter o divórcio e apenas aquelas que não tivessem defeitos podiam fazer essa tentativa:

> *CH § 142*
>
> Se uma mulher tiver aversão de seu marido e disser: "Não terás relações comigo", os fatos de seu caso serão determinados em sua comarca. Se ela tiver se mantido casta e não tiver culpa, enquanto sabe-se que o marido sai (de casa) e a deprecia, essa mulher não será punida; ela poderá pegar o dote de retornar e voltar para a casa do pai.

> *CH § 143*
>
> Se ela não tiver se mantido casta, e sabe-se que sai (de casa), arruína a casa (e) deprecia o marido, será atirada na água.[45]

A assimetria no rigor da punição por "sair de casa" é com certeza impressionante. A esposa de um homem adúltero, se tentasse pedir o divórcio, corria o risco de ser acusada pelo marido de vários delitos e perder a vida.

Esse duplo padrão ocorre também na Lei Hebraica, que permitia a um homem se divorciar da esposa de acordo com sua vontade, mas negava à mulher o direito de buscar o divórcio em qualquer circunstância.

Todas as várias leis contra o estupro incorporavam o princípio de que a parte lesada era o marido ou o pai da mulher estuprada. A vítima tinha a obrigação de provar que havia resistido ao estupro lutando ou gritando; porém, se o estupro fosse cometido no campo ou em um local isolado, a culpa do estuprador era aceita como verdade, uma vez que os gritos da mulher não teriam sido ouvidos. A Lei de Hamurabi pune o incesto mãe-filho com a morte para ambos (CH § 157), mas pune apenas com o banimento da cidade o pai que estupra a filha (CH § 154). O pai que estupra a jovem noiva do filho antes da consumação do casamento é multado. Mas, se um sogro estupra a esposa do filho após o casamento ter sido consumado, ele é tratado como adúltero e condenado à morte (CH §§ 155-156).[46]

A LMA § 55 trata em detalhes do estupro de uma virgem. Se um homem casado estuprar uma virgem que mora na casa de seu pai,

> [...] seja dentro da cidade, em campo aberto, à noite na rua (pública), em um armazém ou em um festival na cidade, o pai da virgem tomará a esposa do violador da virgem (e) a dará para ser desonrada; ele não (devolverá) ao marido (mas) ficará com ela. O pai dará a filha que foi violada como esposa ao seu violador.[47]

Se o estuprador não tiver esposa, deverá pagar o preço de uma virgem ao pai, casar-se com a moça e saber que jamais poderá se divorciar dela. Se o pai da moça não concordar, ele deverá aceitar a multa em dinheiro e "dar a filha a quem ele quiser".

Aqui vemos o conceito de que o estupro prejudica o pai ou o marido da vítima se levado a conclusões desoladoras sobre as mulheres afetadas: a vítima de estupro pode esperar um casamento indissolúvel com o estuprador; a esposa completamente inocente de um estuprador será transformada em prostituta. A linguagem da lei nos dá uma noção do absoluto "poder de uso" de pais em relação às filhas.[48] Isso é reforçado pela LMA § 56, que dispõe que, se o homem jurar que a moça estuprada o tiver seduzido, sua esposa será poupada; ele pagará uma multa ao pai da moça (por roubar a virgindade dela e depreciar seu valor), e "o pai lidará com a moça da forma que quiser".[49]

Parece bastante improvável que algum estuprador fosse condenado com essa cláusula de escape, a não ser que quisesse aproveitar a ocasião para se livrar da esposa. Por outro lado, a descrição na LMA § 55 dos locais onde é provável ocorrerem estupros poderia mudar de certa maneira nosso conceito de moças respeitáveis morando em reclusão, protegidas pelos muros das casas. É óbvio que a implicação aqui é de que as moças podiam ser encontradas com certa frequência no campo, à noite nas ruas da cidade, em armazéns (possivelmente enquanto compravam alimentos) e em festivais.

Pode ser o indício de uma deterioração geral no tratamento de mulheres casadas ou da natureza mais repressora da sociedade assíria, que, em comparação com a Lei de Hamurabi, que não menciona a punição física de esposas, tem nas LMA três cláusulas a respeito, todas bastante brutais. A LMA § 57 afirma que, se tiver sido ordenado "na tábua" – ou seja, pela lei – o açoite da esposa de um homem, ele deve ser realizado em público. A LMA § 58 reforça a anterior: todas as punições legalmente infligidas às esposas, como o corte dos seios e a amputação do nariz ou das orelhas, devem ser executadas por uma autoridade. A implicação é de que o marido não pode mais, como talvez tivesse sido capaz em tempos anteriores, executar ele próprio a punição - algo que é semelhante ao desenvolvimento da lei sobre adultério já discutida antes. Para deixar explícita a extensão do poder do marido, a LMA § 59 afirma que, além dos castigos prescritos pela lei, "[...] um homem pode (açoitar) sua esposa, arrancar (seu cabelo), pode ferir e destruir as orelhas (dela). Não há imputabilidade por isso".[50]

Por acaso, essa é a última lei nas tábuas de argila em que as Leis Médio-Assírias §§ 1-59 estão inscritas. Dá-nos uma noção nítida da posição miserável das mulheres casadas na sociedade assíria em comparação com a sociedade da Antiga Babilônia.

A DEPENDÊNCIA DE UMA MULHER continuava até a viuvez. Sua posição econômica era melhor se ela tivesse filhos meninos, fosse ela a primeira esposa ou uma esposa secundária. A Lei de Hamurabi previa que ela deveria ser tratada com respeito e desfrutar de residência e sustento vitalícios na casa do marido (ou de seu filho). A escrava concubina do homem falecido deveria ser libertada com os filhos. Como pode se deduzir, a viúva sem filhos ou a mãe de filhas não tinha os mesmos direitos garantidos.[51] A LMA § 46 parece abordar essa omissão, ao menos de modo parcial. Ela dá à esposa que não tiver sido contemplada no testamento do marido o direito a alimentação e residência na casa do filho. Se for uma esposa secundária sem filhos meninos, os filhos do marido devem sustentá-la. A lei também faz referência a um caso no qual um dos filhos do marido se casa com a viúva. Esse costume, que na Assíria significava que um filho poderia se casar com a concubina e as esposas secundárias do falecido - exceto a própria mãe -, possivelmente evoluiu de uma antiga prática semita pela qual um soberano herdava as esposas e concubinas do pai como símbolo de sua herança da realeza. Esses *extras* parecem refletir o conceito de que as esposas de classe baixa eram uma espécie de propriedade.[52]

Como vimos, a Lei de Hamurabi previa também que uma viúva que tivesse propriedades poderia optar por voltar para a casa do pai, levando com ela seu dote e o presente de noiva. Ela poderia se casar de novo, desde que os direitos à propriedade dos filhos fossem protegidos. Na época das Leis Médio-Assírias, entretanto, nem todas as viúvas tinham escolha em relação a um segundo casamento.

Uma mulher cujo noivo morresse antes do casamento poderia receber do sogro um de seus outros filhos. De forma recíproca, se a noiva de um homem morresse, o sogro poderia lhe oferecer uma de suas outras filhas como esposa. A LMA § 33 especifica que uma viúva jovem com filhos será concedida a um dos irmãos do marido ou ao pai dele. Apenas caso não houvesse nenhum parente homem disponível para o casamento é que ela poderia "ir para onde quisesse".[53] Nessas leis está implícito o conceito de que a transação de casamento não envolvia um casal individual, mas sim os direitos dos parentes homens de uma família às mulheres de outra família.

Esse conceito é o alicerce da instituição do levirato judaico. L. M. Epstein explica o princípio envolvido:

> A família havia pago por ela [a viúva do filho] e era proprietária dela. [...] propriedade da família [...] não podia ficar sem uso. [...] Essa mulher [...] comprada e paga e apta para ser esposa e ter filhos não podia ficar sem um marido. [...][54]

Se o marido tivesse falecido sem ter um filho, o novo casamento da viúva com um parente dele resultaria em um filho que seria considerado filho do marido falecido. Uma vez que a situação de uma mulher sem ninguém era precária, se não impossível, o levirato também oferecia à viúva sem filhos "proteção, cuidado e sustento e [...] os benefícios sociais de [continuar sendo] integrante da família do marido".[55] Foge do escopo de nossa pesquisa traçar o complexo desenvolvimento do levirato, conforme instituído na Bíblia e aplicado na tradição judaica. Mas devemos observar que, mais uma vez, ele confirma uma distinção de "classe" entre mulheres – a mulher que teve filhos meninos goza de mais segurança e privilégios do que a mulher que teve apenas filhas ou a mulher sem filhos. Às mulheres era atribuído *status* mais alto não apenas de acordo com suas atividades sexuais, mas também por suas atividades de procriação.

Leis sobre aborto espontâneo e aborto provocado nos oferecem mais entendimento sobre a relação de sexo e classe. Para a Lei Mesopotâmica, a punição variava de acordo com a classe da vítima. No caso de mulheres, costumava significar a classe do homem que tivesse direito de propriedade sobre a vítima. Assim, a Lei de Hamurabi diz que, se um golpe desferido contra a filha de um aristocrata causar um aborto espontâneo, a punição é uma multa de 10 *shekels*, contra 5 *shekels* caso seja a filha de um burguês. Se o golpe causar a morte da mulher, a punição no primeiro caso é a morte da filha do agressor; se a vítima for a filha de um burguês, a punição é uma multa. Mais uma vez, de acordo com a *lex talionis*, a vida da filha do agressor substitui a vida do pai culpado (CH §§ 209-214).[56]

A lei assíria abrange um vasto leque de casos possíveis. A LMA § 50 prevê que o homem que causar o aborto espontâneo de uma mulher casada verá o mesmo tratamento dado à sua esposa: "os frutos de [seu ventre] serão tratados como [ele] a tratou". Se o golpe dado matar a mulher grávida, o homem será morto. O princípio se aplica seja a vítima uma mulher respeitável ou uma meretriz. Duas outras disposições são notáveis: a primeira afirma que, se o marido da vítima não tiver filho menino (e a esposa tiver sido golpeada e sofrido um aborto em consequência), o agressor deve ser morto; e a segunda: "se o fruto do ventre for uma mulher, ele paga, apesar disso, (de acordo com o princípio de) uma vida (por uma vida)".[57]

Comparando os dois códigos (CH e LMA), observamos que a pena para quem causa a morte de uma mulher grávida aumentou (nas LMA, o próprio agressor deve morrer, enquanto no CH sua filha é condenada à morte); e que, segundo parece, as distinções de classe entre as vítimas mulheres são mais acentuadas no último código do que no primeiro. Em um caso específico, o aborto espontâneo de uma "dama de nascença, o crime é elevado de lesão civil a crime público. Nesse caso, o agressor deve pagar uma multa alta, receber 50 golpes de vara e "trabalhar para o rei" durante um mês (LMA § 21). Ao que parece, a perda do potencial herdeiro de um nobre era considerada um ataque à ordem social estabelecida, que merecia punição pública e rigorosa.[58] A respeito de abortos espontâneos sofridos por mulheres de classe baixa, as distinções de classe se dão com vigor na arrecadação de multas, mas, quando a lesão tiver causado a morte da mulher, o agressor deve morrer, não importando o *status* social da mulher. Isso pode indicar a evolução de uma distinção legal entre crimes capitais e lesões menores.

A lei hitita é mais simples e menos específica. O homem que causar o aborto espontâneo de uma mulher deve pagar uma multa específica, de acordo com a idade do feto. O valor da multa pelo dano a uma mulher escrava é metade do valor da multa pelo mesmo dano perpetrado a uma mulher livre (LH §§ 17 e 18).[59] Há várias leis paralelas nos códigos hititas que preveem multas mais baixas por causar o aborto espontâneo da vaca ou da égua de um homem (LH § 77A). Claramente trata-se de legislação sobre propriedade, e não de preocupação por dano a um ser vivo – a mulher grávida.

A Lei Hebraica combina algumas das características das várias Leis Babilônicas. O homem que causar o aborto espontâneo de uma mulher "sem dúvida será multado, de acordo com o que o marido da mulher lhe impuser; e ele pagará conforme os juízes determinarem. Mas, se houver dano, darás vida por vida, olho por olho. [...]".[60] O princípio implícito em toda essa legislação é de que o crime consiste em privar o marido de um filho menino e, no caso da morte da esposa, de seu potencial futuro de ter os filhos dele.[61]

A natureza política dessa legislação pode ser observada com mais crueza na LMA § 53, que não tem precedentes no CH. Se uma mulher causar o próprio aborto

> [...] (e) acusação (e) prova forem apresentadas contra ela, ela será empalada (e) não será enterrada. [...] Se essa mulher estava escondida (?) quando expeliu o fruto de seu ventre (e) o rei não foi avisado. [...] [a tábua da lei está quebrada].[62]

O que impressiona aqui é que, antes de qualquer coisa, o aborto autoinduzido é considerado um crime público, sobre o qual o rei (a corte) deve ser informado. Empalamento e falta de enterro são as penas mais rigorosas executadas no sistema legal médio-assírio, sendo penas *públicas* para crimes graves. Por que o aborto autoinduzido de uma mulher deveria ser considerado um crime tão grave quanto uma alta traição ou um atentado contra o rei? Driver e Miles, cujas análises sobre as Leis Médio-Assírias são consideradas definitivas, afirmam:

> [...] parece contraditório permitir o abandono de bebês indesejados e punir o aborto com as mais rigorosas penas. No caso de uma mulher casada, isso pode se explicar pelo princípio de que é o pai quem tem o direito de abandonar, enquanto

a mãe não tem o direito de, com seu ato, privá-lo da escolha e manter o filho vivo ou abandoná-lo para morrer.[63]

Driver e Miles continuam a argumentação: "O motivo pode ser [...] que a mulher, por meio dessa transgressão, invocou a ira do céu não apenas sobre ela, mas sobre toda a comunidade".[64] Afirmo que essa mudança na lei deve ser considerada no contexto de muitas outras mudanças relacionadas ao controle sexual das mulheres. A punição bárbara para aborto autoinduzido tem a ver com a importância, vista em todas as LMA, da conexão entre o poder do rei (Estado) e o poder do chefe de família patriarcal sobre as esposas e os filhos. Assim, o direito do pai, até então praticado e sancionado pelos costumes, de decidir sobre a vida dos filhos bebês, o que na prática significava a decisão de se suas *filhas* bebês viveriam ou morreriam, está, nas LMA, equiparado à manutenção da ordem social. O fato de a esposa usurpar esse direito do homem passou a ser visto como equivalente, em magnitude, a traição ou atentado ao rei.

VEMOS ENTÃO, no intervalo de mil anos que estamos discutindo, como a dominação patriarcal passou de prática privada para lei pública. O controle da sexualidade feminina, antes praticado apenas por alguns maridos ou chefes de família, tornou-se, então, assunto de regulação estatal. A isso, é evidente, sucedeu-se a tendência geral ao aumento do poder do Estado e, em decorrência disso, ao estabelecimento de uma lei pública.

A família patriarcal, a princípio institucionalizada por completo na Lei de Hamurabi, refletia o Estado arcaico em sua mescla de paternalismo e autoridade inquestionável. Mas o que é mais importante que se entenda para se compreender a natureza do sistema sexo/gênero sob o qual ainda vivemos é o inverso desse processo: o Estado arcaico, desde o princípio, reconheceu sua dependência da família patriarcal e igualou o funcionamento obediente da família à ordem no domínio público. A metáfora da família patriarcal como célula, o elemento fundamental do organismo saudável da comunidade pública, foi manifestada primeiro na Lei Mesopotâmica. Foi depois reforçada de modo constante, tanto em ideologia quanto em prática, ao longo de três milênios. O fato de ainda ter influência pode ser representado na maneira como veio à tona na campanha contra a aprovação da Emenda de Direitos Iguais nos Estados Unidos, nos dias atuais.

Durante o segundo milênio a.C., a formação de classes ocorreu de forma que, para as mulheres, o *status* econômico e a servidão sexual estivessem ligados de modo indissociável. Assim, a posição de classe das mulheres foi desde o início definida de maneira diferente em relação à posição dos homens. Mudanças estruturais já haviam resultado em uma divisão crescente entre mulheres de classe alta e de classe baixa. Restou à lei institucionalizar essa cisão. Isso pode ser observado de forma drástica em uma Lei Médio-Assíria, que também representa a mais poderosa manifestação de interesse do Estado no controle da sexualidade feminina: a LMA § 40, que regulamentava a aparição pública de mulheres. Discutiremos essa lei, que de fato legislava sobre a divisão das mulheres em classes distintas de acordo com seu comportamento sexual, no próximo capítulo. Para tanto, faremos um leve desvio a fim de discutir o estabelecimento da prostituição, que antecedeu essa medida.

SEIS

O VELAMENTO DA MULHER

"A PROSTITUIÇÃO, NÃO RARO CHAMADA DE a profissão mais antiga do mundo, pode ser observada ao longo de toda a história registrada."[1] Assim defendem alguns especialistas e o senso comum, fazendo a prostituição parecer um subproduto "natural" da formação social humana, que dispensa explicação.

Outros especialistas discordam. A "prostituição", como diz a *New Encyclopaedia Britannica*: "até onde se sabe, não é uma cultura universal. Em sociedades em que há tolerância sexual, ela costuma ser rara, porque é desnecessária, enquanto em outras sociedades foi bastante suprimida".[2]

Em seu tratamento magistral da história da prostituição, o médico alemão Iwan Bloch nos conta que ela surge como um subproduto do controle da sexualidade: "A prostituição aparece entre povos primitivos onde quer que as relações sexuais livres tenham sido restritas ou limitadas. Não é nada mais que um substituto para uma nova manifestação de promiscuidade primitiva".[3] Embora isso deva ser verdade, não explica sob que condições a prostituição surge e se torna institucionalizada em determinada sociedade. A explicação também ignora o aspecto comercial da prostituição, tratando-a como se fosse apenas uma forma variante de acordo sexual entre duas partes em consentimento mútuo. Bloch aceita a existência de um estado "natural" de promiscuidade que mais tarde é suplantado por várias formas de casamento estruturado. Essa teoria do século XIX, elaborada por J. J. Bachofen e pelo etnólogo norte-americano Lewis Henry Morgan, foi o alicerce da análise de Friedrich Engels, que tanto influenciou a teoria feminista moderna:

> [...] o heterismo deriva diretamente do casamento grupal, da entrega cerimonial pela qual as mulheres compravam o direito à castidade. A entrega por dinheiro era a princípio um ato religioso; acontecia no templo da deusa do amor, e o dinheiro à época ia para o tesouro do templo. [...] Entre outros povos, o heterismo deriva da liberdade sexual permitida às moças antes do casamento. [...] Com o surgimento da desigualdade de propriedade [...] o trabalho assalariado aparece esporadicamente lado a lado com o trabalho escravo, e, ao mesmo tempo, como seu necessário correlato, a prostituição profissional de mulheres livres lado a lado com a entrega forçada da escrava. [...] Pois o heterismo é uma instituição social tanto quanto qualquer outra; mantém a antiga liberdade sexual – para benefício dos homens.[4]

Algumas páginas depois, Engels se refere à prostituição como "o complemento" do casamento monogâmico e prediz seu fim "com a transformação dos meios de produção em propriedade social".[5] Mesmo que destaquemos o evidente viés vitoriano de Engels ao esperar que as mulheres desejem exercer o "direito à castidade", devemos observar seu entendimento de que a prostituição se originou tanto de mudanças de postura em relação à sexualidade quanto de determinadas crenças religiosas, e que as mudanças nas condições sociais e econômicas na época da institucionalização da propriedade privada e da escravidão afetaram as relações entre os sexos. Independentemente de quantos equívocos e falhas em evidências científicas sejam revelados na obra de Engels, ele foi o primeiro a nos alertar para essas conexões e enxergar a conexão essencial das relações sociais e sexuais. Com sua formulação da analogia entre a coexistência de trabalho livre e escravo e a coexistência da "prostituição profissional de mulheres livres lado a lado com a entrega forçada da escrava", ele nos conduziu a uma redefinição do conceito de "classe" para homens e mulheres – que ele mesmo, infelizmente, ignorou em sua obra posterior.

Para que se entenda a evolução histórica da prostituição, precisamos seguir a pista de Engels e examinar sua relação com a regulamentação sexual de todas as mulheres no Estado arcaico, bem como sua relação com a escravização de mulheres. Mas primeiro é preciso abordar a explicação mais difundida e aceita da origem da prostituição: a saber, que ela teve início na "prostituição de templo".

É uma pena que a maioria das autoridades usem o mesmo termo para abranger um amplo leque de comportamentos e atividades e para englobar pelo menos duas formas de prostituição organizada – religiosa e comercial – que ocorriam em Estados arcaicos. Aprendemos, por exemplo, que na sociedade mesopotâmica (e em outros lugares), a prostituição sagrada, que caracterizava antigos cultos de fertilidade e adoração a deusas, levou à prostituição comercial.[6]

A sequência é no mínimo duvidosa. O uso da expressão "prostituição sagrada" para toda e qualquer prática sexual relacionada à servidão ao templo nos impede de entender o significado que essas práticas tinham para os contemporâneos. Portanto, farei a distinção entre "servidão sexual religiosa" e "prostituição", termo pelo qual me refiro apenas à prostituição comercial.

A servidão sexual religiosa de homens e mulheres pode datar do Período Neolítico e provir de vários cultos à Deusa-Mãe ou à chamada Grande Deusa em suas várias manifestações.[7] As evidências arqueológicas da existência de estatuetas femininas, com ênfase em seios, quadris e nádegas, é abundante em toda a Europa, no Mediterrâneo e na Ásia Oriental. Em muitos lugares, tais estatuetas foram encontradas em locais que os arqueólogos interpretaram como sendo santuários, mas não temos como saber de que maneira essas estatuetas eram usadas ou adoradas. E jamais saberemos.

Em contrapartida, temos vastas evidências historicamente válidas – linguísticas, literárias, pictóricas e legais – com base nas quais podemos reconstruir a adoração de deusas femininas e a vida e atividades de sacerdotisas na Antiga Mesopotâmia, no Período Neobabilônico.

Os antigos babilônicos acreditavam que os deuses e as deusas de fato viviam no templo, não estando apenas representados ali. A equipe do templo, os vários graus de sacerdotes e sacerdotisas, artesãos, operários e escravos, todos trabalhavam para guardar e alimentar os deuses da mesma forma como talvez tivessem trabalhado para guardar e alimentar um amo. Todos os dias as refeições eram preparadas com cuidado, e tocava-se música para o entretenimento dos deuses. Para pessoas que consideravam a fertilidade sagrada e essencial à própria sobrevivência, cuidar dos deuses incluía, em alguns casos, oferecer-lhes serviços sexuais.[8] Assim, uma classe específica de prostitutas de templo se desenvolveu. O que parece ter acontecido foi que as atividades sexuais para e em nome dos deuses ou das deusas eram consideradas sagradas e benéficas ao povo. As práticas variavam conforme os deuses, os diferentes locais e os diferentes períodos. Também havia, em particular no último período, prostituição comercial, que prosperava perto ou dentro do templo. Mais uma vez: acadêmicos modernos confundem a questão referindo-se a toda essa atividade como prostituição e usando o termo "hierodulo" sem distinção para vários tipos de mulheres que realizavam atividades sexuais, comerciais ou religiosas.[9] Apenas a partir de 1956, com o surgimento do primeiro volume do *Chicago Assyrian Dictionary*, foi possível fazer uso mais preciso dos termos e distinguir, como fizeram os babilônicos, os diferentes tipos de servas do templo.

Na época da Antiga Babilônia, as filhas de reis e soberanos eram indicadas como sumas sacerdotisas do deus da Lua ou da deusa Ishtar. As sacerdotisas *en* ou *entu* eram as contrapartes dos sumos sacerdotes. Elas usavam vestuário característico: chapéu de aba alta, roupa com pregas, joias e um cetro – a mesma insígnia e as mesmas roupas usadas pelo soberano. Moravam no santuário sagrado, eram responsáveis pela administração e pelos afazeres do templo, realizavam rituais e trabalhos cerimoniais e em geral não eram casadas. A sacerdotisa *nin-dingir*, na Antiga Suméria, tinha papel semelhante. Assiriólogos acreditam que era essa classe de mulheres que participava anualmente do Casamento Sagrado, personificando ou representando a deusa.

O fundamento para o ritual do Casamento Sagrado era a crença de que a fertilidade da terra e das pessoas dependia da celebração do poder sexual da deusa da fertilidade. É provável que esse rito tenha se originado na cidade suméria de Uruk, dedicada à deusa Inanna, antes de 3000 a.C. O Casamento Sagrado era da deusa Inanna com o sumo sacerdote, que representava o deus, ou o rei, identificado com o deus Dumuzi.[10] Em um poema tradicional o encontro é iniciado pela deusa, que manifesta sua avidez pela união com seu amante. Após a união, a terra floresce com rapidez:

> Plantas cresceram muito ao lado dele,
> Grãos cresceram muito ao lado dele,
> [...] jardins floresceram com exuberância ao lado dele.

A deusa, feliz e satisfeita, promete abençoar a casa do marido, o pastor/rei:

> Meu marido, o agradável armazém, o estábulo sagrado,
> Eu, Inanna, o protegerei pois,
> Eu cuidarei de sua "casa da vida" [...][11]

A encenação simbólica anual dessa união mítica era uma celebração pública considerada essencial para o bem-estar da comunidade. Era a ocasião de uma comemoração alegre, que podia envolver atividade sexual dos adoradores dentro e nos arredores do templo. É importante entender que os contemporâneos consideravam essa ocasião sagrada, de importância mítica para o bem-estar da comunidade, e que prestavam reverência ao rei e à sacerdotisa e os honravam por realizar esse trabalho "sagrado".

O Casamento Sagrado foi realizado nos templos de várias deusas da fertilidade por quase 2 mil anos. O jovem deus-amante ou filho da deusa era conhecido como Tamuz, Átis, Adonis, Baal e Osíris em vários idiomas. Em alguns desses rituais, a união sagrada era precedida pela morte do jovem deus, simbolizando uma estação de seca ou infertilidade que só acabava com sua ressurreição por meio da união com a deusa. Era ela quem podia trazê-lo à vida, torná-lo rei e dar a ele poderes para tornar a terra fértil. Ricas imagens sexuais retratando a alegre adoração da sexualidade e fertilidade permeavam a poesia e o mito, sendo manifestadas em estátuas e esculturas. Ritos semelhantes ao Casamento Sagrado também prosperaram na Grécia clássica e na Roma pré-cristã.[12]

Embora a maioria das informações sobre sacerdotisas *en* venha do período da Antiga Babilônia, existem muitas referências a sacerdotisas *nin-dingir* no Período Neobabilônico em Ur e Girsu. Na era de Hamurabi (1792-1750 a.C.), essas sacerdotisas podiam morar fora do claustro, mas a reputação delas era protegida com cuidado.[13]

Em seguida na classificação, depois das *en* e *nin-dingir*, vinham as sacerdotisas *naditum*. A palavra *naditum* significa "deixada sem cultivo", o que é compatível com as evidências de que elas eram proibidas de ter filhos.[14] Sabemos bastante sobre as sacerdotisas *naditum* do deus Samas e do deus Marduque durante a primeira dinastia da Babilônia. Essas mulheres vinham das classes mais altas da sociedade; algumas eram filhas de reis, a maioria era de filhas de altos burocratas, escribas, médicos ou sacerdotes. As *naditum* do deus Samas entravam novas no claustro e não se casavam. O claustro no qual moravam com as criadas era um grande complexo de construções individuais dentro do templo. Em escavações, revelou-se que o claustro no templo da cidade de Sippar também continha uma biblioteca, uma escola e um cemitério.[15] O claustro abrigava até 200 sacerdotisas de uma vez, mas o número de *naditum* foi diminuindo aos poucos após a era de Hamurabi.[16]

As mulheres *naditu* levavam dotes abastados para o templo no momento em que se dedicavam ao deus. Quando morriam, o dote era revertido à família. Elas podiam usar esses dotes como capital para transações comerciais e emprestar dinheiro a juros, além de sair do claustro para cuidar de seus vários negócios. As *naditum* vendiam terras, escravos e casas, faziam empréstimos e doações e administravam rebanhos e campos. São conhecidos os nomes de 185 escribas mulheres que serviam ao templo de Sippar.[17] Do lucro obtido com as transações comerciais, as *naditum* faziam oferendas regulares aos deuses em dias de festival. Como não podiam ter filhos, costumavam adotar crianças para cuidar delas quando ficassem velhas. Ao contrário de outras mulheres da época, podiam legar propriedades a herdeiras mulheres, provavelmente familiares que também serviam ao templo como sacerdotisas.

As *naditum* do deus Marduque não viviam enclausuradas e podiam se casar, mas não podiam ter filhos. Esse grupo de mulheres estava sujeito em particular à regulamentação no Código de Hamurabi. Como vimos, uma *naditum* podia dar filhos ao marido oferecendo-lhe uma escrava ou uma serva do baixo escalão do templo, chamada *sugitum*, como concubina ou segunda esposa. A Lei de Hamurabi dispunha de forma elaborada sobre os direitos desses filhos à herança, o que pode indicar a importância da *naditum* na ordem social. Pode também indicar que a posição social delas havia se tornado precária de alguma forma durante o reinado de Hamurabi ou que passava por algum tipo de mudança. O último fato pode explicar a inclusão do CH § 110, que prevê a pena de morte para a *naditum* de fora do claustro que entrar em uma taberna ou administrar tal estabelecimento. Se a "taberna" implica, como o pesquisador parece acreditar, um bordel ou uma hospedaria frequentada por prostitutas, o significado óbvio da lei é que ela proíbe qualquer associação com esse tipo de lugar. A *naditum* deve não apenas viver de modo respeitoso, mas também zelar para que sua reputação não seja manchada.[18] A necessidade de registrar essa lei pode indicar certo afrouxamento da moralidade entre os servos religiosos. Também pode ser indício, como discutiremos a seguir, de um maior desejo, por parte dos legisladores (ou dos compiladores de leis), em determinar linhas mais claras de distinção entre mulheres respeitáveis e não respeitáveis.

Kulmashitum e *qadishtum* eram servas do baixo escalão do templo que costumam ser mencionadas juntas nos textos. A distinção entre elas não é bem compreendida. Os direitos que possuíam à herança estão especificados no CH § 181, de acordo com o qual elas têm direito a um terço de herança do espólio do pai, se não tiverem recebido o dote quando entraram para o templo. Mas têm apenas o direito de uso da porção designada a elas. A herança pertence a seus irmãos.[19] Driver e Miles interpretam o fato de que a herança dessas servas revertida aos irmãos seja um indício de que não se esperava delas que tivessem filhos. Isso parece se desmentir pelas evidências, de inúmeras fontes, de que as *qadishtum*, com certa frequência, atuavam como amas de leite – portanto, elas próprias devem ter tido filhos. Podem ter vivido fora do claustro e se casado depois que passaram determinado período servindo ao templo. Ou podem ter sido prostitutas enquanto serviam ao templo. Se for o caso, terem sido empregadas por pessoas ricas como amas indicaria que o papel social delas não era considerado desprezível. Para aumentar ainda mais a confusão, existem textos em que a própria deusa Ishtar é chamada de *qadishtu*.[20]

Há duas narrativas "históricas" de atividades sexuais dentro e nos arredores de templos babilônicos, tendo as duas influenciado indevidamente historiadores modernos. Uma foi escrita pelo historiador grego Heródoto no quinto século a.C. e pretende descrever a prostituição religiosa no templo da deusa Mylitta; a outra foi escrita pelo geógrafo romano Estrabão cerca de 400 anos depois, corroborando Heródoto. Eis o relato de Heródoto:

> Toda mulher nascida no país deve uma vez na vida sentar-se no recinto de Vênus [Mylitta] e ali ter relações com um desconhecido. [...] A mulher que tiver tomado seu lugar não pode voltar para casa até que um dos desconhecidos jogue uma moeda de prata em seu colo e a leve com ele para fora do solo sagrado. [...] A moeda de prata pode ser de qualquer tamanho. [...] A mulher vai com o primeiro que jogar o

dinheiro e não rejeita ninguém. Quando ela tiver ido embora com ele, e assim tiver agradado a deusa, ela volta para casa, e a partir daí nenhuma doação, por maior que seja, a persuadirá. As mulheres [...] que são feias precisam ficar muito tempo ali até que possam cumprir a lei. Algumas esperaram três ou quatro anos no local.[21]

Além de Estrabão, não há confirmação dessa história, e não existem "leis" conhecidas que regulamentassem ou mesmo fizessem referência a essa prática. Heródoto pode ter confundido a atividade de prostitutas ao redor do templo com um rito envolvendo todas as virgens assírias. Outra das histórias de Heródoto, contada a ele por sacerdotes babilônicos, parece ter mais fundamento histórico. Descreve uma torre alta no templo de Marduque, no topo da qual a suma sacerdotisa vivia em um quarto que tinha um sofá e no qual recebia toda noite a visita do Deus. A história é de certa forma comparável a uma narrativa histórica, datada do primeiro milênio a.C., que descreve como o rei neobabilônico Nabu-naid dedicou a filha como suma sacerdotisa a Sin, o deus da Lua. Ele cercou o edifício onde ela vivia com um muro alto e o mobiliou com ornamentos e móveis finos. Isso seria compatível com o que sabemos sobre as condições de habitação de algumas das sumas sacerdotisas reais e com a crença de que o Deus as visitava toda noite, assim como toda noite comia as refeições preparadas para ele. Heródoto cita isso como um exemplo de "prostituição de templo", e historiadores modernos que estudam o assunto repetem o que ele diz, tratando essas narrativas como fatos. Eu interpreto a função da sacerdotisa como um exemplo significativo da servidão sexual religiosa, seja realizada de fato ou encenada de modo simbólico.[22]

A partir das interpretações conflitantes das evidências que temos sobre as atividades das mulheres no templo é difícil chegar a um entendimento do papel social dessas mulheres. O que antes era um trabalho de culto puramente religioso foi corrompido em uma época na qual a prostituição comercial já prosperava nas instalações do templo. O ato de manter relações sexuais com desconhecidos no templo para honrar a fertilidade e o poder sexual da deusa pode ter sido, habitualmente, recompensado com uma doação ao templo. Adoradores levavam com regularidade oferendas de alimentos, azeite, vinho e bens preciosos para o templo em honra das divindades e na esperança de que recebessem benefícios. Pode-se conceber que essa prática tenha corrompido algumas servas do templo, tentadas a ficar com todas as doações ou parte delas para si mesmas. Os sacerdotes também podem ter incentivado ou permitido o uso de escravas e servas do baixo escalão como prostitutas comerciais a fim de enriquecer o templo. Isso logo nos leva a duas outras classes de servas do templo. Uma era o grupo das *secretu*, mencionadas no Código de Hamurabi, em conexão com as leis relativas a herança. Elas eram mulheres do alto escalão, que provavelmente viviam enclausuradas. Driver e Miles sugerem que talvez elas não tenham sido sacerdotisas, mas "administradoras" incumbidas das mulheres do templo-harém. "Suas funções correspondem às de um eunuco-mordomo ao guardar o palácio-harém."[23] Outras explicações são as de que essa pessoa era um homem disfarçado de mulher ou uma mulher disfarçada de homem. Mas no Código de Hamurabi ela é sempre chamada de mulher, a filha de seu pai, a mãe de uma criança adotada. Essa figura enigmática pode ser alguém que representava um aspecto inicial da adoração à Deusa-Mãe, salientando bissexualidade ou hermafroditismo.

Por fim, havia a classe das *harimtu*, que eram prostitutas ligadas ao templo. Podem ter sido filhas de escravas e ficavam sob a supervisão de uma administradora do templo de nível inferior. Não está claro se essas mulheres eram consideradas parte do templo-harém. Os textos de Sippar listam 11 mulheres como essas. Esse baixo número aumenta a probabilidade de que tenham sido escravas de propriedade de sacerdotes ou sacerdotisas. Os ganhos profissionais dessas escravas, assim como os de outras trabalhadoras escravas, eram revertidos aos proprietários, que podem ter repassado tal quantia ao templo.

Já na metade do primeiro milênio a.C., se não antes, existiam dois tipos de atividades sexuais realizadas nos templos ou perto deles: ritos sexuais, que faziam parte do ritual religioso, e prostituição comercial. Os templos, assim como as igrejas medievais, eram centros para uma grande variedade de atividades comerciais. A prostituição de homens e mulheres era visível ao redor deles porque era lá que os clientes estavam. É provável que haja uma relação geográfica entre o templo e a prostituição comercial. A relação causal – a saber, que a prostituição comercial se desenvolveu com base na prostituição de templo – que historiadores tomaram por certa parece bem menos óbvia do que se costuma afirmar.

Podemos considerar algumas evidências linguísticas para entender a evolução da prostituição. *Kar.kid*, termo sumério para "mulher prostituta", aparece em uma das primeiras listas de profissões da época da Antiga Babilônia, em cerca de 2400 a.C. Como vem mencionada logo após *nam.luku*, que significa "qualidade de *naditu*", pode-se presumir sua relação com a servidão ao templo. É interessante que o termo *kur-garru*, "homem prostituto" ou "animador travestido", apareça na mesma lista, mas junto de animadores. Isso condiz com a prática relacionada ao culto de Ishtar, na qual homens travestidos apresentavam números de atirar facas. Na mesma lista, encontramos as seguintes profissões femininas: médica de mulheres, escriba, barbeira, cozinheira. É claro que a prostituição está entre as profissões mais antigas, embora não haja evidências de que seja a mais antiga delas.[24] As prostitutas continuaram aparecendo em diversas listas posteriores de profissões do Período Médio-Babilônico. Em uma lista do sétimo século a.C., há uma variedade de mulheres animadoras, bem como homens travestidos, além de parteira, ama, feiticeira, ama de leite e "uma senhora de cabelo grisalho". As prostitutas estão listadas mais uma vez como *kar.kid* e *harimtu*, o termo acádio. É muito interessante que não exista uma mulher escriba entre os 25 escribas dessa lista, nem uma médica entre os médicos.[25]

As primeiras referências em textos de tábuas de argila relacionam as *harimtu* com tabernas. Há até uma frase que diz: "Quando eu me sento na entrada da taberna, eu, Ishtar, sou uma *harimtu* amorosa".[26] Essas e outras referências originaram a associação de Ishtar com tabernas e com a prostituição ritual e comercial.

A existência de vários grupos de profissões relacionados tanto à servidão sexual religiosa quanto à prostituição comercial não nos diz muito sobre o significado que essas profissões tinham para os contemporâneos. Podemos tentar aprender algo a respeito observando o mais antigo mito poético, "A Epopeia de Gilgamesh". O poema, que descreve a bravura de um deus/rei mítico, que pode mesmo ter vivido no início do terceiro milênio a.C., perdurou em diversas versões, sendo a mais completa a versão acádia, baseada em uma versão suméria anterior, escrita em 12 tábuas no início do segundo milênio a.C. No poema, o comportamento agressivo do herói desagradou seus súditos e os reis:

> Dia e noite [é desenfreada sua arrogância.]. [...]
> Gilgamesh não deixa a donzela para [a mãe dela],
> A filha do guerreiro, a nobre esposa![27]

Os deuses criam um homem, "sua duplicata", para combater Gilgamesh. Esse homem selvagem, Enkidu, vive em harmonia com os animais da floresta. "Ele não conhece gente nem terra." Após Enkidu ser descoberto por um caçador e fugir, o caçador busca conselhos sobre como domá-lo. É aconselhado a usar uma *harimtu*. O caçador a leva para a floresta e diz a ela o que fazer:

> [...] e ele [Enkidu] possuiu sua maturidade.
> Ela não foi tímida quando acolheu seu ardor.
> Afastou sua roupa e ele se deitou sobre ela.
> Ela ofereceu a ele, o bárbaro, a tarefa de uma mulher,
> enquanto o amor dele foi atraído para ela.

Após manter relações sexuais com ela durante seis dias, Enkidu descobre que os animais selvagens estão com medo dele; "ele agora tinha sabedoria, mais entendimento". A meretriz o aconselha:

> Venha, deixe-me guiá-lo [até] as muralhas de Uruk,
> Até o templo sagrado, residência de Anu e Ishtar,
> Onde vive Gilgamesh.[28]

Enkidu concorda, e a meretriz leva-o até Gilgamesh, que se torna o melhor amigo dele.

A meretriz de templo é uma parte aceita da sociedade; seu papel é honorável – aliás, é ela que é escolhida para civilizar o homem selvagem. A hipótese aqui é de que a sexualidade é civilizatória, agradável aos deuses. A meretriz faz "a tarefa de uma mulher"; portanto, não é diferenciada das outras mulheres por causa de sua ocupação. Ela tem um tipo de sabedoria que doma o homem selvagem. Ele segue seu comando até a cidade da civilização.

De acordo com outro fragmento de Gilgamesh, publicado apenas há pouco tempo, Enkidu depois se arrepende de entrar na civilização. Ele amaldiçoa o caçador e a *harimtu* por terem-no tirado da vida de liberdade na natureza. Ele declara uma maldição elaborada contra a *harimtu*:

> [...] Amaldiçoá-la-ei com uma grande praga [...]

você não construirá uma casa para sua devassidão
você não entrará na taberna das moças
[...]
[...]
Que a ruína seja o seu sofá,
Que a sombra do muro da cidade seja seu ponto
Que espinhos esfolem seus pés
Que bêbados e beberrões estapeiem seu rosto. [...][29]

A natureza dessa maldição nos diz que a *harimtu* que fez sexo com Gilgamesh tinha uma vida melhor e mais fácil do que a meretriz que faz ponto no muro da cidade e sofre abusos de seus clientes bêbados. Isso confirmaria a distinção que fizemos antes, entre a mulher envolvida com a servidão sexual sagrada e a prostituta comercial. É mais provável que tal distinção tenha existido no início do que no fim do período.

É provável que a prostituição comercial tenha se originado diretamente da escravização de mulheres e da consolidação e formação de classes. A conquista militar causou, no terceiro milênio a.C., a escravização e o abuso sexual de mulheres prisioneiras. Quando a escravidão se tornou uma instituição estabelecida, proprietários de escravos passaram a alugar escravas como prostitutas, e alguns senhores montaram bordéis comerciais com escravas. A pronta disponibilidade de mulheres prisioneiras para uso sexual privado e a necessidade de reis e governantes, às vezes eles mesmos usurpadores de autoridade, de demonstrar legitimidade ao ostentar riqueza em forma de servas e concubinas originou o estabelecimento de haréns. Estes, em decorrência, tornaram-se símbolos de poder emulados por aristocratas, burocratas e homens de posses.[30]

Outra fonte de prostituição comercial foi o empobrecimento de fazendeiros e sua crescente dependência de empréstimos para sobreviver a períodos de escassez, o que levou à escravidão por dívida. Crianças de ambos os sexos eram oferecidas como garantia de dívida ou vendidas para "adoção". Entre outras práticas, a prostituição de familiares mulheres para benefício do chefe de família pôde se desenvolver com rapidez. As mulheres às vezes acabavam se prostituindo porque seus parentes precisavam vendê-las para a escravidão ou os maridos empobrecidos necessitavam usá-las dessa maneira. Ou podiam se tornar autônomas, como última alternativa à escravidão. Com sorte, nessa profissão, tinham a possibilidade de ascender, tornando-se concubinas. Na metade do segundo milênio a.C., a prostituição estava bem estabelecida como uma provável ocupação para as filhas dos pobres.

Conforme a regulamentação sexual de mulheres da classe que possuía propriedades se fortalecia, a virgindade das filhas respeitáveis se tornava um recurso financeiro para a família. Dessa maneira, a prostituição comercial passou a ser vista como necessidade social para satisfazer a carência sexual dos homens. O que continuava problemático era como distinguir com clareza e permanência entre mulheres respeitáveis e não respeitáveis. Talvez outro problema que precisasse de solução fosse como desencorajar os homens ao envolvimento social com mulheres agora definidas como "não respeitáveis". Ambos os objetivos foram cumpridos pela sanção da Lei Médio-Assíria § 40.

Antes de analisarmos essa lei, precisamos entender que a sociedade assíria era mais militarista e que seu Código de Leis, de modo geral, era mais rigoroso do que o da Babilônia. Portanto, é difícil dizer quanto essa única lei representa as práticas de outras sociedades mesopotâmicas. Embora não seja encontrada lei semelhante em outras compilações que tenham perdurado, assiriólogos costumam pressupor a prevalência de um conjunto de conceitos legais comuns na região por quase dois mil anos. Outras regulamentações da sexualidade feminina também apresentam semelhanças entre os vários códigos de leis; então, pode-se entender que a LMA § 40 era representativa. Mais importante ainda: a prática do uso de véu, sobre a qual ela legisla, é tão onipresente e ocorre há tantos milênios, que é possível justificar a compreensão de que estamos lidando com o exemplo mais antigo conhecido dessa regulamentação, praticada também em muitas outras sociedades.[31]

A LMA § 40 diz o seguinte:

> Nem [esposas] de [lordes] nem [viúvas] nem [mulheres assírias] que saem na rua podem estar com a cabeça descoberta. As filhas de um lorde [...] seja com um xale, um manto ou [uma capa], devem se cobrir. [...] quando saírem sozinhas, devem se cobrir. Uma concubina que sair com sua senhora deve se cobrir. Uma prostituta sagrada que se casar com um homem deve se cobrir na rua, mas aquela que não se

> casar deve andar com a cabeça descoberta; ela não deve andar coberta. Uma meretriz não deve andar coberta; sua cabeça deve ser descoberta. [...][32]

A lei também especifica que uma moça escrava não deve andar coberta. O véu, que era símbolo e emblema das mulheres casadas, é aqui elevado a uma marca característica, e usá-la se torna um privilégio. Mas a lista parece curiosa. O uso de véu não parece distinguir mulheres livres de mulheres não livres, nem a classe alta da classe baixa. Meretrizes e prostitutas sagradas não casadas podem ser mulheres livres, mas estão agrupadas com as escravas. Uma escrava concubina pode usar véu, se acompanhada de sua senhora, mas até mesmo uma concubina nascida livre não pode cobrir a cabeça se sair sozinha. Em uma análise mais detalhada, podemos ver que a distinção entre as mulheres é baseada em suas atividades sexuais. Mulheres domésticas, que servem a um homem e são protegidas por ele, são designadas "respeitáveis" pelo uso de véu; mulheres que não estão sob a proteção nem o controle sexual de um homem são designadas "mulheres públicas", por isso, sem véu.

Se a lei não fizesse nada além de determinar essas regras, já representaria um divisor de águas histórico para as mulheres: a classificação legal de mulheres de acordo com o comportamento sexual. Mas a lei vai além, especificando a punição para as transgressoras:

> [...] aquele que vir uma meretriz usando véu deve prendê-la, obter testemunhas (e) levá-la o tribunal do palácio; eles não devem tirar suas joias (mas) quem prendê-la pode tirar sua roupa; deverão açoitá-la 50 (vezes) com varas (e) derramar piche em sua cabeça.

Aqui, o que começa como uma regulamentação menor e aparentemente insignificante de moralidade de repente é considerado um crime grave contra o Estado. Deve haver testemunhas; a acusada deve ser apresentada diante do "tribunal do palácio", ou seja, uma corte. As joias da meretriz ficam com ela, presume-se que por serem o instrumento de seu comércio, mas sua punição é cruel. E também altamente simbólica – cobrir sua cabeça com piche mostra o único tipo de "véu" que seu baixo *status* lhe permite ter. Em termos práticos, isso também deveria torná-la incapaz de ganhar seu sustento, pois remover o piche exigiria que raspasse a cabeça, ficando desfigurada por um longo tempo.

A lei especifica ainda a punição para uma moça escrava que for pega usando véu: suas roupas serão tiradas dela, e suas orelhas serão cortadas. Pode-se apenas especular sobre o significado da diferença de punição para a meretriz e a moça escrava – perder as orelhas é uma punição menor do que levar 50 golpes de vara? É mais cruel? Se for, isso reflete o entendimento comum da Lei Mesopotâmica de que a pessoa do escalão mais baixo deve sofrer a punição mais rigorosa? Nesse caso, isso nos diz que o *status* da meretriz é mais alto que o da escrava? Ao que parece, sim.

O aspecto mais interessante da lei, entretanto, é referente à punição prevista para a pessoa (o homem) que não denunciar a violação da lei do uso de véu:

> Se um lorde tiver visto uma meretriz de véu e tiver deixado (ela) escapar sem levá-la ao tribunal do palácio, ele será açoitado 50 (vezes) com varas; suas orelhas serão perfuradas, (por elas) será passado um cordão (e) amarrado nas costas, (e) ele fará o trabalho do rei por um mês inteiro.

A punição para o homem que não denunciar uma escrava de véu é a mesma, exceto pelo fato de que suas roupas também serão tiradas dele por "seu demandante". Driver e Miles, em sua análise da lei assíria, explicam que não existe lei correspondente nos códigos de lei babilônicos. Esclarecem também o significado da punição do homem: as orelhas furadas com um cordão passando por elas faz com que ele pareça estar de rédeas, "talvez para que possam ser conduzidos pelas ruas e expostos ao escárnio público".[33] Eles concluem que a lei

> [...] serve para distinguir damas e outras mulheres respeitáveis de meretrizes e escravas. Além disso, embora a lei não imponha penalidade a uma mulher respeitável que não usar o véu, toma todas as medidas para evitar que isso aconteça. [...] Usar o véu é um privilégio das classes mais altas que, por um motivo ou outro, a lei está determinada a manter. É possível que tenha sido uma espécie de extensão do uso do harém, pelo qual uma mulher coberta em particular também devia estar coberta em público.[34]

Essa análise é astuta, mas os autores admitem que o propósito da lei é "obscuro" para eles.

Muito pelo contrário, o propósito da lei é de uma clareza desoladora. Observamos que o Estado intervém em determinar o vestuário das mulheres criando uma lei e exigindo que apresentem a criminosa diante da corte, com testemunhas e uso de um demandante. Também observamos que, ao contrário de outros crimes descritos nessas leis, o crime de uma mulher em "se cobrir com véu sem autorização" ou "se passar por uma mulher respeitável" é tão grave, que a execução é obrigatória, por meio de punição bárbara, a qualquer homem solidário e desobediente. Observamos também que a punição é pública – açoitamento, nudez, exibição pelas ruas. Assim, a classificação de mulheres em respeitáveis e não respeitáveis se torna um assunto do Estado.

A LMA § 40 institucionaliza uma ordem de classificação para mulheres: no topo, a dama casada ou sua filha solteira; abaixo dela, mas ainda entre as respeitáveis, a concubina casada, seja escrava, nascida livre ou prostituta de templo; na base, sem dúvida marcadas como não respeitáveis, a prostituta de templo não casada, a meretriz e a mulher escrava.

A classificação da prostituta de templo não casada, presume-se que a *kulmashitum* e a *qadishtum*, no mesmo nível que a meretriz comercial, a *harimtu*, e a meretriz de templo de origem escrava, é um evidente rebaixamento de classe da primeira. A natureza sagrada da servidão sexual ao templo já não é mais o fator decisivo; cada vez mais, a prostituta de templo é considerada da mesma maneira que a prostituta comercial.

Por que a lei se aplicava com mais rigor às escravas do que às prostitutas? As escravas já eram diferenciadas das mulheres livres pelo penteado e possivelmente por uma marca de ferro quente na testa. O motivo mais óbvio seria que usar o véu poderia esconder essas marcas de identificação, permitindo que uma escrava "se passasse" por mulher livre. Mas a lei também busca fazer uma drástica distinção entre a mulher escrava e a escrava concubina. A última, quando acompanhada de sua senhora – ou seja, pela primeira esposa do senhor –, deveria ser tratada como uma mulher respeitável. Nesse caso, seu *status* servil era indicado com clareza, como sabemos de casos citados antes, pelo fato de andar atrás da senhora, talvez até carregando seu assento ou outros pertences. Outras mulheres escravas na casa, que não fossem concubinas, eram identificadas na rua por não usarem véu, revelando assim suas marcas de escravas. O resultado imediato da LMA § 40 seria o de permitir à escrava concubina o reconhecimento público de seu *status*, diferentemente do que ocorria com o *status* de escrava comum dentro de casa. Isso condiz com as várias outras práticas sociais e legais, que colocavam as concubinas em uma posição social intermediária entre escravas e esposas livres.

A punição prevista para homens que não fossem cautelosos o suficiente em denunciar e perseguir mulheres transgressoras tinha outras implicações interessantes. Em primeiro lugar, mostra-nos que fazer a lei se cumprir era um problema. Se todos os homens, ou a maior parte deles, estivessem dispostos a impor a lei contra mulheres que a violassem, não seria necessária a punição de homens que não o fizessem. Os homens consideravam a lei irrelevante? Os homens de classe baixa achavam que a lei representava apenas os interesses dos homens de classe alta, portanto, eram indulgentes na cooperação?[35] Talvez nunca saibamos a resposta a essas perguntas, mas o fato de que a imposição do véu encontrou resistência indica que o cumprimento da lei deve ter sido problemático, pelo menos por um tempo. É evidente que aqueles que queriam ver a lei cumprida consideravam-na importante para os interesses do Estado, o que significava a elite de homens de posses, burocratas e talvez a classe de administradores do templo.

Como um homem poderia saber se aquela mulher de véu na rua tinha o direito de usá-lo? Isso é um mistério. Com certeza era difícil, se não impossível, distinguir uma mulher de véu de outra, supondo-se que o véu cobria não apenas o rosto e a cabeça, mas também o corpo.[36] A proibição podia, portanto, não se aplicar a completas desconhecidas. É mais provável que se aplicasse a mulheres acompanhadas de homens. Presume-se que um homem andando pela rua com uma mulher de véu saberia sua posição social. Se ela estivesse de véu sem ter o direito a esse privilégio, ele poderia ser responsabilizado perante a lei. À primeira vista, a ocorrência de um incidente assim – um homem andando pela rua com uma meretriz ou escrava de véu – parece bastante remota. É de se pensar o motivo da necessidade de uma lei que proíba isso.

Mas e se a intenção da lei fosse desencorajar, ou até proibir, os homens de associação casual e pública com prostitutas e escravas? O efeito dessa lei seria o de diminuir a posição social dessas mulheres e restringir suas atividades meramente a serviços sexuais comerciais. A lei deve, nesse caso, representar um exemplo inicial das muitas leis sancionadas ao longo dos milênios para regulamentar a prostituição. Essas leis sempre recaíram com rigor desigual sobre a prostituta e o cliente. A obrigação de sair em público identificava a mulher como prostituta e a diferenciava das mulheres respeitáveis. Também tornava a associação de um homem com uma prostituta uma atividade claramente distinta de seu contato social com mulheres respeitáveis.

Nota-se que a LMA § 40 prevê punição apenas para mulheres de classe inferior e homens desobedientes. Por que não se preveem punições para mulheres que não denunciam violadoras da lei do véu? A Lei Mesopotâmica responsabilizava completamente a mulher por seus atos em outros casos. Supunha-se que as mulheres respeitáveis não precisariam de incentivo para colaborar com a lei porque era do interesse delas desencorajar homens da mesma classe de se associarem a mulheres de classe inferior? Ou a lei representava a resposta de pessoas de classe alta de ambos os sexos contra as pessoas de classe baixa que tentavam anuviar as distinções de classes entre as mulheres? A possibilidade de que mulheres de classe alta tivessem interesse nessa legislação não pode ser descartada nem comprovada. O que está claro é que a crueldade e a natureza pública da punição tornaram a intervenção do Estado na moralidade privada a característica dominante da lei.

A formação de classes exige meios visíveis de distinguir quem pertence a qual classe. Roupas, ornamentos ou a falta deles e, no caso de escravas, marcas visíveis de seu *status* ocorrem em todas as sociedades que tornam essas distinções relevantes. É de menor importância se a LMA § 40 deu início a essa prática em relação às mulheres ou se é apenas o exemplo mais antigo para o qual temos evidências históricas. O importante é examinarmos a forma como as distinções de classes foram institucionalizadas para mulheres e compará-las à maneira como isso se deu com os homens. Qualquer homem identificava pelo véu que a esposa, a concubina ou a filha virgem tinha a proteção de outro homem. Como tal, ela era marcada como intacta e inviolável. De modo oposto, a mulher sem véu era evidentemente marcada como desprotegida, portanto, alvo de qualquer homem. Esse padrão de discriminação visível imposto é recorrente ao longo do período histórico na miríade de regulamentações que colocam "mulheres indecentes" em certos distritos ou certas casas marcadas com sinais claros e identificáveis, ou que as forçam a fazer um registro junto às autoridades e carregar cartões de identificação. De forma semelhante, o modo como a escrava desprotegida é diferenciada da concubina é recorrente em vários outros casos. Um deles é o costume, nos Estados Unidos, durante o período de escravidão e depois, de locais de alimentação segregados para negros e brancos, exceto no caso de pessoas negras bem identificadas como empregadas. Assim, amas e babás negras podiam aparecer em lugares segregados com as pessoas sob seus cuidados; pajens negros podiam acompanhar seus senhores.

O homem toma seu lugar na hierarquia de classes com base em sua profissão ou no *status* social de seu pai. Sua posição de classe pode se manifestar pelo sinal comum visível – roupas, local de residência, ornamentos ou a falta deles. Para a mulher, desde a LMA § 40, as distinções de classe têm como base sua relação – ou a falta dela – com um homem que a proteja e seu comportamento sexual. A divisão entre "mulheres respeitáveis", que são protegidas por seus homens, e "mulheres indecentes", que saem na rua sem a proteção deles e vendendo seus serviços com liberdade, é a divisão de classes fundamental para as mulheres. Ela diferenciou os privilégios limitados das mulheres de classe alta em comparação à opressão sexual e econômica de mulheres de classe baixa, separando as mulheres umas das outras. Do ponto de vista histórico, isso impediu a formação de alianças femininas interclasses e dificultou a formação da consciência feminista.

O Código de Hamurabi marca o início da institucionalização da família patriarcal como um aspecto do poder do Estado. Reflete uma sociedade de classes na qual o *status* da mulher dependia do *status* e da propriedade do chefe de família homem. A esposa de um burguês empobrecido poderia, pela mudança de *status* dele, contra a sua vontade e sem ter feito nada, passar de mulher respeitável para escrava por dívida ou prostituta. Por outro lado, o comportamento sexual de uma mulher casada, como adultério, ou o fato de uma mulher solteira perder a virgindade podiam rebaixá-la de uma maneira que nenhum homem poderia ser rebaixado pelo próprio comportamento sexual. O *status* da mulher é sempre definido de modo diferente do *status* do homem da mesma classe, desde aquela época até o presente.

Desde o período da Antiga Babilônia até a época em que o marido tem poder de vida ou morte sobre a esposa adúltera, ocorreram grandes mudanças também na autoridade de reis e soberanos sobre a vida de homens e mulheres. O poder do chefe patriarcal da família sobre a esposa na época de Hamurabi ainda era um tanto restrito por obrigações de parentesco para com o homem chefe da família da esposa. Já na época das Leis Médio-Assírias, ele é restrito sobretudo pelo poder do Estado. Os pais, com o poder de tratar a virgindade das filhas como um recurso da família, representam uma autoridade tão absoluta quanto a do rei. Crianças criadas e socializadas dentro dessa autoridade crescerão e se tornarão o tipo de cidadão necessário em um reinado absolutista. O poder do rei era garantido por homens dependentes dele e que lhe eram subservientes, da mesma maneira que a família desses homens era dependente deles e lhes era subserviente. O Estado arcaico foi moldado e desenvolvido na forma do patriarcado.

Assim, a hierarquia e o privilégio de classe eram orgânicos ao funcionamento do Estado. Portanto, uma meretriz que pretendesse aparecer de véu na rua era uma ameaça tão grande à ordem social quanto o soldado ou o escravo rebelde. A virgindade das filhas e a fidelidade monogâmica das esposas se tornaram características importantes da ordem social. Com a LMA § 40, o Estado assumiu o controle da sexualidade feminina, até então sob o controle individual de chefes de família ou grupos de parentes. Desde 1250 a.C., a partir do uso de véu em público até a regulamentação de métodos contraceptivos e do aborto por parte do Estado, o controle sexual das mulheres é uma característica fundamental do poder patriarcal.

A regulamentação sexual das mulheres é subjacente à formação de classes e um dos alicerces que sustentam o Estado.

SETE

AS DEUSAS

Vimos como, nas sociedades mesopotâmicas, a institucionalização do patriarcado criou limites bem definidos entre mulheres de classes diferentes, embora o desenvolvimento de novas definições de gêneros e costumes a eles associados tenha se mantido de modo desigual. O Estado, durante o processo do estabelecimento de códigos de leis escritos, aumentou os direitos à propriedade das mulheres de classe alta enquanto restringiu seus direitos sexuais e, por fim, os extinguiu por completo. A dependência vitalícia que as mulheres tinham de seus pais e maridos estabeleceu-se de forma tão firme na lei e no hábito, a ponto de ser considerada "natural" e uma dádiva divina. Para mulheres de classe baixa, sua força de trabalho estava a serviço da família ou de quem possuísse a servidão de sua família. Suas funções sexuais e reprodutivas foram transformadas em mercadoria, comercializadas, alugadas ou vendidas conforme o interesse dos homens da família. Mulheres de todas as classes foram, segundo a tradição mandava, excluídas do poder militar e, até a virada do primeiro milênio a.C., excluídas da educação formal à medida que foi sendo institucionalizada.

Ainda assim, mesmo na época, existiam mulheres poderosas em papéis de poder no trabalho de culto, em representações religiosas e em símbolos. Houve um intervalo de tempo considerável entre a subordinação das mulheres na sociedade patriarcal e o rebaixamento das deusas. À medida que traçarmos as mudanças na posição de imagens divinas masculinas e femininas no panteão de deuses em um período de mais de mil anos, devemos ter em mente que o poder das deusas e de suas sacerdotisas na vida cotidiana e na religião popular continuou em vigor, mesmo quando as deusas supremas foram destronadas. É notável que, em sociedades nas quais as mulheres foram subordinadas em termos econômicos, educacionais e legais, o poder espiritual e metafísico das deusas tenha permanecido ativo e forte.

Temos alguns indícios de como era a prática da religião com base em artefatos arqueológicos, hinos e orações de templo. Em sociedades mesopotâmicas, alimentar e servir aos deuses eram atividades consideradas essenciais para a sobrevivência da comunidade. Esse serviço era realizado por servos homens e mulheres. As pessoas consultavam um oráculo ou adivinho, que podia ser um homem ou uma mulher, para decisões importantes de Estado, sobre guerra e escolhas pessoais importantes. Em casos de necessidade pessoal, doença ou infortúnio, a pessoa podia buscar ajuda do deus ou deusa domésticos dela. Se isso não adiantasse, podia apelar para qualquer um dos deuses ou deusas que tivessem qualidades específicas necessárias para curar sua aflição. Se o apelo fosse a uma deusa, a pessoa doente também precisava da mediação e dos bons serviços de uma sacerdotisa da deusa em questão. Existiam ainda, é claro, deuses masculinos que ajudavam em caso de doença, sendo em geral mediados por um sacerdote.

Por exemplo, na Babilônia, um homem ou uma mulher doente procurava o templo de Ishtar humildemente, deduzindo que a doença fosse resultado de alguma transgressão própria. O requerente levava oferendas adequadas: alimentos, um animal jovem para sacrifício, azeite e vinho. Para a deusa Ishtar, essas oferendas costumavam incluir imagens de uma vulva, símbolo de sua fertilidade, feita da pedra preciosa lápis-lazúli.[1] A pessoa necessitada se prostrava diante da sacerdotisa e recitava alguns hinos e orações. Uma oração comum continha os seguintes versos:

> Benevolente Ishtar, que comanda o universo,
> Heroica Ishtar, que cria a humanidade,
> que anda perante o gado, que ama o pastor [...]

Você traz justiça aos necessitados, aos que sofrem você traz justiça.
Sem você, o rio não se abrirá,
o rio que nos dá vida não será fechado,
sem você, o canal não se abrirá,
o canal do qual os dispersos bebem,
não será fechado [...] Ishtar, senhora misericordiosa [...]
ouça-me e conceda-me misericórdia.[2]

Homens ou mulheres da Mesopotâmia, em casos de necessidade ou doença, clamavam com humildade diante de uma imagem da deusa e de sua sacerdotisa. Em palavras que refletem a postura do escravo em relação ao senhor, as pessoas louvavam e veneravam o poder da deusa. Dessa forma, outro hino a Ishtar refere-se a ela como "senhora do campo de batalha, aquela que derruba as montanhas"; "Majestosa, leoa entre os deuses, que conquista deuses enfurecidos, a mais forte entre os soberanos, que guia reis pela coleira; que abre o ventre das mulheres [...] poderosa Ishtar, como é grande a sua força!". Sucedendo-se um louvor a outro, o requerente continuava:

Onde você lança os olhos, os mortos acordam, os doentes se levantam;
Os confusos, ao ver seu rosto, encontram o caminho certo.
Apelo a você, miserável e perturbado,
torturado pela dor, seu servo,
tenha misericórdia e ouça minha prece! [...]
Eu a espero, minha senhora; minha alma se vira para você.
Eu lhe suplico: amenize minha situação.
Absolva-me de minha culpa, minha maldade, meu pecado,
esqueça meus delitos, aceite meu apelo![3]

Podemos notar como os requerentes consideravam a deusa todo-poderosa. No símbolo da vulva da deusa, feito de pedra preciosa e ofertado em seu louvor, celebravam-se a sacralidade da sexualidade feminina e sua misteriosa força de dar a vida, que incluía o poder da cura. E nas próprias preces, apelando à misericórdia da deusa, eles a louvavam como senhora do campo de batalha, mais poderosa do que os reis, mais poderosa do que os outros deuses. Suas preces aos deuses exaltavam de modo semelhante as virtudes do deus e elencavam seus poderes dando-lhes qualidades superlativas. Quero chegar aqui ao seguinte ponto: os homens e as mulheres que ofereciam essas preces em momentos de necessidade deviam considerar as mulheres, assim como o faziam com os homens, capazes de poder metafísico como potenciais mediadores entre deuses e os seres humanos. É uma imagem mental bem diferente da dos cristãos, por exemplo, que, em uma época posterior, oravam para que a Virgem Maria intercedesse junto a Deus em nome deles. O poder da Virgem está na capacidade de apelar à misericórdia de Deus; vem da maternidade e do milagre de sua concepção imaculada. Ela não tem poder por si só, e as próprias fontes de seu poder de intercessão a separam de modo irrevogável das outras mulheres. Ao contrário, a deusa Ishtar e outras deusas como ela tinham poder por si mesmas – o mesmo tipo de poder que os homens tinham, derivado da bravura militar e da capacidade de impor sua vontade sobre os deuses ou influenciá-los. E, ainda assim, Ishtar era mulher, dotada da mesma sexualidade das mulheres comuns. Impossível não se admirar perante a contradição entre o poder das deusas e as crescentes limitações sociais impostas sobre a vida da maioria das mulheres na Antiga Mesopotâmia.

Ao contrário das mudanças no *status* social e econômico das mulheres, que receberam atenção divergente e dispersa em estudos sobre a Antiga Mesopotâmia, a transição do politeísmo para o monoteísmo e sua consequente mudança na ênfase de deusas poderosas para um único deus masculino é tema de vasta literatura. O assunto foi abordado do ponto de vista teológico, arqueológico, antropológico e literário. Artefatos históricos e artísticos foram interpretados com as ferramentas de suas respectivas disciplinas; estudos linguísticos e filosóficos colaboraram para a excelência da interpretação.[4] Com Freud, Jung e Erich Fromm, a psiquiatria e a psicologia foram adicionadas como instrumentos de análise, fazendo nossa atenção se concentrar no mito, em símbolos e arquétipos.[5] E, nos últimos tempos, inúmeras acadêmicas feministas de várias disciplinas discutiram o período e o tema de mais um ponto de vista – um ponto de vista crítico de hipóteses patriarcais.[6]

Essa riqueza e essa diversidade de fontes e interpretações tornam impossível sua discussão e crítica apenas neste volume. Portanto, vou me concentrar, como fiz até aqui, em algumas questões analíticas e discutir em detalhes alguns modelos que, creio eu, ilustram padrões maiores.

Em termos metodológicos, a questão mais problemática é a relação entre mudanças na sociedade e mudanças em crenças religiosas e mitos. Arqueólogos, historiadores e historiadores da arte podem registrar, documentar e observar tais mudanças, mas não podem determinar com segurança as causas nem o significado. Sistemas diferentes de interpretação oferecem respostas variáveis, nenhuma das quais inteiramente satisfatória. No presente caso, parece-me mais importante registrar e avaliar as evidências históricas e oferecer uma explicação coerente, que admito ser um tanto especulativa – assim como o são todas as outras explicações, inclusive, e sobretudo, a da tradição patriarcal.

Suponho aqui que a religião mesopotâmica refletisse as condições sociais, bem como respondia a elas, nas várias sociedades. Constructos mentais não podem ser criados do vácuo; sempre refletem eventos e conceitos de seres humanos históricos na sociedade. Assim, a existência de uma assembleia dos deuses em "A Epopeia de Gilgamesh" é interpretada como um indício da existência de construções de aldeias na sociedade mesopotâmica pré-Estado. De modo semelhante, a explicação no mito sumério de Atrahasis de que os deuses criaram os homens para que estes os servissem e os aliviassem do trabalho árduo pode ser considerada uma reflexão sobre as condições sociais nas cidades-Estados da primeira metade do terceiro milênio a.C., em que muitas pessoas trabalhavam em projetos de irrigação e com agricultura centrada nos templos.[7] A relação entre mito e realidade não costuma ser tão direta, mas podemos supor que ninguém poderia inventar o conceito de uma assembleia de deuses se não tivesse, em algum momento, vivenciado e conhecido alguma instituição semelhante na Terra. Embora não possamos afirmar com certeza que determinadas mudanças políticas e econômicas "causaram" modificações em crenças religiosas e mitos, não podemos deixar de observar certo padrão nas mudanças de crenças religiosas em inúmeras sociedades, ocorrendo após ou simultaneamente com determinadas transformações sociais.

Minha proposta é de que, assim como o desenvolvimento da agricultura de arado, coincidindo com o aumento do militarismo, resultou em mudanças importantes nas relações de parentesco e de gênero, o desenvolvimento de fortes reinados e estados arcaicos também originou transformações em sistemas de crenças religiosas e símbolos. O padrão observável é: primeiro, o rebaixamento da imagem da Deusa-Mãe e a ascensão e posterior dominância de seu consorte/filho; depois a fusão deste com um deus da tempestade em um Deus-Criador, que lidera o panteão de deuses e deusas. Onde quer que ocorram essas mudanças, o poder da criação e da fertilidade é transferido da Deusa para o Deus.[8]

A antropóloga Peggy Reeves Sanday oferece algumas sugestões metodológicas muito interessantes para a interpretação dessas mudanças. Sanday afirma que o simbolismo de gêneros nas histórias da criação vem a ser um guia confiável para papéis de sexo e identidades sexuais em determinada sociedade. "Ao articular sobre como as coisas eram no início, as pessoas [...] fazem uma declaração essencial a respeito de sua relação com a natureza e sua percepção da fonte de poder do universo."[9] Sanday analisou 112 histórias da criação e as sociedades nas quais ocorreram, encontrando claros padrões definidos. Ela também encontrou uma nítida correlação entre as definições de gênero em histórias da criação e a forma de obter comida desse povo, bem como padrões na criação dos filhos:

> Onde os homens buscam animais, os pais são mais distantes da criação dos filhos, e concebe-se o poder como "além do domínio do homem". Onde a coleta de alimentos é enfatizada [...] pais são mais próximos da criação dos filhos, e as noções sobre o poder da criação voltam-se ao simbolismo feminino ou de casal.[10]

Dos 112 casos que ela estudou, 50% tinham histórias da criação envolvendo uma divindade masculina, 32% envolvendo um casal divino e 18%, uma divindade feminina. Em sociedades com histórias da criação masculinas, 17% dos pais cuidavam dos bebês, e 52% dos pais caçavam grandes animais; em sociedades com histórias da criação envolvendo um casal, 34% dos pais cuidavam dos bebês, e 49% deles caçavam; em sociedades com histórias da criação femininas, 63% dos pais cuidavam dos bebês, e 28% caçavam grandes animais.[11]

Se aplicarmos as generalizações de Sanday – originárias do estudo de povos primitivos contemporâneos – ao passado, podemos esperar pela ocorrência de grandes mudanças sociais e econômicas antes ou mais ou menos na mesma época em que encontramos mudanças nas histórias de criação em sociedades do Antigo Oriente Próximo.[12] Essas mudanças de fato ocorrem em inúmeras sociedades durante o segundo milênio a.C.

Tentarei revisar esses acontecimentos e depois analisar a importância deles concentrando-me nos principais símbolos e metáforas explicativas. Isso se agrupa ao redor de três perguntas básicas que toda religião precisa responder: (1) Quem cria a vida? (2) Quem traz a maldade para o mundo? (3) Quem faz a mediação entre humanos e o sobrenatural? Ou: com quem falam os deuses?

Se essas perguntas forem abordadas na discussão sobre mudanças nas principais metáforas, estaremos olhando para as seguintes transformações de símbolos: (1) da vulva da deusa para a semente do homem; (2) da Árvore da Vida para a Árvore do Conhecimento; (3) da celebração do Casamento Sagrado para as alianças bíblicas.

A difusão da veneração da Deusa-Mãe nos períodos Neolítico e Calcolítico foi confirmada por dados arqueológicos. Marija Gimbutas relata que cerca de 30 mil miniesculturas em argila, mármore, osso, cobre e ouro são conhecidas hoje em dia, de um total de cerca de 3 mil sítios só no sudeste da Europa, e que elas confirmam o culto comum à Deusa-Mãe. Gimbutas demonstra, por meio de evidências arqueológicas, que os símbolos culturais neolíticos perduraram até o terceiro milênio a.C. na região do Egeu e até o segundo milênio a.C. em Creta.[13] E. O. James fala de um culto à fertilidade que "se estabeleceu com firmeza na religião do Antigo Oriente Próximo com o surgimento da agricultura na civilização neolítica durante e após o quinto milênio a.C.".[14]

Há uma profusão de achados arqueológicos de estatuetas femininas, todas destacando seios, umbigo e vulva, em geral em posição agachada, que é a posição que costuma ser adotada para o parto nessa região. Encontramos essa imagem nas camadas mais baixas das escavações de Çatal Hüyük, no nível do sétimo milênio a.C., na forma de uma deusa grávida dando à luz. As pernas afastadas, o umbigo e a barriga em evidência; e ela está cercada por chifres ou cabeças estilizadas de touros, o que pode simbolizar a procriação masculina. Estatuetas semelhantes foram encontradas em sítios na região do rio Don, na Rússia, no Iraque, na Anatólia, em Nínive, Jericó e no sul da Mesopotâmia.

James, Gimbutas e outros afirmam com segurança que essas estatuetas são evidências do culto à fertilidade comum. Essa afirmação encontrou grandes objeções, por motivos metodológicos. Como podemos saber, na ausência de evidências corroborativas, o significado que essas estatuetas tinham para seus contemporâneos? Como podemos interpretar seu contexto e ter certeza de que interpretamos seu simbolismo de modo correto? Estatuetas assim são, por exemplo, encontradas em grande quantidade em sítios na Antiga Israel dos séculos oitavo e sétimo a.C. Foi uma época em que a adoração a Jeová já estava bem estabelecida como principal religião de Israel. É evidente que o achado dessas estatuetas não é motivo suficiente para defender a existência da disseminação do culto à Deusa-Mãe. Um exemplo semelhante que ilustra os limites das generalizações baseadas meramente em evidências arqueológicas é o das estatuas da Virgem Maria na Idade Média. Se uma arqueóloga do futuro encontrasse milhares dessas estátuas em vilas da Europa, estaria bastante enganada se concluísse, com base nesse achado, que uma divindade feminina era adorada ali. Por outro lado, essa arqueóloga sem dúvida teria encontrado também evidências da imagem de Cristo na cruz, o que poderia afetar suas conclusões. Assim, a própria ausência de outras representações figurativas em quantidade comparável nos sítios neolíticos autoriza a conclusão de que essas imagens tinham um significado especial, possivelmente religioso. Suas características comuns, sua ampla dispersão e execução convencionada sugerem, no mínimo, o uso como amuleto, talvez para ajudar as mulheres no momento do parto. Essas estatuetas aparecem por milhares de anos em uma ampla região.

Outra interpretação possível é a de que o achado dessas imagens em muitos sítios demonstra a existência constante de uma prática religiosa popular que coexistia ou contrastava com a religião estabelecida. Tal conclusão se justificaria pelas estatuetas de deusa nua em Israel no oitavo século a.C. e imagens da Virgem Maria na Europa medieval.

O argumento mais forte a favor do significado religioso das estatuetas femininas do Neolítico são as evidências históricas do quarto milênio em diante derivadas de mitos, rituais e histórias da criação. Nelas, a Deusa-Mãe é praticamente universal como imagem dominante nas histórias mais antigas. Isso nos permite interpretar o significado dos achados arqueológicos com certo grau de segurança. Ainda assim, existe o perigo de distorcermos o significado com o excesso de generalizações baseadas em evidências parciais. O assiriólogo A. L. Oppenheim alerta para esse perigo em relação à interpretação da religião mesopotâmica no segundo milênio a.C. Para esse período, há muito mais evidências disponíveis - arqueológicas, literárias, econômicas e políticas -, mas Oppenheim considera quase impossível para acadêmicos modernos reconstruir a visão de mundo e os valores religiosos daquela civilização.[15] No máximo, podemos dizer que uma profusão de estatuetas femininas com características sexuais enfatizando a maternidade encontradas no Neolítico correspondem a material mitológico e literário posterior, que celebra o poder da deusa feminina sobre a fertilidade e a fecundidade. É provável que se trate de anterior adoração à Grande Deusa, mas não é certo.

Temos mais certeza das evidências arqueológicas do quarto milênio em diante. Estatuetas de deusas femininas aparecem em cenários mais elaborados e com atributos simbólicos distintos e recorrentes. A Deusa é mostrada entre pilares ou árvores, acompanhada de bodes, serpentes, pássaros. Ovos e símbolos de vegetação são associados a ela. Esses símbolos indicam que era adorada como fonte de fertilidade vegetal, animal e humana. Ela é representada pela deusa das serpentes minoica, com seios expostos. Era venerada na Suméria como Ninhursag e Inanna; na Babilônia, como Kubab e Ishtar; na Fenícia, como Astarte; em Canaã, como Anat; na Grécia, como Hécate-Ártemis. Sua frequente associação com a lua simbolizava seus poderes místicos sobre a natureza e as estações. O sistema de crenças manifestado na adoração à Grande Deusa era monístico e animista. Havia unidade entre a terra e as estrelas, humanos e natureza, nascimento e morte, tudo isso incorporado na Grande Deusa.

Os cultos à Grande Deusa eram baseados na crença de que é ela, em uma ou outra de suas manifestações, quem cria a vida; mas ela também era associada à morte. Era celebrada por sua virgindade e suas qualidades maternais. Descrevia-se a deusa Ishtar, por exemplo, como sexualmente livre, a protetora das prostitutas, padroeira das tabernas e, simultaneamente, a noiva virginal dos deuses (como nos mitos de Dumuzi). A sexualidade feminina era sagrada e honrada em seus rituais. Povos antigos não viam contradição nesses atributos contrastantes. A dualidade da Deusa representava a dualidade observável na natureza - dia e noite, nascimento e morte, luz e escuridão. Assim, nas primeiras fases da adoração religiosa, a força feminina era reconhecida como aterradora, poderosa, transcendente.

A supremacia da Deusa também é expressa nos primeiros mitos de origem, que celebram a criação feminina que dá vida. Na mitologia egípcia, o oceano primordial, a deusa Nun, dá à luz o deus do sol Atum, que então cria o resto do universo. A deusa suméria Nammu cria por partenogênese o deus do céu An e a deusa da terra Ki. No mito babilônico, a deusa Tiamat, o mar primordial, e seu companheiro dão à luz deuses e deusas. Na mitologia grega, a deusa da terra Gaia, em um nascimento virginal, cria o céu, Urano. A criação dos humanos também é atribuída a ela. Na versão assíria de um mito sumério anterior, a sábia Mami (também conhecida como Nintu), "a mãe-ventre, aquela que cria a humanidade", molda a humanidade com argila, mas é o deus masculino Ea "que abriu o umbigo" das imagens, completando assim o processo de lhes dar vida. Em outra versão da mesma história, Mami, por insistência de Ea, concluiu ela mesma o processo criativo: "A Mãe-Ventre, criadora do destino/em pares ela os completou. [...] Mami forma a forma das pessoas".[16]

Essas histórias da criação expressam conceitos oriundos de modos anteriores de adoração à fertilidade feminina. A força primordial na natureza é o mar, a água, o mistério do ovo que se abre para criar vida nova. Deusa das serpentes, deusa do mar, deusa da virgindade e deusa moldando humanos de argila – essa é a mulher que tem a resposta para o mistério.

Por outro lado, devemos observar aqui que, embora o ato criativo seja realizado pela Deusa, o deus masculino não raro é envolvido de maneira decisiva no início do processo de criação. O reconhecimento da cooperação necessária do princípio feminino e masculino no processo de criação parece se estabelecer com firmeza na mitologia suméria e acádia.

Com a domesticação de animais e o desenvolvimento da pecuária, a função do homem no processo de procriação tornou-se mais aparente e foi mais compreendida.[17] Em um estágio posterior de desenvolvimento, encontramos a Deusa-Mãe associada a um parceiro masculino, um filho ou irmão, que a ajuda nos ritos de fertilidade acasalando com ela. No mito e no ritual, o deus masculino é jovem, e pode ser necessário que ele morra para que o renascimento aconteça. Ainda é a Grande Deusa que cria a vida e controla a morte, mas agora há um reconhecimento mais pronunciado do papel do homem na procriação.

O Casamento Sagrado (*hieros gamos*) e ritos anuais semelhantes, que eram muito celebrados em diversas sociedades no quarto e no terceiro milênios a.C., expressavam essas crenças. O ciclo anual das estações não podia começar antes de a Deusa acasalar com o jovem deus, e ele morrer e renascer. A sexualidade da Deusa é sagrada e concede as bênçãos de fertilidade à terra e às pessoas que a agradam cumprindo rituais. O ritual do Casamento Sagrado assumia várias formas e era bastante praticado na Mesopotâmia, na Síria, em Canaã e no Egeu. Um de seus muitos significados complexos é o de que o ritual transformava a abrangente fertilidade da Deusa-Mãe na fertilidade mais domesticada da "deusa da semente cultivada".[18]

Nesses mitos do terceiro e do segundo milênios a.C. existem, também, evidências de que um novo conceito de criação passou a fazer parte do pensamento religioso: Nada existe a não ser que tenha um nome. O nome significa existência. Os deuses recebem sua existência por meio da nomeação, assim como os humanos. O "Épico da Criação" (*Enuma Elish*) babilônico começa da seguinte maneira:

> O solo firme abaixo não foi chamado pelo nome,
> Nada além do Apsu primordial, o procriador,
> (e) Mummu-Tiamat, ela que criou todos,
> Suas águas misturando-se como um único corpo. [...]
> Quando nenhum dos deuses tiver sido criado,
> Nem chamado por nenhum nome, o destino deles indeterminado –
> Então é porque os deuses foram formados dentro deles.[19]

Aqui o princípio da fertilidade, de início situado na Deusa-Mãe, exige a "mistura" com o "procriador" masculino antes que o ciclo da vida possa começar. Mas, antes que possa ocorrer a criação, deve existir um conceito, algo "dentro deles", que depois será "nomeado" ou "chamado" à vida. De modo semelhante, em "A Epopeia de Gilgamesh", a deusa Aruru é chamada pelos outros deuses, que lhe ordenam modelar um homem, uma duplicata de Gilgamesh:

> Crie agora sua duplicata [...]
> Quando Aruru ouviu isso,
> Concebeu uma duplicata de Anu dentro dela.
> Aruru lavou as mãos,

Pegou argila e a atirou na estepe,
[Na este]pe, ela criou o valente Enkidu.[20]

Em outro mito acadiano, o deus Enlil desenha a imagem de um dragão no céu, que depois ganha vida. Como analisa o assiriólogo Georges Contenau: "O deus da criação define a futura natureza de sua criação: quando ela toma o formato final em sua imaginação, e ele dá a ela um nome, desenha então seu formato, de modo que a criação adquira vida quase completa".[21]

A nomeação tem profundo significado no sistema de crenças da Antiga Mesopotâmia. O nome revela a essência de quem o carrega; ele também tem poder mágico. Esse conceito perdura ao longo de milênios em mitos e contos de fadas. A pessoa que consegue adivinhar o nome de outra adquire poder sobre ela, como no conto de fadas alemão "O Anão Saltador". Uma pessoa recém-dotada de poder é renomeada. Assim, o deus Marduque, no mito da criação da Babilônia, recebe 50 nomes como símbolos de seu poder. Discutiremos depois como esse poder de nomes e nomeações é usado no Livro do Gênesis. O importante a se observar aqui é que o conceito de criação mudou, em determinado período da história, deixando de ser meramente uma expressão da força mística da fertilidade feminina para se tornar um ato consciente de criação, envolvendo com frequência imagens de deuses de ambos os sexos. Esse elemento de consciência, expresso "na ideia", "no conceito", "no nome" do que será criado, pode ser o reflexo de uma consciência humana alterada em razão de mudanças significativas na sociedade.

O momento em que esses conceitos aparecem primeiro é quando a escrita foi "inventada", e com ela a história. A manutenção de registros e a elaboração de sistemas de símbolos demonstram o poder da abstração. O nome registrado entra para a história e se torna imortal. Isso deve ter parecido mágica para os contemporâneos. A escrita, os registros, o pensamento matemático e a elaboração de vários sistemas de símbolos alteraram a percepção que as pessoas tinham de sua relação com o tempo e o espaço. Não deve nos surpreender a descoberta de que esses mitos religiosos refletiam essa mudança de consciência.

No âmbito deste estudo, que se concentra no desenvolvimento e na institucionalização dos símbolos de gênero patriarcais, devemos observar que a simbolização da capacidade de criar, como no conceito da nomeação, simplifica o afastamento da Deusa-Mãe como único princípio da criação.

É um pensamento mais elevado, digamos assim, afastar-se dos fatos observáveis do senso comum da fertilidade feminina e conceituar uma criação simbólica, que pode se manifestar em "o nome", "o conceito". Não é um passo tão grande quanto o do conceito de "o espírito criativo" do universo. Mas é precisamente esse passo adiante na capacidade de fazer abstrações e criar símbolos que possam representar conceitos abstratos a condição prévia essencial para a mudança ao monoteísmo. Até que as pessoas pudessem imaginar um poder abstrato, invisível, incompreensível, que incorporasse tal "espírito criativo", não conseguiriam reduzir seus numerosos deuses antropomórficos e contenciosos a Um Deus. O estágio de transição se expressa nos mitos da criação, que descrevem o "espírito criativo" como o deus do ar, o deus dos ventos, o deus do trovão, que traz à vida seres moldados de maneira mecânica com seu "sopro da vida". Parece-me provável que as mudanças históricas na sociedade, com ênfase na liderança real e militar, tivessem feito os homens buscar um símbolo de deus masculino para incorporar o recém-percebido princípio da criação simbólica. Como veremos, o processo continua por mais de mil anos e culmina no Livro do Gênesis. O fato de, na crença egípcia, a criação ter sido incorporada pelo deus masculino Osíris já no terceiro milênio a.C. corrobora a tese de que as crenças religiosas refletiam as condições da sociedade. Nesse caso, a primeira instituição de realeza poderosa, na qual os faraós reinaram como deuses encarnados, reflete-se no poder e domínio dos deuses masculinos nos mitos da criação.

A próxima grande mudança observável nos mitos da criação ocorre em contemporaneidade ao surgimento dos estados arcaicos governados por reis poderosos. Em algum momento a partir do terceiro milênio a.C., a figura da Deusa-Mãe é substituída na liderança do panteão. Ela dá espaço a um deus masculino, em geral o deus do vento e do ar ou o deus do trovão, que, cada vez mais, com o passar do tempo, se parece com um rei terreno do novo tipo.

Nesse processo de transformação, as antigas deusas da terra agora aparecem como filhas e esposas de deuses da vegetação. A mesopotâmica Damkina, Senhora da Terra, torna-se companheira de Ea ou Enki, deus das águas. Transformações semelhantes ocorrem com as Deusas-Mães – Ninlil, Nintu, Ninhursag, Aruru. A mais antiga descrição suméria do panteão mostra o deus do céu

An e a deusa da terra Ki comandando em harmonia os outros deuses.[22] Dessa união, nasce o deus do ar Enlil. Seu principal local de adoração é Nippur, uma cidade-Estado em constante conflito com Eridu, cuja divindade é Enki. Por volta de 2400 a.C., os principais deuses são listados em ordem de importância e culto, como An (céu), Enlil (ar), Ninhursag (rainha da montanha) e Enki (senhor da terra). Ninhursag pode representar a deusa da terra Ki, agora relegada a uma posição inferior. Em textos posteriores, em cerca de 2000 a.C., ela é mencionada por último, depois de Enki. O especialista sobre o assunto Suméria, Samuel Noah Kramer, explica essa mudança na teogonia como resultado da crescente influência de sacerdotes, que estão associados a templos e cidades específicos e seus soberanos. Esses sacerdotes passam a registrar os mitos antigos de maneira a servirem a fins políticos. Kramer observa na lista a ausência de Namu, a Deusa-Mãe, antes aclamada como criadora do universo e mãe dos deuses. Ele acredita que seus poderes tenham sido transferidos a seu filho Enki "em uma aparente tentativa de justificar essa parte de plágio feita pelos sacerdotes".[23]

A relação entre a mudança na sociedade e as mudanças na teogonia se torna mais explícita depois. No *Enuma Elish*, mencionado antes (escrito por volta de 1100 a.C.), o caos, na forma de Tiamat, que dá a vida, é confrontado por deuses primitivos rebeldes que desejam criar a ordem. Ocorre uma terrível batalha, na qual os deuses rebeldes são liderados por um jovem deus, que destrói fisicamente Tiamat e cria, de sua carcaça, a terra e os céus. Os deuses depois também matam o marido de Tiamat e, de seu sangue, misturado com terra, criam a humanidade. É muito significativo que o jovem deus que mata Tiamat no épico seja Marduque, o deus adorado na cidade da Babilônia. Marduque surge primeiro durante a época de Hamurabi na Babilônia, que tornou sua cidade-Estado dominante na região da Mesopotâmia. Em *Enuma Elish*, escrito cerca de 600 anos depois, um pouco do antigo material mítico transforma-se em um grande sistema teológico. O jovem deus Marduque agora é alçado ao poder supremo entre os deuses. Num processo semelhante, em um período no qual dominavam politicamente, os assírios contaram seu mito de criação colocando o deus nacional Assur como parte central da história.[24] Conforme avalia um acadêmico:

> A ascensão de dois deuses nacionais, Marduque e Assur, a posições de poder supremo no mundo dos deuses [...] reflete a consequente cristalização da Mesopotâmia em dois Estados nacionais rivais, cada um sob uma monarquia absoluta. [...] O poder e a decisão estavam agora centralizados em Marduque e Assur, com os outros deuses atuando como seus agentes ou mediadores.[25]

Na mitologia cananeia, o jovem deus da tempestade Baal torna-se líder do panteão. Quando, em conflito com seu adversário Mot, o deus da morte, ele desce ao submundo, toda a vegetação na terra morre. A irmã e consorte de Baal, Anat, procura por ele em todo lugar. Ao encontrar seu corpo, ela o enterra e trava uma batalha violenta com Mot, na qual o mata. Retalha então o corpo de Mot, o tritura, o peneira, o mói em um moinho e o espalha pelos campos. Esse tratamento simbólico de Mot, como se ele fosse grãos, ajuda a restaurar a fertilidade da terra. Quando Baal volta dos mortos para mais batalhas e posterior vitória sobre Mot, Anat, que no mito havia demonstrado todas as antigas qualidades da Deusa-Mãe – ferocidade em batalha, força e o poder de conceder fertilidade –, passa a ser ofuscada por ele, que se torna o deus supremo e aquele que dá vida.[26]

Discutimos antes como os reis tomam o templo da divindade suprema. Assim, em Lagash, no período inicial de reinado, Lugalanda se autonomeia principal administrador do templo do deus Ningirsu e nomeia sua esposa Baranamtarra como principal administradora do templo da deusa Bau. Em período posterior, como no reinado de Hamurabi, quando a realeza já está bem estabelecida e possui um vasto domínio, o rei incorpora um pouco da liderança divina. É como se existisse um fluxo contínuo de poder, sacralidade e energia entre deus e rei. Não surpreende que, no processo, a Deusa-Mãe não apenas perca sua supremacia, mas que em geral seja domesticada e transformada na esposa do deus supremo. Ainda assim, ao mesmo tempo, de modo misterioso, ela se separa e adquire uma nova vida e uma nova identidade com diversas manifestações, que continuam a ter força na religião popular. Discutiremos esse processo mais adiante.

A mudança de posição da Deusa-Mãe, seu destronamento, ocorre em muitas culturas e em momentos diferentes, mas costuma estar associada aos mesmos processos históricos. Em Elam, a Deusa-Mãe reina suprema no terceiro milênio a.C., mas, posteriormente, se torna secundária em importância perante seu consorte Humban. A mesma evolução ocorre em épocas diferentes na Anatólia, em Creta e na Grécia. No Egito, onde antes o Deus masculino impera, também podemos encontrar vestígios de predominância da Deusa anterior. Ísis, como a "mulher do trono", personificava o poderio misterioso da realeza. Como E. O. James assinala: "Como tal, ela era a fonte de vitalidade antes de se tornar o protótipo da mãe que dá vida e da esposa fiel".[27]

Observar em mais detalhes a sociedade hitita e seu desenvolvimento pode resultar em um bom estudo de caso para a transição das relações matrilineares de parentesco e sucessão real para as relações patrilineares de parentesco e sucessão, bem como seus reflexos na religião.

A sociedade hitita prosperou entre 1700-1190 a.C., na Antiga Anatólia. Ela combinava elementos da cultura hatita mais antiga com outros dos povos indo-europeus, que dominaram a região provavelmente no fim do terceiro milênio a.C. O governo hatita inicial era baseado em um sistema no qual o direito à sucessão estava na *tawananna*, a irmã do príncipe. A família real hatita praticava casamentos entre irmão e irmã, semelhante ao sistema de parentesco das famílias reais no Egito. Um soberano se casava com sua irmã, que, como *tawananna*, era uma sacerdotisa com poder político e econômico considerável, por exemplo, tendo o direito de coletar impostos das cidades. Seu filho menino herdava o direito à sucessão, não porque seu pai era o rei, mas porque o direito à sucessão estava com a *tawananna*. O posto era hereditário, para que a filha da *tawananna*, que herdava seu posto, herdasse também uma posição de poder importante, assim como seu irmão. Depois, quando o casamento entre irmão e irmã foi proibido, a *tawananna* permaneceu como sacerdotisa e com poder de sucessão – o que significava que o filho de seu irmão o sucederia no trono.

No início do segundo milênio, o primeiro rei hitita poderoso, Hatusil I, não apenas desafiou a tradicional regra de sucessão, indicando seu neto em vez do filho como sucessor, o que o levou a um conflito com a tia, mas também aboliu o posto de *tawananna*, proclamando-se sumo sacerdote. Além disso, passou a nomear princesas reais como sacerdotisas nos santuários da Deusa.[28] Vimos antes como esse mesmo processo ocorreu na Suméria durante a formação dos estados arcaicos.

Mas o édito de Hatusil I não aboliu a forte tradição matrilinear, e a regra de sucessão, segundo a qual o irmão da *tawananna* seria o rei, perdurou. O neto de Hatusil continuou a expansão hitita invadindo a Babilônia, mas foi assassinado, e o reino, contaminado por conflitos familiares internos e assassinatos por causa da sucessão. Isso coincidiu com a invasão dos hurritas e a conquista da maior parte da Síria.

Telepinu, um genro real que se tornou rei, provavelmente de acordo com o antigo costume matrilinear de aceitar que um homem se casasse para herdar a sucessão real na ausência de um herdeiro, tentou determinar a sucessão patriarcal em seu édito, por volta de 1525 a.C. O édito especificava que, se não existissem filhos disponíveis para a sucessão, o marido da primeira filha deveria se tornar rei. O édito também descrevia o período anterior de derramamento de sangue, que parece ter ocorrido em razão da transição de um sistema de parentesco para outro. Por certo é a prova de força da tradição de sucessão matrilinear.[29]

A tradição foi forte o bastante para durar mais 150 anos, durante os quais uma nova dinastia chegou ao poder. Refletiu-se na disputa entre o rei Tudalia e sua irmã, que ele acusava de ter usado bruxaria. A disputa foi resolvida com um acordo, pelo qual o filho do rei o sucederia no trono, enquanto a filha do rei se tornaria *tawananna* e exerceria o ofício de sacerdotisa da deusa do Sol. Por esse acordo, o direito à sucessão era discretamente passado ao rei. Foi a última vez na história hitita em que um par irmão-irmã compartilhou poder temporal e religioso. Para se ter uma ideia de como essas lutas internas enfraqueceram o governo, basta considerar o fato de que os inimigos do país quase o levaram à extinção.

Em 1380 a.C., um rei poderoso, Supiluliuma I, assumiu o trono no período neo-hitita de construção do império, e por quase cem anos faria o reino hitita rivalizar com o Egito e a Babilônia em grandeza. Ele restabeleceu a hegemonia hitita sobre a Síria, conquistando os hurritas e estendendo seu domínio a Damasco. É muito provável que seu sucesso em por fim abolir o posto de *tawananna* como personificação do direito à sucessão matrilinear esteja totalmente relacionado a seu poderoso reinado e sucesso como construtor do império. Supiluliuma I transformou o posto de *tawananna* colocando nele sua rainha, mantendo assim o formato enquanto mudava o conteúdo. Desde então, os direitos à sucessão foram investidos ao rei, cuja esposa – não a irmã nem a filha

– era colocada *pelo poder dele* no posto de *tawananna* e sacerdotisa, duas posições que se despiram de seus principais e hereditários poderes.

Supiluliuma I pacificou regiões conquistadas colocando nelas reis figurativos, que se tornaram seus súditos e se casaram com suas filhas. Vimos essa prática ocorrer por motivos dinásticos semelhantes na Suméria e em Mari. É uma prática que muda de maneira significativa a relação das mulheres com o poder político, transformando-as em instrumentos de decisões masculinas e tornando o poder delas dependente de seus serviços sexuais e reprodutivos em prol de um homem específico.

O filho de Supiluliuma I e seu neto seguiram seus passos e estenderam o poder hitita para o Egeu e a Síria. Mais uma vez, após a morte do neto, houve uma batalha pela sucessão, que terminou com o trono usurpado pelo irmão do rei, Hatusil III. Esse rei, que assinou tratados de amizade e assistência mútua com o Egito e a Babilônia, fez o reino prosperar até seu ápice. Promoveu a esposa, Puduhepa, a cossoberana. É significativo que mesmo nessa época a antiga tradição de sucessão fosse tão forte, que o rei usurpador tenha achado necessário escrever uma "Justificativa" na qual ele agradecia sua deusa padroeira, Ishtar, por inspirá-lo a ascender ao poder e se casar com sua esposa Puduhepa. Assim, a forte tradição de sucessão matrilinear e poder político por mulheres foi transformada, após 300 anos de luta, em um posto de uma poderosa rainha que atuava como substituta do marido em uma sociedade patriarcal.[30]

A potência hitita durou mais cinquenta anos após a morte de Hatusil III e acabou por volta de 1200 a.C. com as invasões dos "povos do mar", seguidas alguns séculos depois pela conquista assíria de toda a região. O que permaneceu do Império Hitita foi o idioma, a forte tradição artística e os hieróglifos. Para os nossos propósitos, porém, também restou a história da transformação do panteão de deuses e deusas, que coincidiu com os desenvolvimentos políticos apresentados antes.

Carol F. Justus, que estudou a transformação do panteão hitita por meio da linguística comparativa, observou que as principais imagens de deuses passaram por uma mudança de sexo nesse processo, que ela interpreta como símbolo das mudanças políticas e sociais dos dois sexos na sociedade hitita.[31]

Antes da conquista hitita, os habitantes indo-europeus nativos adoravam um panteão de deuses e deusas liderados por um deus do sol (*sawel*) e por um deus da tempestade (*dyew*). Ambas as figuras manifestam-se de diferentes formas em várias religiões antigas. O deus do sol é caracterizado em toda parte como "de ampla visão", abrangente. Sua carruagem percorre o céu puxada por cavalos. O deus da tempestade (sânscrito, Dyaus Pita; grego, Zeus, Homérico, Zeu(s) Pater; latim, Júpiter) é caracterizado como "brilhante", pai, procriador de homens, progenitor. Ele é associado ao tempo e ao relâmpago. Habitantes hatitas da região também adoravam uma deusa do Sol, Estan, e um deus da tempestade, Taru.

Os hititas, sintetizando elementos de ambas as culturas, adoravam um deus do Sol, Istanu, que era uma versão revisada da deusa do Sol Estam, agora transformada em homem. Esse deus masculino era, no Império Neo-Hitita, adorado como "pai" e "rei". Em hinos que o celebram, credita-se a ele o estabelecimento do costume e da lei da terra, sendo ele mencionado como "pai e mãe dos oprimidos". Seu epíteto pode muito bem ser uma alusão à origem dele, de uma divindade feminina e uma masculina. Seu reinado divino é comparável ao do sumério Marduque e do assírio Assur, divindades que ascendem à realeza celestial com o estabelecimento de um reinado vigoroso na terra.

Em um período hitita posterior, a deusa do Sol Arinna é adorada como "Rainha". Ela se assemelha à antiga deusa Estan, associada ao submundo, mas seus símbolos de culto associam-na ao sol. De maneira significativa, a rainha Puduhepa, cossoberana com o marido quando o regime patriarcal foi institucionalizado com firmeza, referia-se a essa deusa como "Rainha do Céu e da Terra". Em uma época em que a *tawananna* era a esposa do rei e não mais incorporava a linhagem real de sucessão, essa mudança na função da deusa feminina, então aclamada como padroeira e protetora do rei e da rainha, poderia servir para dar legitimidade celestial a uma inversão terrena de poder. Não nos surpreenderá descobrir que, em um período posterior, a deusa do Sol Arinna se torna Hepat, a consorte do deus do Sol, que, enquanto isso, é destronado pelo deus da tempestade Tesup. A evolução aqui é semelhante ao padrão que observamos em outros lugares: o deus do Sol sendo substituído pelo deus da Tempestade.

Carol Justus define a importância dessas mudanças da seguinte maneira:

> O rei hitita não controlava de fato a terra hatita até assumir a autoridade religiosa da *tawananna*, bem como o direito primário do próprio filho à sucessão. [...]

Tentativas de incorporar esferas femininas de autoridade foram progressivas. [...] Mudanças no panteão da deusa do Sol Estan, a Rainha, para o deus do Sol Istanu, o Rei, e deste para o Rei do Céu, o deus da tempestade, refletem a absorção gradual de direitos femininos pela estrutura patriarcal.[32]

O que sabemos das práticas religiosas no Antigo Oriente Próximo chega até nós em forma de documentos literários e religiosos preservados em tábuas de argila. Estes são predominantemente o produto do trabalho de escribas sacerdotais associados a vários templos e palácios. Mesmo que desconsideremos distorções ideológicas e alterações em textos básicos por interesse de uma divindade ou personalidade real específica, devemos entender que o que analisamos aqui são os mitos e textos propagados e aprovados pela elite da sociedade. As versões registradas de mitos e teogonias podem ter gozado de apoio popular generalizado, mas não podemos ter certeza disso. A mudança da Deusa-Mãe para o deus do trovão pode ser mais prescritiva do que descritiva. Pode nos contar mais sobre em que a classe alta de autoridades reais, burocratas e guerreiros queria que a população acreditasse do que, de fato, em que a população acreditava.

Mesmo nos séculos nos quais estudamos mudanças em direção a figuras de deuses patriarcais, o culto a certas deusas prosperou e se difundiu ainda mais. A Grande Deusa pode ter sido rebaixada no panteão, mas continuou a ser adorada em suas múltiplas manifestações. Todos os assiriólogos comprovam sua enorme popularidade e a persistência de seu culto, em vários aspectos, em todas as principais cidades do Oriente Próximo, por quase dois mil anos. As antigas Deusas-Mães absorveram as características de deusas semelhantes em outras regiões, conforme o culto delas era difundido em consequência das conquistas e ocupações territoriais.

A egípcia Ísis é um exemplo da difusão e do aspecto sintetizador da adoração à Grande Deusa. Assim como a "mulher do trono" no início, ela havia incorporado a realeza sagrada e o conhecimento dos mistérios; depois se tornou o protótipo da mãe e esposa fiel. Ensinou a seu irmão-marido Osíris os segredos da agricultura e restaurou seu corpo desmembrado à vida. No Período Helenístico, ela foi adorada como a *Magna Mater* do Sudoeste Asiático e do mundo greco-romano.

Em outros exemplos, a própria Grande Deusa foi transformada. No período inicial, seus atributos eram abrangentes – a sexualidade conectada com o nascimento, a morte e o renascimento; seu poder para o bem e para o mal, para a vida e a morte; seus aspectos de mãe, guerreira, protetora e intercessora perante o deus masculino dominante. Nos períodos finais, suas várias qualidades foram divididas e incorporadas por deusas diferentes. Sua característica de beligerância diminuiu, provavelmente tendo sido relegada ao deus masculino, e suas qualidades como curandeira estavam cada vez mais proeminentes. Isso parece refletir certa mudança em conceitos de gênero nas sociedades onde ela era adorada.

Seu aspecto erótico foi enfatizado na deusa grega Afrodite e na deusa romana Vênus. Sua qualidade de curandeira e protetora das mulheres no momento do parto foi incorporado pela deusa Mylitta na Assíria e Ártemis, Ilitia e Hera na Grécia. O culto a Aserá em Canaã, que coexistiu durante séculos com o culto a Jeová e é com frequência condenado no Antigo Testamento, pode ter ocorrido por causa da associação da deusa com a proteção durante o parto. Discutir suas muitas propriedades e formas nas quais é adorada exigiria um capítulo à parte.[33] Esculturas com sua imagem e seus símbolos são muito comuns, provando sua popularidade. Muitas delas foram encontradas não apenas em templos, mas também em casas, indicando a posição importante de sua adoração na religião popular. É justificável considerarmos a extraordinária persistência de cultos à fertilidade e a deusas como uma expressão da resistência feminina à predominância de deuses masculinos. Ainda não temos evidências sólidas para comprovar essa especulação, mas é difícil explicar tal persistência de alguma outra maneira.

No segundo milênio a.C., homens e mulheres tinham a mesma relação com as forças misteriosas e aterradoras representadas por deuses e deusas. As distinções de gênero ainda não eram usadas para explicar as causas do mal e o problema da morte. A causa da dor e do sofrimento humano era a tendência ao pecado de homens e mulheres e a negligência em relação aos deveres perante os deuses. E o reino da morte, na crença mesopotâmica, podia ou não ser governado por uma força sobrenatural feminina. As grandes questões filosóficas "quem cria a vida humana?" e "quem fala com Deus?" ainda podiam ser respondidas: seres humanos, homens e mulheres.

Independentemente de quanto o poder reprodutivo e sexual da mulher fosse degradado e transformado em mercadoria na vida real, a igualdade essencial não poderia ser banida do pensamento nem do sentimento enquanto as deusas vivessem e enquanto acreditassem que elas regiam a vida humana. As mulheres devem ter encontrado a própria imagem nas deusas, assim como os homens a haviam encontrado nos deuses masculinos. Antes dos deuses, havia uma igualdade observável e essencial entre os seres humanos que deve ter sido irradiada para a vida cotidiana. O poder e o mistério da sacerdotisa eram tão grandes quanto os do sacerdote. Enquanto as mulheres fizessem a mediação entre o humano e o sobrenatural, poderiam realizar funções e papéis diferentes dos dos homens na sociedade, mas a igualdade essencial como seres humanos permanecia incontestável.

OITO

OS PATRIARCAS

A CIVILIZAÇÃO OCIDENTAL TIRA da Bíblia muitas de suas principais metáforas e definições de gênero e moralidade. Antes de considerarmos esses principais símbolos, que definiram e moldaram tanto da nossa herança cultural, precisamos entender um pouco a cultura da qual veio a Bíblia e precisamos avaliar, mesmo que de modo resumido, as evidências históricas dentro da Bíblia em relação à posição das mulheres na sociedade hebraica. Um estudo do Antigo Testamento em sua totalidade sairia muito do escopo desta obra. Escolhi concentrar-me no Livro do Gênesis, porque vieram dele os principais e mais significativos símbolos referentes ao gênero.

O uso da Bíblia como documento histórico tem sólida base acadêmica, o que estabeleceu, nos últimos cem anos, uma correlação próxima entre as descobertas arqueológicas das culturas do Antigo Oriente Próximo e a narrativa bíblica. O Livro do Gênesis combina composições em poesia e prosa, algumas de caráter mítico, algumas de caráter folclórico. Já é dado como certo que materiais culturais sumério-babilônicos, cananeus e egípcios foram adaptados e transformados por autores e redatores da Bíblia, e que práticas, leis e costumes contemporâneos de povos vizinhos refletiram-se nessa narrativa. Ao usar o texto bíblico como fonte de análise histórica, deve-se estar ciente da complexidade de sua autoria, objetivos e fontes.

A tradição mais antiga de atribuir a autoria do Livro do Gênesis a Moisés foi substituída, com base em maciças evidências internas estabelecidas pela crítica da versão moderna, pela aceitação da "hipótese documentária". Considera-se que a Bíblia, acreditando-se ou não em sua inspiração divina, foi obra de muitas mãos. A composição do Livro do Gênesis se estendeu por um período de cerca de 400 anos, do décimo século a.C. ao quinto. Aceita-se agora, de modo geral, que existem três principais tradições de autoria e que muitas das fontes representam uma tradição bem mais antiga, que os redatores reinterpretaram e incorporaram à narrativa. A composição do material, que por séculos foi transmitido oralmente, e a criação de uma história coerente que levasse à monarquia de Davi começaram após a divisão do reino. A narrativa conhecida como J (pelo uso de "Jeová" e por causa de sua origem judaica), pelo que se costuma acreditar, foi composta no reino do sul de Judá no décimo século a.C. O segundo autor, chamado E, de Elohista, por causa da forma como ele se refere à divindade e porque acredita-se que represente a tradição de Efraim, provavelmente no estado do norte de Israel, um pouco depois. Em terceiro, há a tradição P, que inclui e reinterpreta as narrativas J e E. Apesar da considerável polêmica sobre a datação da versão P, acadêmicos concordam que não se trata apenas de um indivíduo, mas de uma escola de redatores sacerdotais em Jerusalém que podem ter trabalhado durante centenas de anos e concluído a obra apenas no sétimo século a.C. O Livro de Deuteronômio, um produto do sétimo século a.C., é considerado uma criação à parte. A fusão final dos vários elementos no Pentateuco, os Cinco Livros de Moisés, ocorreu por volta de 450 a.C. sob a direção de Esdras e Neemias, quando o reino de Judá estava sob o domínio persa. Representou a canonização da Lei Judaica e a realização suprema do pensamento religioso judaico no período arcaico.[1]

Para que se entenda o significado da vasta transformação cultural representada pela criação do monoteísmo judaico, precisamos ter em mente as condições sociais refletidas no Livro do Gênesis.

As tribos patriarcais do primeiro período descrito em Gênesis viviam, assim como seus ancestrais, como nômades ou seminômades no deserto. Criavam ovelhas, cabras e gado e se dedicavam à agricultura sazonal. Em vários momentos, também viveram nas cercanias das cidades, sob a proteção dos habitantes, mas mantendo os próprios costumes separados dos dos anfitriões.

A coesão e a sobrevivência deles dependiam de fortes laços tribais. A menor unidade era a família patriarcal, composta de um homem, sua esposa, seus filhos com suas esposas e filhos, suas filhas solteiras e os servos. Diversas famílias formavam um clã, um *mishpahah*; eles se ajudavam economicamente e se encontravam para festividades religiosas. Um grupo de clãs, reivindicando um antepassado comum e reconhecendo um líder também comum, unia-se em uma tribo. As tribos reconheciam um laço de sangue que impunha sobre elas a responsabilidade da vingança de sangue; ou seja, se um membro da tribo fosse ferido, seria vingado com a morte de seu agressor ou de um membro da família do agressor. Entre os nômades, na ausência de um sistema judicial comum, essa forma de retribuição protegia os direitos e a integridade das tribos.

Membros das tribos tinham a obrigação de proteger e cuidar dos membros mais fracos. Embora alguns membros da tribo tivessem mais gado do que outros, não havia grandes diferenças econômicas entre eles. Entre os nômades do deserto, um indivíduo solitário não consegue sobreviver; assim, a hospitalidade para com desconhecidos era uma regra básica e sagrada.[2]

A maioria dos acadêmicos atribui o período patriarcal da história bíblica à primeira metade do segundo milênio a.C. Há evidências históricas úteis disponíveis para as condições prevalentes entre as tribos semitas do Oeste nos documentos dos arquivos reais de Mari, datados de cerca de 1800 a.C., que esclarecem as reais condições da terra natal de Abraão, Harã. Documentos da cidade de Nuzi também ofereceram aos acadêmicos muitas informações sobre a vida das famílias, o que lhes permitiu entender e interpretar melhor os costumes refletidos em Gênesis.[3]

Foi em Harã que Abraão teve seu primeiro encontro com Deus, que fez uma aliança com ele. É essa aliança que distinguirá os descendentes de Abrão como povo escolhido de Deus. Discutirei sua importância simbólica no próximo capítulo. Por ora, devemos observar que esse evento mítico marca o início da experiência religiosa judaica e oferece a ideia motivadora que permitirá a sobrevivência do povo pelos quatro mil anos seguintes, apesar da diáspora e das frequentes perseguições, na ausência de uma terra natal.

Os acadêmicos costumam considerar Moisés o fundador do monoteísmo judaico e o Decálogo, sua lei básica. Nos cerca de 400 anos entre Abraão e Moisés, as tribos hebraicas, embora estivessem comprometidas a adorar Jeová como seu único deus, continuaram adorando ídolos na forma de deuses domésticos. O único ritual que os unia era a circuncisão masculina e a proibição de sacrifício humano (conforme incorporado na história de Isaac).

A história de José e seus irmãos fala sobre a migração ao Egito de hebreus atingidos pela escassez. Lá eles viveram de modo pacífico, até um novo faraó, que lhes era hostil, escravizá-los. O Êxodo do Egito, que a história bíblica descreve com tanta vividez, é datado por evidências arqueológicas como tendo ocorrido no reinado de Ramsés II (por volta de 1290-24 a.C.). Acompanhando o Êxodo, a história bíblica conta como Moisés guia as pessoas pelo deserto durante quarenta anos e como, no Monte Sinai, recebe as Tábuas da Lei de Jeová. A revelação que Moisés faz da lei ao povo e sua destruição do bezerro de ouro, símbolo de idolatria, são pontos cruciais na narrativa. A aliança de Jeová com Moisés confirma e reforça todas as alianças anteriores e transforma Israel em uma entidade unida por uma crença e uma lei comuns. Moisés morre sem ver a terra prometida; é seu sucessor indicado, Josué, quem conduz os israelitas até lá. Acadêmicos acreditam que a conquista de Canaã por Josué foi concluída até 1250 a.C., o que também marca o fim da Idade do Bronze e o início da Idade do Ferro na Palestina.[4]

As tribos seminômades que conquistaram Canaã passaram a viver em uma região que havia sido pouco explorada, em razão do solo pobre e da pouca água. Conseguiram superar esses obstáculos ambientais com inovações tecnológicas que utilizavam ferro – o armazenamento de água em cisternas enfileiradas, o cultivo mais profundo com ferramentas com ponta de ferro e o desenvolvimento do terraceamento para preservar água. Eles também devem ter passado por grandes catástrofes trazidas pela guerra e por várias epidemias, descritas na Bíblia, como pragas ou pestilência. A pressão da necessidade do trabalho agrícola para o estabelecimento em um ambiente deserto, combinada à simultânea perda de população em razão de guerras e crise epidêmica no próprio período em que surgiram os princípios rudimentares do pensamento religioso judaico, pode explicar a ênfase bíblica na família e no papel de procriação da mulher. Nessa crise demográfica, é provável que as mulheres concordassem com uma divisão de trabalho que priorizasse o papel materno.[5]

O assentamento permanente em vilas e pequenas cidades trouxe mudanças no conceito de liderança, que mudou da tribo para o clã. No período dos Juízes (por volta de 1125-1020 a.C.), as tribos ora agiam em conjunto, ora de forma independente, mas as ligações intertribais costumavam ser fracas. A autoridade era controlada por anciãos, dentre os quais juízes eram escolhidos durante épocas de crise. Nesse período, quando a consciência nacional ainda não existia em essência, uma tradição comum religiosa e cultural formava o vínculo entre as tribos.

Descreve-se o período de conflito entre tribos israelitas e cananeus, que ocorreu enquanto toda a região estava sob domínio filisteu, como um dos mais antigos segmentos do Antigo Testamento, o Cântico de Débora (Juízes 4-5). É um dos cinco exemplos da narrativa em que uma mulher aparece em posição de liderança e papel heroico.[6] Débora é descrita como uma profetisa e juíza que inspira Baraque a reunir tropas em resistência aos cananeus, liderados por Sísera. Uma passagem de certa forma excepcional na literatura bíblica mostra que ela assume de fato a liderança sobre os homens:

> E Baraque lhe disse: "Se fores comigo, então eu irei; mas, se não fores comigo, eu não irei". E ela disse: "Por certo eu irei, porém a jornada que fizeres não será tua honra, pois o Senhor dará Sísera às mãos de uma mulher". E Débora ergueu-se e foi com Baraque a Quedes [Juízes 4:8-9].

A profecia de Débora se realiza quando Sísera é morta por Jael, a esposa de Héber, que o atrai para sua tenda oferecendo hospitalidade e, enquanto ele dorme, crava uma estaca da barraca em sua têmpora com um martelo. Por esse ato heroico, ela é homenageada no Cântico de Débora com as seguintes palavras: "Que Jael seja a mais abençoada das mulheres, / A esposa de Héber, o queneu, / Seja ela a mais abençoada das mulheres das tendas" (Juízes 5:24). Embora seja evidente que o milagre é do Senhor, que permite a uma mulher matar o guerreiro, a passagem é notável em sua celebração da força feminina, tanto moral (Débora) quanto física (Jael).

A vitória israelense e a necessidade de união contra os filisteus fortaleceram as tendências a uma liderança vigorosa entre as doze tribos. A primeira oferta de reinado foi feita a Gideão, após sua vitória sobre os midianitas, mas ele a recusou (por volta de 1110 a.C.). Depois, as tribos, como resultado das sucessivas derrotas aos filisteus, convenceram-se da necessidade de união e fizeram de Saul o rei.

Saul uniu as tribos, formou um exército permanente e derrotou os filisteus. De forma muito semelhante aos líderes militares da Mesopotâmia que ascenderam à realeza, ele nomeou membros da própria família para posições importantes e esperava tornar seu posto hereditário. Mas ele e os filhos morreram em batalha, e Saul foi sucedido por Davi, que antes tinha sido feito rei em sua tribo de Judá.

Foi o rei Davi (por volta de 1004-965 a.C.) quem consolidou as tribos em um Estado nacional e conquistou vastos territórios entre o Mediterrâneo e o Mar Vermelho. Assim como outros reis arcaicos, Davi desenvolveu a burocracia e centralizou a estrutura administrativa. Também adquiriu terra e palácios reais, realizou um censo populacional e tornou Jerusalém a capital. Ao transportar a Arca, o centro da vida religiosa israelita, para Jerusalém, ele também transformou a cidade no centro da vida religiosa israelita.

Após uma amarga luta pela sucessão, Davi foi sucedido por Salomão, que continuou a fortalecer e desenvolver a monarquia. Ele estabeleceu diversos acordos e casamentos dinásticos com vizinhos antes hostis, adquirindo assim um grande harém. Criou um grupo de mercadores reais, equipou-os com uma frota e os enviou em missões comerciais ao longo de um vasto território. Durante seu reinado, a monarquia se desenvolveu cultural e economicamente, mas a taxação pesada e a crescente estratificação social causaram inquietação social e, por fim, inúmeras rebeliões. Após a morte de Salomão, a monarquia se dividiu em dois reinos: Judá e Israel.[7]

A dupla monarquia estava sob constante ameaça de seus vizinhos maiores. O reino de Israel durou pouco mais de duzentos anos e acabou, após prolongado conflito, quando os assírios, liderados por Sargão II, tomaram sua capital, Samaria, em 722 a.C. e exilaram toda a população. Outros eventos importantes em termos de desenvolvimento religioso foram a crescente expansão do culto a Baal e Aserá durante o reinado do rei Acabe e sua esposa estrangeira Jezebel, e a reação que se seguiu. Inspirada pelos profetas Elias e Eliseu, a adoração apenas a Jeová foi restabelecida depois de um golpe político e do assassinato de 400 sacerdotes de Baal em 852 a.C. Reavivamentos religiosos posteriores pelos profetas Oseias, Amós e Isaías introduziram ao culto a Jeová a revolucionária ideia de intolerância em relação a outros deuses e cultos. O culto ao touro foi proibido, e o conceito de fertilidade fixou-se mais em Jeová pela metáfora apresentada por Oseias, que mudou a ideia de aliança, transformando-a no casamento de Jeová com Israel, a noiva. Os profetas, em sua pregação inspirada, igualaram a pecaminosidade de Israel a "perversão". Assim as metáforas sexuais patriarcais foram incorporadas com firmeza ao pensamento religioso.[8]

O reino de Judá, continuando a linhagem dinástica de Davi, foi sucessivamente invadido e combateu egípcios, fenícios, filisteus, moabitas, assírios e, em 586 a.C., foi enfim dominado quando os babilônicos destruíram Jerusalém, demoliram o templo e exilaram a população.

A queda de Jerusalém marcou o fim das instituições políticas de Israel. A partir daí, a sobrevivência de Israel dependia de sua adesão à religião de Jeová sob as mais adversas circunstâncias de exílio, diáspora e assimilação. Isso foi possível graças à canonização do ensino judaico no Pentateuco, realizada pelo profeta Esdras. O aspecto revolucionário do monoteísmo judaico era sua absoluta fé no Deus único, invisível e inefável; a rejeição de rituais como prova de santidade e a exigência, em vez disso, da adesão e prática de valores éticos. A grande inovação da sinagoga como local de reunião religiosa e leitura da Escritura, os livros sagrados, por qualquer grupo de fiéis, em vez de prática de culto monopolizada por um grupo de sacerdotes, tornou a religião judaica móvel, exportável, flexível e comum. Foram essas características que tornaram possível a sobrevivência judaica.

As mesmas condições históricas que criaram a possibilidade desse avanço cultural e conceitual também influenciaram a maneira como eram estruturados conceitos e ideias patriarcais no monoteísmo judaico. Passaremos agora a examinar o gênero conforme definido na prática e no pensamento israelita.

As tribos de Canaã viveram em uma sociedade pré-Estado; o período de formação do Estado em Israel não ocorreu até cerca de 1050 a.C. Se o mesmo padrão de desenvolvimento ocorresse na sociedade palestina como resultado da formação do Estado, segundo já discutimos antes em relação à sociedade mesopotâmica, poderíamos esperar por uma regulamentação mais rigorosa da sexualidade feminina e a crescente exclusão de mulheres das atividades públicas conforme o Estado se tornasse mais poderoso. Evidências históricas parecem confirmar esse padrão, que aqui podemos discutir apenas de forma resumida.

As histórias dos patriarcas no Gênesis oferecem certos indícios de transição de uma organização familiar matrilocal e matrilinear para patrilocal e patrilinear em algumas tribos (por exemplo, os casamentos de Lea e Raquel. A referência a um homem que deixa os pais e é leal à esposa em Gênesis 2:24 pode ser interpretada assim também). Os sete anos de trabalho de Jacó para Labão em troca de cada uma de suas filhas correspondia à prática de casamento matrilocal. O assiriólogo Koschaker confirmou a existência de uma forma de casamento em épocas remotas da Mesopotâmia no qual a esposa continuava na casa dos pais (ou, com mais frequência, na tenda) e o marido morava com ela como visitante permanente ou ocasional. Na narrativa bíblica, o casamento matrilocal é chamado casamento *beena*. Ele permitia à mulher mais autonomia e dava-lhe o direito de se divorciar, o que o casamento patrilocal, conhecido como casamento *ba'al*, aboliu. Koschaker observou que essa forma de casamento foi substituída pelo casamento patriarcal.[9]

A história do galanteio de Jacó e de sua fuga da casa de Labão tem sido interpretada como um indício da transição de matrilocalidade para patrilocalidade. Mesmo antes de ele chegar à casa de Labão, Jacó havia se comprometido a voltar para a casa do pai. Ao cumprir a promessa, precisou superar a resistência e a ilusão de Labão, que fica mais compreensível quando entendemos que, na sociedade matrilocal, seria direito de Labão, e ele o tomaria por certo, exigir que Jacó ficasse na casa da esposa.[10]

O roubo dos *teraphim* perpetrado por Raquel também pode ser visto sob essa óptica. Tal passagem intrigou acadêmicos da Bíblia por muito tempo. Speiser interpreta os *teraphim* como "deuses domésticos" e elucida a passagem apontando que, de acordo com documentos de Nuzi, que, segundo se descobriu, refletem os costumes sociais de Harã (local de residência de Labão), a posse de imagens de deuses domésticos significava direito a uma propriedade. Então, Raquel, acreditando que seu pai negaria a Jacó uma parte de sua propriedade, levou os *teraphim*.[11] A interpretação de Speiser não é incompatível com a ideia de que, ao transferir os *teraphim* da casa do pai para a casa do marido, a ação de Raquel tenha simbolizado a mudança de matrilocalidade para patrilocalidade.

Não há dúvidas de que a estrutura familiar predominante na narrativa bíblica seja a família patriarcal. Acadêmicos formaram um retrato bem abrangente da estrutura familiar e social da sociedade hebraica que lembra bastante os vizinhos mesopotâmicos de Israel.

No período inicial, o patriarca tinha absoluta autoridade sobre os membros de sua família. A esposa chamava o marido de *ba'al* ou "amo"; ele era de forma semelhante chamado de o *ba'al* de sua casa ou campo. No Decálogo, a esposa encontra-se elencada entre os bens de um homem, junto com seus servos, boi e jumento (Êxodo 20:17).[12] Nesse período, o pai também podia vender a filha como escrava ou prostituta, o que depois foi proibido. Quando foi instaurada a monarquia, o poder de vida e morte do pai sobre a família já não era ilimitado e irrestrito. Quanto a isso, observamos uma melhora na posição das filhas em relação ao primeiro período.

A grande importância do clã (*mishpahah*) foi reforçada por acordos de propriedade. Após o período de assentamento, a propriedade familiar era a maneira predominante de se possuir terras. A propriedade de uma família definia-se por limites precisos e incluía, em geral, um túmulo ancestral. A responsabilidade pela manutenção e preservação desse patrimônio era do chefe patriarcal da família. A terra pertencia ao clã e era considerada inalienável, ou seja, não podia ser vendida a ninguém e só podia ser transferida por herança. Essa herança costumava ficar para o filho mais velho. Na falta de um filho, poderia ser deixada para as filhas, mas elas precisavam se casar com alguém da própria tribo para que sua parte não fosse transferida para fora da tribo (Números 27:7-8 e 36:6-9). Se o proprietário morresse sem filhos, a herança ia para seu irmão, tio ou parente homem mais próximo. Este é um dos alicerces da Lei de Levirato, que obriga um homem a se casar com a viúva sem filhos do irmão a fim de fornecer um herdeiro para o falecido e evitar a alienação da propriedade da família.[13]

O efeito desses padrões de propriedade foi o fortalecimento da lealdade do clã e maior estabilidade nas organizações tribal-patriarcais de uma geração para outra. Essa forte ênfase no controle patriarcal sobre a propriedade do clã e a forma como esse controle foi estruturado na própria organização da sociedade israelita tiveram grande impacto na posição das mulheres.

A descendência era considerada de forma patrilinear, com o filho mais velho sucedendo o pai em autoridade após a morte deste. Todos os filhos e suas esposas moravam na casa do pai até sua morte. O pai negociava os casamentos dos filhos; no caso de filhos homens, pagando o preço de noiva. No caso das filhas, o pai fornecia-lhe um dote, que substituía sua parte da herança. Assim, as filhas de cidadãos ricos tinham certa proteção contra abusos, uma vez que a devolução do dote em caso de divórcio poderia ser uma desvantagem econômica para a família do marido. A situação das filhas de classes mais pobres não era diferente da situação nada invejável das mulheres pobres da Mesopotâmia, exceto pelo fato de que, no período monárquico e quando as filhas dos judeus não eram mais escravizadas, a escravidão passou a ser a sina de mulheres estrangeiras e mulheres de grupos conquistados. Além disso, de acordo com o regime de escravidão da sociedade israelita, em geral muito mais humanitária e leniente, a mulher escrava, no Deuteronômio, ganha liberdade no sétimo ano, assim como o homem escravo, e deve receber mantimentos e animais do rebanho do senhor (Deuteronômio 15:12-13).

Esperava-se de toda mulher israelita que se casasse e passasse do controle do pai (e irmãos) para o controle do marido e sogro. Quando o marido morria antes da esposa, o irmão ou outro parente homem assumia o controle, casando-se com ela. Embora o costume do levirato tenha quase sempre sido interpretado como uma medida de "proteção" à viúva, representava mais o interesse do homem em manter o patrimônio dentro da família.[14]

Como ocorria nas sociedades mesopotâmicas, os homens hebreus gozavam de liberdade sexual completa dentro e fora do casamento. O estudioso da Bíblia Louis M. Epstein afirma que, durante os períodos iniciais, o marido tinha liberdade de uso sexual em relação às suas concubinas e escravas. "Se as escravas-esposas fossem dele mesmo, não dadas a ele pela primeira esposa, ele podia presenteá-las a outros familiares [...] quando se cansasse delas."[15] A poligamia, generalizada entre os patriarcas, depois se tornou rara, exceto pela realeza, e o casamento monogâmico se tornou ideal e regra.

Esperava-se que a noiva se casasse virgem, e a esposa devia ao marido absoluta fidelidade no casamento. A punição para adultério era a morte das duas partes (Levítico 20:10), mas a esposa judia tinha menos proteção contra falsas acusações de adultério do que sua contraparte mesopotâmica. O divórcio era uma possibilidade para o marido, com penalidade econômica, mas nunca para a esposa. Quanto a isso, a Lei Judaica era mais prejudicial para a esposa do que a Lei de Hamurabi. O mesmo vale para a legislação sobre estupro, que na Lei Mesopotâmica protegia um pouco mais a mulher. A Lei Judaica forçava o estuprador a se casar com a mulher que ele tivesse estuprado e especificava que não podia se divorciar dela. De modo implícito, isso forçava a mulher a um casamento indissolúvel com o estuprador (Deuteronômio 22:28-29).

No casamento, a esposa devia ter filhos; de modo mais específico, filhos meninos. A esterilidade, interpretada como fracasso em ter filhos meninos, era uma desgraça para ela e causa para divórcio. Sara, Lea e Raquel, desesperadas quando se descobrem estéreis, oferecem as escravas aos maridos para que os filhos delas contem como seus. Existe precedente legal para esse costume na Lei de Hamurabi, assim como existe precedente para o tratamento diferenciado recebido pela viúva com filhos meninos e pela viúva sem filhos.[16]

A adoção de parentes, desconhecidos ou até de escravos era prevalente na sociedade hebraica, assim como em outras sociedades do Oriente Próximo, como forma de dar ao homem um herdeiro em caso de falta de filhos e lhe garantir cuidadores na velhice. Ou um homem podia adicionar esposas ou concubinas à família, se sua primeira esposa não tivesse um filho menino. Essa situação, semelhante aos costumes de casamento na sociedade mesopotâmica, tal qual se reflete nos códigos de leis, é descrita nas histórias de Abraão e Agar e de Jacó e suas duas esposas e duas concubinas.[17] Esses complexos sistemas familiares também levantaram a questão da sucessão como um problema, uma vez que a lei não deixava claro, como a Lei de Hamurabi o fazia, se o filho mais velho de uma mulher escrava teria prioridade em relação ao filho mais velho da esposa legítima. O caso de Abraão e de Ismael, filho de Agar, é assim, e a história bíblica indica sem deixar dúvidas que o plano de Deus é que o povo escolhido (semente de Abraão) deva ser prole de Isaac, o filho do casamento legítimo, e não de Ismael, o primogênito, filho de uma escrava concubina. Há um precedente na Lei de Hamurabi § 170 para que a herança vá para o primogênito da primeira esposa em detrimento dos filhos da concubina, tendo estes direito a uma parte menor da herança se o pai reconhecê-los em vida. No caso de Ismael, Abraão já o reconhecera como filho, mas Deus ordenou que ele expulsasse Agar e seu filho, como desejava Sara, "[...] pois é através de Isaac que sua linhagem será perpetuada" (Gênesis 21:12). Podemos considerar isso como um vigoroso endosso divino da primazia de direitos dos filhos legítimos.

Ao comPararmos a posição social e legal das mulheres nas sociedades mesopotâmica e hebraica, observamos semelhanças na regulamentação rigorosa da sexualidade feminina e na institucionalização de um duplo padrão sexual nos códigos de leis. Em geral, a mulher judia casada ocupava uma posição inferior em relação à de sua contraparte nas sociedades mesopotâmicas. As mulheres da Babilônia podiam ser donas de propriedade, assinar contratos, abrir processos, além de terem direito a uma parte da herança do marido. Mas devemos também observar uma grande melhoria no papel de mulheres como mães no Antigo Testamento. O quinto mandamento ordena que os filhos honrem pai e mãe da mesma maneira, e as mulheres são exaltadas como professoras dos filhos. Em Provérbios, mães e pais são igualmente exaltados e honrados em seus papéis, e descreve-se a mãe apenas em termos positivos. Isso é bem condizente com a ênfase geral na família como unidade básica da sociedade, que também observamos na sociedade mesopotâmica na época da formação do Estado.

Até aqui, baseamos nossas generalizações sobre o *status* das mulheres na lei bíblica, assim como muitos dos acadêmicos do meio. Mas a lei, como discutimos antes, reflete a realidade apenas de forma tangencial, considerando o que a lei aceita como fato e o que define como problemático. Por outro lado, a lei define normas para a conduta desejável, que em geral não representa as reais condições da sociedade. Podemos vislumbrar a verdadeira prática na narrativa bíblica observando as práticas e os valores que são aceitos como fatos, portanto permanecem sem explicação.

As histórias de Ló em Sodoma e a origem do acordo da guerra contra os benjamitas trata indiretamente da posição das mulheres. Como se conta em Gênesis 19, dois anjos na forma de dois estranhos visitam a casa de Ló em Sodoma. Ló faz um banquete para eles e os convida para passar a noite. Os homens cruéis de Sodoma cercam a casa e exigem que Ló lhes entregue os homens: "Traga-os para que os conheçamos". Tentando acalmá-los, Ló sai da casa e diz o seguinte aos sodomitas:

> Meus irmãos, rogo a vocês que não ajam com tanta perversidade. Eis aqui, tenho duas filhas virgens; deixem-me trazê-las e façam o que acharem melhor; apenas nada façam a esses homens; posto que estão sob meu teto [Gênesis 19:7,8].

A turba invade a casa, mas os anjos atingem os homens da turba com cegueira, então eles avisam Ló sobre a iminente destruição da cidade de Sodoma e dizem-lhe que ele e a família seriam salvos, "sendo o Senhor misericordioso com ele". A linguagem aqui indica que Ló não é salvo por sua virtude, mas por causa da misericórdia de Deus e da de Abraão. ("Deus se lembrou de Abraão e tirou Ló do meio das ruínas quando destruiu as cidades onde Ló morava" [Gênesis 19:29].)[18]

A passagem é embaraçosa para pesquisadores recentes. Martinho Lutero exaltou Ló por manter a lei da hospitalidade e justificou seus atos: "Defendo Ló e acredito que ele tenha feito essa oferta sem pecado. Sabendo que a turba não estava interessada neles, ele apenas tentou apaziguá-la e não achou que estivesse expondo suas filhas a algum perigo". João Calvino, por outro lado, acreditava que "A grande virtude de Ló recebeu uma borrifada de imperfeição [...] Ele não hesita em prostituir suas filhas [...] Ló é de fato obrigado por extrema necessidade; mas [...] ele não é isento de culpa".[19]

Pesquisadores posteriores basicamente seguiram essas duas linhas de interpretação. Sarna avalia que "a disposição de Ló em permitir que as filhas fossem violadas é totalmente incompreensível" para o leitor moderno, "mesmo levando-se em consideração que a história reflete uma era e uma sociedade nas quais as filhas eram propriedade de seus pais".[20] Acho notável que E. A. Speiser, que comenta e analisa o Gênesis linha por linha, não fale sobre os atos de Ló. Ele critica Ló pela "falta de espontaneidade" e aparente "servilidade" em sua hospitalidade e descreve a "fraqueza latente do caráter de Ló" por ser "indeciso, confuso, ineficaz". O único sinal de análise sobre o incidente com as filhas está na frase: "Fiel ao código não escrito, Ló fará de tudo para proteger seus hóspedes".[21] Speiser segue a interpretação de Calvino, e, fazendo uma análise voltada apenas à forma textual, Calvino parece razoável ao considerar uma mera "imperfeição" o fato de Ló ofertar as filhas à turba, uma vez que Jeová, para quem os crimes de Sodoma são tão repugnantes que destrói a cidade e seus habitantes, poupa Ló apesar disso. Se analisarmos essa história bíblica, observamos que o direito de Ló de dispor das filhas, mesmo que seja para oferecê-las para que sejam estupradas, é dado como certo. Não precisa ser explicado; assim podemos deduzir que refletia uma condição social histórica.

Essa dedução é fortalecida por uma história um pouco semelhante contada em Juízes (19:1-21,25). Um levita, vivendo na tribo de Efraim, tinha uma concubina de Judá que "agiu como uma meretriz contra ele e fugiu para a casa de seu pai em Belém de Judá" (Juízes 19:2). Depois de quatro meses, o levita foi atrás dela para "conversar com cordialidade" e, após uma estadia prolongada na casa do pai dela, voltou para o lar, levando-a com ele. O levita parou em Gibeá, na terra de Benjamim, mas ninguém lhe ofereceu hospitalidade. Por fim, ele e seu grupo foram recebidos por um homem que era de Efraim. Enquanto o anfitrião alimentava os hóspedes, "certos vagabundos" da cidade cercaram a casa e exigiram que o efraimita entregasse os hóspedes a eles, usando quase as mesmas palavras da história de Ló, "Traga os homens para que os conheçamos" (19:22). O anfitrião se recusou, dizendo:

> Não, meus irmãos, rogo a vocês que não ajam tão perversamente; já que esse homem entrou em minha casa, não façam essa crueldade. Eis aqui, minha filha, uma virgem, e a concubina dele; eu as trarei aqui, humilhem-na e façam o que acharem melhor; mas não façam mal a esses homens [19:23-24].

Os homens não lhe deram ouvidos, por isso o levita "pegou sua concubina e a levou diante deles; e eles a conheceram e abusaram dela a noite toda até a manhã", soltando-a quando amanheceu. A mulher caiu na entrada da casa e ali ficou. "E seu senhor acordou de manhã" e a encontrou, e, quando ela não respondeu, ele a colocou sobre o burro e levou seu corpo para casa. Ali ele dividiu seu corpo "membro a membro em 12 partes" e enviou os pedaços "para todas as fronteiras de Israel" a fim de instigar os israelitas à vingança por esse ato cruel (19:27-30).

Essa narrativa é sucedida por um relato dramático sobre o conselho israelita, a decisão de pedir a rendição dos culpados em Gibeá, a recusa dos benjamitas de entregá-los e a consequente guerra contra a tribo de Benjamim. O tempo todo fica claro que o insulto e a "crueldade" são o crime da falta de hospitalidade e o roubo da propriedade e da honra do levita. A postura do levita em relação à concubina, que no texto massorético é também chamada de "sua esposa", torna-se evidente não apenas pela disposição em entregá-la para um estupro coletivo, mas pelo sono tranquilo durante a noite em que ela passa por essa provação. Em nenhum momento o texto o censura por seu ato nem censura o anfitrião, que oferece a filha virgem para salvar a vida e a honra de seu hóspede. Pelo contrário, o texto sugere não ser necessária nenhuma explicação para esse comportamento. Devemos observar, entretanto, que em uma seção escrita em um período posterior (Levítico 19:29), um pai é especificamente proibido de ato semelhante: "Não profanarás a tua filha para torná-la uma meretriz, para que a terra não se prostitua e fique cheia de maldade".

A narrativa anterior continua, descrevendo a total destruição dos benjamitas com a ajuda e o conselho de Deus. Os israelitas matam todos os homens, poupam 600 que fugiram para o deserto e queimam todas as cidades benjamitas. Antes de estourar a guerra, os homens de Israel haviam jurado: "Nenhum de nós dará sua filha como esposa a um benjamita" (21:1). Mas então percebem que esse compromisso significará a perda de uma das tribos de Israel. Querendo agora pacificar os benjamitas restantes sem quebrar o juramento, os israelitas resolvem o problema entrando em guerra contra o povo de Jabes-Gileade, que não havia respondido ao chamado deles contra os benjamitas. Nessa guerra, os israelitas "dizimam por completo todos os homens e todas as mulheres que já haviam se deitado com um homem" (Juízes 21:11). Sobraram 400 virgens, e os vitoriosos deram essas virgens aos homens da tribo de Benjamim como esposas. Os 200 benjamitas que ficaram sem esposa recebem a seguinte ordem:

> Eis que de ano em ano acontece o banquete do Senhor em Siló [...] Façam emboscadas nos vinhedos; e observem e vigiem, e se as filhas de Siló saírem para dançar, saiam dos vinhedos e agarrem cada um sua esposa entre as filhas de Siló, e voltem para a terra de Benjamim [21:19-21].

Os benjamitas seguem o comando e voltam com suas novas esposas, reconstruindo as cidades para "que uma tribo não seja apagada de Israel" (21:17). O relato termina com uma frase curiosa, que pode ser interpretada como dúvida em relação à retidão desses atos: "Naquela época não havia rei em Israel; cada homem fazia o que achava certo aos seus olhos" (21:25).

David Bakan, em uma construção bem engenhosa, interpreta a questão da guerra contra os benjamitas como um conflito e vitória da patrilocalidade sobre a matrilocalidade. Ele observa que o crime da concubina foi sair da casa do marido para a casa do pai, e que o mal é retificado, assim como o princípio da patrilocalidade se afirma, ao levarem 400 virgens de Jabes-Gileade para a casa dos maridos.[22] Embora seu argumento seja intrigante, não pode ser comprovado de forma satisfatória. Outros avaliadores modernos ficam em silêncio sobre o tratamento dado às mulheres nessa passagem, assim como ficam em silêncio a respeito do caso das filhas de Ló. Por exemplo, Louis Epstein comenta sobre ambas as passagens que

> [...] vemos nessas histórias um reflexo da revolta que judeus decentes sentiam em relação a esse ato (de sodomia); nos dois casos, o anfitrião ofereceu a filha para ser estuprada em troca dos estranhos, apelando que "tal ato vil" não fosse cometido. Pode-se tomar como certo, portanto, que desde o início os hebreus consideravam a sodomia um ato extremamente imoral.[23]

Pode-se tomar por certo também que a honra e até a vida das mulheres estavam à disposição dos homens da família, que as consideravam instrumentos permutáveis usados para fins de procriação. Os homens de Benjamim, cujas esposas e crianças haviam sido mortas, aceitam novas esposas dentre mulheres escravizadas ou capturadas e então formam novas famílias. Quanto aos direitos legais sobre si mesmas ou seu corpo, não existe diferença entre mulheres livres e escravas, nem entre mulheres casadas e virgens. As filhas virgens são tão descartáveis quanto a concubina ou as mulheres escravizadas capturadas em conflitos.

A passagem em Juízes ainda corrobora as evidências históricas, discutidas no Capítulo Quatro, para as origens da escravidão. Mesmo em uma guerra destrutiva entre as tribos de Israel, os homens são mortos, enquanto as mulheres são escravizadas e estupradas. Mas a história da guerra contra os benjamitas também demonstra como as guerras terminam e se pacificam por meio de acordos matrimoniais, que são completamente controlados pelos homens da tribo. Pode-se considerar a transação matrimonial das mulheres de Jabes-Gileade como o ato comum de escravizar e comercializar as mulheres do povo inimigo derrotado. Mas e as filhas de Siló, que estavam dançando em um banquete para o Senhor? Elas não eram inimigas nem seu povo foi conquistado. Elas apenas se tornaram fantoches em um esforço, motivado pela política, para pacificar um inimigo conquistado.

INÚMEROS ESTUDOS RECENTES sobre o papel das mulheres no Antigo Testamento tentaram dar certo equilíbrio às esmagadoras evidências da dominação patriarcal ao citar figuras heroicas femininas ou mulheres que fossem independentes de alguma maneira. Phyllis Trible chegou até a defender a existência de uma "contracultura" à "cultura patriarcal de Israel".[24] Em um ensaio interpretativo que detalha as várias expressões da dominância patriarcal no Antigo Testamento, outra acadêmica feminista, Phyllis Bird, afirma corretamente que, como suas evidências mostram, as mulheres são consideradas legal e economicamente inferiores aos homens na narrativa bíblica, e que isso refletia as reais condições da sociedade hebraica. Entretanto, ela defende que o homem do Antigo Testamento reconhece a mulher "como seu oposto e sua igual", afirmação para a qual oferece pouquíssimas evidências.[25] De modo semelhante, John Otwell conclui um livro, repleto de evidências em contrário, no qual afirma que o *status* das mulheres no Antigo Testamento era alto e que elas participavam completamente da vida da comunidade como esposas e mães.[26] Aqueles que consideram que a narrativa bíblica mostra avanços para as mulheres apontam as poucas mulheres heroicas mencionadas na narrativa, falam sobre o papel das cinco profetisas citadas no texto, destacam as declarações positivas sobre mulheres em Provérbios e a riqueza erótica e o louvor à sexualidade feminina no Cântico dos Cânticos. Infelizmente, o método histórico não sustenta essa construção.

As poucas mulheres mencionadas como exemplos de papéis respeitados ou heroicos somem entre tantas mulheres descritas em papéis servis, submissos ou subordinados. É evidente que a narrativa, em particular no Cântico de Débora e na referência à profetisa Hulda, corrobora a afirmação de que as mulheres eram reconhecidas como profetisas. Mas, quando colocamos essas narrativas em ordem cronológica, isso parece ter ocorrido no período inicial da história hebraica, antes ou pouco depois da formação do Estado. A partir da instauração da monarquia, não encontramos mulheres nesses papéis. Isso condiz com o padrão geral que observamos em outras culturas mesopotâmicas. O Cântico dos Cânticos é tão difícil de ser interpretado e colocado em perspectiva histórica, que parece irracional fazer inferências sobre o real *status* da mulher com base na obra, que deve ser tratada como uma criação literária. Como a identidade da mulher no Cântico não é comprovada, além de ser bastante polêmica, não me parece possível usá-la como base para generalizações sobre as reais condições das mulheres na sociedade hebraica.

Pisamos em terreno mais firme quando vemos que o Antigo Testamento mostra uma restrição gradual do papel público e econômico da mulher, uma diminuição de sua função religiosa e uma crescente regulamentação de sua sexualidade, conforme as tribos judaicas passam de liga para Estado. Pode-se argumentar que a lei deutoronômica é mais favorável a mulheres do que o Levítico. A preocupação em combater o culto a Baal e Aserá, que perdurou durante e depois do Período Monárquico e que, ao que parece, era mais forte e persistente entre as mulheres, pode explicar a regulamentação cada vez mais rigorosa do comportamento das mulheres, o excesso de repreensão contra a "perversão" das mulheres nos Livros Proféticos e, enfim, o uso difundido da mulher desfrutável como metáfora para os males da sociedade pecadora. Esses temas merecem o estudo detalhado e aprofundado de especialistas bíblicos e literários. Aqui podemos apenas chamar atenção para o assunto.

Discutiremos, no próximo capítulo, as principais expressões religiosas e simbólicas de definição de gênero no Livro do Gênesis. Resta-nos observar aqui como a sociedade hebraica definia a comunidade religiosa e como essa definição não apenas excluía as mulheres em princípio, como historicamente progrediu de pouca participação das mulheres para a exclusão delas.

Louis Epstein aponta que, na época dos patriarcas, homens e mulheres cuidavam de rebanhos juntos, se encontravam em poços, adoravam deuses juntos nos templos, compartilhavam celebrações públicas, comiam juntos e iam a casamentos e enterros juntos. A segregação no templo começa apenas com o segundo templo, que tem um "pátio de mulheres" do lado de fora, mas onde homens e mulheres congregavam. Epstein qualificou esse acontecimento explicando que "nem na prática nem na teoria essa era uma tentativa de segregar os homens das mulheres". A mulher judia era parte da comunidade judaica; ela podia orar ou estudar a Torá: "Mas ela não fazia parte do culto, seja como funcionária ou administradora ou como integrante da congregação. [...] O templo tinha um pátio de mulheres no sentido de que tinha um espaço público para quem não participasse do ritual, onde mulheres se reuniam como parte do público".[27]

O ensino da Torá aos filhos meninos era considerado uma tarefa religiosa primária, mas os pais não tinham essa obrigação em relação às meninas. Ainda assim, Epstein relata que, enquanto as crianças eram educadas em casa, ficava a critério dos pais ensinar as meninas. Até o quarto século d.C., havia pouca interferência em relação à presença de mulheres em reuniões públicas para ler ou conversar sobre a escritura sagrada. Entretanto, é provável que a educação formal, que foi instituída no segundo ou no primeiro século a.C., limitava-se a estudantes meninos.[28]

Mostrarei no próximo capítulo que, desde o princípio, a comunidade da aliança era considerada *masculina*. Isso teria resultado, quase de modo sucessivo, em pouquíssimas oportunidades para mulheres na função de culto, uma vez que, na tradição mesopotâmica, sacerdotisas serviam a divindades femininas, enquanto sacerdotes serviam a divindades masculinas. Mas a identidade de gênero de Jeová não era especificada, sobretudo nos primeiros textos. O que é significativo para as definições de gênero na civilização ocidental são quais metáforas, símbolos e explicações os autores do Gênesis selecionaram das muitas fontes disponíveis. De forma semelhante, o que é significativo para o presente não é tanto o que os autores pretendiam com cada uma de suas representações simbólicas, mas que significado as futuras gerações extraem delas. Por exemplo, se não se conceber ou se pensar em Jeová como um Deus com gênero específico, mas sim como um princípio que incorporava aspectos masculinos e femininos, como defendem alguns teólogos, isso é significativo para nos mostrar que existiam alternativas à interpretação patriarcal tradicional, e que essas alternativas não foram escolhidas.[29] O fato é que há mais de 2.500 anos o Deus dos hebreus é tratado, representado e interpretado como um Deus-Pai masculino, não importando outros aspectos que possa ter incorporado. Esse foi, do âmbito histórico, o significado dado ao símbolo e, portanto, é ele que carrega autoridade e força. Esse significado passou a ter extrema importância na maneira como homens e mulheres conceituam as mulheres e colocam ambos, homens e mulheres, na ordem divina das coisas e na sociedade humana.

Não foi, portanto, inevitável o surgimento de um sacerdócio exclusivamente masculino. A luta ideológica prolongada das tribos hebraicas contra a adoração a divindades cananeias, e em particular à persistência de um culto à deusa da fertilidade Aserá, deve ter enfatizado a liderança masculina de culto e a tendência à misoginia, que surgiu em sua forma completa apenas no período pós-exílio.[30] Sejam quais forem as causas, o sacerdócio masculino do Antigo Testamento representou uma ruptura radical com milênios de tradição e práticas de povos vizinhos. Essa nova ordem sob o Deus Todo-Poderoso proclamou a hebreus, e a todos os que usavam a Bíblia como guia moral e religioso, que as mulheres não podiam falar com Deus.

NOVE

A ALIANÇA

A RESPOSTA À PERGUNTA "Quem cria a vida?" está no âmago dos sistemas de crenças religiosas. A gerarividade abrange tanto a criação – a capacidade de criar algo do nada – quanto a procriação – a capacidade de produzir descendentes. Vimos como as explicações religiosas de geratividade mudaram da Deusa-Mãe como princípio único da fertilidade universal para a Deusa-Mãe auxiliada na fertilidade por deuses masculinos ou reis humanos; e, então, para o conceito da criação simbólica, como expressa primeiro "no nome", depois "no espírito criativo". Também vimos a mudança no panteão de deuses, da Todo-Poderosa Deusa-Mãe para o Todo-Poderoso Deus da Tempestade, cuja consorte feminina representa uma versão domesticada da deusa da fertilidade. Resta ao panteão ser substituído por um único Deus masculino poderoso, e, a esse Deus, ser incorporado o princípio da geratividade em ambos os aspectos. Essa mudança, que acontece de maneiras variadas em diferentes culturas, ocorre para a civilização ocidental no Livro do Gênesis.

A história da criação no Gênesis diverge de forma significativa das histórias da criação de outros povos na região. E Jeová é o único criador do universo e de tudo o que nele existe. Ao contrário dos principais deuses dos povos vizinhos, Jeová não tem aliança com deusa nenhuma, tampouco laços familiares.[1] Não existe mais fonte materna para a criação do universo e da vida na terra, tampouco algum indício de que a criação e a procriação estejam ligadas. Muito pelo contrário, o ato de criação de Deus é completamente diferente de qualquer coisa que os seres humanos possam vivenciar.

O grande avanço do pensamento abstrato representado pela simbolização da criatividade como um "conceito", um "nome", o "sopro da vida" ecoa nas palavras iniciais: "E disse Deus: haja luz, e houve luz" (Gênesis 1:3). A palavra de Deus, o sopro de Deus cria. A metáfora do sopro divino como gerador de vida é elaborada no Gênesis 2:7: "Então formou o Senhor Deus o homem do pó da terra e lhe soprou nas narinas o fôlego de vida, e o homem passou a ser alma vivente". "Havendo, pois, o Senhor Deus, formado da terra todos os animais do campo e todas as aves dos céus, trouxe-os ao homem, para ver como este lhes chamaria; e o nome que o homem desse a todos os seres viventes, esse seria o nome deles" (Gênesis 2:19). Sendo assim, o sopro divino cria, mas o ato humano de nomear dá significado e ordem. E Deus dá a Adão o poder desse tipo de nomeação. Ao interpretarmos a palavra hebraica *adam* como "humanidade", consideramos que Deus tenha dado o poder de nomear tanto para o macho como para a fêmea da espécie. Mas, nesse caso, Deus concedeu o poder somente, e de modo específico, ao ser humano do sexo masculino.[2] Isso pode ter ocorrido tão somente porque a fêmea ainda não havia sido criada, mas o padrão se repete após a criação de Eva, quando Adão lhe dá um nome, assim como havia feito com os animais. "E disse o homem: esta, afinal, é o osso dos meus ossos e a carne da minha carne; chamar-se-á Mulher, pois do Homem foi tirada" (Gênesis 2:23). Nesse caso, nomear não só é um ato de criatividade, como define Mulher de modo muito específico, como parte "natural" do homem, carne de sua carne, em uma relação que é uma inversão peculiar do único relacionamento humano para o qual tal afirmação pode ser feita, a saber, o da mãe com a criança. O Homem se define aqui como "a mãe" da Mulher; por meio do milagre da criatividade divina, um ser humano foi criado a partir de seu corpo, da forma como a mãe humana produz vida a partir do corpo dela. A frase seguinte explica o significado dessa conexão em termos humanos: "Por isso, deixa o homem pai e mãe e se une à sua mulher, tornando-se os dois uma só carne" (Gênesis 2:24). Considera-se aqui que a criação da Mulher a partir do corpo do Homem impõe uma interpretação bastante específica sobre o evento – a mulher foi criada como parte do homem e, portanto, o Homem deve se unir a ela, escolhendo-a acima de todos os outros relacionamentos de parentesco, e eles serão uma só carne. Diz-nos a fórmula de nomear que essa carne será do Homem, pois, definiu-se, pelo ato da criação de Deus e pelo seu próprio poder de nomear, a autoridade sobre ela como integral e vinculante. Essa autoridade também implica intimidade e interdependência, tendo sido utilizada durante séculos de interpretação teológica para aprimorar o relacionamento no casamento e, com isso, a dignidade das esposas. A ambiguidade e a complexidade dessa passagem têm acarretado interpretações bastante diferentes, o que discutiremos a seguir.

Nomear é um ato poderoso; um símbolo de soberania. Nos tempos bíblicos, aliado à antiga tradição oriental, ele também possuía uma qualidade mágica, de nomeação e previsão do futuro. Quando o filho de Agar recebe o nome Ismael, seu futuro está previsto. Na Bíblia, tal poder de "nomear" é dado tanto ao homem quanto à mulher. Exceto em algumas circunstâncias, mães e pais escolhem o nome dos filhos na narrativa da Bíblia. Mas existe outro tipo de nomeação, que podemos chamar de "renomear", o que significa a pressuposição de um papel novo e poderoso para a pessoa a ser renomeada. Mencionamos antes a renomeação do deus Marduque, com mais de 50 nomes ao ascender ao poder. Da mesma maneira, Deus renomeia as pessoas de acordo com acontecimentos importantes. Feita a aliança, Ele muda o nome de Abrão para Abraão, "porque por pai de numerosas nações te constituí" (Gênesis 17:5), e o de Sarai para Sara. Isso acrescenta um significado adicional ao fato de Adão, o primeiro a usar o poder de nomear na história da criação citada acima, renomear a mulher, Eva, após a Queda. Isso nos passa uma impressão forte e reiterada de que o macho compartilha do poder divino de nomear e renomear.[3]

As metáforas de gênero mais fortes da Bíblia foram as da Mulher, criada a partir da costela do Homem, e de Eva, a sedutora, fazendo com que a humanidade caísse em desgraça. Por mais de dois mil anos, isso é citado como prova da subordinação da mulher como castigo divino. Como tal, tem exercido um poderoso efeito ao definir valores e práticas relativos às relações de gênero. Embora se espere que as interpretações de um composto poético, mítico e folclórico, como o Livro do Gênesis, variem para se ajustar às necessidades do intérprete, deve-se notar que a tradição da interpretação é predominantemente patriarcal e que as diversas interpretações feministas provenientes de mulheres, nos últimos setecentos anos, são feitas contra uma tradição enraizada e teologicamente consagrada, que muito antecede o Cristianismo.

Existem duas versões, que parecem contraditórias, da história da criação no Gênesis. A versão J aparece em Gênesis 2:18-25 e foi escrita séculos antes da versão P, que surge antes em Gênesis 1:27-29. Na J, Deus cria Eva a partir da costela de Adão, enquanto na P "macho e fêmea ele criou, então". As críticas bíblicas ao longo de vários séculos concentraram-se nas divergências entre as duas versões e discutiram os méritos de uma sobre a outra.[4]

A versão P compara a história da criação mesopotâmica, *Enuma Elish*, em seus vários detalhes e em ordem de acontecimentos. Possivelmente, isso justifica a afirmação andrógina sobre a criação – macho e fêmea Ele criou, então – refletindo a influência das ideias religiosas mesopotâmicas. Alguns intérpretes tentaram estender essa repercussão andrógina à versão J, salientando que a palavra hebraica *adam*, que significa "humanidade", corresponde ao termo genérico para a raça humana, incluindo homens e mulheres, e que tornar maiúscula a primeira letra da palavra Adam teria sido um equívoco posterior, com base em pressuposições androcêntricas.[5] O efeito desse "equívoco", reimpresso em dezenas de milhões de versões da Bíblia em vários idiomas, foi acrescentar peso às interpretações tradicionais do Gênesis 28:18-25.

A criação da mulher pela costela de Adão é interpretada em seu sentido mais literal há milhares de anos, para indicar a inferioridade da mulher concedida por Deus – seja porque a interpretação recai sobre a costela como uma das partes "inferiores" de Adão e, portanto, um indício de inferioridade, seja pelo fato de Eva ter sido criada da carne e do osso de Adão, enquanto ele foi criado a partir da terra. Do ponto de vista histórico, a passagem tem recebido um significado simbólico profundamente patriarcal. Como exemplo, podemos citar a interpretação relativamente benevolente de João Calvino:

> Desde que, na pessoa do homem, a raça humana foi criada, a dignidade comum de toda a nossa natureza não tem distinção [...] A mulher [...] era nada mais do que uma aquisição para o homem. Por certo não se pode negar que a mulher, ainda que em segundo grau, também foi criada à imagem de Deus [...] Portanto, podemos concluir que a ordem da natureza sugere que a mulher deva ser a auxiliar do homem. O provérbio vulgar, sem dúvida, é que ela é um mal necessário; mas a voz de Deus

deve ser ouvida, com a qual declara que a mulher é dada ao homem como uma companheira e parceira, para ajudá-lo a viver bem.[6]

Em outro momento, Calvino comenta: "Adão foi ensinado a se reconhecer na esposa, como um espelho; e Eva, por sua vez, a submeter-se de forma voluntária ao marido, já que foi retirada dele".[7]

Tentando contestar esse significado, feministas usaram uma variedade de astutas interpretações. Dentre elas, um argumento inteligente de Rachel Speght, filha de 17 anos de um clérigo inglês, que observou em 1617 que a mulher fora criada a partir de uma matéria refinada, enquanto Adão, do pó. "Ela não foi criada a partir do pé de Adão, para que fosse inferior a ele, e tampouco da cabeça, para que fosse superior, mas de sua lateral, próximo ao coração, para que fosse igual a ele."[8] Mais de dois séculos depois, a norte-americana Sarah Grimké concentrou sua interpretação no termo "colaboradora".

Foi para dar-lhe uma companheira, igual em todos os aspectos; que fosse, como ele, uma agente livre, presenteada com intelecto e dotada de imortalidade, não uma mera participante de suas gratificações animais, mas capaz de acessar todos os sentimentos, como um ser moral e responsável. Não fosse esse o caso, como teria ela sido uma colaboradora dele? Ela era parte dele, como se Jeová tivesse planejado fazer a perfeita e completa unidade e a identidade do homem e da mulher.[9]

Esse argumento, de certa forma circular, embora forte em suas pressuposições luteranas de livre-arbítrio e responsabilidade moral do indivíduo, evita as implicações da imagem da costela na criação da mulher.

Em uma tentativa ousada de "reler (não reescrever) a Bíblia sem os antolhos" do viés patriarcal, a teóloga feminista moderna, Phyllis Trible, oferece-nos uma interpretação desafiadora da história da Criação, vista por ela como "imbuída da visão de uma Divindade transexual".[10] A reinterpretação do século XX de Phyllis Trible é bastante semelhante à de Grimké, embora não pareça conhecer o trabalho dela. Trible vê semelhança entre a criação de Adão a partir do pó e a de Eva a partir da costela dele, no sentido de que ambos são feitos de materiais frágeis, os quais Jeová precisou processar antes que adquirissem vida. Ela também considera o fato de Eva ter sido criada por último como prova de que é a culminância da criação.[11] Outra teóloga feminista realça a semelhança essencial na afirmação basilar feita sobre o homem e a mulher: "A Mulher é, com o homem, a criação direta e intencional de Deus e o ápice dela. Homem e mulher foram feitos, em sua natureza completa e essencial, bissexuais".[12] Em um debate com base em ponderações linguísticas, R. David Freedman argumenta que a expressão "fazer uma colaboradora para ele" deveria ser traduzida como "poder igual ao do homem".[13] Em todo caso, há pouca evidência em outras partes da Bíblia que sustente essas interpretações feministas de maneira otimista.

Consideremos as diversas fontes da história da criação na Bíblia. Dentre os elementos sumérios incorporados e transformados em narrativa bíblica estão o comer do fruto proibido, o conceito da Árvore da Vida e a história do dilúvio.

A descrição do Jardim do Éden é análoga à do jardim da criação sumério, o qual também é retratado como um lugar fronteiriço a quatro grandes rios. No mito sumério da criação, a Deusa-Mãe Ninhursag permitiu que oito plantas encantadoras florescessem no jardim, mas os deuses eram proibidos de comê-las. Mesmo assim, o deus da água, Enki, alimentou-se delas, e Ninhursag o condenou à morte. Em decorrência, oito dos órgãos de Enki adoeceram. A Raposa intercedeu em nome dele e a Deusa concordou em substituir a sentença de morte. Ela criou uma divindade de cura para cada órgão afetado. Ao chegar à costela, ela disse: "A deusa Ninti deu você à luz". Em sumério, a palavra *Ninti* possui um significado duplo, isto é, "regente feminina da costela" e "regente feminina da vida". Em hebraico, a palavra *Hawwa* (Eva) significa "aquela que cria vida", o que sugere a possibilidade de haver uma fusão entre a Ninti suméria e a Eva bíblica. A escolha da costela de Adão como o ponto de criação de Eva pode ter sido apenas um reflexo da incorporação do mito sumério. Stephen Langdon sugere outra possibilidade fascinante ao associar o hebraico *Hawwa* ao significado aramaico da palavra que é "serpente".[14] Independentemente de se aceitar ou não a origem suméria da história da Criação como explicação válida da metáfora da costela de Adão, é significativo que, em termos históricos, ela tenha sido ignorada e a explicação mais sexista tenha prevalecido.

O simbolismo da história do Gênesis sugere uma dicotomia entre Adão, criado do pó, e Eva, sucessora da antiga deusa da fertilidade, criada a partir de uma parte do corpo humano, cada um imbuído de substância divina, através da intervenção de Jeová. A dicotomia é reforçada na história da Queda, quando a divisão sexual do trabalho é decretada por Jeová, agora como castigo. Adão trabalhará com o suor do próprio rosto; Eva dará à luz com dor e criará as gerações. Vale notar que a punição lançada torna o trabalho do homem um fardo, mas condena à dor e ao sofrimento não o trabalho dela, mas seu corpo fértil, resultado natural da sexualidade da mulher.

Há outro aspecto da passagem do Gênesis que merece nossa atenção. Aquele que deu origem divina à vida humana, o qual, na história suméria, era a deusa Ninhursag, agora é Jeová, Deus-Pai e Senhor. Se dermos crédito à versão P, Ele pode tê-los criado macho e fêmea, mas, se dermos crédito à J, criou o macho exatamente à sua imagem e criou a mulher, de outra maneira.[15]

David Bakan, em uma interpretação bastante original e estimulante do Livro do Gênesis, argumenta que seu tema central é a presunção de paternidade por machos. Quando os homens fazem a descoberta "científica" de que a concepção resulta da relação sexual entre o homem e a mulher, entendem que possuem o poder de procriar, o qual acreditavam antes ser algo que somente os deuses tinham. Homens, no desejo de "legitimar o exercício das prerrogativas que a grande descoberta lhes permitia", aprenderam a distinguir entre "criação" (divina) e "procriação" (masculina). Eles substituíram a descendência matrilinear pela patrilinear e, para garantir a autoridade paternal, exigiram a virgindade feminina antes do matrimônio e a fidelidade absoluta da esposa no casamento. Com essa explicação, Bakan segue o argumento de Engels, já discutido, mas acrescenta: "Um grande mecanismo metafórico [...] é conceituar a ejaculação sexual masculina como 'semente'. Essa forma de pensar atribui toda a dádiva genética ao macho e nenhuma à fêmea". Bakan também argumenta que, nessa transição, o homem assume o papel de provedor/protetor, que era antes da mulher. Ele chama isso de "afeminação do homem".[16]

Embora eu ache a tese principal de Bakan convincente e alguns de seus pontos coincidam com minhas conclusões, considero seu raciocínio determinista demais e seu método, anistórico e muito subjetivo. Um exemplo disso é sua interpretação do Gênesis 6:1-4:

> E aconteceu que, quando os homens começaram a multiplicar-se sobre a face da terra e lhes nasceram filhas, viram os filhos de Deus que as filhas dos homens eram

formosas; e tomaram para si esposas, de todas as que escolheram. Então disse o Senhor: "O meu espírito não permanecerá para sempre no homem, pois ele também é carne; portanto, os seus dias serão cento e vinte anos". Havia naqueles dias Néfelins; e também depois, quando os filhos de Deus achegaram às filhas dos homens, e delas geraram filhos; estes eram poderosos homens de fama.

Bakan considera esse relato, sobre a relação sexual divina com mortais, a pedra angular no arco do desenvolvimento que descreve em sua tese. Ele ressalta que esse fato lida com as quatro preocupações humanas básicas, a saber: origem, morte, propriedade e poder:

> Os versos indicam a origem do homem de valor. Determinam que a vida é terminal; embora a morte venha após generosos 120 anos de vida. Indicam a prerrogativa de uso, a essência da propriedade, no que diz respeito às filhas dos homens para os filhos de Deus, os quais tomam as que desejarem. Indicam que os que nasceram do conúbio eram homens de poder.[17]

Bakan apoia seu caso em uma seção muito difícil e polêmica do Gênesis. Gerhard von Rad interpreta esse texto de maneira bem diferente. Ele interpreta "filhos de Deus" (*elohim*) como "anjos" e chama a união entre anjos e mulheres mortais de "o casamento do anjo". Os "Néfelins", que nascem dessa união, são reconhecidamente gigantes mitológicos. Von Rad, que interpreta a Bíblia apenas como um documento religioso, considera esse "casamento do anjo" um exemplo da pecabilidade das criaturas de Deus (a partir da Queda, do pecado de Ló, do Dilúvio). O pecado inerente dos homens é ilustrado nesses incidentes, seguido da punição de Deus e enfim na aliança, por sua misericórdia redentora.[18]

E. A. Speiser considera que "a natureza do fragmento é do tipo que desestimula a interpretação confiável". Ele também considera *elohim* como "seres divinos" e considera a cópula com fêmeas humanas uma abominação. Ele cita a notável semelhança entre a história dos gigantes e o mito dos hurritas, no qual o deus da tempestade, Teshub, precisa lutar com um temível monstro de pedra. Speiser não faz comentários sobre a mulher na história.[19]

Acredito que Bakan errou ao tomar a expressão "filhos de Deus" de forma literal, de maneira a se aplicar a machos humanos. A alusão aos gigantes antigos e a semelhança não apenas com o mito dos hurritas, mas também com os de origem suméria e grega – nos quais protagonizam gigantes míticos em combate com deuses – parecem-me convincentes.[20] Para mim, o que é significativo no texto é a alusão a mulheres humanas como filhas nascidas dos homens. "Quando os homens começaram a se multiplicar na face da terra e as filhas nasceram deles." Não se explica como os homens vieram a se multiplicar, mas omitir as mulheres do processo me parece bastante significativo. Esperava-se que a passagem dissesse: "Quando as mães deram à luz os homens e eles começaram a se multiplicar". O texto, escrito por J no século X a.C., sugere que as pressuposições sobre procriação já estavam bem definidas. O autor não vê necessidade em explicar por que os humanos "nascem dos homens". De fato, essa é a suposição predominante ao longo de todo o Gênesis. Deus dá o nome de Isaac ao "filho de Abraão" e essa linguagem é usada até o final. Na cronologia, as "gerações dos filhos de Noé" são os "filhos dos pais". Portanto: E a Éber nasceram dois filhos" (Gênesis 10:25). Claro, é lógico e esperado que em uma sociedade patrilinear a linhagem familiar seja traçada através do pai, mas a questão é que essa maneira metafórica de ordenar parentesco foi transformada de alguma maneira em uma declaração contrafatual sobre a realidade: não só o traçado da linhagem, mas a própria procriação foi transformada em um ato masculino. Não há mães envolvidas nisso.

Nas orações direcionadas a Ishtar, bem como a outras deusas da fertilidade, uma das características louváveis era a de "abrir o ventre das mulheres". No Gênesis, essa linguagem é usada somente com relação a Jeová: em Gênesis 29:31 ("E o Senhor, vendo que Lia era desprezada, abriu seu ventre") e Gênesis 30:22-23 ("E Deus lembrou-se de Raquel [...] e abriu seu ventre. Ela concebeu e deu à luz um filho, e disse: Deus tirou de mim a humilhação"). Do mesmo modo, após conceber e dar à luz Caim, Eva disse: "Tive um filho homem com o auxílio do Senhor" (Gênesis 4:1). Define-se, portanto e com clareza, a procriação como emanada de Deus, que abre o ventre das mulheres e abençoa as sementes dos homens. Sendo assim, ainda que dentro da referência patriarcal, honra-se a função procriadora de esposa e de mãe.

Na história da Queda, a maldição da mortalidade que recai sobre Adão e Eva é amenizada simbolicamente ao se presenteá-los com a mortalidade ao longo das gerações, através da procriação. Nesse sentido, o homem e a mulher mantêm o mesmo relacionamento com Deus. É possível também interpretar esse aspecto da Queda como indício de que a mulher, no papel de mãe, é a portadora do espírito redentor e misericordioso de Deus.

A mudança decisiva quanto ao relacionamento do homem com Deus acontece na história da aliança, sendo definida de tal modo a marginalizar a mulher. Com a aliança, os humanos entram no tempo histórico; a partir de então, sua imortalidade coletiva se torna um elemento do pacto que fizeram com Jeová. A passagem deles pelo tempo e pela história é a manifestação do cumprimento da promessa de Jeová; suas ações e seu comportamento coletivo são interpretados e julgados à luz das obrigações com esse pacto. A aliança também, de modo mais literal, é o que une as doze tribos díspares em uma nação. Antes da construção do templo, o santuário da aliança é o centro da vida religiosa; o ritual da circuncisão simboliza um novo compromisso de cada menino, de cada família à obrigação da aliança.[21] Não é acidental, tampouco insignificante, que a mulher esteja ausente da aliança em cada um de seus aspectos.

Jeová faz várias alianças com Israel: uma com Noé (Gênesis 9:8-17), duas com Abrão (Gênesis 15:7-18 e Gênesis 17:1-13) e uma com Moisés (Êxodo 3; 6:2-9, 21-23). A com Noé é preparatória para outras: Jeová se compromete a jamais enviar de novo um dilúvio que destrua a terra e suas criaturas, e Ele aponta para o arco-íris como "um símbolo". A de Moisés, que inclui o Decálogo, é a elaboração concreta da relação de aliança estabelecida com Abraão. Tendo em vista que não altera basicamente o conceito de gênero proposto em alianças anteriores, está fora do escopo da nossa investigação. A definição principal do relacionamento do povo escolhido com Deus e da comunhão de aliança ocorre nos pactos com Abraão e são esses que analisaremos com mais detalhes aqui.

Em Gênesis 15, a promessa inicial feita por Deus a Abraão quanto à terra e prole é formalizada e declarada irrevogável por meio de um ritual de aliança. Considerando que se promete aos israelitas a ocupação efetiva da terra somente nas futuras gerações, esse trecho inicia a entrada deles no tempo histórico – a sensação de passagem do tempo ao longo da história como cumprimento de seu destino.[22] O que é impressionante, do nosso ponto de vista, é a linguagem usada para descrever o processo de geração. Deus expressa seu objetivo nestas palavras direcionadas a Abrão: "Aquele que de suas entranhas sair será seu herdeiro" (Gênesis 15:4).[23] Ele pede que Abrão conte as estrelas e prometa "Que sejam tantas quanto as suas sementes" (Gênesis 15:5). E "às suas sementes eu dei essa terra" (Gênesis 15:18). A "semente" masculina adquire, assim, o poder e a bênção da procriação que se abrigam em Jeová. A metáfora da semente masculina implantada no ventre feminino, o sulco, a terra, são anteriores ao período da escritura do Antigo Testamento. É bem provável que ela derive do contexto da agricultura. Acontece, por exemplo, na história do namoro entre Inanna e Dumuzi, na chamada Canção de Casamento do Pastor.[24] Mas deve-se notar que a descrição franca e gráfica do ato sexual no poema sumério – em que Inanna faz a pergunta "quem irá lavrar minha vulva, quem irá lavrar meu campo?", à qual o poeta responde: "Que o rei Dumuzi a lavre para você..." – jamais confunde a metáfora com o verdadeiro processo. Refere-se a Dumuzi, por exemplo, como "aquele nascido de um ventre fértil". Ocorre que, no Gênesis, a antiga metáfora é transformada de modo a fortalecer o significado patriarcal. A bênção de Deus sobre a "semente" de Abrão confere a sanção divina que transfere a procriação da fêmea para o macho.

A principal aliança de Jeová com Abrão é estipulada em Gênesis 17, que é parte do documento P. Nesse caso, o ritual da aliança é mais formal e envolve a participação ativa de Abrão. Deus promete a ele, o qual havia se prostrado diante Dele: "Eis a aliança que faço contigo: serás o pai de uma multidão de nações" (Gênesis 17:5). Além disso:

> E eu estabelecerei aliança entre mim e ti e a tua descendência depois de ti, através das gerações, por uma aliança perpétua, para que seja eu Deus de ti e de tua descendência depois de ti [Gênesis 17:7].

Jeová reitera que irá dar a Abrão a terra de Canaã "em posse perpétua". É esse o momento em que Jeová reforça a importância do ritual ao renomear Abrão e Sarai.

O que Deus pede a Abraão? Que o aceite como o Deus de Israel, somente Ele e nenhum outro. E exige que Seu povo, aquele que o adora, seja diferenciado dos demais por meio de um sinal corporal, um símbolo identificável com facilidade:

Esta é a minha aliança, que guardará entre mim e ti e a tua descendência depois de ti: que todo homem seja circuncidado. E circuncidarás a carne do teu prepúcio; e isso será o sinal da aliança entre mim e ti [Gênesis 17:9-10].

Devemos observar o fato de que Jeová faz a aliança somente com Abraão, sem incluir Sara, e ao fazê-lo dá divina sanção à liderança do patriarca sobre a família e a tribo. Abraão as incorpora da maneira como as Leis Romanas, em um período bem mais tardio, institucionalizam o *pater familias*. Sara é mencionada na passagem sobre a aliança somente como portadora da "semente" de Abraão ("Eu a abençoarei e dela te darei um filho. Eu a abençoarei e ela será mãe de nações; reis de muitos povos dela sairão" [Gênesis 17:16]). Embora tanto Abraão quanto Sara tenham sido abençoados em igual medida como progenitores de reis e nações, a relação de aliança se dá somente com os homens – primeiro Abraão e depois explicitamente o filho dele e de Sara, Isaac, chamado somente de filho de Abraão. Além disso, a comunhão da aliança é definida divinamente como uma comunhão masculina, conforme se vê na escolha do símbolo como "sinal da aliança".

Analistas têm focado sobretudo na forma da aliança, que possui forte semelhança com os tratados reais hititas. Neles, um vassalo é obrigado a obedecer aos comandos estipulados pelo rei hitita; é, assim, um contrato entre parceiros desiguais. O vassalo deve confiar na benevolência do soberano, mas é obrigado a cumprir as obrigações do tratado. Normalmente, seria firmado por um juramento e alguma cerimônia solene. Analistas observaram que há paralelos formais marcantes entre a aliança com Moisés – conforme descrita em Deuteronômio, Êxodo e Josué – e os tratados reais. Isso estaria alinhado ao desenvolvimento histórico, pelo qual as doze tribos começaram a se consolidar em uma confederação, por meio da aliança mosaica, com a aceitação formal do Decálogo, a cerimônia da arca e a circuncisão do adulto masculino funcionando como um juramento vinculante e uma cerimônia solene. Existe a grande probabilidade de a ênfase da aliança no documento P e suas reiterações em referências à aliança de Deus com Davi (2 Samuel 23:1-5 e 2 Samuel 7:1-17) serem reflexo das necessidades políticas do período das escrituras, para legitimar a reivindicação da realeza de Davi. Jeová deu a Abraão a terra e prometeu abençoar sua descendência, bem como a de seus descendentes; Moisés reuniu seu povo, fazendo com que cada um se comprometesse a aderir à aliança; Davi, ao alegar a descendência direta de Abraão e reiterar a reivindicação da terra e da liderança, por meio da aliança com Moisés, fez das tribos uma nação. Terra, poder e qualidade de nação eram promessas implícitas na aliança.[25]

Embora analistas tenham debatido à exaustão as implicações políticas e religiosas da aliança, eles não se dedicaram a explicar a natureza do "símbolo" que a sela. A maior parte dos comentários sobre circuncisão é pouco elucidativa. Dizem que a circuncisão era muito praticada no Antigo Oriente Próximo, por razões de higiene, como preparação para a vida sexual, sacrifício e marca de distinção. Babilônios, assírios e fenícios não a praticavam, mas alguns povos egípcios e mesopotâmicos, sim. Comprovou-se que a prática é antiga, por meio de evidências pictóricas datadas de 2300 a.C. e referências a facas de sílex usadas na cerimônia, o que significa que precedeu a Idade do Bronze.[26] Analistas também concordam que o rito passou por uma transformação decisiva em Israel, não somente pela importância religiosa atribuída a ele, como também por ter sido transferido da puberdade para a infância. Entre muitos povos, a circuncisão era o rito da puberdade, que, segundo se presume, preparava os homens para a vida sexual e procriadora. Esse fato e a maneira como os israelitas transformaram o rito, portanto, merecem mais atenção.

Por que o pênis circuncidado, em particular, foi escolhido como órgão "símbolo"? Se, conforme sugerem inúmeros analistas, Jeová pretendia que essa marca corporal apenas distinguisse Seu povo dos demais, por que as marcas não eram aplicadas à testa, ao tórax, ao dedo? Se, como outros analistas sugeriram, o rito fosse por mera questão de higiene, por que foi selecionado este em especial, que só afetaria os homens, dentre inúmeros possíveis ritos e costumes relativos à saúde e nutrição, que também teriam servido? João Calvino, por exemplo, tinha consciência dos problemas levantados por essa passagem bíblica e tentou lidar com eles de modo objetivo em seus *Comentários*:

> *Tu deverás circuncidar a carne do teu prepúcio.* À primeira vista, parece um pedido muito estranho e incomensurável. O assunto do qual se trata é a aliança sagrada... e quem há de dizer que seja razoável que o sinal tão misterioso consista em circuncisão? Mas como era necessário que Abraão se tornasse um tolo, a fim de provar sua obediência a Deus; portanto, aquele que for sábio irá receber, reverente e sóbrio,

aquilo que nos parece ordenado por Deus tolamente. E, ainda assim, é preciso indagar se alguma analogia é aqui evidente, entre o sinal visível e aquilo que ele significa.[27]

A pergunta de João Calvino relativa à simbologia sexual da circuncisão é cabível. Acredito que a chave para essa interpretação esteja nas diversas passagens que citamos antes, em que Jeová promete abençoar a "semente" de Abraão. O que seria mais lógico e apropriado do que usar como símbolo de destaque da aliança o órgão que produz a "semente" e a "planta" no ventre feminino? Nada serviria melhor para impressionar o homem com a vulnerabilidade desse órgão e sua dependência de Deus para a fertilidade (imortalidade). Nenhuma outra parte do corpo ofertada transmitiria ao homem mensagem tão vívida e descritiva sobre a conexão entre sua capacidade reprodutiva e a graça de Deus. Levando em conta que Abraão e os homens de sua família passaram pelo rito da circuncisão enquanto adultos, o ato em si, que deve ter sido doloroso, revelou sua confiança e fé em Deus e sua submissão à vontade Dele.

O simbolismo implícito na circuncisão é poderoso quanto às reverberações patriarcais. Não significa apenas que a procriação agora se situa em Deus e nos humanos machos, mas também conecta ela à terra e ao poder. A teoria psicanalítica sugere que o pênis seja o símbolo do poder para homens e mulheres na civilização ocidental e considera a circuncisão uma substituição simbólica da castração. Essa explicação nos leva a uma referência histórica interessante: no período em que a Bíblia foi escrita e antes dele, sacerdotes e sacerdotisas da deusa da fertilidade, Ishtar, dedicavam a sexualidade a ela. Alguns acatavam a virgindade e o celibato de modo voluntário, enquanto outros mantinham relações sexuais ritualísticas em honra à deusa. Não é inconcebível que o rito da circuncisão exigido como sinal da aliança represente uma adaptação do antigo rito mesopotâmico, mas transformado de modo a celebrar a fertilidade do Deus Único e Sua bênção da procriação masculina.[28]

O que é mais impressionante é a omissão de qualquer papel simbólico ou ritualístico da mãe no processo de procriação. Deus abençoa a semente de Abraão como se fosse autógena. A imagem dos seios da deusa da fertilidade amamentando a terra e os campos foi substituída pela imagem do pênis circuncidado, símbolo do contrato entre homens mortais e Deus. A imortalidade coletiva, na forma de muitas gerações de crianças, terra, poder e vitória sobre os inimigos, é prometida às pessoas da aliança, caso cumpram com suas obrigações, dentre as quais a circuncisão é a principal. ("E o varão incircunciso, que não tiver circuncidado a carne do prepúcio, esta alma será extirpada de seu povo; ele quebrou a Minha aliança" [Gênesis 17:14].)

A aceitação do monoteísmo, da circuncisão e da obediência às Leis de Deus, conforme dadas a Moisés, são obrigações do povo escolhido e o distingue de seus vizinhos. Mas sua coesão e sua pureza devem ser garantidas pela circuncisão masculina e pela rigorosa virgindade feminina antes do matrimônio. O controle sexual, que assegura a dominância do pai, é alçado aqui não somente a um acordo social humano, incorporado às Leis da Humanidade, como nos códigos mesopotâmicos, mas apresentado como vontade de Deus, expressa em Sua aliança com o homem de Israel.

À pergunta "Quem cria a vida?", Gênesis responde: Jeová e o homem-deus criado por Ele.

Resta-nos discutir sobre a terceira questão religiosa básica: "Qual é a fonte do pecado e da morte no mundo?".

Os antigos mesopotâmios abordaram essa questão dividindo-a em duas partes: "Como a humanidade desagradou aos deuses?" e "Por que os homens sofrem?". O conceito mesopotâmico de deuses como regentes e de humanos como seus servos obedientes sugere que adversidades, doenças e derrotas aconteciam na terra devido ao fato de os seres humanos terem desagradado aos deuses de alguma forma. No raciocínio mesopotâmico, a morte é aceita como uma realidade significativa; é destinada à humanidade e não pode ser evitada, mas, ainda assim, personifica-se na forma de um deus ou uma deusa. A vida eterna é também significativa; uma pessoa pode conquistá-la ao ingerir determinada comida ou "plantando uma vida".[29]

No "Épico de Gilgamesh", há dois segmentos pertinentes à nossa pergunta. Um é a experiência do homem selvagem, Enkidu, que vive em harmonia com a natureza e com o qual os animais falam. Depois de fazer amizade com uma meretriz, que o "civiliza" ao manter relações sexuais com ele durante sete dias, os animais fogem dele. "Não era como antes. Mas agora ele tem sabedoria, uma compreensão mais ampla." E a meretriz diz a ele: "Você é sábio, Enkidu; tornou-se um Deus".[30] A aquisição do conhecimento sexual separa Enkidu da natureza. O conhecimento humano reveste-se de significados sexuais e, conforme se sugere, torna Enkidu mais próximo dos deuses do que dos animais.

O segundo tema é a busca do homem pela imortalidade. Após a morte de seu amado amigo Enkidu, Gilgamesh perambula sobre a terra em busca do segredo da imortalidade. Depois de muitas aventuras, ele recebe como oferta uma planta, o segredo dos deuses, "com a qual o homem recupera seu sopro de vida", mas ela é roubada por uma serpente. Embora Gilgamesh seja um semideus, a ele é negado o segredo da imortalidade, que é um privilégio dos deuses. É possível observarmos o papel da serpente, em geral associada à deusa da fertilidade, que protege seu conhecimento secreto.

A escola Eridu de teologia suméria nos oferece um mito antigo sobre a queda do homem. O deus Ea criou o homem, Adapa, um hábil navegador. "Ele possuía conhecimento infinito, que lhe permitiu dar nomes a todas as coisas com o sopro da vida."[31] Adapa, em uma briga com o deus do Vento do Sul, quebra as asas dele, crime pelo qual é convocado aos céus pelo deus Anu. O mentor de Adapa, o ardiloso deus Ea, previne-o de que não coma ou beba nada que lhe for oferecido nos céus. Obediente às instruções, Adapa recusa o pão e a água da vida oferecidos pelo deus Anu. Ele é levado de volta à terra e considerado responsável por todos os males que recaem sobre a humanidade. "E tudo de mal que ele causou aos homens [...] que o terror recaia sobre esse homem."[32]

Nesses mitos, os deuses protegem, motivados pela inveja, o poder de conceder a imortalidade. Os homens que aspiram ao conhecimento divino recebem a culpa por terem trazido o mal ao mundo. É possível, também, observarmos que a forma pela qual os seres humanos adquirem o conhecimento divino é comer e beber determinadas substâncias e manter relações sexuais.

Encontramos todos esses elementos: a Árvore do Conhecimento, o fruto proibido, a serpente, associados à deusa da fertilidade e à sexualidade feminina, na história sobre a Queda na Bíblia.

A princípio, a Árvore da Vida e o fruto são associados à deusa da fertilidade. A partir do início do terceiro milênio a.C., nós a vemos retratada segurando frutos, espigas de milho ou, em vez desses elementos, uma bacia por onde a água da vida flui. (Ver Ilustrações 4 e 13.) Alguns desses símbolos serão adotados por reis e governantes mais tarde. Uma das representações mais antigas que associam o regente à Árvore da Vida é a estátua do governador Gudea de Lagash (2275-60 a.C.) segurando uma jarra, que derrama a água da vida na mesma pose da deusa Ishtar, em uma escultura de Mari (ver Ilustração 12). O monolito de Ur-nammu de Ur mostra o rei entronizado, sentado diante de um recipiente de libação, a partir do qual a água flui e a Árvore da Vida cresce. Um mural no palácio de Mari retrata a investidura do rei Zimri-Lim pela deusa Ishtar. Um painel inferior mostra duas figuras semelhantes a deusas usando coroas tradicionais, cada qual segurando um recipiente que derrama água por sobre quatro grandes rios. De cada um dos quatro recipientes, uma Árvore da Vida brota.[33]

A imagem persiste por mais de dois mil anos. Nós a encontramos em diversos selos (ver Ilustrações 18 e 20) e a vemos em esculturas de parede monumentais do palácio de Assurbanipal da Assíria, construído no sétimo século a.C. Nós a vemos em um mural que retrata o rei e a rainha se servindo de um banquete em meio a um arvoredo (ver Ilustração 22). O tema do rei e seus servos ou algumas figuras míticas de gênios regando a Árvore da Vida aparece em vários relevos nas paredes do palácio (ver Ilustrações 18 a 21).[34] O símbolo também foi difundido em Canaã, onde Aserá, a deusa da fertilidade, era simbolizada por uma árvore estilizada. Seu culto, popular em Israel no período patriarcal, acontecia em bosques.[35]

Para o nosso objetivo, vale observar o direcionamento geral do desenvolvimento desse símbolo, que se encaixa no padrão de ascendência patriarcal que descobrimos antes.

Em primeiro lugar, a Árvore da Vida e seu fruto – a cássia, a romã, a tâmara, a maçã – associados a deusas da fertilidade. Na época do desenvolvimento da realeza, os reis assumem alguns dos serviços para a deusa e, com eles, um pouco do poder dela, fazendo que sejam retratados com os símbolos associados a ela. Eles carregam a jarra com a água da vida; molham a Árvore da Vida. É bem provável que esse acontecimento tenha coincidido com a mudança do conceito sobre a deusa da fertilidade, isto é, que ela precise de um consorte masculino para dar início à fertilidade. O rei do Casamento Sagrado se torna o rei que "rega" a Árvore da Vida. Essa alteração é especialmente marcante nos painéis do palácio de Assurbanipal em Nínive, os quais revelam as mudanças nas definições de gênero de maneira bastante dramática. O rei e seus servos são enormes; são retratados como guerreiros com armaduras completas, músculos salientes e armas em punho. Ainda assim, o rei carrega o pote de água, em homenagem ao princípio da fertilidade, simbolizado pela Árvore da Vida. É evidente que a localização do poder mudou da fêmea para o macho, mas o reino da deusa não pode ser ignorado; deve ser honrado e apaziguado.

A simbologia hebraica foi bastante influenciada pela herança mesopotâmica e a dos vizinhos cananeus de Israel. Na história sobre a Queda, vemos todos os elementos simbólicos dessa herança transformados de maneira enfática e significativa.

Existem duas árvores na história bíblica do Paraíso: a Árvore da Vida e a do Conhecimento do Bem e do Mal – "A Árvore da Vida, também no centro do jardim, e a do Conhecimento do Bem e do Mal" (Gênesis 2:9). A segunda referência é, de certa maneira, ambígua e faz parecer que os dois significados se fundiram em um só símbolo – "De todas as árvores do jardim tu podes se alimentar com liberdade; mas da Árvore do Conhecimento do Bem e do Mal, tu não podes se alimentar; porquanto no dia em que se alimentares dela, por certo morrerá" (Gênesis 2:16-17). Tendo em vista que não é proibido comer da Árvore da Vida, presume-se que as duas se fundiram. Porém, em Gênesis 3:22, Deus as separa especificamente e expulsa Adão e Eva do Jardim: "cuidemos para que não estendam a mão nem tomem também da Árvore da Vida, e comam e vivam por toda a eternidade".[36]

Na história bíblica, o conhecimento proibido para a humanidade é de natureza dúplice: é o conhecimento moral, o do bem e do mal, e o sexual. Quando os seres humanos adquirem o conhecimento do bem e do mal, eles assumem a responsabilidade de tomar decisões morais, pois perderam a inocência e, com ela, a habilidade de cumprir a vontade de Deus sem considerações morais. A humanidade caída, no ato de adquirir um nível maior de "sapiência", assume o fardo de distinguir o bem e o mal e de escolher o bem para que seja salvo. Outro aspecto do conhecimento é o sexual; isso fica claro na linha que descreve uma das consequências da Queda: "e eles se viram nus" (Gênesis 3:7). Nesse caso, as consequências da transgressão de Adão e Eva recaem de forma desigual sobre a mulher. A consequência do conhecimento sexual é dissociar a sexualidade feminina da procriação. Deus planta inimizade entre a serpente e a mulher (Gênesis 3:15). No contexto histórico da época em que Gênesis foi escrito, a serpente era associada com clareza à deusa da fertilidade, representando-a simbolicamente. Sendo assim, pela ordem de Deus, a sexualidade livre e aberta da deusa da fertilidade deveria ser proibida para a mulher caída. A forma pela qual sua sexualidade deveria se expressar era a maternidade. Sua sexualidade foi definida para servir a função maternal e limitada a duas condições: teria de se subordinar ao marido e dar à luz os filhos com dor.

Mas lá permaneceu a Árvore da Vida, no centro do Jardim. Fica implícito que, ao comer do fruto proibido da Árvore do Conhecimento, o casal humano iria almejar adquirir o mistério da Árvore da Vida, o conhecimento da imortalidade, que é reservado a Deus. Essa alusão fica clara tanto na ordem citada antes, que proibia o fruto, quanto na punição de Deus "pois do pó vieste e ao pó retornarás" (Gênesis 3:19). Almejar o conhecimento de Deus é a húbris suprema; o castigo para isso é a mortalidade. Mas Deus é misericordioso e redentor, portanto na punição de Eva também há um aspecto de redenção. De uma vez por todas, a criatividade (e com ela o segredo da imortalidade) é separada da procriação. A criatividade é reservada a Deus; a procriação dos seres humanos é a parte da mulher. A maldição imposta a Eva se torna dolorosa e exige subordinação.

Mas há um outro lado na história da Queda. A maldição de Deus sobre Adão termina por lhe outorgar mortalidade. Assim, exatamente na próxima linha, Adão renomeia sua esposa como Eva, "porque é mãe de todos os seres vivos". Esse é o reconhecimento profundo de que nela agora reside a única imortalidade pela qual os seres humanos podem ansiar – a imortalidade das gerações. Eis aqui o aspecto redentor da doutrina bíblica da divisão de trabalho entre os sexos; não só o homem deve trabalhar com o suor de seu rosto e a mulher dar à luz com dor, mas também homens e mulheres mortais dependem da função redentora e geradora de vida da mãe para a única imortalidade que deverão vivenciar.

É o primeiro ato do Adão caído, portanto, renomear Eva ou, melhor dizendo, reinterpretar o significado do nome dela. A Eva caída pode tirar esperança e coragem do seu novo papel redentor como mãe, mas há duas condições definindo e delimitando suas escolhas; ambas impostas a ela por Deus: ela deverá ser separada da serpente e ser governada por seu marido. Se entendermos que a serpente é o símbolo da antiga deusa da fertilidade, essa condição é essencial para o estabelecimento do monoteísmo. Será ecoado e reafirmado na aliança: deverá haver somente o Deus Único, e a deusa da fertilidade deverá ser banida como mal e se tornar o símbolo exato do pecado. Não é preciso forçar nossa interpretação para ver isso como a condenação feita por Jeová à sexualidade feminina exercida de maneira autônoma e livre, até mesmo sagrada.

A segunda condição é de que Eva, para ser honrada com o dom de dar a vida, será controlada pelo marido. É a lei do patriarcado, aqui definida com clareza e sob sanção divina. Já vimos um desenvolvimento anterior que levou a essa definição no Código de Hamurabi e na Lei Médio-Assíria § 40. Aqui a vemos em forma de um decreto divino integrado por completo a uma poderosa visão de mundo religiosa.

VIMOS COMO as duas perguntas básicas – "Quem cria a Vida?" e "Quem fala com Deus?" – foram respondidas em diferentes culturas e mostramos como a resposta a ambas no Antigo Testamento afirmava o poder do homem sobre a mulher.

À pergunta "Quem trouxe pecado e morte ao mundo?", Gênesis responde: "A mulher, em sua união com a serpente, que significa sexualidade feminina livre". É consonante com esse pensamento que a mulher deva ser excluída da participação ativa na comunhão da aliança e de que o próprio símbolo dessa comunhão e desse pacto com Deus deva ser um símbolo masculino.

O desenvolvimento do monoteísmo no Livro do Gênesis foi um enorme avanço dos seres humanos em direção ao pensamento abstrato e à definição de símbolos válidos universalmente. É um acidente trágico da história que esse avanço tenha ocorrido em um ambiente social e em circunstâncias que fortaleceram e afirmaram o patriarcado. Assim, o próprio processo de criação de símbolos ocorreu de maneira a marginalizar as mulheres. Para estas, o Livro do Gênesis representou sua definição como criaturas essencialmente diferentes dos homens; a redefinição da sexualidade delas como benéfica e redentora apenas dentro dos limites da dominação patriarcal; e, por fim, o reconhecimento de que foram excluídas de poder representar o princípio divino por si próprias. O peso da narrativa bíblica pareceu decretar que, pela vontade de Deus, as mulheres eram incluídas em Sua aliança apenas pela mediação de homens. Este é o momento histórico da morte da Deusa-Mãe e sua substituição pelo Deus-Pai e a Mãe metafórica sob o patriarcado.

DEZ

SÍMBOLOS

A CIVILIZAÇÃO OCIDENTAL FUNDAMENTA-SE tanto nas ideias morais e religiosas manifestadas na Bíblia quanto na filosofia e na ciência desenvolvidas na Grécia Clássica. Mostramos nos capítulos anteriores como, no período histórico em que a humanidade deu um salto qualitativo em direção à capacidade de conceituar grandes sistemas de símbolos para explicar o mundo e o universo, as mulheres já estavam em posição tão desfavorável, que foram excluídas da participação desse importante avanço cultural. Para entender por completo as implicações desse fato, precisamos considerar por um momento a importância da criação de símbolos.

Seres humanos, como animais, se preservam, propagam a espécie e criam abrigo para si mesmos e seus descendentes. Ao contrário dos animais, seres humanos inventam ferramentas, alteram o ambiente, refletem sobre a própria mortalidade e fazem construções mentais para explicar o significado da própria existência e sua relação com o sobrenatural. Criando símbolos, linguagens e sistemas de símbolos, o *Homo sapiens* se torna verdadeiramente humano. Erich Fromm diz que "seres humanos são metade animal e metade simbólico".[1]

Ernst Becker explica:

> O homem tem uma identidade simbólica que o tira drasticamente da natureza. Ele é um eu simbólico, uma criatura com nome, uma história de vida. É um criador com

> uma mente que voa alto para refletir sobre átomos e o infinito, que pode se colocar de forma imaginativa em um ponto no espaço e contemplar, desconcertado, o próprio planeta. [...] Mas, ao mesmo tempo, [...] o homem é um verme e comida de verme. [...] Seu corpo é material [...] que é estranho a ele de muitas formas – sendo a mais estranha e repugnante o fato de que dói e sangra e se deteriorará e morrerá. O homem é literalmente dividido em dois.[2]

O homem (sexo masculino) encontrou uma forma de lidar com esse dilema existencial designando para si mesmo o poder de criar símbolos e para a mulher uma limitação de vida-morte-natureza. Becker analisa que, com essa divisão, o "homem busca controlar os processos misteriosos da natureza conforme eles se manifestam em seu próprio corpo. O corpo não pode ter domínio sobre ele".[3]

Acima de tudo, os seres humanos se preocupam com a imortalidade. O desejo de sobreviver à própria morte é a força mais importante que faz os seres humanos registrarem e preservarem o passado. O fazer História é o processo pelo qual as pessoas registram, interpretam e reinterpretam o passado a fim de entregá-lo a futuras gerações. Isso se tornou possível apenas depois que as pessoas aprenderam a manipular símbolos.

Essa evolução ocorreu na Mesopotâmia com a invenção da escrita, por volta de 3100 a.C. O desenvolvimento de um sistema de símbolos de notação numérica precede a invenção da escrita. Ambos os avanços foram feitos no decurso de atividades comerciais. Mostramos como essas atividades se concentravam nos templos e nas cortes e como as elites dominantes, estabelecendo a sociedade de classes, se apropriaram do controle do sistema de símbolos. A sociedade de classes, argumentei, começou com a dominância dos homens sobre as mulheres e evoluiu para a dominância de alguns homens sobre outros homens e todas as mulheres. Assim, o próprio processo de formação de classes incorporou uma condição preexistente de dominância masculina sobre as mulheres e marginalizou as mulheres na formação dos sistemas de símbolos. Entretanto, como vimos, os sistemas mais antigos de explicações religiosas e metafísicas perduraram por séculos, e nesses sistemas as mulheres também tinham representação e poder simbólico. A exclusão das mulheres da criação dos sistemas de símbolos se tornou completamente institucionalizada apenas com o desenvolvimento do monoteísmo.

O monoteísmo hebraico conceituou um universo criado por uma força única – a vontade de Deus. A fonte de criatividade, então, era o Deus invisível e inefável. Ele criou o homem e a mulher de forma significativamente diferente, com base em materiais diferentes, embora ambos tenham ganhado vida pelo seu sopro divino. Ele fez pacto e contrato apenas com os homens. A circuncisão como símbolo de aliança expressava essa realidade.

Apenas homens podiam fazer a mediação entre Deus e os humanos. Isso manifestava-se de modo simbólico no sacerdócio de exclusividade masculina, nas várias formas de se excluir as mulheres do ritual religioso mais importante e significativo: ou seja, a exclusão da formação do *minyan*; os assentos segregados no templo; a exclusão como participantes ativas das funções do templo etc. Às mulheres era negado o igual acesso ao aprendizado religioso e ao sacerdócio; dessa maneira, negou-se a elas a capacidade de interpretar e alterar o sistema de crenças religiosas.

Nós vimos como a procriação e a criação foram divididas na criação do monoteísmo. A bênção dada por Deus à semente do homem que seria plantada no receptáculo passivo do ventre da mulher definiu de forma simbólica as relações de gêneros no patriarcado. E, na história da Queda, a mulher e, sendo um pouco mais específica, a sexualidade feminina se tornaram o símbolo da fraqueza humana e a origem do mal.

O monoteísmo judaico e o cristianismo que foi construído com base nele deram ao homem um propósito e sentido na vida ao colocar cada existência dentro de um plano divino maior que se desdobrou para conduzir o homem da Queda à redenção, da mortalidade à imortalidade, de homem caído a Messias. Assim, vemos na Bíblia a evolução da primeira filosofia da história. A vida humana recebe significado por meio de seu desenvolvimento no contexto histórico – contexto definido como realização do propósito e da vontade de Deus. O homem, dotado de livre-arbítrio e instruído pela Sagrada Escritura, conforme interpretada por sacerdotes homens, podia ativamente cumprir seu destino e afetar o processo histórico. Os homens interpretam a palavra de Deus; os homens realizam o ritual, que fortalece, de modo simbólico, a comunhão humana com Deus. O acesso da mulher ao propósito da vontade de Deus e ao desdobramento da história só é possível através da mediação do homem. Assim, de acordo com a Bíblia, é o homem que vive e age na história.

Nos séculos VI e V a.C., o conhecimento histórico de uma natureza secular se desenvolveu e floresceu na Grécia. Com os escritos de Tucídides e Heródoto, o registro e a interpretação da história passaram a ser separados do pensamento religioso, assim como a ciência e a filosofia. Mas a construção da história era um produto masculino e permaneceria assim por outros 2.500 anos.

As principais definições de símbolos de gênero no Antigo Testamento haviam sido concluídas quando ocorreu a queda de Jerusalém e o Exílio Babilônico no século VI a.C. Embora não possamos lidar com acontecimentos na Grécia do mesmo período em detalhes, é importante abordar brevemente o desenvolvimento do pensamento e da filosofia gregos, que forma a segunda raiz do sistema de ideias da civilização ocidental. Não levarei em consideração o terceiro sistema de símbolos importante, a ciência, e sua origem no pensamento do Oriente Próximo e da Grécia, porque foge do escopo desta obra e está além de minha capacidade e instrução. Mas é válido observar, de passagem, que a ciência também se desenvolveu excluindo as mulheres da comunidade de participantes e criadores, mesmo tendo havido algumas excepcionais no campo da matemática na Antiguidade.[4]

Como foi o caso na Mesopotâmia e em Israel, a Grécia do oitavo ao quinto séculos a.C. era uma sociedade de classes com escravidão e completamente patriarcal. Apesar da polêmica historiográfica sobre o grau do cerco doméstico de mulheres respeitáveis e as esferas separadas nas quais viviam homens e mulheres, o fato da subordinação legal e social das mulheres é incontestável.[5]

As mulheres de Atenas eram excluídas da participação na vida política da cidade e legalmente menores de idade vitalícias sob a guarda de um homem. A prática comum de homens na casa dos 30 anos se casarem com moças adolescentes reforçava a dominância masculina no casamento. As mulheres eram restritas com rigor em termos de direitos econômicos, mas as de classe mais abastada eram de certa forma protegidas no casamento pela disposição que revertia o dote para a família natal da mulher em caso de divórcio. A principal função das esposas era a de produzir herdeiros homens e supervisionar a casa do marido. Muitas meninas eram abandonadas quando nasciam e deixadas para morrer, sendo a decisão sobre seu destino sempre tomada pelo pai. A castidade antes e durante o casamento era imposta com rigor sobre as mulheres, mas os maridos tinham a liberdade de desfrutar de gratificação sexual de mulheres de classe baixa, hetairas e escravas, e também de homens jovens. Mulheres respeitáveis passavam a maior parte da vida dentro de casa, enquanto os homens da mesma classe passavam a maior parte do tempo em espaços públicos. A principal exceção ao confinamento doméstico de mulheres de classe média era a participação delas em festivais religiosos e cultos, e a presença em casamentos e enterros.

A sociedade grega desenvolveu a *pólis*, a cidade-Estado cercada por fazendas independentes e governada, ao nível máximo, por magistrados e leis. No Período Arcaico (séculos VII e VI), que na Grécia foi a Idade do Ferro, uma importante evolução militar afetou a estrutura social e, com ela, a estrutura política da sociedade. A infantaria grega, baseada no hoplita – o soldado de infantaria que usava armadura e era fortemente armado, organizado em falanges cerradas –, substituiu os cavaleiros como força decisiva no campo de batalha. O hoplita era um cidadão-soldado, das fileiras de fazendeiros ricos e da classe média, que se equipava com a própria espada e lança, o próprio capacete e o próprio escudo. Sua vida e seu sucesso militar dependiam do trabalho em equipe na falange, que promovia um espírito de igualdade, responsabilidade e disciplina. Sua predominância enfraqueceu a primazia aristocrática de um período anterior e fomentou conceitos democráticos no Estado e no exército. Como assinala um historiador: "A falange [...] foi a escola que fez as pólis gregas". William H. McNeill continua:

> O direito a ter voz em assuntos públicos, antes restrito aos nobres, foi ampliado para incluir todo cidadão que tivesse meios de se equipar como integrante da falange. A "franquia hoplita" continuou sendo um ideal conservador para muitas cidades gregas durante todo o século V e também depois.[6]

Isso significa que, mais uma vez, a cidadania foi definida de maneira a – um tanto de modo acidental e provavelmente, a princípio, não intencional – excluir as mulheres. Se a democracia fosse baseada no conceito do cidadão-soldado, então essa exclusão parecia tanto inevitável quanto lógica. Ainda assim, a sociedade espartana, afetada de forma semelhante pelo desenvolvimento da falange hoplita, tomou o rumo de suprimir todas as marcas de desigualdade e diferença e fazer da sociedade um Estado forte de iguais. A lei espartana codificada por Licurgo no século VII permaneceu inalterada ao longo da história de Esparta. Ela expressava em uma lei o conceito de que gerar filhos era uma função tão importante para o Estado quanto a função do guerreiro, o que permitia a inscrição do nome de uma pessoa falecida na sepultura apenas se fosse um homem morto na guerra ou uma mulher morta no parto. As mulheres espartanas se ocupavam com ginástica, administração da casa e cuidados com os filhos, enquanto o trabalho servil e a fabricação de roupas ficavam a cargo de mulheres que não eram espartanas. Todas as meninas eram criadas até a fase adulta, mas o infanticídio era praticado em meninos fracos e doentes. Em Esparta, o adultério não era condenado de maneira tão rigorosa quanto na sociedade ateniense, e a sociedade espartana, enfatizando a necessidade de guerreiros saudáveis, era relativamente indiferente em relação a uma criança nascida ou não de maneira legítima. Com seu grande contraste em questões de regulamentação sexual e organização política, a sociedade espartana parecia, para gregos de outras cidades, representar uma clara escolha de direção: igualdade relativa e alto *status* para mulheres em combinação com oligarquia e falta de liberdade em comparação com regulamentação rigorosa de mulheres em combinação com democracia. Essa escolha reflete-se no pensamento político tanto de Platão quanto de Aristóteles.[7]

Nas cidades-Estados jônicas, o desenvolvimento da agricultura comercial, baseada em um intenso comércio de azeite e vinho para as colônias esparsas e centros comerciais, criou uma divisão de classes ainda mais acentuada, uma vez que fez surgir uma classe média abastada e uma classe empobrecida de cidadãos sem propriedades e pequenos fazendeiros. Seu descontentamento levou, nos séculos VII e VI, ao estabelecimento de tiranias em muitas cidades. Para Atenas, foi um indício da necessidade em corrigir a legislação, o que diminuiria o antagonismo de classes, consequentemente salvaguardando o Estado. As Leis de Drácon e, depois, de Sólon de Atenas (por volta de 640/635-560 (?) a.C.) foram o alicerce da democracia na era clássica.

O antagonismo de classes e a insegurança da classe de fazendeiros pobres tentando ascender ao nível de classe média refletiam-se na poesia misógina de

Hesíodo e Semônides no século VII a.C. Hesíodo, em *Os Trabalhos e os Dias*, expressou o individualismo de um homem pobre que não conta mais com seu clã ou tribo para proteção, mas espera aumentar sua riqueza com muito trabalho e administração cautelosa. Prudência, autocontrole e competitividade passam a ser vistos como virtudes nessa iniciativa, enquanto a busca por gostos exuberantes e prazeres sexuais é uma ameaça à economia familiar. A misoginia de Hesíodo é tanto consagrada quanto mítica. Em sua comparação da "boa esposa" – casta, trabalhadora, frugal e alegre – com a "má esposa", ele determina padrões para a definição de gênero por homens de sua classe e encontra um bode expiatório conveniente para os males da sociedade de seu tempo. Em sua versão do mito de Pandora, consegue o que o mito hebraico conseguiu na história da Queda – culpa a mulher e sua natureza sexual por trazer a maldade para o mundo.

Sua obra *Teogonia* define e elabora a ascensão do deus da tempestade, Zeus, à principal posição no panteão grego dos deuses. Com certeza, Hesíodo não inventou esse mito de transformação, que é um tanto semelhante aos mitos mesopotâmicos que discutimos, nos quais deuses homens tomam o poder das forças do caos relacionadas às deusas da fertilidade. A *Teogonia* de Hesíodo reflete uma mudança nos conceitos de religião e gênero, o que já havia ocorrido na sociedade grega.[8] Como descrito por Hesíodo, o conflito entre os deuses manifesta-se em termos de tensão entre homens e mulheres e entre gerações. No primeiro período mítico, o deus do céu Urano, tentando evitar que seu filho desafie seu domínio, mantém os filhos no ventre de Gaia (a deusa da terra). Mas Gaia e seu filho Cronos castram Urano e o derrotam. Agora Cronos, por sua vez, teme ser derrotado pelos filhos que sua esposa, Reia, esperava e engole todos eles. Mas Reia esconde o filho Zeus em uma caverna protegida pela deusa da terra. Quando cresce, Zeus luta contra o pai e o vence, ascendendo ao poder. Incapaz de aceitar a própria derrota, ele engole a esposa, Métis, para evitar que ela tenha um filho – e assim assimila seu poder de procriação. Então, o próprio Zeus dá à luz Atena, que nasce já crescida de sua cabeça. Ela passa a simbolizar as forças de justiça e ordem. Devemos observar aqui não apenas a dominação de deuses masculinos, mas a tomada do poder de procriação, que é semelhante às definições simbólicas que discutimos no Gênesis.

A força e a importância desse rebaixamento simbólico da mãe são mais elaboradas em *Eumênides*, última peça da trilogia *Oresteia*, de Ésquilo. A *Oresteia* foi interpretada por inúmeros críticos como a última defesa do poder da Deusa-Mãe contra o patriarcado.[9] A história se refere a eventos posteriores ao sacrifício da filha de Agamenon, Ifigênia, que propiciou os deuses do vento e permitiu que a esquadra grega navegasse até a vitória em Troia. Dez anos depois, ao voltar de Troia, Agamenon, que retornara com a princesa troiana Cassandra, agora sua concubina e escrava, é morto pela esposa, Clitemnestra, em vingança pela morte de Ifigênia. O filho de Clitemnestra, Orestes, considerando esse crime um ato de rebelião contra o rei, mata sua mãe, crime pelo qual é perseguido pelas erínias. Para evitar a fúria delas, Orestes argumenta que seu ato foi justificado e que elas deveriam ter perseguido sua mãe pelo crime dela. As erínias perdoam o ato de Clitemnestra pela primazia do direito materno: "O homem que ela matou não era sangue do seu sangue". Orestes pergunta: "Mas eu sou sangue da minha mãe?". As erínias apontam o óbvio: "Miserável desprezível, ela o nutriu no próprio ventre. Você repudia o sangue de sua mãe?". O autor deixa Apolo resolver a discussão com o pretexto do patriarcado:

> Aquele que se chama de filho
> Não é gerado pela mãe. Ela é apenas a ama que cuida do crescimento
> Da jovem semente plantada pelo verdadeiro criador, o homem. [...]

Apolo apela à deusa Atena para corroborar seu argumento. Ela o favorece: "Nenhuma Mãe me deu à luz. Portanto, a alegação do pai e a supremacia masculina sobre todas as coisas [...] têm toda a minha lealdade". É a voz decisiva de Atena que livra Orestes e bane as erínias – e, com elas, os argumentos da Deusa-Mãe. Ainda assim, o princípio feminino deve ser pacificado, então as erínias recebem uma residência sagrada e serão adoradas como guardiãs das leis.

A doutrina da procriação masculina ressurge de modo mais desenvolvido na obra de Aristóteles. Foi assim que ela teve influência determinante e formadora na ciência e filosofia ocidental. Aristóteles elevou a narrativa contrafatual da origem da vida humana do nível de mito para o nível de ciência embasando-a em um sistema filosófico de amplo alcance. Sua teoria da causalidade postulou quatro fatores que tornam algo o que é: (1) uma causa material; (2) uma causa eficiente (que dá ímpeto); (3) uma causa formal (que dá forma); e (4) o *telos*, a finalidade para a qual há o empenho. Alinhado ao pensamento filosófico grego, Aristóteles considera a matéria menos importante que o espírito. Em sua explicação da origem da vida humana, três das quatro causas para a existência foram atribuídas à contribuição do homem para a procriação (esperma), sendo apenas a quarta e menos importante, a material, contribuição da mulher. Aristóteles chegou a negar com veemência que o esperma contribui com algum componente material para o embrião; ele via a contribuição como espiritual, portanto, "mais divina". "Para o primeiro princípio do movimento, ou causa eficiente, pela qual o que vem a existir é masculino, é melhor e mais divino do que o material, pelo qual o que existe é feminino."[10] Aristóteles explicou que a vida foi criada pelo encontro do esperma e o que ele chamava de "catamenia" da mulher. Entretanto, definiu tanto esperma quanto catamenia como "sêmen" ou "semente", com a diferença de que "catamenia é o sêmen que ainda não está em estado puro e precisa ser trabalhado".[11] Aristóteles acreditava que o sangue mais frio da mulher não permitia que seu sangue concluísse a transformação necessária em esperma. É válido observar como, em cada ponto de seu sistema explicativo, acontece de a doação ou contribuição da mulher ser inferior à do homem. Ele também propõe que o homem seja ativo e que a mulher seja passiva:

> Se, então, o homem representa o efetivo e o ativo, e a mulher, considerada mulher, representa o passivo, consequentemente, a contribuição da mulher para o sêmen do homem não é sêmen, mas um material que será trabalhado pelo sêmen. Isso é apenas o que achamos ser o caso, pois catamenia tem, por natureza, afinidade com a matéria primitiva.[12]

Aristóteles elaborou sobre a diferença essencial e importante entre o sexo masculino ativo e o sexo feminino passivo. Sem oferecer muitas evidências para sua afirmação, ele explicou que "se [...] é o homem que tem o poder de criar a alma sensível, é impossível para a mulher gerar um animal somente a partir disso".[13] Em uma analogia posterior, ele descreveu o processo como o de um artesão fazendo uma cama de madeira ou uma bola de cera – presumindo-se que o artesão seja o homem e a substância material seja a contribuição da mulher.[14] A historiadora Maryanne Cline Horowitz, que escreveu uma crítica feminista criteriosa sobre a obra de Aristóteles, analisa que, na visão dele:

> [...] a mulher realiza sua tarefa de forma passiva, parindo corpo para executar o projeto e plano de outro. O produto de seu parto não é seu. O homem, por outro lado, não pare, mas trabalha [...] Aristóteles sugere que o homem é *homo faber*, o criador, que trabalha em uma matéria inerte de acordo com um projeto, produzindo uma obra de arte duradoura. Sua alma contribui com a forma e o modelo da criação.[15]

Aristóteles, aceitando *a priori* e sem mais explicações a inferioridade do aparato biológico feminino, explica que a predominância do princípio feminino é responsável pelo nascimento de monstruosidades. Entre estas, menciona crianças que não se parecem com seus pais e mulheres, usando esta linguagem: "O primeiro afastamento [do tipo] é mesmo o fato de a cria se tornar mulher ao invés de homem; isso, entretanto, é uma necessidade natural".[16] Aristóteles é ainda mais explícito em outro momento:

> [...] pois assim como a prole de pais mutilados às vezes nasce mutilada e às vezes não, também a prole nascida de uma mulher é às vezes mulher e às vezes homem. Pois a fêmea é, como era, um macho mutilado, e catamenia é sêmen, mas não puro; porque lhe falta apenas uma coisa: o princípio da alma.[17]

Essas definições de mulheres como machos mutilados, destituídas do princípio da alma, não são isoladas, permeando a obra biológica e filosófica de Aristóteles.[18] Ele é bem consistente ao argumentar que a inferioridade biológica da mulher deve torná-la inferior também em suas capacidades – sua capacidade de argumentar e, portanto, sua capacidade de tomar decisões. Daí vem a definição de gênero de Aristóteles, bem como a integração dessa definição ao seu pensamento político.

O grandioso constructo mental de Aristóteles baseia-se em um fundamento teológico. "A natureza de algo é seu fim. Pois chamamos de natureza o que algo é quando totalmente desenvolvido, quer estejamos falando de um homem, um cavalo ou uma família."[19]

Tal visão predispõe o filósofo a argumentar a partir disso e aceitar como fato o que quer que a sociedade tome como certo. Assim: "é evidente que o Estado é uma criação da natureza e que o homem é, por natureza, um animal político".[20] A prova de Aristóteles para essa afirmação é o fato de que o indivíduo, quando isolado, não é autossuficiente. Para que o Estado funcione de modo apropriado, ele deve ser governado pela justiça, que é "o princípio da ordem na sociedade política".[21]

O Estado é feito de lares individuais, e, para que se entenda de maneira adequada a administração do Estado, deve-se compreender a administração do lar: "As primeiras, e em menor quantidade, partes da família são senhor e escravo, marido e esposa, pai e filhos".[22] Aristóteles então discute a instituição da escravidão e a descreve como controversa. Algumas pessoas afirmam que ela é contrária à natureza, portanto, injusta. Ele refuta essa afirmação em minúcias, argumentando que alguns nascem para dominar, outros nascem para serem dominados. Isso por causa do que ele enxerga como uma dicotomia natural: a alma é por natureza o soberano, e o corpo é o súdito. De modo semelhante, a mente controla os desejos. "É claro que o controle da alma sobre o corpo, e da mente e do elemento racional sobre o emocional, é natural e oportuno [...] Mais uma vez, o homem é superior por natureza, e a mulher é inferior; e um domina e a outra é dominada; esse princípio necessariamente se estende à toda a humanidade."[23] O controle dos homens sobre os animais é também natural: "E de fato o uso feito de escravos e animais domesticados não é muito diferente; pois ambos, com seus corpos, servem às necessidades da vida. [...] Fica claro, então, que alguns homens são livres por natureza e outros são escravos; e que para os últimos, a escravidão é tanto oportuna quanto correta".[24]

Aristóteles adota a lógica de seu argumento descrevendo as diferentes formas como um homem domina seus escravos, sua esposa e seus filhos, dependendo da natureza da pessoa a ser dominada. "Pois o escravo não tem faculdades deliberativas; a mulher tem, mas sem autoridade; e a criança tem; mas sem maturidade." De modo semelhante, a virtude moral é diferente: "a coragem do homem se mostra ao comandar, a da mulher, ao obedecer".[25]

A visão de mundo de Aristóteles é tanto hierárquica quanto dicotomizada. A alma comanda o corpo; o pensamento racional comanda o emocional; humanos comandam os animais; homens comandam mulheres; senhores comandam escravos; e gregos comandam bárbaros. Tudo o que o filósofo precisa para justificar as relações de classes existentes na sociedade é mostrar como cada um dos grupos subordinados é, "por natureza", designado a ocupar sua posição adequada na hierarquia. Ele tem um pouco de dificuldade ao fazê-lo no caso dos escravos e vê a necessidade de justificar a subordinação e explicar por que ela é "justa". É justa porque, até no auge do Estado ateniense democrático, a escravidão como instituição ainda era polêmica o suficiente para ser questionada. Até quem entende que escravizar povos prisioneiros é justificado por lei, diz Aristóteles, depois questiona se isso pode se justificar em caso de uma guerra injusta. O filósofo admite que "existe fundamento para essa diferença de opinião".[26] Mas não há diferença de opinião em relação à inferioridade das mulheres. Então Aristóteles usa a metáfora do relacionamento marital para justificar a dominância do senhor sobre o escravo. Uma vez que o primeiro parece "natural", ou seja, nada controverso – e portanto justo –, pode tornar o segundo aceitável.

A sociedade humana é dividida em dois sexos: o masculino – racional, forte, dotado da capacidade de procriação, guarnecido com alma e feito para dominar; e o feminino – emotivo e incapaz de controlar seus desejos, fraco, fornece pouco material para o processo de procriação, destituído de alma e feito para ser dominado. E, por ser assim, a dominação de alguns homens sobre outros homens pode ser justificada imputando-se a esses homens algumas das mesmas qualidades imputadas às mulheres. Aristóteles faz exatamente isso. Escravos "com seus corpos servem às necessidades da vida" – assim como as mulheres. Escravos "participam o suficiente do princípio racional para compreender, mas não têm tal princípio" – assim como as mulheres.[27] Aristóteles justifica a dominância de classe de forma lógica com base em suas definições de gênero.

O fato de que a dominação sexual precede a dominação de classe e faz parte de sua fundação fica tanto implícito quanto explícito na filosofia de Aristóteles. Fica implícito em sua escolha de metáforas explicativas, que toma por certo que o público entenderá o caráter "natural" da dominância masculina sobre as mulheres e considerará a escravidão justa se ele puder provar sua analogia. Fica explícito na forma como ele estabelece suas dicotomias e valoriza mais o que os homens fazem (política, filosofia, discurso racional) do que aquilo que as mulheres fazem (servir às necessidades da vida). E fica mais explícito ainda na maneira como suas definições de gênero e suas prescrições são construídas em seu discurso sobre política. Seu excelente e pioneiro *insight* de que "o homem é um animal político por natureza" é logo seguido pela explicação de que o Estado é feito de lares individuais e que a administração do lar é análoga, servindo de modelo para a administração do corpo político. O que ele descreve aqui é exatamente a evolução que traçamos na sociedade mesopotâmica desde seu início: a família patriarcal é a forma escolhida pelo Estado arcaico. A família patriarcal é a célula de onde surge a maior parte da dominância patriarcal. A dominância sexual é a base da dominância de classe e raça.

O grandioso e arrojado sistema explicativo de Aristóteles, que incluía e superava a maior parte do conhecimento disponível até então em sua sociedade, incorporou o conceito patriarcal de gênero da inferioridade das mulheres de modo a torná-lo incontestável e, de fato, invisível. As definições de classe, de propriedade privada, de explicações científicas seriam debatidas durante séculos depois com base no pensamento de Aristóteles – mas a supremacia e a dominância masculina estão aqui como um fundamento básico do pensamento do filósofo e, em consequência, são alçadas a leis naturais. Isso foi um feito e tanto, considerando-se a interpretação oposta do valor e do potencial femininos manifestada em *A República* e *Leis*, de Platão.

No Livro V de *A República*, Platão – na voz de Sócrates – determina as condições para o treinamento dos guardiões, seu grupo de liderança de elite. Sócrates propõe que as mulheres tenham a mesma oportunidade que os homens de receber treinamento de guardiãs. Em apoio, ele faz uma forte declaração contra a discriminação baseada em diferenças sexuais:

> [...] se a diferença [entre homens e mulheres] está apenas no fato de mulheres gerarem filhos e homens procriarem, isso não é prova de que uma mulher é diferente de um homem em relação ao tipo de educação que deve receber; e portanto continuaremos afirmando que nossos guardiões e suas esposas devem realizar as mesmas atividades.[28]

Sócrates propõe a mesma educação para meninos e meninas, libertando as mulheres de serem guardiãs do trabalho doméstico e cuidadoras dos filhos.

Mas essa igualdade de oportunidades para as mulheres servirá a um propósito maior: a destruição da família. O objetivo de Platão é abolir a propriedade privada, a família privada e com ela o interesse próprio em seu grupo de liderança, pois ele enxerga com clareza que a propriedade privada causa antagonismo de classes e desarmonia. Portanto: "homens e mulheres devem ter um modo de vida [...] - educação comum, filhos comuns; e eles devem zelar pelos cidadãos em comum".[29] Nesses escritos filosóficos, Aristóteles aceitou o dualismo corpo *versus* alma de Platão, bem como seu conceito de desigualdade natural de seres humanos e a justiça do mais forte governar o mais fraco. Mas ele não foi nem um pouco afetado pelas ideias de Platão (Sócrates) em relação às mulheres. Se tivesse reconhecido as ideias de Platão sobre o assunto e visasse refutá-las, seus *dicta* sobre mulheres teriam menos força normativa. Mas, de certa maneira, ter deixado de lado as ideias de Platão é justificável, pois Aristóteles estava escrevendo sobre o Estado e as relações de classes e gêneros da forma como esses elementos de fato existiam. Platão visionava as mulheres como iguais apenas em termos de um Estado utópico, uma ditadura benevolente dos guardiões.[30] Em meio a uma elite selecionada e criada com cuidado, algumas mulheres podem atuar como iguais. Na pólis democrática baseada na escravidão, sobre a qual Aristóteles escrevia, a própria definição de cidadania precisava excluir todos aqueles considerados inferiores - hilotas, escravos, mulheres. Assim, a ciência política de Aristóteles institucionaliza e racionaliza a exclusão de mulheres da cidadania política como o próprio fundamento da organização política democrática. É essa herança, não o pensamento utópico de Platão, que a civilização ocidental usaria durante séculos na ciência, na filosofia e na doutrina de gênero.

Quando o homem começou simbolicamente a ordenar o universo e a relação dos seres humanos com Deus em importantes sistemas explicativos, a subordinação das mulheres já era tão bem-aceita que parecia "natural" tanto para homens quanto para mulheres. Como resultado dessa evolução histórica, os símbolos e metáforas mais importantes da civilização ocidental incorporaram a hipótese da subordinação e inferioridade das mulheres. Com a Eva caída da Bíblia e a mulher como o homem mutilado de Aristóteles, vemos o surgimento de dois constructos simbólicos que afirmam e admitem a existência de dois tipos de seres humanos - o homem e a mulher - diferentes em essência, função e potencial. Esse constructo metafórico, o da "mulher inferior e não exatamente completa", incorporou-se a todos os principais sistemas explicativos, de forma a competir com a realidade. Com base na suposição não examinada de que esse estereótipo representava a realidade, instituições negavam às mulheres direitos iguais e acesso a privilégios. A privação educacional a mulheres passou a ser corroborada e, dada a santidade da tradição e a dominação patriarcal por milênios, parecia justificada e natural. Para a sociedade organizada de modo patriarcal, esse constructo simbólico representava um ingrediente essencial na ordem e na estrutura da civilização.

É difícil superestimar a importância desse desenvolvimento para as mulheres. Mas devemos observar, em suma, o modo como a desigualdade entre homens e mulheres foi construída não apenas na linguagem, no pensamento e na filosofia da civilização ocidental, mas também na maneira como o próprio gênero se tornou uma metáfora que define as relações de poder a fim de mistificá-las e torná-las invisíveis.

ONZE

A CRIAÇÃO DO PATRIARCADO

O PATRIARCADO É UMA CRIAÇÃO HISTÓRICA formada por homens e mulheres em um processo que levou quase 2.500 até ser concluído. A princípio, o patriarcado apareceu como Estado arcaico. A unidade básica de sua organização foi a família patriarcal, que expressava e criava de modo incessante suas regras e valores. Vimos como definições de gênero afetaram integralmente a formação do Estado. Faremos agora uma breve revisão do modo como o gênero foi criado, definido e estabelecido.

Os papéis e o comportamento considerados apropriados aos sexos eram expressos em valores, costumes, leis e papéis sociais. Também, e de forma mais significativa, eram manifestados em metáforas primordiais, as quais se tornaram parte da construção social e do sistema explicativo.

A sexualidade das mulheres, consistindo de suas capacidades e seus serviços reprodutivos e sexuais, foi modificada ainda antes da criação da civilização ocidental. O desenvolvimento da agricultura no Período Neolítico fomentou a "troca de mulheres" intertribal não apenas como um meio de evitar os incessantes conflitos travados pelas alianças de consolidação do casamento, mas também porque sociedades com mais mulheres poderiam produzir mais filhos. Ao contrário das necessidades econômicas das sociedades de caçadores-coletores, agricultores poderiam usar o trabalho de crianças para aumentar a produção e acumular excedentes. "Homens como grupo" tinham direitos sobre as mulheres que as "mulheres como grupo" não tinham sobre os homens. As próprias mulheres tornaram-se um recurso adquirido por homens tanto quanto as terras adquiridas por eles. Mulheres eram trocadas ou compradas em casamentos para benefício de suas famílias. Depois, elas foram dominadas ou compradas para a escravidão, quando seus serviços sexuais eram parte de sua mão de obra e seus filhos eram propriedade de seus senhores. Em toda sociedade conhecida, as mulheres das tribos conquistadas eram escravizadas primeiro, enquanto os homens eram mortos. Somente depois que os homens aprenderam como escravizar as mulheres dos grupos que podiam ser definidos como estranhos é que eles aprenderam a escravizar os homens desses grupos e, em seguida, grupos subordinados de suas próprias sociedades.

Dessa forma, a escravidão de mulheres, combinando tanto o racismo quanto o machismo, precedeu a formação de classes e a opressão de classes. As diferenças de classes foram, em seu início, expressas e constituídas em termos de relações patriarcais. A classe não é um constructo separado do gênero. Em vez disso, a classe é expressa em termos relacionados ao gênero.

Já no segundo milênio a.C., em sociedades mesopotâmicas, as filhas de famílias pobres eram vendidas para casamento ou prostituição a fim de fornecer auxílio econômico para suas famílias. As filhas de homens pobres podiam definir um preço de noiva, pago pela família do noivo à família da noiva, o que não raro permitia à família da noiva garantir casamentos mais vantajosos financeiramente para seus filhos, melhorando assim a posição econômica da família. Se um marido ou um pai não conseguisse pagar sua dívida, sua esposa e filhos poderiam ser usados como garantia, tornando-se escravos por dívida ao credor. Essas condições estavam estabelecidas com tanta firmeza no ano de 1750 a.C., que a Lei de Hamurabi instituiu uma melhora significativa no destino das garantias, limitando seus serviços a três anos, sendo que antes eram serviços vitalícios.

O produto desse comércio de mulheres – preço de noiva, preço de venda e filhos – era controlado pelos homens. Pode, portanto, representar os primeiros casos de acúmulo de propriedade privada. A escravização de mulheres de tribos conquistadas tornou-se não apenas um símbolo de *status* para nobres e guerreiros, mas de fato permitiu que conquistadores adquirissem riqueza tangível por meio da venda ou negociação de produtos de trabalho escravo e os frutos de sua reprodução, filhos de escravos.

Claude Lévi-Strauss, a quem devemos o conceito de "a troca de mulheres", fala sobre a reificação das mulheres, a qual ocorreu como sua consequência. Porém, não são as mulheres que são reificadas e comercializadas, mas sua sexualidade e sua capacidade reprodutiva. A distinção é importante. As mulheres nunca se tornaram "coisas" nem eram assim percebidas. As mulheres, não importando quanto tinham sido exploradas e sofrido abusos, conservaram seu poder de ação e escolha na mesma proporção – com frequência limitada – que os homens de seu grupo. Mas as mulheres *sempre, e até os dias de hoje*, viveram em estado relativamente maior de falta de liberdade do que os homens. Uma vez que sua sexualidade, um aspecto de seu corpo, era controlada por outros, as mulheres não apenas estavam em desvantagem, como também restritas de maneira muito particular em termos psicológicos. Para as mulheres, da mesma forma que para homens de grupos oprimidos e subordinados, a história consistiu de sua luta por emancipação e liberdade devido à necessidade. Porém, as mulheres lutaram contra formas de opressão e dominação diferentes das dos homens, e a luta delas, até hoje, encontra-se mais atrasada em relação à dos homens.

O primeiro papel social da mulher definido pelo gênero foi ser trocada em transações de casamento. O papel de gênero obverso do homem foi ser aquele que executava a troca ou que definia os termos das trocas.

Outro papel definido pelo gênero para mulheres foi o de esposa "substituta", o qual se tornou estabelecido e institucionalizado para mulheres de grupos de elite. Esse papel oferecia às mulheres consideráveis poder e privilégios, porém, estes dependiam de sua associação a homens da elite e baseavam-se, minimamente, no desempenho satisfatório ao oferecer a esses homens serviços sexuais e reprodutivos. Se uma mulher não conseguisse atender essas demandas, era logo substituída e, consequentemente, perdia todos os seus privilégios e *status*.

O papel definido pelo gênero para guerreiros levou os homens a adquirir poder sobre homens e mulheres de tribos conquistadas. Essa conquista induzida pela guerra ocorria sobre pessoas já diferenciadas dos vencedores pela raça, etnia ou simples diferença tribal. Em sua origem derradeira, "diferença" como uma marca de distinção entre conquistados e conquistadores, era baseada na primeira diferença claramente observável entre os gêneros. Os homens haviam aprendido como afirmar e exercer poder sobre as pessoas um tanto diferentes deles na primitiva troca de mulheres. Dessa maneira, os homens adquiriram o conhecimento necessário para elevar "diferença" de qualquer tipo a um critério para a dominação.

Desde sua concepção na escravidão, a dominância de classe tomou formas distintas para homens e mulheres escravizados: os homens eram primeiro explorados como trabalhadores; as mulheres eram sempre exploradas como trabalhadoras, fornecedoras de serviços sexuais e reprodutoras. O registro histórico de todas as sociedades escravocratas oferece evidências dessa generalização. A exploração sexual de mulheres de classe baixa por homens de classe alta pode ser demonstrada na Antiguidade, sob o feudalismo, em lares burgueses dos séculos XIX e XX na Europa, nas complexas relações de sexo/raça entre mulheres dos países colonizados e seus colonizadores homens – é onipresente e disseminada. Para as mulheres, exploração sexual é a própria marca da exploração de classe.

Em qualquer momento específico na história, cada "classe" é constituída de duas classes distintas – homens e mulheres.

A posição de classe das mulheres se tornou consolidada e estabelecida por meio de de suas relações sexuais. Esta foi sempre expressa em graus de falta de liberdade, em um espectro que variava da mulher escrava, cujas funções sexuais e reprodutivas foram comercializadas, assim como ela mesma, até a escrava concubina, cujo desempenho sexual poderia elevar seu próprio *status* ou o de seus filhos; depois para a esposa "livre", cujos serviços sexuais e reprodutivos oferecidos a um homem das classes elevadas lhe dava direito a propriedades e direitos legais. Enquanto cada um desses grupos tinha obrigações e privilégios consideravelmente distintos em relação a propriedades, leis e recursos econômicos, compartilhavam a falta de liberdade de serem sexual e reprodutivamente controlados por homens. Podemos expressar melhor a complexidade dos vários níveis de dependência e liberdade das mulheres comparando cada mulher com seu irmão e considerando como a vida e as oportunidades de uma irmã e seu irmão eram distintas.

Para os homens, a classe foi e é baseada em suas relações com os meios de produção: aqueles que detinham os meios de produção podiam dominar aqueles que não os detinham. Os donos dos meios de produção também adquiriam a mercadoria de serviços sexuais femininos, tanto de mulheres da própria classe quanto de mulheres de classes subordinadas. Na Antiga Mesopotâmia, na Antiguidade clássica e em sociedades escravocratas, os homens dominantes também adquiriam, como propriedade, o produto da função reprodutiva de mulheres subordinadas – os filhos, que seriam usados como trabalhadores, negociados para casamento ou vendidos como escravos, conforme o caso. Para as mulheres, a classe é mediada por meio de seus vínculos sexuais com um homem. É através do homem que as mulheres recebem ou perdem acesso aos meios de produção e a recursos. É por meio de seu comportamento sexual que ganham acesso à classe. "Mulheres respeitáveis" ganham acesso à classe por meio de pais e maridos, mas quebrar as regras sexuais pode rebaixá-las de classe. A definição sexual de "desvio" marca uma mulher como "não respeitável", o que de fato confere a ela o mais baixo *status* social possível. As mulheres que se abstêm de serviços heterossexuais (tais como mulheres solteiras, freiras, lésbicas) estão conectadas ao homem dominante de sua família de origem e, através dele, recebem acesso a recursos. Ou, de outra forma, são rebaixadas. Em alguns períodos históricos, conventos e outros enclaves para mulheres solteiras criaram espaços fechados nos quais essas mulheres podiam desempenhar sua função e manter a respeitabilidade. Mas a grande maioria de mulheres solteiras é, por definição, marginalizada e dependente da proteção de parentes homens. Isso se provou verdadeiro ao longo da história até meados do século XX no mundo ocidental, e hoje ainda é verdade na maioria dos países subdesenvolvidos. O grupo de mulheres independentes e autossuficientes que existe em toda sociedade é pequeno e, em geral, bastante vulnerável ao desastre econômico.

A opressão e a exploração econômicas baseiam-se tanto na transformação da sexualidade feminina em mercadoria quanto na apropriação pelos homens da força de trabalho das mulheres e de seu poder reprodutivo como aquisição econômica direta de recursos e pessoas.

O Estado arcaico no Antigo Oriente Próximo emergiu no segundo milênio a.C., a partir das raízes idênticas da dominância sexual dos homens sobre as mulheres e da exploração de alguns homens por outros. Desde sua formação, o Estado arcaico foi organizado de modo que a dependência de homens chefes de família do rei ou da burocracia do Estado fosse compensada por sua dominância sobre a própria família. Os chefes de família distribuíam os recursos da sociedade a suas famílias da maneira como o Estado distribuía os recursos da sociedade a eles. O controle dos chefes de família sobre os familiares e filhos menores de idade era tão importante para a existência do Estado quanto o controle do rei sobre seus soldados. Tal fato se reflete nas várias compilações de Leis Mesopotâmicas, em especial a grande quantidade de leis relacionadas à regulamentação da sexualidade feminina.

A partir do segundo milênio a.C., o controle contínuo sobre o comportamento sexual dos cidadãos é o principal meio de controle social em todas as sociedades de Estado. Da mesma maneira, a hierarquia de classe é sempre reconstituída na família por meio da dominação sexual. Não importa o sistema político ou econômico; o tipo de personalidade que pode funcionar em um sistema hierárquico é criado e nutrido dentro da família patriarcal.

A família patriarcal é impressionantemente resiliente e varia em épocas e locais distintos. O patriarcado oriental abrangia a poligamia e a prisão de mulheres nos haréns. O patriarcado na Antiguidade clássica e em seu desenvolvimento europeu baseava-se na monogamia, porém, em todas as suas formas, um duplo padrão sexual – que colocava a mulher em desvantagem – era parte do sistema. Nos estados industriais modernos, tais como os Estados Unidos, as relações de propriedade dentro da família desenvolvem-se ao longo de linhas mais igualitárias do que aquelas em que o pai detém poder absoluto. Ainda assim, as relações de poder econômico e sexual dentro da família não se alteram necessariamente. Em alguns casos, as relações entre os sexos são mais igualitárias, enquanto as relações econômicas permanecem patriarcais; em outros casos, inverte-se o padrão. Entretanto, em todos os casos, tais mudanças dentro da família não alteram a dominação masculina básica no domínio público, nas instituições e no governo.

A família não apenas espelha a ordem do Estado e educa os filhos para que a sigam, mas também cria e sempre reforça essa ordem.

Deve-se notar que, quando falamos de melhorias relativas no *status* das mulheres em dada sociedade, isso costuma significar apenas que vemos melhorias no grau em que sua situação lhes confere oportunidades de exercer certa vantagem dentro do sistema do patriarcado. Onde a mulher tem relativamente mais poder econômico, ela é capaz de ter, de certa maneira, mais controle sobre sua vida do que em sociedades onde ela não tem nenhum poder econômico. Do mesmo modo, a existência de grupos, associações ou redes econômicas de mulheres serve para aumentar a capacidade das mulheres de neutralizar as imposições de seu sistema patriarcal particular. Alguns antropólogos e historiadores chamaram essa relativa melhoria de "liberdade" das mulheres. Tal designação é ilusória e não comprovada. Reformas e mudanças legais, embora melhorem a condição das mulheres e sejam parte essencial do processo de emancipação das mulheres, não mudará essencialmente o patriarcado. Tais reformas precisam estar integradas a uma extensa revolução cultural para transformar o patriarcado e, assim, aboli-lo.

O sistema do patriarcado só pode funcionar com a cooperação das mulheres. Assegura-se essa cooperação por diversos meios: doutrinação de gênero, carência educacional, negação às mulheres do conhecimento da própria história, divisão de mulheres pela definição de "respeitabilidade" e "desvio" de acordo com suas atividades sexuais; por restrições e coerção total; por meio de discriminação no acesso a recursos econômicos e poder político e pela concessão de privilégios de classe a mulheres que obedecem.

Por quase quatro mil anos, as mulheres moldaram sua vida e agiram sob o "guarda-chuva" do patriarcado, em particular, uma forma do patriarcado mais bem descrito como dominação paternalista. Essa expressão fala da relação de um grupo dominante, considerado superior, com um grupo subordinado, considerado inferior, em que a dominação é mitigada por obrigações mútuas e direitos recíprocos. O dominado troca submissão por proteção, trabalho não remunerado por manutenção. Na família patriarcal, as responsabilidades e obrigações não são distribuídas de modo semelhante entre aqueles a serem protegidos: a subordinação dos meninos à dominação do pai é temporária; dura até que eles mesmos se tornem responsáveis por suas casas. A subordinação das meninas e das esposas dura a vida inteira. As filhas podem escapar de tal dominação apenas caso se posicionem como esposas sob a dominação/proteção de outro homem. A base do paternalismo é um contrato de troca não escrito: sustento econômico e proteção oferecidos pelo homem pela subordinação em todos os campos, serviço sexual e trabalho doméstico não remunerado oferecido pela mulher. Ainda assim, a relação não raro continua de fato e pela lei, mesmo quando o parceiro não cumpre com suas obrigações.

Era uma escolha racional para as mulheres, sob condições de falta de poder público e dependência econômica, escolher protetores fortes para si mesmas e seus filhos. As mulheres sempre compartilharam os privilégios de classe dos homens de sua classe *desde que se mantivessem sob a "proteção" de um homem.* Para as mulheres, exceto as de classe baixa, o "acordo recíproco" ocorria da seguinte maneira: em troca de subordinação sexual, econômica, política e intelectual aos homens, você poderá compartilhar o poder dos homens de sua classe para explorar homens e mulheres de classes inferiores. Na sociedade de classes, é difícil para as pessoas que têm algum poder – ainda que limitado e circunscrito – enxergarem a si mesmas também como desfavorecidas e subordinadas. Os privilégios de raça e de classe servem para destruir a capacidade das mulheres de se enxergarem como parte de um grupo conexo, o que de fato não são, uma vez que mulheres de todos os grupos oprimidos existem em todas as camadas da sociedade. A formação de uma consciência de grupo de mulheres deve ocorrer ao longo de diferentes linhas. Essa é a razão pela qual formulações teóricas apropriadas a outros grupos de oprimidos são tão inadequadas ao explicar e conceituar a subordinação das mulheres.

Há milênios, as mulheres participam do processo da própria subordinação por serem psicologicamente moldadas de modo a internalizar a ideia da própria inferioridade. A falta de consciência da própria história de luta e conquista é uma das principais formas de manter as mulheres subordinadas.

A conexão das mulheres a estruturas familiares tornou muito problemático qualquer tipo de desenvolvimento da solidariedade feminina e coesão grupal. Cada mulher individual foi ligada a seu parente homem em sua família de origem por laços que implicavam obrigações específicas. Seu doutrinamento, desde a tenra infância em diante, enfatizava sua obrigação não apenas de contribuir em termos econômicos com a família e a estrutura familiar, mas também de aceitar um parceiro de casamento alinhado com os interesses familiares. Outro modo de dizer isso é afirmar que o controle sexual das mulheres estava ligado à proteção paternalista e que, nos vários estágios de sua vida, ela trocou protetores masculinos, mas nunca superou o estado infantil de se manter subordinada e sob proteção.

Outras classes e grupos oprimidos foram impelidos em direção à consciência de grupo pelas mesmas condições de seu *status* de subordinados. O/A escravo/escrava podia traçar com clareza uma linha entre os interesses e laços com a própria família e sua própria ligação de subserviência/proteção com seu senhor. De fato, a proteção por pais de escravos de suas próprias famílias contra o senhor era uma das causas mais importantes de resistência escrava. Mulheres "livres", por outro lado, aprendiam cedo que seus parentes as expulsariam se elas se rebelassem contra a dominância. Em sociedades tradicionais e camponesas há muitos exemplos registrados de familiares mulheres que toleravam e até participavam de castigos, torturas e mesmo morte da garota que praticasse alguma transgressão contra a "honra" da família. Em tempos bíblicos, toda a comunidade se reunia para apedrejar a adúltera até a morte. Práticas semelhantes prevaleceram na Sicília, Grécia e Albânia ao longo do século XX. Pais e maridos de Bangladesh expulsavam suas filhas e esposas que haviam sido estupradas por soldados invasores, acusando-as de prostituição. Assim, as mulheres, não raro, eram forçadas a fugir de um "protetor" para outro, e sua "liberdade" era quase sempre definida apenas por sua capacidade de transitar entre esses protetores.

O mais significativo de todos os impedimentos quanto ao desenvolvimento da consciência de grupo das mulheres era a ausência de uma tradição que reafirmasse a independência e autonomia das mulheres em qualquer período do passado. Nunca houvera nenhuma mulher ou grupo de mulheres vivendo sem proteção masculina, pelo que a maioria das mulheres sabiam. Nunca houvera nenhum grupo de pessoas como elas que tivesse feito qualquer coisa significativa sozinho. As mulheres não tinham história – assim disseram a elas, e assim elas acreditaram. Desse modo, foi a hegemonia dos homens sobre o sistema de símbolos que, de forma mais decisiva, prejudicou as mulheres.

A HEGEMONIA DOS HOMENS SOBRE o sistema de símbolos tomou duas formas: privação educacional das mulheres e monopólio masculino sobre sua definição. O último aconteceu inadvertidamente, mais como consequência da dominância de classe e do acesso de elites militares ao poder. Ao longo dos períodos históricos, sempre houve grandes brechas para as mulheres da elite, cujo acesso à educação era um dos principais aspectos de seu privilégio de classe. Mas a dominância masculina sobre a definição foi deliberada e abrangente e, por quase quatro mil anos, a existência de mulheres muito educadas e criativas mal deixou sua marca.

Vimos como homens se apropriaram e depois transformaram os principais símbolos de poder feminino: o poder da Deusa-Mãe e as deusas da fertilidade. Vimos como os homens construíram teologias baseadas na metáfora contrafatual da procriação e redefiniu a existência feminina de maneira restrita e sexualmente dependente. Por fim, vimos como as mesmas metáforas de gênero expressaram o homem como norma e a mulher como desvio; o homem como completo e poderoso, a mulher como inacabada, mutilada e sem autonomia. Com base em tais constructos simbólicos integrados à filosofia grega, teologias judaico-cristãs e a tradição legal sobre a qual a civilização ocidental é construída, os homens explicaram o mundo em seus próprios termos e definiram as questões importantes de modo a se colocarem no centro do discurso.

Ao fazer com que o termo "homem" incluísse "mulher", atribuindo-lhe a representação de toda a humanidade, os homens criaram um erro conceitual de grandes proporções em todo o seu pensamento. Tomando a metade pelo todo, não apenas deixaram escapar a essência do que quer que estivessem descrevendo, mas distorceram-na de tal maneira, que não conseguiram vê-la do modo correto. Enquanto os homens acreditavam que a terra era plana, não eram capazes de compreender sua realidade, sua função e sua relação real com outras partes do universo. Enquanto os homens acreditarem que suas experiências, seu ponto de vista e suas ideias representam toda a experiência humana e todo o pensamento humano, serão não só incapazes de definir o que é abstrato de modo correto, como também incapazes de descrever a realidade de maneira adequada.

A falácia androcêntrica, que é incorporada em todos os constructos mentais da civilização ocidental, não pode ser retificada apenas com a "adição de mulheres". O que é necessário para a retificação é uma reestruturação radical de pensamento e análise que aceite de uma vez por todas o fato de que a humanidade consiste de partes iguais de homens e mulheres e que as experiências, os pensamentos e *insights* de ambos os sexos devem ser representados em toda a generalização feita sobre seres humanos.

Hoje, o desenvolvimento histórico criou, pela primeira vez, as condições necessárias através das quais os grandes grupos de mulheres – enfim, todas as mulheres – podem se emancipar da subordinação. Uma vez que o pensamento das mulheres foi aprisionado a uma estrutura patriarcal limitante e errônea, a transformação da consciência das mulheres sobre nós mesmas e nosso pensamento são uma precondição para a mudança.

Começamos este livro com uma discussão sobre a importância da história para a consciência e o bem-estar psíquico do ser humano. A história dá significado à vida humana e conecta cada vida com a imortalidade, porém, a história tem ainda outra função. Ao preservar o passado coletivo e reinterpretá-lo no presente, os seres humanos definem seu potencial e exploram os limites de suas possibilidades. Aprendemos com o passado não apenas o que as pessoas antes de nós fizeram, pensaram e planejaram, mas também como falharam e erraram. Desde os dias das listas de reis da Babilônia, os registros do passado foram escritos e interpretados por homens e concentraram-se sobretudo em realizações, ações e intenções dos homens. Com o advento da escrita, o conhecimento humano avançou a passos largos e a uma velocidade bem maior do que já ocorrera. Embora, como vimos, as mulheres tenham participado da manutenção da tradição oral e das funções religiosas e de culto no período anterior à escrita e por quase um milênio depois, a desvantagem educacional e o destronamento simbólico causaram um profundo impacto em seu futuro desenvolvimento. A lacuna entre a experiência de quem podia (no caso de homens de classe baixa) participar da criação do sistema de símbolos e quem meramente atuava, mas não os interpretava, tornou-se cada vez maior.

Em sua brilhante obra *O Segundo Sexo*, Simone de Beauvoir concentrou-se no produto final histórico desse desenvolvimento. Ela descreveu o homem como autônomo e transcendente; a mulher como imanente. Porém, sua análise ignorou a história. Explicando "por que às mulheres faltam meios concretos para se organizarem em unidade" em defesa dos próprios interesses, afirmou de modo categórico: "Elas [mulheres] não têm o próprio passado, a própria história, a própria religião".[1] Beauvoir está correta em sua observação de que a mulher não "transcendeu", se transcendência significar a definição e a interpretação do conhecimento humano. Mas ela estava errada em pensar que, em consequência, a mulher não tivera uma história. Duas décadas estudando a História das Mulheres refutaram essa falácia, revelando uma lista interminável de fontes e desvelando e interpretando a história oculta das mulheres. Esse processo de criação da história das mulheres ainda está em andamento e precisará continuar por muito tempo. Estamos apenas começando a entender suas implicações.

O mito de que as mulheres estão à margem da criação da história e da civilização afetou de forma profunda a psicologia de mulheres e homens. Deu ao homem uma visão distorcida e essencialmente errônea do seu lugar na sociedade humana e no universo. Para as mulheres, conforme demonstrado no caso de Simone de Beauvoir, sem dúvida uma das mulheres mais cultas de sua geração, a história pareceu durante milênios oferecer apenas lições negativas e nenhum precedente para exemplos significativos de ação, heroísmo ou libertação. O mais difícil de tudo foi a aparente ausência de uma tradição que reafirmasse a independência e a autonomia das mulheres. Parecia nunca ter existido nenhuma mulher ou grupo de mulheres que viveu sem a proteção masculina. É significativo que todos os exemplos contrários consideráveis se manifestassem por meio de mitos e fábulas: amazonas, matadoras de dragões, mulheres com poderes mágicos. Mas, na vida real, as mulheres não tinham história – assim aprenderam e assim acreditaram. E, por não terem história, não tinham alternativas de futuro.

De certo modo, a luta de classes pode ser descrita como uma luta pelo controle dos sistemas de símbolos de determinada sociedade. O grupo oprimido, enquanto compartilha e participa dos símbolos principais controlados pelos dominantes, também desenvolve os próprios símbolos. Estes, em época de mudança revolucionária, tornam-se forças importantes na criação de alternativas. Outro modo de dizer isso é que ideias revolucionárias podem ser geradas apenas quando os oprimidos possuem uma alternativa ao sistema de símbolos e significado daqueles que os dominam. Assim, escravos que viviam em um ambiente controlado por seus senhores e que estavam fisicamente sujeitos ao controle total deles podiam manter sua humanidade e, por vezes, definir limites para seu poder agarrando-se à própria "cultura". Tal cultura consistia de memórias coletivas – que eram mantidas vivas de modo cuidadoso – de um estado anterior de liberdade e alternativas de rituais, símbolos e crenças dos senhores. O que foi decisivo para o indivíduo foi a capacidade de ele ou ela se identificar com um estado diferente do de escravidão ou subordinação. Assim, todos os homens, fossem escravizados ou economica ou racialmente oprimidos, podiam ainda se identificar com outros – homens – como eles que representassem o domínio sobre o sistema de símbolos. Não importando quanto fossem aviltados, todo escravo ou camponês era semelhante ao senhor em sua relação com Deus. Esse não era o caso das mulheres. Até o momento da Reforma Protestante, a maioria das mulheres não podia confirmar nem fortalecer sua humanidade por referência a outras mulheres em posições de autoridade intelectual e liderança religiosa. As poucas mulheres da nobreza e místicas excepcionais, em grande parte freiras no claustro, eram – pela própria raridade – modelos improváveis para a mulher comum.

Onde não existe precedente, não se pode imaginar alternativas às condições existentes. É essa característica da hegemonia masculina que é mais prejudicial às mulheres e lhes garante o *status* de subordinadas há milênios. A negação às mulheres de sua história reforçou a aceitação da ideologia do patriarcado e enfraqueceu a noção de valor próprio da mulher individualmente. A versão masculina da história, legitimada como a "verdade universal", apresentou as mulheres como marginais à civilização e como vítimas do processo histórico. Ser assim apresentada e acreditar é quase pior do que ser esquecida por completo. Como sabemos agora, essa imagem é falsa, em ambas as afirmações. Mas o progresso das mulheres ao longo da história é marcado pela luta contra essa distorção incapacitante.

Além disso, há mais de 2.500 anos as mulheres são prejudicadas em termos educacionais e privadas das condições necessárias para o desenvolvimento do pensamento abstrato. É evidente que o pensamento não se baseia no sexo; a capacidade de pensamento é inerente à humanidade; pode ser fomentada ou limitada, mas não pode ser contida. Isso por certo é verdadeiro para o pensamento gerado e relacionado à vida cotidiana, o nível de pensamento com o qual a maioria dos homens e das mulheres lida a vida inteira. Mas a geração de pensamento abstrato e de novos modelos conceituais – formação de teoria – é outra questão. Essa atividade depende da educação do pensador individual nas melhores tradições existentes e na aceitação do pensador por um grupo de pessoas educadas que, por crítica e interação, oferecem "estímulo cultural". Depende de se ter tempo reservado. Enfim, depende de o pensador individual ser capaz de absorver tal pensamento e então dar um salto criativo a uma nova ordem. Historicamente, as mulheres foram incapazes de se valer de todas as precondições necessárias. A discriminação educacional trouxe desvantagens no acesso ao conhecimento; o "estímulo cultural", institucionalizado nos pontos mais altos dos estabelecimentos religiosos e acadêmicos, não estava disponível para elas. De maneira universal, mulheres de todas as classes tinham menos tempo livre do que os homens e, em razão da criação dos filhos e da servidão familiar, o tempo livre que tinham em geral não lhes pertencia. O tempo de homens pensadores, seu tempo de se dedicar ao trabalho e aos estudos, desde o início da filosofia grega, é respeitado como algo privativo. Assim como os escravos de Aristóteles, as mulheres, "que, com seus corpos, servem às necessidades da vida", sofreram por mais de 2.500 anos as desvantagens de um tempo fragmentado e sempre interrompido. Por fim, o tipo de desenvolvimento de caráter que torna uma mente capaz de ver novas conexões e de moldar uma nova ordem de abstrações é o exato oposto do que se exige das mulheres, treinadas para aceitar sua posição de subordinação e orientada ao serviço.

Ainda assim, sempre houve uma pequena minoria de mulheres privilegiadas, em geral da elite dominante, que tinham certo acesso ao mesmo tipo de educação de seus irmãos. Das fileiras dessas mulheres surgiram as intelectuais, as pensadoras, as escritoras, as artistas. Foram essas mulheres que, ao longo da história, tornaram-se capazes de nos dar uma perspectiva feminina, uma alternativa ao pensamento androcêntrico. Fizeram-no a um custo enorme e com muita dificuldade.

Essas mulheres, que foram aceitas no centro da atividade intelectual de sua época e em particular nos últimos cem anos, mulheres com educação acadêmica, precisaram primeiro aprender "como pensar como um homem". No processo, muitas delas haviam internalizado tanto aquele aprendizado, que perderam a capacidade de conceber alternativas. Pensar de forma abstrata é definir com precisão, criar modelos na mente e generalizar com base neles. Tal pensamento, assim nos ensinaram os homens, devem se basear na exclusão de sentimentos. As mulheres, assim como os pobres, os subordinados, os marginais, têm conhecimento preciso da ambiguidade, dos sentimentos misturados ao pensamento, dos julgamentos de valores colorindo abstrações. As mulheres sempre vivenciaram a realidade de si e da comunidade, sempre a conheceram e compartilharam-na umas com as outras. Ainda assim, vivendo em um mundo no qual são desvalorizadas, suas experiências carregam o estigma da insignificância. Em decorrência, aprenderam a desconfiar das próprias experiências e desvalorizá-las. Que sabedoria pode haver na menstruação? Que fonte de conhecimento pode haver no seio repleto de leite? Que alimento para abstração pode haver na rotina diária de alimentar e limpar? O pensamento patriarcal relega tais experiências definidas por gênero ao domínio do "natural", do não transcendente. O conhecimento das mulheres torna-se mera "intuição", a conversa entre mulheres torna-se "fofoca". As mulheres lidam com o particular irredimível: vivenciam a realidade todos os dias, a cada hora, em sua função de servir (cuidando da comida e da sujeira); em seu tempo, que pode ser interrompido sempre; em sua atenção dividida. Pode alguém generalizar enquanto a vida particular clama por ela a todo momento? Ele, que faz símbolos e explica o mundo, e ela, que cuida de suas necessidades de corpo e mente e dos filhos – a disparidade entre ambos é enorme.

Historicamente, mulheres pensadoras tiveram de escolher entre vivenciar uma vida de mulher, com suas alegrias, seu cotidiano e imediatismo, e uma vida de homem, para que pudessem pensar. A escolha para gerações de mulheres cultas é cruel e custosa. Outras escolheram por vontade própria uma existência fora do sistema de sexo-gênero, vivendo sozinhas ou com outras mulheres. Alguns dos avanços mais significativos no pensamento das mulheres nos foram dados por essas mulheres cuja luta pessoal por um modo de vida alternativo permeou seus pensamentos. Mas essas mulheres, durante a maioria do tempo histórico, foram forçadas a viver à margem da sociedade; foram consideradas "desviantes" e, como tais, tiveram dificuldade de generalizar com base na própria experiência em relação aos outros e de receber influência e aprovação. Por que as mulheres não construíram o sistema? Porque não se pode pensar de maneira universal quando se está excluída do genérico.

O custo social de se excluir as mulheres da empreitada humana de construção do pensamento abstrato nunca foi calculado. Podemos começar a compreender o custo disso para as mulheres pensadoras quando nomeamos com precisão o que foi feito conosco e descrevemos, não importando quão doloroso for, as formas de participação nessa empreitada. Sabemos há tempos que o estupro é uma forma de nos aterrorizar e nos manter subjugadas. Agora também sabemos que participamos, ainda que contra nossa vontade, do estupro de nossa mente.

Mulheres criativas, escritoras e artistas, lutaram de maneira semelhante contra uma realidade distorcida. Um cânone literário, definido pela Bíblia, os clássicos gregos e Milton, em sua consagrada obra *O Paraíso Perdido*, necessariamente enterrariam a importância e o significado da obra literária de mulheres, como os historiadores enterraram as atividades delas. O esforço para ressuscitar esse significado e reavaliar a obra literária e artística de mulheres é recente. A crítica e a poética literárias feministas nos apresentaram a uma interpretação da literatura de mulheres, que encontra uma visão de mundo oculta e deliberadamente "inclinada", mas poderosa. Por meio de reinterpretações das críticas literárias feministas, estamos descobrindo, entre as mulheres escritoras dos séculos XVIII e XIX, uma linguagem feminina de metáforas, símbolos e mitos. Seus temas são com frequência bastante subversivos da tradição masculina. Apresentam crítica da interpretação bíblica da queda de Adão; rejeição da dicotomia deusa/bruxa; projeção ou medo do eu dividido O aspecto poderoso da criatividade da mulher se torna simbolizado nas heroínas dotadas de poderes mágicos de bondade ou em mulheres fortes que são banidas a porões ou para que vivam como "a louca no sótão". Outras escrevem em metáforas elevando o espaço doméstico confinado, fazendo com que ele sirva, simbolicamente, como o mundo.[2]

Durante séculos, encontramos nas obras de mulheres letradas uma busca patética, quase desesperada, pela História das Mulheres, bem antes da existência de estudos históricos. Escritoras do século XIX leram com avidez a obra de mulheres romancistas do século XVIII; repetidas vezes elas leram as "vidas" de rainhas, abadessas, poetisas, mulheres sábias. Os primeiros "compiladores" pesquisaram a Bíblia e todas as fontes históricas às quais tiveram acesso para criar tomos importantes com heroínas femininas.

Ainda assim, as vozes literárias de mulheres, marginalizadas e banalizadas com sucesso pelo *establishment* masculino dominante, sobreviveram. As vozes de mulheres anônimas estavam presentes como uma tendência na tradição oral, música folclórica e nas cantigas de roda, nos contos de bruxas poderosas e fadas boas. Costurando, bordando e fazendo colchas de retalhos, a criatividade artística das mulheres expressou uma visão alternativa. Em cartas, diários, orações e canções, a força criadora de símbolos da criatividade das mulheres pulsou e persistiu.

Mulheres e homens entraram no processo histórico sob diferentes condições e passaram por ele em velocidades distintas. Se o ato de registrar, definir e interpretar o passado marca a entrada do homem na história, isso ocorreu para os homens no terceiro milênio a.C. Para as mulheres (e ainda assim apenas para algumas), com notáveis exceções, ocorreu no século XIX. Até então, toda a História era Pré-História para as mulheres.

A falta de conhecimento das mulheres sobre a própria história de luta e conquistas é um dos principais meios de nos manter subordinadas. Mas mesmo aquelas que já se definem como pensadoras feministas e engajadas no processo de criticar os sistemas tradicionais de ideias ainda são atrasadas pelas amarras do desconhecimento gravado profundamente em nossa psique. A mulher emergente encara um desafio à própria definição de si mesma. Como pode seu pensamento audacioso – nomear o até agora inominado, fazer as perguntas definidas por todas as autoridades como "inexistentes" –; como pode tal pensamento coexistir com sua vida de mulher? Ao fugir dos constructos do pensamento patriarcal, ela encara, como Mary Daly assinalou, o "vazio existencial". E, de modo mais imediato, teme a ameaça da perda de comunicação com a aprovação e o amor do homem (ou dos homens) de sua vida. O afastamento do amor e a designação de mulheres pensadoras como "desviantes" são meios historicamente usados para desencorajar o trabalho intelectual de mulheres. No passado (e agora), muitas mulheres emergentes voltaram-se a outras mulheres como objeto de amor e reforço de si mesmas. As feministas heterossexuais também, ao longo do tempo, tiraram forças da amizade com mulheres, do celibato voluntário ou da separação entre sexo e amor. Nenhum homem pensador já foi ameaçado em sua própria definição e na vida amorosa como preço a ser pago pelo seu pensamento. Não devemos subestimar a importância desse aspecto de controle de gênero como força que impede as mulheres de participar plenamente do processo de criação de sistemas de pensamento. Felizmente, para essa geração de mulheres cultas, a libertação significou a quebra dessa amarra emocional e o reforço consciente de nós mesmas por meio do apoio de outras mulheres.

Não é o fim das dificuldades. Alinhadas com nosso histórico condicionamento de gênero, as mulheres buscaram agradar e evitar a desaprovação. Essa é uma preparação insuficiente para dar um salto no desconhecido exigido daquelas que concebem novos sistemas. Além disso, cada mulher emergente foi educada no pensamento patriarcal. Cada uma de nós guarda pelo menos um grande homem no pensamento. A falta de conhecimento do passado feminino nos privou de heroínas femininas, fato que apenas há pouco tempo vem sendo corrigido através do desenvolvimento da História das Mulheres. Então, por muito tempo, as mulheres pensadoras renovaram os sistemas de ideias criados pelos homens, travando um diálogo com as grandes mentes masculinas em seus pensamentos. Elizabeth Cady Stanton assumiu a Bíblia, padres da Igreja, fundadores da República norte-americana. Kate Millet discutiu com Freud, Norman Mailer e o *establishment* literário liberal; Simone de Beauvoir com Sartre, Marx e Camus; todas as feministas marxistas dialogam com Marx e Engels, e algumas também com Freud. Nesse diálogo, a mulher busca tão somente aceitar o que quer que ache útil para ela no grande sistema do homem. Mas, nesses sistemas, a mulher – como conceito, entidade coletiva, indivíduo – é marginalizada ou incorporada.

Ao aceitar esse diálogo, a mulher pensadora fica muito mais tempo do que seria útil dentro dos limites ou da formulação de perguntas definidos pelos "grandes homens". E, enquanto isso, a fonte de um novo entendimento está fechada para ela.

O pensamento revolucionário é sempre baseado na melhoria da experiência do oprimido. O camponês precisou aprender a confiar na importância de sua experiência de vida antes de ousar desafiar os senhores feudais. O trabalhador industrial precisou tomar "consciência de classe", o afrodescendente precisou tomar "consciência de raça" antes que o pensamento libertador pudesse ser desenvolvido na teoria revolucionária. Os oprimidos agiram e aprenderam de modo simultâneo – o processo de se tornar o mais novo grupo ou pessoa é libertário por si só. O mesmo vale para as mulheres.

A mudança na consciência que devemos fazer ocorre em duas etapas: devemos, ao menos por um tempo, permanecer centradas nas mulheres. Depois devemos, tanto quanto possível, deixar o pensamento patriarcal para trás.

Ser centrada na mulher significa: perguntar como seria definido esse argumento se as mulheres fossem seu ponto central. Significa ignorar todas as evidências de marginalização da mulher porque, mesmo onde as mulheres pareçam ser marginalizadas, trata-se do resultado da intervenção patriarcal; não raro, também é mera aparência. O pressuposto básico deve ser que é inconcebível para qualquer coisa ocorrer no mundo sem que as mulheres estejam envolvidas, exceto se tiverem sido impedidas de participar por meio de coerção e repressão.

Usar métodos e conceitos de sistemas tradicionais de pensamento significa utilizá-los do ponto de vista da centralidade da mulher. As mulheres não podem ser colocadas em espaços vazios de pensamento e sistemas patriarcais – ao se deslocarem para o centro, elas transformam o sistema.

Fugir do pensamento patriarcal significa: ser cética quanto a cada sistema conhecido de pensamento; criticar todos os pressupostos, valores de ordem e definições.

Contestar a afirmação de alguém confiando em nossas afirmações, na experiência feminina. Uma vez que tal experiência costuma ser banalizada ou ignorada, significa superar a resistência profundamente sedimentada dentro de nós mesmas e nos aceitarmos – e ao nosso conhecimento – como válidas. Isso quer dizer nos livrarmos dos grandes homens em nosso pensamento e substituí-los por nós mesmas, nossas irmãs, nossas ancestrais anônimas.

Sermos críticas quanto ao próprio pensamento, que é, afinal, um pensamento moldado na tradição patriarcal. Por fim, significa desenvolver coragem intelectual, a coragem de se levantar sozinha, a coragem de buscar o inalcançável, a coragem de correr o risco do fracasso. Talvez o maior desafio para as mulheres pensadoras seja o desafio de fugir do desejo de segurança e aprovação para a qualidade mais "não feminina" de todas – a arrogância intelectual, a húbris suprema que atribui a si o direito de reordenar o mundo. A húbris dos criadores de deuses, a húbris dos homens que constroem o sistema.

O sistema do patriarcado é um constructo histórico; tem um começo; terá um final. Seu tempo parece estar quase acabando – ele não atende mais às necessidades de homens e mulheres, e, em sua ligação indissociável com militarismo, hierarquia e racismo, ameaça a própria existência de vida no planeta.

O que virá depois, que tipo de estrutura será a base para formas alternativas de organização social, ainda não sabemos. Vivemos em uma era de transformação sem precedentes. Estamos no processo de formação. Mas já sabemos que a mente da mulher, enfim liberta após tantos milênios, também poderá oferecer visão, ordem, soluções. As mulheres por fim estão exigindo, como fizeram os homens no Renascimento, o direito de explicar, o direito de definir. As mulheres, pensando elas mesmas além do patriarcado, somam *insights* transformadores ao processo de redefinição.

Enquanto homens e mulheres considerarem "natural" a subordinação de metade da raça humana à outra metade, será impossível conceber uma sociedade na qual as diferenças não signifiquem dominância ou subordinação. A crítica feminista do edifício patriarcal de conhecimento apresenta o fundamento para uma análise correta da realidade – uma análise que, no mínimo, consegue distinguir o todo de uma parte. A História das Mulheres, ferramenta inicial ao se criar a consciência feminista nas mulheres, oferece toda a experiência em comparação com a qual novas teorias podem ser testadas e sobre a qual mulheres de visão podem se posicionar.

Uma visão de mundo feminista permitirá que mulheres e homens libertem a mente do pensamento patriarcal, e também de sua prática, para enfim construírem um mundo livre de dominação e hierarquia, um mundo que seja verdadeiramente humano.

Ilustrações

Diversas representações das principais imagens de deusas são mostradas nas Ilustrações 1 a 13, desde as primeiras deusas da fertilidade até a poderosa e multifacetada Inanna/Ishtar.

As Ilustrações 6 e 7 representam uma cerimônia, provavelmente um festival religioso no qual o produto dos campos e dos rebanhos é oferecido à deusa e à sua sacerdotisa. A fertilidade dos campos e dos rebanhos é representada pelas imagens na última fileira do Vaso de Uruk. Observe a diferença entre o *status* da sacerdotisa, que está total e formalmente vestida, e o daqueles que fazem as oferendas, que estão nus.

A Ilustração 8 mostra a deusa com sua insígnia entre os outros deuses.

A Ilustração 10 mostra a deusa dando sua bênção e proteção aos dignatários adoradores e aos reis. O poder da realeza, portanto, é representado de modo simbólico como proveniente da bênção e da proteção da deusa.

A Ilustração 11 mostra a deusa Ishtar como uma guerreira, vestindo a indumentária dos guerreiros e pisando em um leão. Observe, no último selo cilíndrico, a associação da deusa com a árvore frutífera.

A Ilustração 12 mostra o soberano de Larsa, Gudea, segurando um recipiente de onde jorra água, como um símbolo de seu poder em tornar a terra fértil. Uma representação um pouco posterior do palácio do rei Zimri-Lim de Mari na Ilustração 13 mostra a deusa em uma pose idêntica, segurando um recipiente parecido. Como pode se observar pela vista lateral, a estátua oca podia ser preenchida com água pela parte de trás e, no momento certo, a água jorraria "de forma milagrosa". Embora não possamos demonstrar aqui um desenvolvimento sequencial por meio de representações pictóricas, sabemos, por meio de orações e hinos, que o poder da deusa de fazer a água jorrar e tornar a terra fértil já era celebrado séculos antes de os soberanos se apropriarem simbolicamente dele.

1. Mulher nua. Ídolo de fertilidade. Susa, meados do segundo milênio a.C. (Paris, Louvre).

2. Estatuetas de mulheres. Colocadas em túmulos em Tell es-Sawwan, perto de Samarra, na porção central do rio Tigre, por volta de 5800 a.C. (Bagdá, Museu do Iraque).

3. Deusa-Mãe dando à luz. Çatal Hüyük.

4. Deusa Bau. Fragmento da Estela de Gudea. Lagash, por volta de 2200 a.C. (Paris, Louvre).

5. Cabeça de mulher de Uruk. Período inicial da Suméria, por volta de 3250 a.C. (Bagdá, Museu do Iraque).

6. Vaso de alabastro de Uruk. Período inicial da Suméria (Bagdá, Museu do Iraque).

7. Detalhe de vaso de Uruk (Bagdá, Museu do Iraque).

8. Selo cilíndrico do escriba Adda. Grandes deuses na manhã do Ano Novo. Período de Agade (Londres, Museu Britânico. Cortesia do Conselho de Administração do Museu Britânico).

9. Selo cilíndrico. Período de Ur III/Isin, por volta de 2255-2040 a.C. (Londres, Museu Britânico. Cortesia do Conselho de Administração do Museu Britânico).

10. A deusa Ishtar conduzindo um rei pela mão. Por volta de 1700 a.C. (Friedrich-Schiller-Universität, Jena-DDR).

11. A deusa Ishtar com o pé sobre um leão. Selo cilíndrico assírio, 750-650 a.C. (Londres, Museu Britânico. Cortesia do Conselho de Administração do Museu Britânico).

12. Gudea com vaso jorrando. Telloh, por volta de 2200 a.C. (Paris, Louvre).

13. Deusa com regador. Palácio do rei Zimri-Lim de Mari, por volta de 2040-1870 a.C. (Hirmer Verlag).

As Ilustrações 14 e 15 mostram mulheres adoradoras do terceiro milênio a.C. A expressão digna e forte do corpo e do rosto delas bem como os semblantes individualizados são extraordinários. Essas mulheres são representadas com dignidade e apresentam características pessoais que, por não serem personalidades da realeza, podem indicar uma atitude respeitosa de modo geral em relação às mulheres na sociedade. Na arte europeia, após a Antiguidade clássica, não encontraremos representações individualizadas de pessoas de classe baixa até o início da Renascença.

A Ilustração 16 vem da Anatólia e mostra uma mulher fiando (mãe) e seu filho menino, que segura uma ferramenta de escrita. Em relevo semelhante do mesmo período e local, não mostrado aqui, vemos uma mulher sentada e segurando uma criança no colo, e a criança, por sua vez, segura uma tábua e um falcão. Nessa representação, a pose e a expressão da mulher deixam claro que ela é a mãe do menino. Essas imagens indicam quanto as coisas mudaram em relação a um período anterior, quando tanto mulheres quanto homens eram escribas a serviço dos templos. Agora, a mulher pode se orgulhar do filho instruído, enquanto segue com suas habilidades femininas de tecelã.
Identifica-se a Ilustração 17 como um hierodulo da deusa Astarte. Como seu rosto está descoberto em público, e ela mostra sua figura na janela aberta de um edifício, considera-se que represente uma prostituta ou talvez uma serva sexual religiosa. O fato de essa representação fazer parte de um móvel, a saber, uma cabeceira de cama, enfatiza seu significado sexual implícito.

As Ilustrações 18 a 23 mostram várias representações da Árvore da Vida. Foram dispostas em ordem cronológica e vêm de diferentes lugares. Devemos notar a associação da árvore com criaturas mitológicas (Ilustrações 18 a 20). Nas Ilustrações 20 e 21, é evidente que as figuras representam guerreiros, sendo um deles possivelmente o rei.

Nas Ilustrações 18 a 21, vemos o símbolo da Árvore da Vida como figura central da composição. Reis, servos ou várias criaturas mitológicas são mostrados regando ou polinizando a árvore. O fato de esse símbolo ser fundamental para a arte palaciana e de também aparecer nos selos cilíndricos indicaria seu grande uso e reconhecimento. Quanto mais tardio o período, mais o símbolo parece dissociado da representação realista da árvore ou planta e de sua relação com o símbolo da água, que representa a criação da vida. Nas Ilustrações 19 e 21, que vêm do palácio do rei Assurnasirpal II da Assíria, podemos observar que o símbolo é apresentado em sua forma mais estilizada e decorativa. O fato de, nesse palácio, que é extraordinariamente decorado com relevos que retratam sobretudo perseguições, como luta e conquista, e caça ao leão, o rei ser mostrado cuidando e fertilizando a Árvore da Vida acrescenta significado ao símbolo. Note o gesto de todas as figuras masculinas do relevo apontando para a árvore (Ilustrações 20 e 21) e o pássaro alado, que representa o poder divino, pairando sobre a árvore. Interpretamos isso como uma representação simbólica do poder de criação da vida, agora firme e enfim nas mãos do rei, e não nas da deusa.

A Ilustração 22, de um grande relevo do palácio do rei Assurnasirpal II da Assíria, mostra o banquete da vitória do rei. É digna de nota porque apresenta a rainha como participante ativa de uma cerimônia pública. Há vários servos e artistas, tanto homens como mulheres, em evidência. A Árvore da Vida, com seu símbolo de fertilidade, a tâmara ou a romã, é mostrada em destaque.

A Ilustração 23 mostra o rei Xerxes entronizado e seus servos, séquito e porta-estandartes. Na mão direita erguida segura uma flor (detalhe, Ilustração 24). É uma flor simbólica, que já vimos antes, relacionada à Árvore da Vida.

As Ilustrações 25, 26 e 27 representam partes do teto da Capela Sistina de Michelangelo e retratam a história da Criação do Homem e da Mulher, bem como a história da Queda. O poder de gerar vida agora é representado pelo Deus patriarcal de barba, o Pai. A árvore passou a ser a árvore do fruto proibido. Aquela que promove tentações é a serpente, há muito associada com a deusa. As imagens poderosas de Michelangelo representam com mais clareza as metáforas relacionadas ao sexo que aparecem mais na tradição judaico-cristã do que em glossários e outros textos explicativos. Adonai pode não ter sexo e ser invisível, mas no imaginário popular ele é o Deus-Pai barbudo criador da vida. E o primeiro mandamento para a mulher caída é que deverá haver inimizade entre ela e a serpente.

14. Mulher em oração de Khafaje, terceiro milênio a.C. (Bagdá, Museu do Iraque).

15. Estatueta de mulher em adoração, por volta de 2900-2460 a.C. (Londres, Museu Britânico. Cortesia do Conselho de Administração do Museu Britânico).

16. Mulher fiando com escriba. De um túmulo em Marash, séculos VIII a VII a.C. (Adana, Museu).

17. Hierodula de Astarte. Nimrud, palácio de Assurnasirpal II (importado da Fenícia), por volta do século VIII a.C. (Londres, Museu Britânico. Cortesia do Conselho de Administração do Museu Britânico).

18. Selo cilíndrico, Porada 609. Gênio-pássaro apanha um cacho de tâmaras da árvore, por volta de 1200 a.C. (Nova York, Morgan Library. Cortesia do Conselho de Administração da The Pierpont Morgan Library).

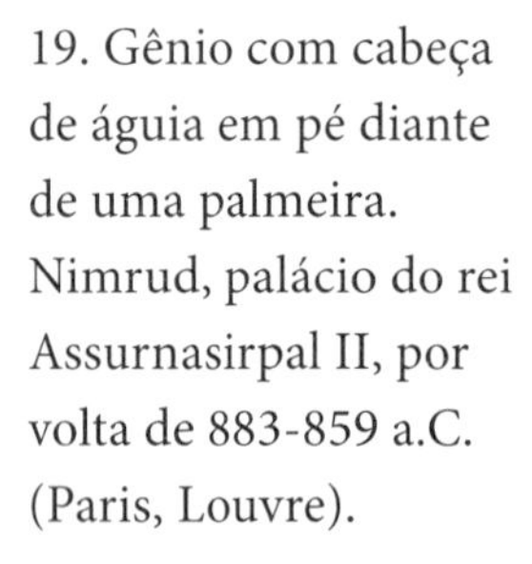

19. Gênio com cabeça de águia em pé diante de uma palmeira. Nimrud, palácio do rei Assurnasirpal II, por volta de 883-859 a.C. (Paris, Louvre).

20. Selo de Mushezib-Ninurta. Tell Arban, norte da Síria, por volta de 850 a.C. (Londres, Museu Britânico. Cortesia do Conselho de Administração do Museu Britânico).

21. Rei Assurnasirpal II com um deus alado adorando a árvore sagrada. Nimrud, palácio do rei Assurnasirpal II, 883-859 a.C. (Londres, Museu Britânico. Cortesia do Conselho de Administração do Museu Britânico).

22. Celebração da vitória do rei Assurnasirpal e da rainha Assur-sharrat (Londres, Museu Britânico. Cortesia do Conselho de Administração do Museu Britânico).

23. *Página ao lado, acima.* Rei Xerxes entronizado (Persépolis, Museu de Teerã).

24. *Página ao lado, embaixo.* Detalhe da flor (Persépolis, Museu de Teerã).

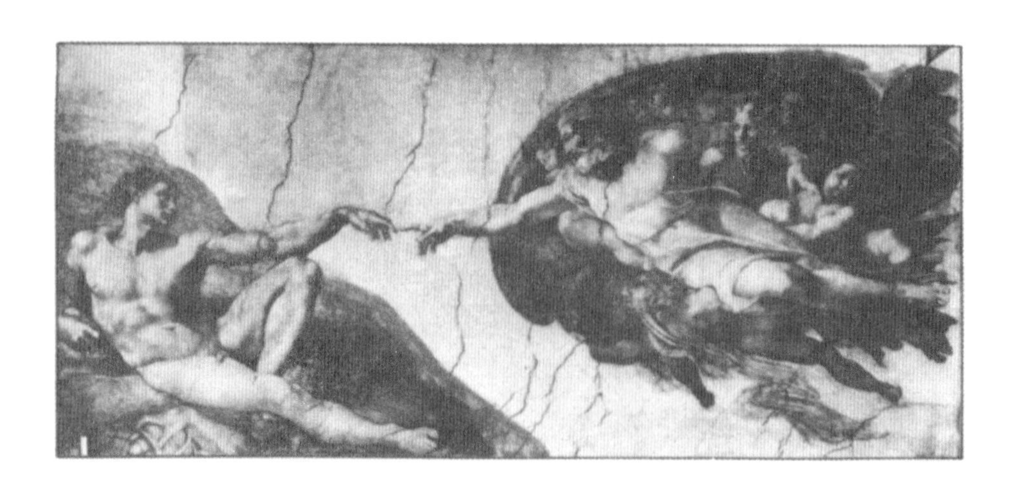

25. *Página ao lado, acima.* Michelangelo, A Criação do Homem (Capela Sistina. Alinari/TopFoto/AGB Photo Library).

26. *Página ao lado, embaixo.* Michelangelo, A Criação da Mulher (Capela Sistina. Alinari/TopFoto/AGB Photo Library).

27. Michelangelo, A Queda do Homem e a Expulsão do Jardim do Éden (Capela Sistina. Alinari/TopFoto/AGB Photo Library).

APÊNDICE

DEFINIÇÕES

Ao me encarregar deste trabalho, faço parte de um esforço em grupo de pensadoras feministas de diversas disciplinas para retificar a omissão da mulher como sujeito do discurso e sua exclusão como participante da formação de sistemas de ideias. A exclusão de mulheres da criação e definição de símbolos pareceu deixá-las de fora da história, portanto, adquiriu uma força de consagração muito maior do que a usada contra qualquer outro grupo subordinado. A maneira como isso ocorreu e afetou a história foi discutida em mais detalhes neste volume. O que já sabemos é que o fator a-histórico dessa prática impediu que as mulheres "se conscientizassem" como mulheres, tendo sido esse um dos maiores alicerces do sistema de dominância patriarcal. É apenas no século XX que, para um pequeno grupo de mulheres – ainda assim, apenas uma pequena minoria se considerada em escala global –, as precondições de acesso educacional e equidade tornaram-se pelo menos disponíveis, para que as próprias mulheres começassem a "enxergar" e assim definir seu dilema.

Nós, que estamos empenhadas nessa iniciativa de redefinição, enfrentamos o triplo desafio de definir de forma correta, desconstruir a teoria existente e construir um novo paradigma. Encaramos não apenas a dificuldade de não termos uma linguagem adequada, mas também os problemas únicos como mulheres para superar nosso treinamento tradicional e psicologia enraizada e historicamente condicionada.

Seja qual for a área de conhecimento na qual trabalhamos, precisamos enfrentar a inadequação de linguagens e conceitos à tarefa em questão. Todos os sistemas de pensamento e filosofias nos quais somos treinadas têm mulheres ignoradas ou marginalizadas. Assim, a única maneira de conceituar mulheres como grupo é comparando-as a vários outros grupos, em geral de oprimidos, e descrevendo-as em termos apropriados para tais grupos. Mas a comparação não é adequada; os termos não se encaixam. As ferramentas que temos à disposição são inadequadas.

O modo como o pensamento abstrato é moldado e a linguagem na qual ele se manifesta são definidos a fim de perpetuar a marginalidade das mulheres. Nós, mulheres, precisamos nos expressar por meio do pensamento patriarcal conforme ele se reflete na própria linguagem que precisamos usar. É uma linguagem na qual somos incorporadas ao pronome masculino e na qual o termo genérico para "humano" é "homem". As mulheres precisam usar "termos chulos" ou "palavras ocultas" para descrever o próprio corpo e suas experiências. Os insultos mais baixos em todos os idiomas referem-se a partes do corpo feminino ou à sexualidade feminina.

Além disso, as dificuldades com vocabulário e definição são universais, e pensadoras feministas enfrentaram-nas com bravura. É muito difícil, talvez até inútil, tentar mudar a linguagem e seu uso em um curto alcance. As palavras são constructos culturais socialmente criados; não podem criar vida a não ser que representem conceitos aceitos por muitas pessoas. As palavras criadas para o uso de um pequeno grupo de iniciados costuma mais confundir que esclarecer – a língua torna-se um jargão técnico compreensível apenas para quem faz parte da pequena cúpula de ilustrados. Para quem deseja desconstruir as suposições androcêntricas inerentes à linguagem que usamos e expressar de forma adequada conceitos apropriados à metade da raça humana, o problema de redefinição e renomeação delimita o alcance e os limites dessa iniciativa. Para que continuemos sendo entendidas e representando a experiência das mulheres, nossos esforços de renomeação devem ser conservadores, ou nossas palavras serão incompreensíveis para as pessoas a quem e de quem falamos. Portanto, tentei, sempre que possível, usar termos comuns e consagrados, mas definindo com clareza sua aplicação. Por outro lado, a necessidade de redefinir e repensar deve, inevitavelmente, afetar nossa linguagem. Talvez, na qualidade de escritora e poetisa, eu seja conservadora em relação à linguagem e, assim, evite neologismos - embora reconheça o poder que eles têm de causar reflexão a partir de caminhos gastos e, portanto, de ensinar.

A confusão de diferentes interpretações de determinados conceitos que são básicos para o pensamento feminista reflete, com precisão considerável, o estado do pensamento feminista. A rebelião contra a marginalidade intelectual das mulheres vem ocorrendo com a força de enchentes que irrompem de pedras e solo em lugares diferentes e em uma grande variedade de direções. É cedo demais para esperarmos unanimidade ou mesmo um vocabulário comum, e suspeito que talvez jamais o alcancemos, assim como todos os homens aprenderam a falar em uma linguagem compreensível uns com os outros. Ainda assim, é frequente que um conceito, uma definição ou um termo específico sejam aceitos e mais utilizados. Essa nova linguagem passa a ser um símbolo, um indício de mudança de consciência e de uma nova forma de pensar. Então, precisamos usar a linguagem dos patriarcas, mesmo enquanto pensamos em como sair do patriarcado. Mas essa linguagem também é a nossa, é a linguagem das mulheres, uma vez que a civilização, embora patriarcal, também é nossa. Precisamos reivindicá-la, transformá-la, recriá-la e, ao fazê-lo, transformar o pensamento e a prática a fim de criar uma linguagem nova, comum e sem gênero.

Por enquanto, prestar atenção às palavras que usamos e a como as usamos é uma maneira de levar nosso pensamento a sério. Ou seja, é um começo fundamental.

Para os meus objetivos, três conceitos foram particularmente difíceis de definir e nomear de forma apropriada: (1) o conceito que descreve a situação histórica das mulheres; (2) o que descreve várias formas de luta autônoma das mulheres; e (3) o que descreve o objetivo da luta das mulheres.

Que palavra descreve a posição histórica das mulheres na sociedade?

Opressão das mulheres é a expressão que costuma ser usada por escritoras e pensadoras, e também por feministas. O termo "opressão", que significa subordinação forçada, é usado para descrever a condição vulnerável de indivíduos e grupos, como em "opressão de classe" ou "opressão de raça". A expressão descreve de forma inadequada a dominância paternalista, que, embora tenha aspectos opressivos, envolve também um conjunto de obrigações mútuas e frequentemente não é vista como opressiva. A expressão "opressão das mulheres" evoca de modo inevitável a comparação com os outros grupos oprimidos e faz com que as pessoas pensem em termos de comparação entre os vários graus de opressão como se lidassem com grupos semelhantes. Pessoas afrodescendentes, mulheres e homens, são mais oprimidas do que mulheres brancas? A opressão exercida pelos colonos é comparável de alguma forma à opressão vivida por donas de casa suburbanas de classe média? Tais questões são enganosas e irrelevantes. As diferenças de *status* das mulheres e de outros grupos minoritários oprimidos, ou mesmo de grupos majoritários como "os colonizados", são tão básicas, que não é adequado usar o mesmo termo para descrever todos eles. O domínio de metade da humanidade sobre a outra metade é qualitativamente diferente de qualquer outra forma de domínio, e nossa terminologia deve deixar isso claro.

A palavra "opressão" sugere vitimação; de fato, quem oprime mulheres costuma conceituar "mulheres como grupo" sobretudo como vítimas. Essa forma de enxergar mulheres é enganosa e a-histórica. Embora todas as mulheres tenham sido vitimadas em determinados aspectos de suas vidas e algumas, em certos momentos, mais do que outras, as mulheres estão estruturadas na sociedade de tal forma que são ao mesmo tempo sujeitos e agentes. Como discutimos antes, a "dialética da história das mulheres", a complexa tração de forças contraditórias sobre as mulheres, faz com que estas sejam ao mesmo tempo marginalizadas e centrais aos eventos históricos. Tentar descrever sua condição usando um termo que oculte essa complexidade é contraproducente.

A palavra "opressão" foca na injustiça; é subjetiva pois representa a consciência do grupo vitimado de ter sido injustiçado. A palavra sugere uma luta pelo poder, cuja derrota resulta na dominância de um grupo sobre o outro. Pode ser que a experiência histórica das mulheres inclua "opressão" desse tipo, mas ela abrange muito mais. Mulheres, mais do que qualquer outro grupo, colaboraram com a própria subordinação, aceitando o sistema sexo-gênero. Elas internalizaram tanto os valores que a subordinam, que os passam para os filhos. Algumas mulheres são "oprimidas" em certo aspecto da vida pelos pais ou maridos, enquanto elas mesmas exercem poder sobre outras mulheres e outros homens. Tais complexidades tornam-se visíveis quando o termo "opressão" é usado para descrever a condição das "mulheres como grupo".

O uso da expressão ***subordinação das mulheres*** em vez do termo "opressão" tem vantagens distintas. A subordinação não tem a conotação de intenção maldosa da parte do dominante; ela dá margem à possibilidade de conluio entre ele e a subordinada. Inclui a possibilidade de aceitação voluntária do *status* subordinado em troca de proteção e privilégio, uma condição que caracteriza muito da experiência histórica das mulheres. Usarei a expressão "dominância paternalista" para essa relação. "Subordinação" inclui outras relações além da "dominância paternalista" e tem a vantagem adicional sobre "opressão" de ser neutra em relação às causas da subordinação. As relações complexas de sexo/gênero entre homens e mulheres ao longo de cinco milênios não podem ser atribuídas a uma única causa – a sede de poder dos homens. Portanto, é melhor usarmos termos razoavelmente sem carga de valores para que possamos descrever as várias e variadas relações de sexo/gênero, construídas tanto por homens quanto por mulheres em épocas e momentos diferentes.

O termo ***privação*** tem, em relação aos outros dois termos, a vantagem de ser objetivo, mas a desvantagem de mascarar e esconder a existência das relações de poder. Privação é a observada ausência de prerrogativas e privilégios. O foco da atenção é no que foi negado, não em quem negou. A privação pode ser causada por um único indivíduo, grupos de pessoas, instituições, condições naturais e desastres, problemas de saúde e muitas outras causas.

Quando alguém conceitua mulheres como centrais, não marginais, para a história da humanidade, fica óbvio que as três palavras descrevem as mulheres em algum momento da história e em algum lugar ou grupo. Fica óbvio também que cada palavras é adequada a aspectos específicos do *status* das mulheres em determinado momento ou local. Assim, homens e mulheres da fronteira do oeste norte-americano eram ***privados*** de assistência médica adequada e oportunidades educacionais em razão das condições na fronteira. Mulheres norte-americanas do nordeste urbano antes da Guerra Civil podem ser descritas como *oprimidas*, pois a elas eram negados direitos legais como o voto, e liberdade sexual, como o direito de controlar a própria reprodução. Práticas discriminatórias no emprego e na educação constituem *opressão*, uma vez que tais restrições, na época, eram impostas para beneficiar grupos específicos de homens, tais como os empregadores e profissionais do sexo masculino. Mulheres eram *privadas* em termos econômicos, pois eram direcionadas a empregos segregados por sexo. Pode-se dizer que mulheres casadas são *subordinadas* aos homens em relação a seus direitos legais e seu direito à propriedade. Mulheres em geral eram subordinadas aos homens em associações voluntárias e em instituições, como em igrejas. Por outro lado, a dominância de mulheres de classe média dentro da família era crescente naquela época em razão da separação das "esferas" masculina e feminina. Para entender a complexidade dessa situação é fundamental saber que o aumento da autonomia doméstica ocorreu em uma estrutura de sociedade que restringia e privava as mulheres de várias formas.

O esforço para rotular todos os diferentes aspectos da situação das mulheres confundiu a interpretação da História das Mulheres. É impossível, e ninguém tentou, descrever o *status* dos "homens" durante qualquer período da história em um termo apropriado. O mesmo vale para as mulheres. O *status* das mulheres em comparação ao dos homens em qualquer época e lugar deve ser diferenciado em minúcias, de acordo com seus aspectos específicos e sua relação com estruturas sociais diversas. Portanto, vários termos apropriados devem ser usados para enfatizar essas diferenças – prática que segui do começo ao fim.

Qual é o termo apropriado para descrever a luta ou o descontentamento das mulheres?

Feminismo é o termo que se costuma usar, de modo um tanto indiscriminado. Algumas das definições usadas hoje em dia são: (a) doutrina que advoga por direitos sociais e políticos para mulheres iguais aos dos homens; (b) movimento organizado para conquistar esses direitos; (c) a afirmação das reivindicações de "mulheres como grupo" e o corpo teórico que as mulheres criaram; (d) crença na necessidade de mudança social em grande escala para aumentar o poder das mulheres. A maioria das pessoas que usam o termo incorpora as definições de (a) a (c), mas a necessidade de mudança social básica no sistema para o qual mulheres exigem acesso igual não é necessariamente aceito por feministas.

Eu sempre defendi a necessidade de uma definição mais disciplinada do termo. Depois chamei atenção para a útil distinção entre "direitos da mulher" e o conceito de "emancipação da mulher".*

O objetivo do movimento de ***direitos da mulher*** é garantir às mulheres igualdade com os homens em todos os aspectos da sociedade e dar a elas acesso a todos os direitos e oportunidades que os homens têm nas instituições da sociedade. Assim, o movimento de direitos das mulheres é parecido com o movimento de direitos civis dos afrodescendentes dos Estados Unidos ao buscar participação igual para as mulheres no *status quo*, essencialmente um objetivo reformista. O movimento pelo sufrágio e pelos direitos da mulher do século XIX é um exemplo desse tipo.

A expressão ***emancipação da mulher*** significa: liberdade das restrições opressivas impostas pelo sexo; autodeterminação; e autonomia.

Liberdade das restrições opressivas impostas pelo sexo significa liberdade das restrições biológicas e sociais. Autodeterminação significa ser livre para decidir o próprio destino; ser livre para definir seu papel social; ter a liberdade de tomar decisões referentes ao próprio corpo. Autonomia significa conquistar o próprio *status*, não obtê-lo por meio de herança ou casamento; significa independência financeira; liberdade de escolher seu estilo de vida e vivenciar sua orientação sexual – tudo isso sugere uma transformação radical de valores, teorias e instituições existentes.

Feminismo pode incluir as duas posições, e o feminismo do século XX em geral o fez, mas acredito que, para mais exatidão, seria bom fazermos distinção entre o *feminismo pelos direitos da mulher* e o *feminismo pela emancipação das mulheres*. A luta pela emancipação das mulheres antecede o movimento pelos direitos da mulher. Não é sempre um movimento, pois pode ser um nível de consciência, um ponto de vista, uma postura, bem como a base para um esforço

* Eu uso a forma de escrever do século XIX para o movimento de direitos da mulher e a forma de escrever do século XX para o atual movimento de emancipação das mulheres.

organizado. A emancipação das mulheres, é claro, ainda está longe de ser alcançada, embora mulheres de muitos lugares tenham conquistado vários direitos. Usando as duas definições em vez de uma, podemos distinguir com mais precisão, em estudos históricos, o nível de consciência e os objetivos das mulheres que estudamos.

Emancipação tem derivação histórica específica do direito civil romano – *e* + *manus* + *capere* –: sair de sob a mão de, livrar-se da dominação paternalista – o que se encaixa na situação das mulheres com muito mais exatidão do que "libertação". Eu, portanto, prefiro a palavra "emancipação".

Tento seguir o hábito de usar *direitos da mulher* ou *emancipação das mulheres* sempre que for apropriado e restringir meu uso da palavra feminismo às ocasiões em que tanto o nível de consciência quanto o de atividade sejam evidentes.

Que palavra descreve o objetivo da luta das mulheres?

Libertação das mulheres é a expressão que costuma ser utilizada. Minhas objeções ao uso dessa expressão são as mesmas quanto ao uso de "opressão". Ela evoca movimentos políticos de libertação de outros grupos, tais como minorias raciais e coloniais. Implica vitimação e uma consciência subjetiva em um grupo que luta para corrigir uma injustiça. Enquanto o último conceito precisa ser incluído com certeza em qualquer definição adequada, o primeiro deve ser evitado.

É óbvio, com base nessa discussão, que os termos que usamos dependem muito de como definimos as "mulheres como grupo". O que são as mulheres, além de metade da população humana?

Mulheres são um ***sexo***. Mulheres são um grupo à parte em razão de suas distinções biológicas. O mérito de se usar o termo é que ele define com clareza as mulheres, não como subgrupo ou minoria, mas como metade do todo. Homens são o único outro sexo. Claro que não nos referimos à atividade sexual, mas ao fato biológico. Pessoas pertencentes a qualquer um dos sexos são capazes e podem ser agrupadas de acordo com uma variedade mais ampla de orientações e atividades sexuais.

Gênero é a definição cultural de comportamento definido como apropriado aos sexos em dada sociedade, em determinada época. Gênero é um conjunto de papéis culturais. É uma fantasia, uma máscara, uma camisa de força com a qual homens e mulheres dançam sua dança desigual. Infelizmente, o termo é usado tanto no discurso acadêmico quanto na mídia como alternável com "sexo". Na verdade, é provável que seu uso público disseminado se deva ao fato de soar mais "refinado" do que a simples palavra "sexo", com suas conotações "indecentes". Tal uso é infeliz, porque esconde e mistifica a diferença entre o que é fato biológico - sexo - e o que é criado pela cultura - gênero. Feministas, mais do que qualquer um, devem querer apontar essa diferença e, portanto, ter cuidado ao usar as palavras apropriadas.

Sistema sexo-gênero é uma expressão muito útil, apresentada pela antropóloga Gayle Rubin, que encontrou ampla aceitação entre feministas. Refere-se ao sistema institucionalizado que distribui recursos, propriedade e privilégios a pessoas de acordo com papéis de gênero definidos culturalmente. Assim, o sexo determina que mulheres devem ter filhos, e o sistema sexo-gênero afirma que elas devem criar os filhos.

Que palavras descrevem o sistema sob o qual as mulheres viveram desde o início da civilização e estão vivendo agora?

O problema com o termo ***patriarcado***, que a maioria das feministas usam, é que tem um significado limitado e tradicional - não necessariamente o significado que as feministas dão a ele. Em seu significado limitado, patriarcado se refere ao sistema, derivado historicamente do direito grego e romano, em que o homem chefe de família tinha total poder legal e econômico sobre seus familiares dependentes, mulheres e homens. As pessoas que usam o termo dessa forma não raro inferem um fator a-histórico limitado a ele: o patriarcado começou na Antiguidade clássica e terminou no século XIX, com a outorga de direitos civis para mulheres, em particular as casadas.

Esse uso é problemático porque distorce a realidade histórica. A dominância patriarcal de chefes de famílias homens sobre seus parentes é muito mais antiga que a Antiguidade clássica; ela começa no terceiro milênio a.C. e encontra-se bem estabelecida na época em que foi escrita a Bíblia Hebraica. Além disso, pode-se defender que, no século XIX, a dominância masculina na família apenas tomou novas formas, sem ter conhecido seu fim. Então, a definição limitada do termo "patriarcado" tende a impedir a definição precisa e a análise de sua presença contínua no mundo de hoje.

Patriarcado, em sua definição mais ampla, significa a manifestação e institucionalização da dominância masculina sobre as mulheres e crianças na família e a extensão da dominância masculina sobre as mulheres na sociedade em geral. A definição sugere que homens têm o poder em todas as instituições importantes da sociedade e que mulheres são privadas de acesso a esse poder. Mas *não* significa que as mulheres sejam totalmente impotentes ou privadas de direitos, influência e recursos. Uma das mais árduas tarefas da História das Mulheres é traçar com precisão as várias formas e maneiras como o patriarcado aparece historicamente, as variações e mudanças em sua estrutura e função, e as adaptações que ele faz diante da pressão e das demandas das mulheres.

Se o patriarcado descreve o sistema institucionalizado de dominância masculina, o paternalismo descreve um modo específico, um conjunto de relações patriarcais.

Paternalismo, com mais precisão ***dominação paternalista***, descreve a relação de um grupo dominante, considerado superior, com um grupo subordinado, considerado inferior, na qual a dominância é mitigada por obrigações mútuas e direitos recíprocos. O grupo dominado troca submissão por proteção, trabalho não remunerado por sustento. Em suas origens históricas, o conceito vem das relações familiares conforme se desenvolveram sob o patriarcado, nas quais o pai tinha total poder sobre todos os membros da família. Em troca, tinha a obrigação de prover sustento econômico e proteção. A mesma relação ocorre em alguns sistemas de escravidão; pode acontecer em relações econômicas, tais como o sistema *padrone* do sul da Itália ou o sistema usado em algumas indústrias japonesas contemporâneas. Como se aplica a relações familiares, deve-se observar que as responsabilidades e as obrigações não são distribuídas igualmente entre o grupo protegido: a subordinação dos filhos meninos à dominância do pai é temporária; dura até que eles mesmos se tornem chefes de família. A subordinação das filhas meninas e das esposas dura a vida inteira. As filhas só podem escapar tornando-se esposas sob a dominância/proteção de outro homem. A base do "paternalismo" é um contrato verbal de troca: sustento econômico e proteção do homem em troca de subordinação em todos os aspectos, servidão sexual e trabalho doméstico não remunerado da mulher.

Machismo define a ideologia de supremacia masculina, de superioridade masculina e de crenças que a apoiem e sustentem. Machismo e patriarcado se reforçam de forma mútua. É evidente que o machismo pode existir em sociedades onde o patriarcado institucionalizado tenha sido abolido. Um exemplo seria o de países socialistas com constituições que garantem às mulheres igualdade absoluta na vida pública, mas onde as relações sociais e familiares são machistas mesmo assim. A possibilidade da existência do patriarcado mesmo quando a propriedade privada é abolida é debatida hoje em dia entre marxistas e feministas, e divide opiniões. Minha tendência é pensar que, onde quer que exista a família patriarcal, o patriarcado renasce sempre, mesmo que as relações patriarcais tenham sido abolidas em outros âmbitos da sociedade. Independentemente da opinião que se tenha sobre isso, o fato é que, enquanto existir machismo como ideologia, as relações patriarcais podem ser restabelecidas com facilidade, mesmo que tenham ocorrido mudanças legais que as proscrevam. Sabemos que a legislação de direitos civis é ineficaz enquanto existirem crenças racistas. O mesmo vale para o machismo.

O machismo tem a mesma relação com o paternalismo que o racismo tem com a escravidão. As duas ideologias permitiram que o grupo dominante se convencesse de que estendia benevolência paternalista a criaturas inferiores e mais fracas. Mas o paralelo acaba aqui, pois o racismo fez com que os escravos criassem grupos de solidariedade, enquanto o machismo fez com que as mulheres se dividissem.

O escravo viu, em seu mundo, outros tipos de hierarquia e desigualdade: homens brancos inferiores a seu senhor em termos de classe; mulheres brancas inferiores a homens brancos. O escravo vivenciou sua opressão como um tipo dentro de um sistema de hierarquia. Escravos podiam enxergar com clareza que estavam naquela situação por causa da exploração de sua raça. Então a raça, fator no qual a opressão era embasada, tornou-se também a força que unificava os oprimidos.

Para a manutenção do paternalismo (e da escravidão) é essencial convencer o grupo subordinado de que seu protetor é a única autoridade capaz de suprir suas necessidades. É, portanto, de interesse do senhor manter o escravo na ignorância sobre seu passado e futuras alternativas. Mas os escravos mantiveram viva uma tradição oral – um conjunto de mito, folclore e história – que falava de uma época antes da escravização e definia um tempo anterior de liberdade. Isso oferecia uma alternativa à situação deles naquele momento. Os escravos sabiam que seu povo não fora sempre escravo e que outros como eles eram livres. Esse conhecimento do passado, as tradições culturais específicas, o poder da religião e a solidariedade de grupo permitiram que os escravos resistissem à opressão e garantissem a reciprocidade de direitos implícita em seu *status*.

Eugene Genovese, em seu excelente estudo sobre a cultura dos escravos, mostra como o paternalismo, embora suavizasse as características mais cruéis do sistema, também tendia a enfraquecer a capacidade individual de enxergar o sistema em termos políticos. Ele diz: "Não é dizer que os escravos não agiam como homens. É que eles não compreendiam a força que tinham como povo para agir como homens políticos".* A razão de não conseguirem tomar consciência de sua força coletiva era o paternalismo.

Essa descrição tem grande relevância para a análise da posição das mulheres, uma vez que sua subordinação foi manifestada a princípio como dominância paternalista dentro da estrutura familiar. Essa condição estrutural tornou bastante difícil qualquer tipo de desenvolvimento de solidariedade feminina e grupo coeso. Em geral, podemos observar que mulheres privadas do apoio do grupo e de conhecimento exato sobre a História das Mulheres vivenciaram

---

* Eugene Genovese, *Roll, Jordan, Roll: The World the Slaves Made* (Nova York, 1974), p. 149. Perceba como, nessa citação, Genovese inclui mulheres no termo "homens" e, assim, as perde. Homens escravos não podiam se tornar homens políticos, pois eram escravos; mulheres escravas não podiam se tornar pessoas políticas, porque eram mulheres e escravas. Genovese, que tem consciência do papel das mulheres na história e apoia a História das Mulheres, caiu aqui em uma armadilha do machismo estruturada na linguagem.

o completo e desolador impacto da formação cultural através da ideologia machista, conforme manifestada na religião, nas leis e nos mitos.

Por outro lado, era mais fácil para as mulheres manterem um senso de autovalorização, porque é óbvio que compartilhavam o mundo e suas incumbências com os homens. Com certeza isso era válido na sociedade pré-industrial, quando a complementaridade dos esforços econômicos de homens e mulheres era claramente visível. Era mais difícil manter um senso de autovalorização na sociedade industrial - por causa da complexidade do mundo tecnológico com o qual os homens lidavam e por causa da natureza de *commodity* de todas as transações comerciais -, da qual as mulheres, na qualidade de donas de casa, eram em grande medida excluídas. Não é por acaso que, em todo o mundo, os movimentos feministas tenham começado apenas após a industrialização.

A base sobre a qual esse movimento se desenvolveu é a cultura da mulher, mais um conceito que merece definição.

Cultura da mulher é a base que sustenta a resistência das mulheres à dominação patriarcal e a afirmação de sua própria criatividade ao moldar a sociedade. A expressão sugere uma afirmação de igualdade e uma consciência de irmandade. A cultura da mulher traduz-se com frequência na redefinição de objetivos e estratégias de movimentos de massa em termos que as mulheres considerem adequados. Nos Estados Unidos do século XIX, a cultura da mulher resultou em uma definição autoconsciente da superioridade moral das mulheres como uma justificativa para sua emancipação.

A expressão também é usada no sentido antropológico para englobar as conexões de família e amizade das mulheres, seus laços afetivos, seus rituais. É importante entender que a cultura da mulher nunca é uma subcultura. Seria até inapropriado definir a cultura de metade da humanidade como subcultura. As mulheres vivem sua existência social dentro da cultura geral. Sempre que são limitadas por obstáculos do patriarcado ou segregação em grupos (o que sempre tem como objetivo a subordinação), transformam esse obstáculo em complementaridade e o redefinem. Assim, mulheres vivem uma dualidade - como integrantes da cultura geral e participantes da cultura da mulher.

Quando as condições históricas são adequadas, e as mulheres têm tanto o espaço social quanto a experiência social para embasar seu novo entendimento, a ***consciência feminista*** se desenvolve. Historicamente, isso ocorre em estágios distintos: (1) a consciência da injustiça; (2) o desenvolvimento da noção de irmandade; (3) a definição autônoma pelas mulheres de suas metas e estratégias para mudar a própria condição; e (4) o desenvolvimento de uma visão alternativa do futuro.

O reconhecimento de uma injustiça se torna político quando as mulheres percebem que essa injustiça é compartilhada com outras. Para remediar essa injustiça coletiva, as mulheres se organizam na vida política, econômica e social. Os movimentos que organizam inevitavelmente encontram resistência, o que as força a contar com os próprios recursos e força. No processo, desenvolvem um senso de irmandade. Esse processo também resulta em novas formas de cultura da mulher, impostas às mulheres pela resistência que elas encontram, tais como instituições ou modelos de vida segregados por sexo ou separatistas. Com base em tais experiências, as mulheres começam a definir as próprias demandas e a desenvolver teorias. Em determinado nível, saem da androcentricidade na qual foram educadas e passam a colocar as mulheres no centro. Na área acadêmica, os Estudos das Mulheres buscam encontrar uma nova estrutura de interpretação interior à cultura histórica das mulheres, resultando em sua emancipação.

É apenas por meio da descoberta e do reconhecimento de suas raízes, seu passado, sua história, que as mulheres, assim como outros grupos, tornam-se capazes de projetar um futuro alternativo. A nova visão das mulheres exige que elas sejam colocadas no centro, não apenas de eventos, onde sempre estivemos, mas do trabalho universal de reflexão. As mulheres estão exigindo, como fizeram os homens durante o Renascimento, o direito de definir, o direito de decidir.

NOTAS

INTRODUÇÃO

1. Joan Kelly, "The Doubled Vision of Feminist Theory: A Postscript to the "Women and Power" Conference", *Feminist Studies*, vol. 5, nº 1 (Primavera de 1979), pp. 221-22.

CAPÍTULO UM. ORIGENS

1. Ver Capítulos Dez e Onze para uma discussão detalhada dessa posição.
2. Ver, por exemplo, George P. Murdock, *Our Primitive Contemporaries* (Nova York, 1934); R. R. Lee e Irven De Vore (orgs.), *Man, the Hunter* (Chicago, 1968).

   Margaret Mead, *Male and Female* (Nova York, 1949), embora abra um novo caminho ao demonstrar a existência de grandes variações nos comportamentos sociais relacionados aos papéis de gênero, aceita a universalidade da assimetria sexual.
3. Ver Lionel Tiger, *Men in Groups* (Nova York, 1970), cap. 3; Robert Ardrey, *The Territorial Imperative: A Personal Inquiry into the Animal Origins of Property and Nations* (Nova York, 1966); Alison Jolly, *The Evolution of Primate Behavior* (Nova York, 1972); Marshall Sahlins, "The Origins of Society", *Scientific American*, vol. 203, nº 48 (Setembro de 1960), pp. 76-87.

   Para uma explicação centrada no sexo masculino, que avalia os homens negativamente e os culpa por seus impulsos agressivos no desenvolvimento de guerras e na subordinação das mulheres, ver Marvin Harris, "Why Men Dominate Women", *Columbia* (Verão de 1978), pp. 9-13, 39.
4. Simone de Beauvoir, *The Second Sex* (Nova York, 1953; reimpressão de 1974), pp. xxxiii-xxxiv.

5. Peter Farb, *Humankind* (Boston, 1978), cap. 5; Sally Slocum, "Woman the Gatherer: Male Bias in Anthropology", em Rayna R. Reiter, *Toward an Anthropology of Women* (Nova York, 1975), pp. 36-50. Para um ponto de vista interessante que revisita Slocum, ver Michelle Z. Rosaldo, "The Use and Abuse of Anthropology: Reflections on Feminism and Cross-Cultural Understanding", *SIGNS*, vol. 5, nº 3 (Primavera de 1980), pp. 412-13, 213.

6. Michelle Zimbalist Rosaldo e Louise Lamphere, "Introduction", em M. Z. Rosaldo e L. Lamphere, *Woman, Culture and Society* (Stanford, 1974), p. 3. Para uma discussão mais ampla, ver Rosaldo, "A Theoretical Overview", *ibid.*, pp. 16-42; L. Lamphere, "Strategies, Cooperation, and Conflict Among Women in Domestic Groups", *ibid.*, pp. 97-112. Ver também Slocum em Reinter, *Anthropology of Women*, pp. 36-50, e os artigos de Patricia Draper e Judith K. Brown, também em Reiter.

   Para um exemplo de complementaridade dos sexos, ver Irene Silverblatt, "Andean Women in the Inca Empire", *Feminist Studies*, vol. 4, nº 3 (Outubro de 1978), pp. 37-61.

   Uma análise abrangente da literatura sobre essa questão e uma interpretação interessante dela podem ser encontradas em Peggy Reeves Sanday, *Female Power and Male Dominance: On the Origins of Sexual Inequality* (Cambridge, Ingl., 1981).

7. M. Kay Martin e Barbara Voorhies, *Female of the Species* (Nova York, 1975), em especial o cap. 7; Nancy Tanner e Adrienne Zihlman, "Women in Evolution, Part I: Innovation and Selection in Human Origins", *SIGNS*, vol. 1, nº 3 (Primavera de 1976), pp. 585-608.

8. Elise Boulding, "Public Nurturance and the Man on Horseback", em Meg Murray (org.), *Face to Face: Fathers, Mothers, Masters, Monsters – Essays for a Non-Sexist Future* (Westport, Conn., 1983), pp. 273-91.

9. William Alcott, *The Young Woman's Book of Health* (Boston, 1850) e Edward H. Clarke, *Sex in Education or A Fair Chance for Girls* (Boston, 1878), são típicos da postura do século XIX.

   Uma discussão recente sobre as visões da saúde da mulher no século XIX pode ser encontrada em Mary S. Hartman e Lois Banner (orgs.), *Clio's Consciousness Raised: New Perspectives on the History of Women* (Nova York, 1974). Ver artigos de Ann Douglas Wood, Carroll Smith-Rosenberg e Regina Morantz.

10. O viés patriarcal inconsciente presente nos chamados experimentos psicológicos científicos foi exposto pela primeira vez por Naomi Weisstein, "Kinder, Küche, Kirche as Scientific Law: Psychology Constructs the Female", em Robin Morgan (org.), *Sisterhood Is Powerful: An Anthology of Writings from the Women's Liberation Movement* (Nova York, 1970), pp. 205-20.

11. Para a visão freudiana, ver: Sigmund Freud, "Female Sexuality" (1931), em *The Standard Edition of the Complete Psychological Works of Sigmund Freud*, vol. 21 (Londres, 1964); Ernest Jones, "Early Development of Female Sexuality", *International Journal of Psycho-Analysis*, vol. 8 (1927), pp. 459-72; Sigmund Freud, "Some Physical Consequences of the Anatomical Distinction Between the Sexes" (1925), em *Standard Edition*, vol. 19 (1961); Erik Erikson, *Childhood and Society* (Nova York, 1950); Helene Deutsch, *Psychology of Women*, vol. 1 (Nova York, 1944). Ver também a discussão da posição freudiana revisionista em Jean Baker Miller (org.), *Psychoanalysis and Women* (Harmondsworth, Ingl., 1973).

12. Ver, por exemplo, Ferdinand Lundberg e Marynia Farnham, M.D., *Modern Women: The Lost Sex* (Nova York, 1947).

13. Edward O. Wilson, *Sociobiology: The New Synthesis* (Cambridge, Mass., 1975), principalmente o último capítulo, "Man: From Sociobiology to Sociology".

14. Ruth Bleier, *Science and Gender: A Critique of Biology and Its Theories on Women* (Nova York, 1984), cap. 2. Ver também Marian Lowe, "Sociobiology and Sex Differences", *SIGNS*, vol. 4, nº 1 (Outono de 1978), pp. 118-25.

    A edição Especial de *SIGNS*, "Development and the Sexual Division of Labor", vol. 7, nº 2 (Inverno de 1981), aborda a questão do ponto de vista feminista, empírica e teoricamente. Ver sobretudo Maria Patricia Fernandez Kelly, "Development and the Sexual Division of Labor: An Introduction", pp. 268-78.

15. Para um resumo esclarecedor do impacto das mudanças demográficas sobre as mulheres, ver Robert Wells, "Women's Lives Transformed: Demographic and Family Patterns in America, 1600-1970", em Carol Ruth Berkin e Mary Beth Nortin (org.), *Women of America, A History* (Boston, 1979), pp. 16-36.

16. Estas críticas estão mais bem resumidas em uma série de ensaios críticos em *SIGNS*. Cf.: Mary Brown Parlee, "Psychology", vol. 1, nº 1 (Outono de 1975), pp. 119-38; Carol Stack *et al.*, "Anthropology", *ibid.*, pp. 147-60; Reesa M. Vaughter, "Psychology", vol. 2, nº 1 (Outono de 1976), pp. 120-46; Louise Lamphere, "Anthropology", vol. 2, nº 3 (Primavera de 1977), pp. 612-27.

17. Gayle Rubin, "The Traffic in Women: Notes on the 'Political Economy' of Sex", em Reiter, *Anthropology of Women*, p. 159.

18. Frederick Engels, *The Origin of the Family, Private Property and the State*, org. Eleanor Leacock (Nova York, 1972).

19. J. J. Bachofen, *Myth, Religion and Mother Right*, trad. Ralph Manheim (Princeton, 1967); e Lewis Henry Morgan, *Ancient Society*, org. Eleanor Leacock (Nova York, 1963; reimpressão da edição de 1877).

20. Engels, *Origin*, p. 218.

21. Para um levantamento da divisão de trabalho por sexo em 224 sociedades, ver Murdock, *Our Primitive Contemporaries* (Nova York, 1934), e George P. Murdock, "Comparative Data on the Division of Labor by Sex", em *Social Forces*, vol. 15, nº 4 (maio de 1937), pp. 551-53. Para uma avaliação detalhada e uma crítica feminista desses dados, ver Karen Sacks, *Sisters and Wives: The Past and Future of Sexual Equality* (Westport, Conn., 1979), caps. 2 e 3.

22. Engels, *Origin*, pp. 220-21.

23. *Ibid.*, p. 137, primeira citação; pp. 120-21, segunda citação.

24. Uma teoria contrária com base em determinismo biológico é apresentada por Mary Jane Sherfey, M.D., *The Nature and Evolution of Female Sexuality* (Nova York, 1972). Sherfey argumenta que foi a capacidade de orgasmos ilimitados das mulheres e seu cio perpétuo que se tornaram um problema para a emergente vida em comunidade no Período Neolítico. A biologia feminina gerou um conflito entre os homens e inibiu a cooperação no grupo, o que fez os homens instituírem o tabu do incesto e a dominância sexual masculina para controlar o potencial socialmente destrutivo da sexualidade feminina.

25. Engels, *Origin*, p. 129.

26. Claude Lévi-Strauss, *The Elementary Structures of Kinship*, (Boston, 1969), p. 481.

27. Gayle Rubin, "Traffic in Women", em Reiter, *Anthropology of Women*, p. 177.

28. Para uma crítica feminista da teoria de Lévi-Strauss, ver Sacks, *Sisters*, pp. 55-61.

29. Sherry Ortner, "Is Female to Male as Nature Is to Culture?", em Rosaldo e Lamphere, *Woman, Culture and Society*, pp. 67-88.

30. *Ibid.*, pp. 73-4.

31. A discussão é bem definida em duas coleções de ensaios: Sherry B. Ortner e Harriet Whitehead (orgs.), *Sexual Meanings: The Cultural Construction of Gender and Sexuality* (Nova York, 1981), e Carol MacCormack e Marilyn Strathern (orgs.), *Nature, Culture and Gender* (Cambridge, Ingl., 1980).

32. Johann Jacob Bachofen, *Das Mutterrecht: Eine Untersuchung über die Gynaikokratie der alten Welt nach ihrer religiösen und rechtlichen Natur* (Stuttgart, 1861). Doravante mencionado como *Direito Materno.*

33. Cf. Charlotte Perkins Gilman, *Women and Economics* (Nova York, 1966 "Reimpressão da edição de 1898"); Helen Diner, *Mothers and Amazons: The First Feminine History of Culture* (Nova York, 1965); Elizabeth Gould Davis, *The First Sex* (Nova York, 1971); Evelyn Reed, *Women's Evolution* (Nova York, 1975).

34. Robert Briffault, *The Mothers: A Study of the Origins of Sentiments and Institutions*, 3 vols. (Nova York, 1927); ver também "Introdução" a Bachofen de Joseph Campbell, *Direito Materno*, pp. xxv-vii.

35. Bachofen, *Direito Materno*, p. 79.

36. Cf. Discursos de ECS em Ellen DuBois (org.), *Elizabeth Cady Stanton and Susan B. Anthony: Correspondence, Writings, Speeches* (Nova York, 1981).

37. Para essa mudança de atitude em relação às mulheres, ver Mary Beth Norton, *Liberty's Daughters: The Revolutionary Experience of American Women, 1750-1800* (Boston, 1980), caps. 8, 9 e a conclusão; e Linda Kerber, *Women of the Republic: Intellect and Ideology in Revolutionary America* (Chapel Hill, 1980), cap. 9.

38. A ideia de aptidão especial das mulheres para reforma e serviço comunitário aparece ao longo do trabalho de Jane Addams. Ele justifica o pensamento de Mary Beard, que o embasou com evidências históricas em *Women's Work in Municipalities* (Nova York, 1915). Para exemplos da posição maternalista moderna, ver Adrienne Rich, *Of Woman Born: Motherhood as Experience and Institution* (Nova York, 1976); e Dorothy Dinnerstein, *The Mermaid and the Minotaur*, (Nova York, 1977). Mary O'Brien, *The Politics of Reproduction*, (Boston, 1981), elabora uma teoria explicativa em que o trabalho reprodutivo é equiparado ao trabalho econômico em uma estrutura marxista.

   A posição é a base da ideologia do movimento pacifista das mulheres, sendo expressa por ecologistas feministas como Susan Griffin, *Woman and Nature: The Roaring Inside Her* (Nova York, 1978); e Robin Morgan, *The Anatomy of Freedom: Feminism, Physics, and Global Politics* (Nova York, 1982).

   Um argumento maternalista diferente é apresentado por Alice Rossi em "A Biosocial Perspective on Parenting", *Daedalus*, vol. 106, nº 2 (Primavera de 1977), pp. 1-31. Rossi aceita argumentos sociobiológicos e os usa para propósitos feministas. Ela exige a restruturação de instituições sociais para permitir que as mulheres realizem suas funções de mãe e cuidadora sem que desistam de lutar por igualdade e oportunidades. Rossi aceitou sem questionar a anti-historicidade e afirmações não científicas da sociobiologia, e difere da maioria das feministas por não defender que os homens devem dividir igualmente a responsabilidade pela criação dos filhos. No entanto, sua posição merece atenção por ser uma variação do pensamento maternalista e em razão do papel de Rossi como pioneira da crítica feminista no campo da sociologia.

39. Martin e Voorhies, *Female of the Species*, p. 187, descrevem padrões econômicos nessas sociedades.

40. A literatura é examinada em N. Tanner e A. Zihlman (ver nota 7 acima); e em Sacks, *Sisters and Wives*, caps. 2 e 3.

41. Martin e Voorhies, *Female of the Species*, p. 190. Para exemplos dessas discordâncias acadêmicas, ver nota 43 abaixo e Leacock sobre os esquimós, e, para diferentes interpretações: Jean L. Briggs, "Eskimo Women: Markes of Men", em Carolyn J. Matthiasson, *Many Sisters: Women in Cross-Cultural Perspective* (Nova York, 1974), pp. 261-304; e Elise Boulding, *The Underside of History: A View of Women Through Time* (Boulder, Colo., 1976), p. 291.

42. Eleanor Leacock, "Women in Egalitarian Societies", em Renate Bridenthal e Claudia Koonz, *Becoming Visible: Women in European History*, (Boston, 1977), p. 27.

43. Para uma descrição detalhada e análise da posição das mulheres iroquesas, ver Judith K. Brown, "Iroquois Women: An Ethnohistoric Note", em Reiter, *Anthropology of Women*, pp. 235-51. A análise de Martin e Voorhies, *Female of the Species*, pp. 225-29, é interessante para enfatizar a posição poderosa das mulheres iroquesas sem defini-la como matriarcado.

    Uma asserção similar de Eleanor Leacock sobre a existência de matriarcado é questionada por Farb, pp. 212-13, e Paula Webster, "Matriarchy: A Vision of Power", em Reiter, *Anthropology*, pp. 127-56.

44. Martin e Voorhies, *Female of the Species*, p. 214. Ver também David Aberle, "Matrilineal Descent in Crosscultural Perspective", em Kathleen Gough e David Schneider (orgs.), *Matrilineal Kinship* (Berkley, 1961), pp. 657-727.

45. Para uma pesquisa abrangente de toda a literatura sobre amazonas, ver Abby Kleinbaum, *The Myth of the Amazons* (Nova York, 1983). A autora conclui que as amazonas nunca existiram, mas que o mito de sua existência serviu para reforçar a ideologia patriarcal.

46. Independentemente da estrutura familiar e das relações de parentesco, o *status* elevado das mulheres não significa necessariamente poder. Rosaldo argumentou de forma persuasiva que, mesmo nos casos em que as mulheres têm poder formal, elas não têm autoridade. Ela menciona os iroqueses como exemplo. Naquela sociedade matrilinear, algumas mulheres ocupam posições de prestígio e fazem parte do Conselho de Anciãos, mas apenas homens podem ser chefes. Um exemplo de cultura com organização patriarcal na qual as mulheres têm poder econômico é a *shtetl* judaica do início do século XX. As mulheres conduziam negócios, ganhavam dinheiro e controlavam as finanças da família; tinham forte influência na política por meio de rumores, na criação de alianças pelo matrimônio e na influência que exerciam sobre os filhos meninos. Mesmo assim, as mulheres eram deferentes a seus pais e maridos e idolatravam o erudito – por definição, um homem – como a pessoa de *status* mais elevado da

comunidade. Ver Michelle Rosaldo, "A Theoretical Overview", em Rosaldo e Lamphere, *Woman, Culture and Society*, pp. 12-42.

47. A descrição abaixo é baseada em James Mellaart, *Çatal Hüyük: A Neolithic Town in Anatolia* (Nova York, 1967). E também: James Mellaart, "Excavations at Çatal Hüyük, 1963, Third Preliminary Report", *Anatolian Studies*, vol. 14 (1964), pp. 39-120; James Mellaart, "Excavations at Çatal Hüyük, 1965, Fourth Preliminary Report", *Anatolian Studies*, vol. 16 (1966), pp. 165-92; Ian A. Todd, *Çatal Hüyük in Perspective* (Menlo Park, 1976).
48. Lawrence Angel, "Neolithic Skeletons from Çatal Hüyük", *Anatolian Studies*, vol. 21 (1971), pp. 77-98, 80. A pintura ocre dos esqueletos era possível porque os cadáveres, ao que parece, eram deixados para os abutres, que comiam suas carnes, sendo depois os corpos enterrados. Várias pinturas nas paredes naquele local ilustram o processo.
49. Mellaart, "Fourth Preliminary Report". Deve-se notar que as especulações e interpretações de Mellaart são bem mais contidas nesses relatórios sobre as escavações do que em seu livro posterior. Ver também Todd, *Çatal Hüyük in Perspective*, pp. 44-5.
50. Purushottam Singh, *Neolithic Cultures of Western Asia* (Londres, 1974), pp. 65-78, 85-105.
51. Todd, *Çatal Hüyük in Perspective*, p. 133.
52. Anne Barstow, "The Uses of Archeology for Women's History: James Mellaart's Work on the Neolithic Goddess at Çatal Hüyük", *Feminist Studies*, vol. 4, nº 3 (Outubro de 1978), pp. 7-18.
53. Ruby Rohrlich-Leavitt, "Women in Transition: Crete and Sumer", em Bridenthal and Koonz, *Becoming Visible*, pp. 36-59; e Ruby Rohrlich, "State Formation in Sumer and the Subjugation of Women", *Feminist Studies*, vol. 6, nº 1 (Primavera de 1980), pp. 76-102. Minhas referências são principalmente esse último ensaio.
54. Angel, (ver nota 48), pp. 80-96.
55. Todd, *Çatal Hüyük in Perspective*, p. 137.
56. Paula Webster, depois de examinar todas as evidências a favor do matriarcado, concluiu que isso não poderia ser provado, mas explicou que as mulheres precisavam de "uma visão de matriarcado" para ajudá-las a moldar o próprio futuro diante das desanimadoras evidências de sua falta de poder e sua subordinação. Ver Paula Webster, "Matriarchy: A Vision of Power", em Reiter, *Anthropology of Women*, pp. 141-56; e também: Joan Bamberger, "The Myth of Matriarchy: Why Men Rule in Primitive Society", em Rosaldo e Lamphere, *Woman, Culture and Society*, pp. 263-80.

CAPÍTULO DOIS. HIPÓTESE DE TRABALHO

1. Meus conceitos apresentados aqui são embasados na abordagem formulada por Mary Beard em *Woman as Force in History* (Nova York, 1946). Eu me aprofundei nesse tema ao longo do meu trabalho histórico. Ver sobretudo Gerda Lerner, *The Majority Finds Its Past: Placing Women in History* (Nova York, 1979), caps. 10-12.
2. Ver Paula Webster, "Matriarchy: A Vision of Power", em Rayna Reiter, *Toward an Anthropology of Women* (Nova York, 1975), pp. 141-56, para uma discussão abrangente sobre as

necessidades psicológicas das mulheres contemporâneas de ter uma visão do matriarcado no passado distante.

3. Michelle Rosaldo, "The Use and Abuse of Anthropology: Reflections on Feminism and Cross-Cultural Understanding", *SIGNS*, vol. 5, nº 3 (Primavera de 1980), p. 393.

   Rosaldo explica melhor essas visões em seu trabalho não publicado, "Moral/Analytical Dilemmas Posed by the Intersection of Feminism and Social Science", preparado para a *Conference on the Problem of Morality in the Social Sciences,* Berkeley, março de 1980. A afirmação a seguir me parece particularmente apropriada: "Ao questionarem a visão de que somos vítimas de normas sociais cruéis ou produtos inconscientes de um mundo natural que (infelizmente) nos humilha, as feministas destacaram nossa necessidade de teorias que tratem de como os agentes moldam seus mundos; de interações nas quais haja significância; e de formas simbólicas e culturais em termos de quais expectativas são organizadas, quais desejos são articulados, quais prêmios são conferidos e quais resultados são considerados importantes" (p. 18).

4. Ver Nancy Makepeace Tanner, *On Becoming Human* (Cambridge, Ingl., 1981), pp. 157-58. Ver também Nancy Tanner e Adrienne Zihlman, "Women in Evolution, Part I: Innovation and Selection in Human Origins", *SIGNS*, vol. 1, nº 3 (Primavera de 1976), pp. 585-608.

5. Ruth Bleier, *Science and Gender: A Critique of Biology and Its Theories on Women* (Nova York, 1984), cap. 3, esp. pp. 55 e 64-8. O mesmo ponto é abordado em Clifford Geertz, "The Impact of the Concept of Culture on the Concept of Man", em *The Interpretation of Cultures* (Nova York, 1973), pp. 33-54.

6. *Ibid.*, pp. 144-45; citação, p. 145.

7. Cf. Capítulo Um acima, nota 11. E também: Karen Horney, *Feminine Psychology* (Nova York, 1967); Clara Thompson, *On Women* (Nova York, 1964); Harry Stack Sullivan, *The Interpersonal Theory of Psychiatry* (Nova York, 1953), caps. 4-12.

8. Por outro lado, um dos primeiros poderes que os homens institucionalizaram com o patriarcado foi o poder de o homem chefe de família decidir quais descendentes devem viver e quais devem morrer. Esse poder deve ter sido visto como uma vitória da lei sobre a natureza, pois vai diretamente contra a natureza e a experiência humana anterior.

9. As informações sobre populações pré-históricas não são confiáveis e só podem ser expressas em termos quantitativos brutos. Cipolla considera que "evidências embasam a visão de que as populações paleolíticas tinham mortalidade muito elevada. Como a espécie sobreviveu, temos de admitir que o homem primitivo também tinha fertilidade muito alta. Um estudo de 187 restos de fósseis de neandertais revela que um terço deles morreu antes de completar 20 anos de idade. Uma análise de 22 restos de fósseis da população de sinantropos asiáticos revelou que 15 deles morreram com menos de 14 anos de idade, 3 antes dos 29 anos e 3 com idades entre 40 e 50 anos". Carlo M. Cipolla, *The Economic History of World Population* (Nova York, 1962), pp. 85-6.

   Lawrence Angel, "Neolithic Skeletons from Çatal Hüyük", *Anatolian Studies*, vol. 21 (1971), pp. 77-98; citação na p. 80.

   Nas sociedades contemporâneas de caçadores/coletores, encontramos taxas de mortalidade infantil de até 60% no primeiro ano. Ver F. Rose, "Australian Marriage, Land Owning Groups and Institutions", em R. B. Lee e Irven DeVore (orgs.), *Man, the Hunter* (Chicago, 1968), p. 203.

10. Cf. Karen Sacks, *Sisters and Wives: The Past and Future of Sexual Equality* (Urbana, 1982), cap. 2.

    Existe ainda a possibilidade de que a menstruação fosse uma barreira para a participação das mulheres na caça, não porque as mulheres ficassem fisicamente incapacitadas, mas por causa do efeito do cheiro do sangue nos animais. Essa possibilidade chamou minha atenção durante uma viagem recente ao Alasca. Em seus folhetos destinados aos campistas e mochileiros, o Serviço Nacional de Parques recomendava que mulheres menstruadas ficassem longe das áreas de vida selvagem, já que ursos-pardos são atraídos pelo cheiro de sangue.

11. O antropólogo Marvin Harris argumenta o contrário, que "a caça é uma atividade intermitente e que não há nada que impeça mulheres lactantes de deixarem seus filhos aos cuidados de outras pessoas durante algumas horas uma ou duas vezes por semana". Harris argumenta que a especialidade de caça dos homens surgiu de seu treinamento para a guerra, e que é nas atividades de guerra dos homens que devemos buscar a causa da supremacia masculina e do machismo. Marvin Harris, "Why Men Dominate Women", *Columbia* (Verão de 1978), pp. 9-13, 39. É improvável e não temos nenhuma evidência que demonstre que as atividades de guerra organizadas tenham precedido o grande jogo da caçada, mas argumentaria que, em todo caso, tanto atividades de caça quanto militares não seriam escolhidas pelas mulheres pelos motivos que mencionei.

    Para uma interpretação feminista do mesmo material, que não faz concessões ao "determinismo biológico", ver Bleier, *Science and Gender*, caps. 5 e 6.

12. Cf. M. Kay Martin e Barbara Voorhies, *Female of the Species* (Nova York, 1975), pp. 77-83; Sacks, *Sisters and Wives*, pp. 67-84; Ernestine Friedl, *Women and Men: An Anthropologist's View* (Nova York, 1975), pp. 8, 60-1.

13. Simone de Beauvoir, *The Second Sex* (Nova York, 1953; reimpressão de 1974).

14. Embora não haja provas sólidas dessas afirmações sobre a originalidade das contribuições femininas, também não há provas da inventividade masculina. As duas afirmações são baseadas em especulações. Para nossos propósitos, é importante ter liberdade para podermos especular sobre as contribuições das mulheres como iguais. O único perigo nesse exercício é declarar que nossas especulações representam provas reais, já que parecem convincentes e lógicas. Foi isso que os homens fizeram; não devemos repetir o mesmo erro.

    Elise Boulding, *The Underside of History: A View of Women Through Time* (Boulder, Colo., 1976), caps. 3 e 4. Ver também V. Gordon Childe, *Man Makes Himself* (Nova York, 1951), pp. 76-80.

    Para uma síntese um tanto similar baseada no trabalho antropológico posterior, ver Tanner e Zihlman, e Sacks, mencionadas acima nas notas 4 e 10.

15. Nancy Chodorow, *The Reproduction of Mothering: Psychoanalysis and the Sociology of Gender* (Berkeley, 1978), p. 91.

16. *Ibid.*, p. 169. Para uma análise similar baseada em evidências diferentes, ver Carol Gilligan, *In a Different Voice: Psychological Theory and Women's Development* (Cambridge, Mass., 1982).

17. Chodorow, *The Reproduction of Mothering*, pp. 170, 173.

18. Adrienne Rich, em suas análises da "instituição da maternidade no patriarcado" e da "heterossexualidade compulsória", e Dorothy Dinnerstein, em sua interpretação do pensamento freudiano, chegaram a concluções semelhantes. Ver Adrienne Rich, *Of Woman Born: Motherhood as Experience and Institution* (Nova York, 1976); Adrienne Rich, "Compulsory Heterosexuality and Lesbian Existence", *SIGNS*, vol. 5, nº 4 (Verão de 1980), pp. 631-60; e Dorothy Dinnerstein, *The Mermaid and the Minotaur: Sexual Arrangements and Human Malaise* (Nova York, 1977).

    M. Rosaldo em "Dilemmas" (ver nota 3 acima) critica essas teorias psicológicas porque elas desprezam ou ignoram o contexto social em que ocorre a criação dos filhos. Embora eu admire o trabalho de Chodorow e de Rich, concordo com essa crítica e acrescento que, em ambos os casos, as generalizações aplicáveis a pessoas de classe média de nações desenvolvidas são apresentadas como se fossem universais.

19. Lois Paul, "The Mastery of Work and the Mystery of Sex in a Guatemalan Village", em M. Z. Rosaldo e Louise Lamphere, *Woman, Culture and Society* (Stanford, 1974), pp. 297-99.

20. Cf.: Sigmund Freud, *Civilization and Its Discontent* (Nova York, 1962); Susan Brownmiller, *Against Our Will: Men, Women and Rape* (Nova York, 1975); Elizabeth Fisher, *Woman's Creation, Sexual Evolution and the Shaping of Society* (Garden City, 1979), pp. 190, 195.

21. Minha opinião sobre o assunto da ascensão e das consequências da guerra masculina foi influenciada por Marvin Harris, "Why Men Dominate Women", e por uma troca estimulante de cartas e conversas com Virginia Brodine.

22. Claude Lévi-Strauss, *The Elementary Structures of Kinship* (Boston, 1969), p. 115.

    Para uma ilustração contemporânea dos trabalhos desse processo e de como a garota realmente "não pode mudar sua natureza", ver Nancy Lurie (org.), *Mountain Wolf Woman, Sister of Crashing Thunder* (Ann Arbor, 1966), pp. 29-30.

23. C. D. Darlington, *The Evolution of Man and Society* (Nova York, 1969), p. 59.

24. Boulding, *Underside*, cap. 6.

25. Ver, por exemplo, o caso dos Lovedu em Sacks, *Sisters and Wives*, cap. 5.

26. Cf. Maxine Molyneux, "Androcentrism in Marxist Anthropology", *Critique of Anthropology*, vol. 3, nºs 9-10 (Inverno de 1977), pp. 55-81.

27. Peter Aaby, "Engels and Women", *Critique of Anthropology*, vol. 3, nºs 9-10 (Inverno de 1977), pp. 39-43.

28. *Ibid.*, p. 44. A explicação de Aaby também se aplica ao caso, inexplicável segundo a tese de Meillassoux, de sociedades que progridem diretamente da divisão sexual do trabalho relativamente igualitária para a dominância patriarcal por meio do aumento das atividades de guerra. Ver, por exemplo, o desenvolvimento da sociedade asteca descrito em June Nash, "The Aztecs and the Ideology of Male Dominance", *SIGNS*, vol. 4, nº 2 (Inverno de 1978), pp. 349-62. Para a sociedade inca, ver Irene Silverblatt, "Andean Women in the Inca Empire", *Feminist Studies*, vol. 4, nº 3 (Outubro de 1978), pp. 37-61.

29. Aaby, "Engels on Women", p. 47. É possível notar que o argumento de Aaby corrobora a tese evolutiva de Darlington. Ver p. 47 acima.

30. Rayna Rapp Reiter, "The Search for Origins: Unraveling the Threads of Gender Hierarchy", *Critique of Anthropology*, vol. 3, nºˢ 9-10 (Inverno de 1977), pp. 5-24; Robert McC. Adams, *The Evolution of Urban Society* (Chicago, 1966); Robert Carneiro, "A Theory of the Origin of the State", *Science*, vol. 169, nº 3947 (Agosto de 1970), pp. 733-38.

CAPÍTULO TRÊS. A ESPOSA SUBSTITUTA E O FANTOCHE

1. Minhas generalizações sobre a formação do Estado arcaico são baseadas no seguinte: Charles Redman, *The Rise of Civilization: From Early Farmers to Urban Society in the Ancient Near East* (São Francisco, 1978); Robert Carneiro, "A Theory of the Origin of the State", *Science*, vol. 169, nº 3947 (Agosto de 1970), pp. 733-38; V. Gordon Childe, *Man Makes Himself* (Londres, 1936); Morton Fried, "On the Evolution of Social Stratification and the State", em Stanley Diamond (org.), *Culture and History*, (Nova York, 1960), pp. 713-31; Jacquetta Hawkes e *Sir* Leonard Woolley, *History of Mankind*, vol. I (Nova York, 1963); Robert McC. Adams, *The Evolution of Urban Society* (Chicago, 1966); Robert McC. Adams, *Heartland of the Cities: Surveys of Ancient Settlement and Land Use on the Central Flood Plain of the Euphrates* (Chicago, 1981); Service, Elman, *Origins of the State and Civilization: The Process of Cultural Evolution* (Nova York, 1975); *Cambridge Ancient History* (doravante chamado de CAH), vol. I, pt. 1, "Prolegomena and Prehistory", org. por I. E. S. Edwards, C. J. Gadd, N. G. L. Hammond (Cambridge, Ingl., 1970, 3. ed.), cap. 13: C. J. Gadd, "The Cities of Babylon". Henry T. Wright e Gregory A. Johnson, "Population, Exchange, and Early State Formation in Southwestern Iran", *American Anthropologist*, vol. 77, nº 2 (Primavera de 1975), pp. 267-89.
2. Para as várias teorias de origem, ver Frederick Engels, *The Origin of the Family, Private Property and the State*, org. Eleanor Leacock (Nova York, 1972); Childe, *Man Makes Himself*; Karl Wittfogel, *Oriental Despotism* (New Haven, 1957), p. 18; Carneiro, "A Theory...", Adams, *Urban Society*, pp. 14, 42.

   Para uma discussão historiográfica detalhada dessas teorias, ver Redman, *Rise of Civilization*, cap. 7.
3. Rayna Rapp Reiter, "The Search for Origins: Unraveling the Threads of Gender Hierarchy", *Critique of Anthropology*, vol. 3, nºˢ 9-10 (Inverno de 1977), pp. 5-24; citação na p. 9.

   Outras escritoras feministas a abordarem o assunto são Ruby Rohrlich-Leavitt, "Women in Transition: Crete and Sumer", em Renate Bridenthal e Claudia Koonz (orgs.), *Becoming Visible: Women in European History* (Boston, 1977), pp. 36-59; e Ruby Rohrlich, "State Formation in Sumer and the Subjugation of Women", *Feminist Studies*, vol. 6, nº 1 (Primavera de 1980), pp. 76-102; Germaine Tillion, "Prehistoric Origins of the Condition of Women in 'Civilized' Areas", *International Social Science Journal*, vol. 29, nº 4 (1977), pp. 671-81.
4. Redman, *Rise of Civilization*, p. 229.
5. Minha descrição segue o modelo ecológico de sistemas multifatoriais desenvolvido por Redman em *Rise of Civilization*, pp. 229-36.

6. Denise Schmandt-Besserat, "The Envelopes that Bear the First Writing", *Technology and Culture*, vol. 21, nº 3 (1980), pp. 357-85; Denise Schmandt-Besserat, "Decipherment of the Earliest Tablets", *Science*, vol. 211 (16 de janeiro de 1981), pp. 283-85.
7. O nome desse governante, de acordo com os estudos mais recentes, é grafado como Uruinimgina. Como ele foi bastante mencionado em livros voltados para o leitor comum como Urukagina, decidi usar o nome antigo neste livro para evitar confusões desnecessárias.
8. Alguns escritores especularam que a exclusão das mulheres das elites governantes ocorreu devido à exclusão delas das Forças Armadas. Cf. Elise Boulding, "Public Nurturance and the Man on Horseback", em Meg Murray (org.). *Face to Face: Fathers, Mothers, Masters, Monsters – Essays for a Nonsexist Future* (Westport, 1983). A uma conclusão parecida chegou o antropólogo Marvin Harris em "Why Men Dominate Women", *Columbia* (Verão de 1978), pp. 9-13, 39.
9. Adams, *Urban Society*, p. 79.
10. Irene Silverblatt, "Andean Women in the Inca Empire", *Feminist Studies*, vol. 4, nº 3 (Outubro de 1978), pp. 37-61.
11. *CAH*, vol. I, pt. 2, p. 115.
12. As informações sobre os túmulos reais em Ur são baseadas no relato de *Sir* Leonard Woolley em P. R. S. Moorey, *Ur of the Chaldees: A Revised and Updated Version of Sir Leonard Woolley's Excavations at Ur* (Ithaca, 1982), pp. 51-121. O número de túmulos reais varia, de 16 em Wooley and Moorey (p. 60) a 17 no folheto "Túmulos Reais em Ur", das Antiguidades Asiáticas Ocientais, do Museu Britânico (sem data ou local de publicação).

    Ver também uma edição anterior, *Sir* Charles Leonard Woolley, *Excavations at Ur* (Londres, 1954), e Shirley Glubok (org.), *Discovering the Royal Tombs at Ur* (Londres, 1969).
13. O nome dela era anteriormente grafado como Shub-ad.
14. Glubok, *Discovering the Royal Tombs at Ur*, pp. 48-9.
15. *Ibid.*, pp. 43-9, 71-83.
16. Citado em *ibid.*, p. 80.
17. *Ibid.*, pp. 47-9.
18. Redman, *Rise of Civilization*, pp. 297-98.
19. *Ibid.*, pp. 304-06.
20. As informações sobre o governo de Lugalanda e Urukagina são baseadas em P. Anton Deimel, *Sumerische Tempelwirtschaft zur Zeit Urukaginas und seiner Vorgaenger* (Roma, 1931), pp. 75-112; A. I. Tyumenev, "The Working Personnel on the Estate of the Temple BaU in Lagos During the Period of Lugalanda and Urukagina (24-25th century B.C.)", em I. M. Diakonoff (org.), *Ancient Mesopotamia: Socio-economic History: A Collection of Studies by Soviet Scholars* (Moscou, 1969), pp. 93-5; C. J. Gadd, "The Cities of Babylon", *CAH*, vol. I, pp. 35-51, e C. C. Lambert-Karlovsky, "The Economic World of Sumer", em Denise Schmandt-Besserat (org.), *The Legacy of Sumer: Invited Lectures on the Middle East at the University of Texas at Austin* (Malibu, 1976), pp. 62-3. Para evidências da compra de escravos de Baranamtarra, ver Otto Edzard Dietz, "Sumerische Rechtsurkunden des 3. ten Jahrtausends, aus der Zeit vor der III.

ten Dynastie Von Ur", *Bayerische Akademie der Wissenschaften, Phil.-Hist. Klasse, Abhandlungen Neue Folge*, nº 67 (Munique, 1968), p. 40, 41, 45.

21. Há controvérsias sobre a natureza dessa ascensão ao poder. Deimel afirma que Urukagina matou Lugalanda e sua rainha, enquanto Tyumenev diz que os dois continuaram vivos e que "Baramantarra viveu dois anos após a ascensão de Urukagina ao poder desfrutando de uma posição de considerável destaque". Tyumenev, em Diakonoff, *Ancient Mesopotamia*, p. 93.

22. A primeira visão é representada pelo acadêmico soviético V. V. Struve, que menciona um aumento do número de homens livres com direito a rações oriundos das terras que eram propriedades comunitárias dos templos no segundo ano do reinado de Urukagina, o que ele descreve como "uma vitória dos homens livres de Lugash sobre os ricos, uma espécie de revolução democrática". Struve, em Diakonoff, *Ancient Mesopotamia*, pp. 17-69 e 127-72; citação na p. 39. Essa evidência não parece convincente e com certeza poderia ser explicada como o esforço de um usurpador para aumentar sua base de apoio. A segunda explicação é preferida por A. I. Tyumenev, "The State Economy of Ancient Sumer", *ibid.*, pp. 70-87; e Deimel, *Sumerische Tempelwirtschaft*, p. 75.

23. Kazuya Maekawa, "The Development of É-MÍ in Lagash during the Early Dynastic III", *Mesopotamia*, vols. 8-9 (1973-1974), pp. 77-114; 137-42.

24. Sou grata ao professor Jerrold Cooper do Departamento de Estudos do Oriente Próximo, da Johns Hopkins University, Baltimore, por trazer sua tradução desse texto à minha atenção e por me beneficiar com sua interpretação. A tradução aparece em Jerrold Cooper, *Reconstructing History from Ancient Inscriptions: The Lagash-Umma Border Conflict*, vol. 2/1 (Malibu, 1983), p. 51. O professor Cooper interpreta essa afirmação como uma hipérbole, parte da justificativa de Urukagina para sua usurpação do poder.

    Outra tradução fidedigna enfatiza a dificuldade desse texto. Lê-se: "As mulheres de antigamente tinham dois homens cada uma; quanto às mulheres de hoje, essa prática [...] foi abandonada". (Traduzido do alemão por Gerda Lerner.) H. Steible, *Altsumerische Bau-und Weihinschriften*, 2 vols. (Wiesbaden, 1982). Citação de Urukagina # 6, vol. I, pp. 318-19; comentário, vol. II, pp. 158-59.

25. Tradução do professor Jerrold Cooper. O ponto de interrogação indica que a tradução do termo é incerta.

    Steible lê a passagem da seguinte maneira: "Se uma mulher a um homem [...] falar!, seus comentários [...] e então [...] será pendurada nos portões da cidade" (tr. do alemão por Gerda Lerner). O significado de uma palavra, que pode ser lida como "nariz, boca ou dentes", é considerado tão incerto por Steible que ele a omite. O comentário "pendurada nos portões da cidade" aparece em outros contextos para indicar uma cerimônia de humilhação pública. A dificuldade da passagem conforme interpretada por dois especialistas deve nos deixar especialmente cautelosos ao interpretarmos.

26. Rohrlich, "State Formation", *Feminist Studies* (Primavera de 1980), p. 97.

27. Após a primeira interpretação, C. J. Gadd afirma que Urukagina decretou "certa redução de impostos antes exigidos na ocasião de divórcios, restringindo, assim, as ligações das mulheres, que, em consequência dessas multas, passavam a ser esposas de outros homens sem que tivessem deixado de ser casadas com os ex-maridos". Gadd em *CAH*, vol. I, cap. 13, p. 51. Redman,

Rise of Civilization, p. 306, segue interpretação parecida. Devo a segunda interpretação à professora Anne Kilmer, do Departamento de Estudos do Oriente Próximo, University of California, Berkeley.

28. Bernard Frank Batto, *Studies on Women at Mari* (Baltimore, 1974), p. 8.
29. Deimel, *Sumerische Tempelwirtschaft,* pp. 36-7, 85, 88-9, 98, 110-11.
30. Tyumenev em Diakonoff, *Ancient Mesopotamia,* pp. 115-17. Após o segundo ano do reinado de Urukagina, a lista total de pessoal continua tendo cerca de mil nomes em um ano. Ver também Gadd, *CAH,* vol. I, p. 39, e Maekawa, "The Development of the É-MÍ [...]", *passim.*
31. William Hallo, "The Women of Sumer", em Schmandt-Besserat, *Legacy of Sumer,* p. 29.
32. *Ibid.* E também: William Hallo and J. J. A. van Dijk (trad.), *The Exaltation of Inanna* (New Haven, 1968).
33. Hallo, "Women of Sumer", em Schmandt-Besserat, *Legacy of Sumer,* p. 30.
34. *Ibid.,* p. 31.
35. Para um estudo interessante das princesas medievais a quem cabiam esses papéis, ver Elise Boulding, *The Underside of History: A View of Women Through Time* (Boulder, 1976), pp. 429-39.
36. Hallo, "Women of Sumer", em Schmandt-Besserat, *Legacy of Sumer,* p. 30.
37. *Ibid.,* p. 34.
38. Batto, *Women at Mari,* pp. 5, 137-38.
39. *Ibid.,* p. 137.
40. *Ibid.,* pp. 24-5.
41. *Ibid.* Para referências a essa prática na Bíblia, ver 2 Samuel 16:20-23 e Gênesis 49:3-4. Para as sugestões de que as esposas e filhas de Zimri-Lim tiveram destino similar após sua derrota, ver Jack M. Sasson, "The Thoughts of Zimri-Lim", *Biblical Archaeologist,* vol. 47, nº 2 (Junho de 1984), p. 115.
42. Batto, *Women at Mari,* pp. 51-2.
43. *Ibid.,* p. 20.
44. *Ibid.,* p. 16.
45. *Ibid.,* p. 27. *Ugbabatum* eram as sacerdotisas do mais alto escalão em Mari, embora em outros lugares fossem superadas por outros níveis de sacerdotisas. Batto acha que a expressão "documento do *status*" faz referência a uma tábua que atribuía funções às prisioneiras. Warailisu pode ter sido uma autoridade cuja importância era maior do que a de um simples guarda do harém. Batto sugere, com base em outras evidências, que ele pode ter sido um controlador – cargo burocrático importante.

    A expressão "véu de Subartu" não é explicada nem por Batto nem por outros que interpretaram essa passagem. Ao investigar o assunto, não encontrei referência a essa frase, mas descobri que Subartu era uma área ao norte da Babilônia de onde escravos eram adquiridos com frequência. Pode-se justificar a consideração de que um "véu de Subartu" significa um véu apropriado para uma escrava de Subartu. Para tanto, ver J. J. Finkelstein, "Subartu and Subarians in Babylonian Sources", *Journal of Cuneiform Studies,* vol. 9 (1955), pp. 1-7.

Jack Sasson traduz a passagem "Ensine a dança de Subartu". (Comunicação pessoal com Gerda Lerner.) A mim, parece que o uso de véu por essas mulheres deveria ser considerado à luz da prática bem estabelecida de cobrir mulheres com véu como parte da cerimônia de casamento, ou cobrir uma concubina com o véu para torná-la esposa. Embora essa prática seja confirmada para a Babilônia e para a Suméria, é bem possível que também tenha sido usada em Mari. Nesse caso, a referência ao "véu de Subartu" pode ter a significância simbólica de incorporação dessas mulheres a seus devidos lugares no harém.

46. O texto mencionado aqui é de W. H. Roemer, *Frauenbriefe über Religion, Politik und Privatleben in Mari*. Investigação para G. Dossin, Archives Royales de Mari X, Paris, 1967 (Neukirchen--Venyn, 1971). (Trad. Gerda Lerner.)

    Batto (p. 84) traduz essa passagem assim: "Há (outras) presas aqui diante de mim; eu mesmo selecionarei dentre estas garotas quais pegarei para o véu e (as) enviarei (para você)".

47. Jack Sasson sugere que Kirum era a esposa secundária, e Shibatum era a primeira, e que Kirum não teve filhos, enquanto Shibatum deu à luz gêmeos. O professor Sasson usa a grafia "Shimatum".
48. Batto, *Studies*, pp. 42-28; citação, p. 43.
49. O fim da primeira carta de Kirum e a segunda carta são mencionados na íntegra em Jack M. Sasson, "Biographical Notices on Some Royal Ladies from Mari", *Journal of Cuneiform Studies*, vol. 25, nº 2 (Janeiro de 1973), pp. 59-104; citação, pp. 68-9.
50. Referência e citação, Sasson, *ibid.*
51. Batto, *Studies*, pp. 48-51; citação, pp. 48-9.
52. *Ibid.*, p. 39. O mesmo incidente é abordado em Sasson, *Royal Ladies*, pp. 61-6.
53. Batto, *Studies*, cap. 5; citação, p. 96.
54. *Ibid.*, p. 99. Agradeço ao professor Jack Sasson por uma tradução um tanto diferente dessa passagem: "Sou a filha de um rei! Você é uma rainha! Considerando que até os soldados tratam bem quem eles capturam como prisioneiros, você não devia *me* tratar assim também, já que você e seu marido me enclausuraram?"
55. Batto, p. 100.
56. *Ibid.*, p. 106, nota 44.
57. *Ibid.*, pp. 100-01.
58. *Ibid.*, pp. 67-73. Pela sugestão de que talvez ela fosse parente do rei, agradeço ao professor Sasson (correspondência pessoal).
59. Norman Yoffee, *The Economic Role of the Crown in the Old Babylonian Period* (Malibu, 1977), p. 148.

CAPÍTULO QUATRO. A MULHER ESCRAVA

1. *The New Encyclopaedia Britannica*, 15. ed. (Chicago, 1979), vol. 16, "Slavery, Serfdom and Forced Labour", pp. 855, 857.

2. Minhas generalizações sobre escravidão são baseadas principalmente nas seguintes fontes: David Brion Davis, *The Problem of Slavery in Western Culture* (Ithaca, 1966); David Brion Davis, *The Problem of Slavery in the Age of Revolution: 1770-1823* (Ithaca, 1975); Carl Degler, *Neither Black nor White; Slavery and Race Relations in Brazil and the United States* (Nova York, 1971); Moses I. Finley, "Slavery", *Encyclopedia of the Social Sciences* (Nova York, 1968), vol. 14, pp. 307-12; Moses I. Finley, *Slavey in Classical Antiquity* (Cambridge, Ingl., 1960); Eugene D. Genovese, *Roll Jordan Roll: The World the Slaves Made* (Nova York, 1974); Winthrop D. Jordan, *White Over Black: American Attitudes Toward the Negro, 1550-1812* (Chapel Hill, 1968); Herbert S. Klein, *Slavery in the Americas: A Comparative Study of Virginia and Cuba* (Chicago, 1967); Gunnar Myrdal, *American Dilemma: The Negro Problem and Modern Democracy* (Nova York, 1944); Suzanne Miers e Igor Kopytoff (orgs.), *Slavery in Africa: Historical and Anthropological Perspectives* (Madison, 1977); Orlando Patterson, *Slavery and Social Death: A Comparative Study* (Cambridge, Mass., 1982).

3. Outros autores abordaram o assunto de forma semelhante: "O escravo é um forasteiro: isso por si só permite não só sua erradicação, mas também sua redução de pessoa a algo que possa ser propriedade de alguém". Robin Winks (org.), *Slavery: A Comparative Perspective* (Nova York, 1972), pp. 5-6.

   E também: Patterson, *Slavery and Social Death,* pp. 5, 7; Finley, "Slavery", pp. 307-12; *Encyclopedia of the Social Sciences,* pp. 308-09.

   "Escravos (na África) têm uma coisa em comum: são todos estranhos em um ambiente novo". Miers e Kopytoff, *Slavery in Africa,* p. 15.

4. James L. Watson, "Transactions in People: The Chinese Market in Slaves, Servants and Heirs", em James L. Watson (org.), *Asian and African Systems of Slavery* (Berkeley, 1980), pp. 231-32.

5. Patterson, *Slavery and Social Death,* pp. 5, 6, 10.

6. *The New Encyclopaedia Britannica,* vol. 16, p. 855.

7. Robert McC. Adams, *The Evolution of Urban Society* (Chicago, 1966), pp. 96-7.

8. Igor M. Diakonoff, "Socio-economic Classes in Babylonia and the Babylonian Concept of Social Stratification", publicado como um componente de D. O. Edzard, "Gesellschaftsklassen im alten Zweistromland und in den angrenzenden Gebieten", XVIII Recontre assyriologique internationale, Munique, 29 de junho a 3 de julho de 1970 (Munique, Bayerische Akademie der Wissenschaften, Phil.-Hist. Klasse, Abhandlungen, Neue Folge, nº 75 (1972), p. 45.

9. Patterson, *Slavery and Social Death,* p. 10.

10. *Ibid.*, p. 6.

11. I. J. Gelb, "Prisoners of War in Early Mesopotamia", *Journal of Near Eastern Studies*, vol. 32 (1973), pp. 74-7.

12. *Ibid.*, p. 94.

    Ao pesquisar a historiografia sobre a questão, a respeito de se a maioria dos prisioneiros de guerra na Mesopotâmia era escravizada, Orlando Patterson mostra que até uma década atrás a visão afirmativa se mantinha, mas que estudos recentes, tanto russos quanto ocidentais, parecem concordar que os prisioneiros de guerra eram mantidos como prisioneiros por um breve período e então liberados e reintegrados. Essa visão é sustentada por I. I. Semenov e por

I. J. Gelb. O próprio Patterson acha que, embora isso seja verdade para a maioria dos prisioneiros de guerra, "em todas as épocas alguns prisioneiros de guerra foram usados como escravos [...] e no período neobabilônico há motivos para crer que a maioria estava sendo escravizada". Patterson, *Slavery and Social Death*, pp. 109-10.

13. Gelb, "Prisoners of War", p. 91.

    Sobre o termo *igi-du-nu*, ver V. V. Struve, "The Problem of the Genesis, Development and Disintegration of the Slave Societies of the Ancient Orient", em I. M. Diakonoff (org.), *Ancient Mesopotamia: Socio-economic History: A Collection of Studies by Soviet Scholars* (Moscou, 1969), pp. 23-4. Para uma interpretação diferente, ver A. I. Tyumenev, em Diakonoff, *ibid.*, p. 99, nota 36.

14. *Ibid.*, p. 23 (Struve).

15. Gelb, "Prisoners of War", p. 91.

16. E. G. Pulleyblank, "The Origins and Nature of Chattel Slavery in China", *Journal of Economic and Social History of the Orient*, vol. 1, pt. 2 (1958), p. 190. A citação do Código de Leis de Han aparece em C. Martin Wilbur, "Slavery in China during the Former Han Dynasty; 206 B.C. - A.D. 25", Ahtropological Series, *Publications of Field Museum of National History*, vol. 34 (15 de janeiro de 1943), p. 84. Outros exemplos de mutilação de escravos são mencionados, *ibid.*, p. 286.

17. C. W. W. Greenidge, *Slavery* (Londres, 1958), p. 29.

18. Gelb usa o nome Bur-Sin. Esse nome atualmente é transcrito como 'Amar-Su'en. "Prisoners of War", p. 89.

19. P. Anton Deimel, *Sumerische Tempelwirtschaft zur Zeit Urukaginas und seiner Vorgaenger* (Roma, 1931), pp. 88-9.

    Para uma discussão detalhada das listas de ração do Templo de Bau, ver ensaios de V. V. Struve e de A. I. Tyumenev, em Diakonoff (org.), *Ancient Mesopotamia...*, pp. 17-69 e 88-126.

20.

Lista de mulheres escravas e seus filhos
(com base em A. I. Tyumenev em Diakonoff, p. 116)

	Mulheres	Crianças
Ano I de Urukagina	93	42
II	143	89
III	141	65
IV	128	57
V	128	60
VI	173	48

Como a lista não nos diz quantas das mulheres não tinham filhos, não podemos determinar o número de filhos por mulher. Mas o fato de o número total de crianças não aumentar muito em cinco anos parece indicar que essas mulheres não eram usadas com finalidade sexual. Se considerarmos a em geral elevada taxa de mortalidade infantil, o número de crianças, na verdade, parece diminuir conforme o número de mulheres aumenta. Talvez isso se deva à morte ou à venda das crianças. Números de outros quatro templos em Lagash durante o Ano V de Urukagina mostram 104 mulheres escravas e 51 filhos da deusa Nanse; 10 mulheres escravas e 3 crianças do deus Nindar; 16 mulheres escravas e 7 crianças do deus Dumuzi e 14 mulheres escravas e 7 crianças da deusa Ninmar. Diakonoff, p. 123. Esses números mostram de maneira consistente a mesma proporção que os números acima: menos da metade do número de crianças em comparação com o número de mulheres.

21. Bernard Frank Batto, *Studies on Women at Mari* (Baltimore, 1974), p. 27, doc. 126.
22. Rivkah Harris, *Ancient Sippar: A Demographic Study of an Old-Babylonian city (1894-1595 B.C.)* (Nederlands Historisch-Archelogisch Institute te Instanbul, 1975), p. 333.
23. Para a datação de *The Iliad*, ver Moses I. Finley, *The World of Odysseus* (Londres, 1964), p. 26.
24. Richmond Lattimore, trad., *The Iliad of Homer* (Chicago, 1937), I, pp. 184-88.
25. *Ibid.*, IX, pp. 132-34.
26. *Ibid.*, IX, pp. 128-29.
27. *Ibid.*, IX, pp. 139-40.
28. *Ibid.*, IX, pp. 664-68.
29. *Ibid.*, IX, p. 593; ver também: XVI, pp. 830-32.
30. *Ibid.*, pp. 450-59.
31. Moses I. Finley, *The World of Odysseus* (edição brochura da Meridian; Nova York, 1959), p. 56.
32. William L. Westermann, *The Slave Systems of Greek and Roman Antiquity* (Philadelphia, 1955), pp. 26, 28, 63.
33. *Ibid.*, p. 7.
34. Thucydides, *History of Peloponnesian War* (Cambridge, Mass., 1920), III, 68, 2; IV, 48, 4; V, 32, 1.

    Ver também O. Patterson, *Slavery and Social Death,* "A prática primitiva de massacrar os homens e escravizar apenas mulheres e crianças foi claramente comprovada em diversas situações" (p. 121).
35. E. A. Thompson, "Slavery in Early German", em Moses I. Finley, *Slavery in Classical Antiquity,* pp. 195-96.
36. Nesse levantamento mundial sobre a escravidão, O. Patterson descobre que "O que determinava o viés de gênero na captura de prisioneiros não era o nível de desenvolvimento da sociedade ou o grau de dependência estrutural da escravidão, e sim o uso que se daria aos escravos [...] considerações puramente militares e o problema de segurança na sociedade do captor. É óbvio que era mais fácil capturar mulheres e crianças do que homens; também era mais fácil mantê-las e integrá-las à comunidade. Além disso, na maioria das sociedades pré-modernas, as mulheres eram trabalhadoras de alta produtividade [...]". Patterson, *Slavery and Social Death,* pp. 120-21.

    Ao examinar 186 sociedades escravocratas que ele selecionou a partir da amostra de Murdock, Patterson descobriu que "o número de mulheres escravas ultrapassava o de homens escravos em 54% de todas as sociedades escravocratas [...]; o número de mulheres escravas é igual ao de homens escravos em apenas 17%; e são em menor número que os homens em apenas 29% das sociedades amostradas" (p. 199). Essa conclusão corrobora minha tese de que as mulheres foram escravizadas mais fácil e rapidamente que os homens na maioria das sociedades escravocratas.

37. Adams, *Urban Society*, p. 96.
38. Abd el-Mohsen Bakir, *Slavery in Pharaonic Egypt* (Cairo, 1952), p. 25.
39. Fritz Gschnitzer, *Studien zur griechischen Terminologie der Sklaverei:* "Untersuchungen zur aelteren, insbesondere Homerischen Sklaventerminologie" (Wiesbaden, 1976), pp. 8, 10, nota 25, pp. 114-15. O fato de que tanto *doulos* quanto *amphipolos* aplicados a homens aparecem apenas séculos depois, o que corrobora a evidência linguística que citei de outras culturas, demonstra que as mulheres foram escravizadas consideravelmente antes que os homens.
40. Winks, *Slavery,* p. 6.
41. Isaac Mendelsohn, *Legal Aspects of Slavery in Babylonia, Assyria and Palestine: A Comparative Study; 3000-500 B.C.* (Williamsport, 1932), p. 47.
42. Finley, *Odysseus,* p. 57 (edição da Meridian).
43. John M. Gullick, "Debt Bondage in Malaya", em Winks, *Slavery,* pp. 55-57.
44. Greenidge, *Slavery,* p. 47. Ver também Watson, "Transactions in People", em Watson, *Slavery,* pp. 225, 231-33, 244.
45. Greenidge, *Slavery,* p. 30.
46. Existe ampla literatura sobre o tema estupro e exploração sexual de mulheres. Ver: Susan Brownmiller, *Against Our Will: Men, Women and Rape* (Nova York, 1975). Sobre estupro e violência marital, Wini Breines e Linda Gordon, "The New Scholarship on Family Violence", *SIGNS,* vol. 8, nº 3 (Primavera de 1983), pp. 490-531; Jane R. Chapman e Margaret Gates (orgs.), *Victimization of Women* (Beverly Hills, 1978); Murray Straus, Richard Gelles e Suzanne Steinmetz, *Behind Closed Doors: Violence in the American Family* (Garden City, 1980); Miriam F. Hirsch, *Women and Violence* (Nova York, 1981).

    Sobre relações sexuas de servas e senhores, ver: Lawrence Stone, *The Family, Sex and Marriage in England, 1500-1800,* (Nova York, 1977); Edward Shorter, *Making of the Modern Family* (Nova York, 1975); Joan Scott e Louise Tilly, "Women's Work and the Family in Nineteenth Century Europe", *Comparative Studies in Society and History,* vol. 17 (1975), pp. 36-64; Joan Scott, Louise Tilly e Miriam Cohen, Women's Work and European Fertility Patterns", *Journal of Interdisciplinary History,* vol. 6, nº 3 (1976), pp. 447-76; John R. Gillis, "Servants, Sexual Relations and the Risks of Illegitimacy in London, 1801-1900", *Feminist Studies,* vol. 5, nº 1 (Primavera de 1979), pp. 142-73.

    Minhas observações sobre o uso sexual de mulheres escravas por homens brancos são baseadas em extensas leituras de narrativas de escravos e fontes primárias sobre escravidão nos Estados Unidos. Ver Gerda Lerner, "Black Women in the United States", em Lerner, *The Majority Finds Its Past: Placing Women in History* (Nova York, 1979), pp. 63-83 e 191, notas 15 e 16.
47. Patterson observou que sociedades com mais escravos do sexo feminino do que masculino tendiam a ser aquelas em que a produção doméstica prevalecia. "Nessas sociedades, o senhor, como *patria potestas,* geralmente tinha poder para disciplinar até a morte todos os membros da casa, não apenas escravos, mas também esposas, filhos, parentes mais jovens e serviçais [...]

[a escrava do sexo femino] podia ser morta impunemente, pois pertencia 'até os ossos' ao senhor, mas sob o poder do senhor isso acontecia com a mesma frequência com que ocorria às pessoas 'livres'". O. Patterson, *Slavery and Social Death,* p. 199.

48. Citado em Jacquetta Hawkes e *Sir* Leonard Woolley, *History of Mankind*, vol. I, "Prehistory and the Beginnings of Civilization" (Nova York, 1963), p. 475.
49. G. R. Driver e John C. Miles, *The Babylonian Laws, edited with Translation and Commentary,*. 2 vols (Oxford, 1952, 1955), vol. I, p. 36, e "Chronological Table" para uma discussão sobre a datação do Código de Hamurabi. O reinado de Hamurabi é datado por Driver e Miles como 1711-1669 a.C.; 1801-1759 a.C. por Ungnad, e 1704-1662 a.C. por Boehl.

    Citação em Driver-Miles, *BL*, vol. I, p. 45.
50. *Ibid.*, vol. I, p. 11.
51. *Ibid.*, vol. I: pp. 212-13.
52. HC § 116, *ibid.*, vol. II, p. 47. Comentário sobre a lei vol. I, pp. 215-19.
53. HC § 117-§ 119, *ibid.*, vol. II, p. 49. Comentário, vol. I: pp. 217-20.
54. M. Schorr, *Urkunden des altbabylonischen Zivil-und Processrechts* (Leipzig, 1913), nº 77, p. 121, como citado em Isaac Mendelsohn, *Legal Aspects of Slavery,* p. 23.

    Ao comentarem sobre esse documento, Driver e Miles interpretam seu contexto da seguinte maneira: "uma esposa Belizumu parece ser uma *naditum* (sacerdotisa; G. L.), já que não teve filhos e comprou uma concubina para o marido". Driver-Miles, *BL*, vol. I, p. 333, nota 1.
55. *The Holy Scriptures According to the Masoretic Text* (Filadélfia, 1958), Gênesis 16:2
56. Gênesis 30:3.
57. *Ibid.*, 30:7.
58. *Ibid.*, 30:23.
59. HC § 144 e § 145, Driver-Miles, *BL*, vol. II, p. 57. Comentário, *BL,* vol. I, pp. 304-05.
60. HC § 146, *BL*, vol. II, p. 57. Comentário, *BL*, vol. I, pp. 305-6. Driver e Miles comentam sobre os paralelos bíblicos (vol. I, p. 333, nota 8). Ver também o Capítulo 5 abaixo, notas 32-33.
61. HC § 171, *BL*, vol. II, p. 67. Comentário, *BL*, vol. I, p. 324-34.
62. Patterson, *Slavery and Social Death,* pp. 144-45. As informações sobre concubinato malaio são oriundas de Gullick, em Winks, *Slavery*, pp. 55-7.
63. Wilbur, "Slavery in China", pp. 133, 163, 183. E também Patterson, *Slavery and Social Death,* pp. 141-42.
64. Irene Silverblatt, "Andean Women in the Inca Empire", *Feminist Studies*, vol. 4, nº 3 (Outubro de 1978), pp. 48-50.
65. Sherry B. Ortner, "The Virgin and the State", *Feminist Studies*, vol. 4, nº 3 (Outubro de 1978), pp. 19-36.
66. Pulleyblank (nota 16 acima), pp. 203-4, 218.
67. *Ibid.*, pp. 194-95.
68. Wilbur, "Slavery in China", p. 162.

69. Jastrow, Luckenbill e Geers traduzem o termo como "mulheres prisioneiras"; Ebeling e Schorr, como "concubina". Ehelohlf traduz o termo como "mulher cercada" e observa: "Obviamente um termo para uma categoria de mulheres que ficava entre as senhoras livres e as mulheres escravas sem liberdade". Todo o conteúdo acima é citado em Samuel I. Feigin, "The Captives in Cuneiform Inscriptions", *American Journal of Semitic Languages and Literatures,* vol. 50, nº 4 (Julho de 1934), pp. 229-30.

70. *Ibid.*, p. 243.

71. Se esse for o caso, como Driver e Miles interpretaram, de Belizumu ser uma sacerdotisa *naditum*, não lhe seria permitido ter filhos, mas supostamente teria relações sexuais com o marido usando métodos contraceptivos. O princípio de a esposa ter de se submeter a regras sexuais impostas pelo marido e pela sociedade permanece o mesmo em qualquer um dos casos.

72. S. H. Butcher (trad.), *The Odyssey of Homer* (Londres, 1917), 23, pp. 38-39.

73. *Ibid.*, 1, p. 430.

74. *Ibid.*, 22, pp. 418-20.

75. *Ibid.*, 23, pp. 420-24.

76. *Ibid.*, 23, pp. 445-72.

77. *Ibid.*, 23, pp. 498-501.

78. Peter Aaby, "Engels and Women", *Critique of Anthropology: Women's Issue,* vol. 3, nºs 9 e 10 (1977), p. 39, parafraseando Meillassoux.

79. Para uma discussão detalhada sobre como o fato de ter sido escravizado leva à perda de prestígio social e ao desprezo e à marginalização de pessoas escravizadas anteriomente, ver Patterson, *Slavery and Social Death,* pp. 249-50.

80. Aristóteles, *Política,* vol. I, pp. 2-7.

CAPÍTULO CINCO. A ESPOSA E A CONCUBINA

1. Li o Código de Hamurabi nas seguintes edições: G. R. Driver e John C. Miles, *The Babylonian Laws,* 2 vols. (Oxford, vol. I, 1952; vol. II, 1955), doravante chamados de Driver-Miles, *BL.* "The Code of Hammurabi", Theophile J. Meek (trad.) em James B. Pritchard (org.), *Ancient Near Eastern Texts Relating to the Old Testament* (2. ed., Princeton, 1955). Consultei ainda: David H. Müller, *Die Gesetze Hammurabis und ihr Verhältnis zur mosaischen Gesetzgebung,* (Viena, 1903); J. Kohler e F. E. Peiser, *Hammurabi's Gesetz* (Leipzig, 1904), vol. I. Todas as citações textuais são de Driver-Miles.

   "The Middle Assyrian Laws" (Theophile J. Meek, trad.), em Pritchard; "The Assyrian Code", Daniel D. Luckenbill e F. W. Geers (trad.), em J. M. Powis Smith, *The Origin and History of Hebrew Law* (Chicago, 1931); G. R. Driver e John C. Miles, *The Assyrian Laws* (Oxford, 1935); Todas as citações textuais são de Driver-Miles, *AL.*

   "The Hittite Laws" (Albrecht Goetze, trad.), em Pritchard; todas as citações daquele texto. E, ainda, "The Hittite Code" (Arnold Walther, trad.), em Smith.

Johann Friedrich, *Die Hethitischen Gesetze* (Leiden, 1959). Citarei na íntegra, nas notas de rodapé, o texto das leis que considero importantes para minha argumentação e darei o número das referências para as demais.

2. C. J. Gadd, *CAH*, vol. 2, pt. 1, cap. 5. Gadd cita a carta de um emissário do rei Zimri-Lim de Mari às tribos seminômades do Eufrates, dirigindo-se a alguns chefes tribais locais conforme segue: "Não existe um rei que seja poderoso sozinho. Dez ou quinze reis seguem Hamurabi, o homem da Babilônia, um número parecido segue Rim-Sin de Larsa, um número similar segue Ibapiel de Eshnunna, um número semelhante segue Amutpiel de Qatana, e vinte seguem Yarimlim de Yamkhad" (pp. 181-82). No entanto, foi Hamurabi quem derrotou Rim-Sin de Larsa e uma coalizão de Elam, Gutium, Assíria e Eshnunna, embora ele jamais pudesse derrotar a Assíria sozinho. Depois, também derrotou o rei Zimri-Lim de Mari.
3. Minhas generalizações são baseadas em Smith, *Origin*, pp. 15-7, e Driver-Miles, *BL*, vol. I, pp. 9, 41-5.
4. Smith, *Origin*, p. 3.
5. W. B. Lambert, "Morals in Ancient Mesopotamia", *Vooraziatisch Egypt Genootschap "Ex Oriente Lux" Jaarbericht*, nº 15 (1957-58), p. 187; Driver-Miles, *AL*, pp. 52-3. Ver também: J. J. Finkelstein, "Sex Offenses in Babylonian Laws", *Journal of the American Oriental Society*, vol. 86 (1966).
6. A. Leo Oppenheim, *Ancient Mesopotamia* (Chicago, 1964), p. 158
7. Lambert, "Morals in Ancient Mesopotamia", p. 187.
8. A. S. Diamon argumenta que a *lex talionis* representa um avanço em relação ao conceito jurídico anterior de penas pecuniárias pagas ao parente mais próximo pelos danos causados. Ele cita, por exemplo, as Leis de Ur-Nammu (cerca de 300 anos antes da Lei de Hamurabi), nas quais todas as sanções para lesão pessoal eram pecuniárias. A punição corporal, de acordo com sua visão, se estabelece com o advento dos Estados fortes, que acaba com a autoridade de grupos litigantes similares para resolver disputas, sobretudo por meio do pagamento de danos, transferindo essa autoridade para o Estado. Assim, os delitos passam a ser criminalizados, e, na ausência de prisões, morte e mutilação se tornam punições apropriadas. Ele explica a prevalência da punição pecuniária nos códigos de lei assíria e hitita como resultantes de uma "cultura mais simples" e "em estágio mais atrasado" de desenvolvimento. A. S. Diamond, "An Eye for an Eye", *Iraq*, vol. 19, pt. 2 (Outono de 1957), pp. 153, 155.
9. Oppenheim, *Ancient Mesopotamia*, p. 87.
10. Driver-Miles, *BL*, vol. I, pp. 174-76. A Lei CH § 50 determina juros de 33,5% sobre o empréstimo de grãos e juros de 20% sobre o empréstimo de dinheiro. Driver e Miles consideram esses valores razoavelmente representativos e apontam que as taxas de juros assírias também eram fixadas em 25-33,5%. (Essa referência está na p. 176.)
11. CH § 117: "Se um homem sujeito à prisão nos termos de uma garantia tiver vendido sua esposa, seu filho ou sua filha, ou se (os) ceder como servos por três anos, eles terão que trabalhar na casa de quem os comprou ou aceitou como servos; no quarto ano, eles deverão ser liberados". Driver-Miles, *BL*, vol. II, pp. 47-9. Ver também, abaixo, Capítulo Seis para uma discussão sobre esse assunto.

12. Usei *The Holy Scriptures According to the Masoretic Text* (Filadélfia, 1917) como minha fonte de citações bíblicas (Êxodo, 21:2-11, Deuteronômio 15:12-15, 18). Para comentários, ver Driver-Miles, *BL*, vol. I, p. 221. Os registros de Nuzi confirmam o uso frequente de escravas como concubinas ou como esposas de escravos de seus mestres. No registro de Nuzi V 437, por exemplo, um homem oferece sua irmã a um homem que a dará como esposa a seu escravo. O contrato estabelece que, se o escravo marido dela morrer, ela deverá se casar com outro escravo marido, e se ele também morrer, ela deverá se casar com outro, e assim por diante, até o quarto escravo marido. Esse registro vem de uma sociedade na qual as mulheres da elite detinham grande poder delegado e mulheres de posses podiam fazer negócios e participar de transações comerciais que frequentemente envolviam vendas de escravos e de crianças. Cyrus H. Gordon, "The Status of Women Reflected in the Nuzi Tablets", *Zeitschrift für Assyriologie*, Neue Folge, Band IX (1936), pp. 152, 160, 168.
13. Smith, *Origin*, p. 20.
14. CH § 195: "Se um filho atacar seu pai, deverá ter sua mão decepada". Driver-Miles, *BL*, vol. II, p. 77.

    CH §§ 192-193: "Se o filho (adotado) de um mordomo ou o filho (adotado) de um epiceno disser ao pai que o trouxe ou à mãe que o trouxe 'Você não é meu pai' (ou) 'Você não é minha mãe', deverá ter sua língua arrancada". Driver-Miles, *BL*, vol. II, pp. 75-7. Nota: A palavra "epiceno" (devoto) aqui significa uma sacerdotisa *Sal-zikrum*. Essas sacerdotisas, como eram proibidas de engravidar, não raro adotavam crianças para assegurar seus serviços na velhice. Com isso fica claro que o "pai" e a "mãe" mencionados em CH § 192 não formam um casal, mas a referência serve a dois casos diferentes: um em que o filho foi adotado por um mordomo, outro em que o filho foi adotado por uma sacerdotisa *Sal-zikrum*. Ver Driver-Miles, *BL*, vol. I, pp. 401-5.
15. "Quem ferir seu pai ou sua mãe será igualmente morto" (Êxodo 21:15). Comentário e referência à Lei Hebraica, Êxodo 21:15. Driver-Miles, *BL*, vol. I, pp. 407-8.
16. CH § 155: "Se um homem tiver escolhido uma noiva para seu filho, e seu filho a tiver conhecido (carnalmente), (e se) portanto ele mesmo se deitar com ela e for pego, deverá ser amarrado e jogado na água" (Driver-Miles, *BL*, vol. II, p. 61).

    CH § 156: "Se um homem tiver escolhido uma noiva para seu filho, e seu filho não a tiver conhecido (carnalmente), e ele mesmo se deitar com ela, deverá pagar a ela ½ mina de prata e então compensá-la por tudo que ela tiver trazido da casa de seu pai, e um marido atrás de seu coração pode se casar com ela". *Ibid.*
17. O assunto é controverso. Driver e Miles consideram o contrato essencial para tornar legítimo um casamento de classe alta. Outros o consideram opcional. Para detalhes dessa discussão, ver nota 20 abaixo. Para uma discussão detalhada do contrato de casamento, ver Samuel Greengus, "The Old Babylonian Marriage Contract", *Journal of the American Oriental Society*, vol. 89 (1969), pp. 505-32.
18. CH § 162: "Se um homem tiver se casado (e) ela tiver lhe dado filhos, e se essa mulher tiver cumprido a (sua) sina, o pai dela não deverá reivindicar o dote (a esse homem); o dote dela pertence a seus filhos" (Driver-Miles, *BL*, vol. II, p. 63).

CH § 172: "Se o marido não tiver feito um acordo, deverão compensá-la por seu dote e ela deverá receber uma parte (equivalente à) de um herdeiro dos bens de seu marido. Se os filhos dela continuarem insistindo para que deixe a casa do marido, o juiz deverá determinar os fatos do caso dela e estabelecer uma pena para os filhos; essa mulher não deverá deixar a casa do marido. Se essa mulher decidir partir, ela deverá abrir mão dos presentes que recebeu de seu marido em função dos filhos; deverá levar o dote que trouxe da casa de seu pai, e um marido atrás de seu coração pode se casar com ela". *Ibid.*, p. 67.

LMA § 29: "Se uma mulher tiver sido recebida na casa de seu marido, seu dote ou qualquer coisa que ela tenha trazido da casa de seu pai ou que seu sogro tenha lhe dado na ocasião de sua entrada na família será reservado a seus filhos; os filhos de seu sogro não poderão reivindicar nada (disso). Mas se o marido viver (?) mais que ela, ele poderá dar a fração que quiser (desses bens) a seus filhos". Driver-Miles, *AL*, p. 399.

Comentário sobre CH § 162 e § 172, Driver-Miles, *BL*, vol. I, pp. 344, 351-52. Comentário sobre a LMA § 29, Driver-Miles, *AL*, pp. 189-90, 205-11.

Agradeço a dra. Anne Kilmer, do Departamento de Estudos Orientais, Universidade da Califórnia, em Berkeley, por chamar minha atenção para o fato de a palavra "filhos", aqui, significar tanto filhos quanto filhas, isto é, descendentes de ambos os sexos.

19. CH § 173: "Se essa mulher, na casa em que foi recebida, tiver filhos do último marido, os filhos do ex-marido e do marido atual deverão dividir seu dote depois que essa mulher morrer". Driver-Miles, *BL*, vol. II, p. 67.

    CH § 174: "Se ela não tiver filhos do último marido, os filhos de seu primeiro marido ficarão com seu dote". *Ibid.*, p. 69.

    Comentário, *BL*, vol. I, pp. 350-53.

20. CH § 148: "Se um homem tiver casado com uma esposa e ela for acometida por uma febre intermitente, (e) ele decidir casar com outra mulher, ele poderá se casar (com essa mulher). Ele não se divorciará de sua esposa que foi acometida pela febre intermitente; ela deverá permanecer na casa que ele construiu, e ele deverá continuar sustentando essa esposa enquanto ela viver".

    CH § 149: "Se essa mulher não consentir em continuar morando na casa de seu marido, ele deverá compensá-la pelo dote que ela trouxe da casa do pai, e então ela poderá ir (embora)". Driver-Miles, *BL*, vol. II, p. 59. Comentário, vol. I, pp. 309-11.

21. CH § 163: "Se um homem tiver se casado com uma esposa e ela não tiver lhe dado filhos, (e) se essa mulher tiver cumprido o (seu) destino, se o sogro dele lhe der o presente de noiva que esse homem trouxe para a casa de seu sogro, o marido não poderá reivindicar o dote dessa mulher; o dote dela pertencerá à casa de seu pai".

    CH § 164: "Se esse sogro não lhe der o presente de noiva, ele deverá deduzir o presente de noiva do dote dela e entregar (o restante do) o dote dela à casa do pai dela". Driver-Miles, *BL*, vol. II, p. 63. Comentário, vol. I, pp. 252-59.

22. Driver e Miles argumentam que o dote é um substituto para a herança da mulher. Eles apontam para o fato de que uma sacerdotisa, se não tiver recebido nenhum dote, tem direito a

uma fração da herança do pai quando ele morrer. Isso pode significar "que toda mulher tem direito à herança se não tiver recebido nenhum *seriktum*". *BL,* vol. I, p. 272.

Jack Goody, em *Production and Reproduction: A Comparative Study of the Domestic Domain* (Londres, 1976), relacionou o fenômeno ao que ele chama de "devolução divergente": a transmissão de propriedades para filhos de ambos os sexos, com estratificação do *status.* Goody considera a entrega do dote a uma mulher como o equivalente de sua parte da herança da família. Goody compara um sistema de "devolução divergente" de herança (prevalente em países da Eurásia) com o sistema africano, no qual o espólio de um homem falecido não é usado para manter a esposa sobrevivente. As mulheres não levam nenhum dote no casamento e não recebem nada quando o matrimônio acaba. Ver Goody, pp. 7, 11, 14-22.

Em uma comparação mundial de sociedades, mostrando a relação entre o trabalho da mulher e as estruturas do casamento, Esther Boserup fez descobertas parecidas com as de Goody. Esther Boserup, *Women's Role in Economic Development* (Londres, 1970).

23. A discussão está resumida em Driver-Miles, *BL,* vol. I, pp. 259-65. É continuada e ampliada em Driver-Miles, *AL,* pp. 142-60. Para as visões de Koschaker, ver Paul Koschaker, *Rechtsvergleichende Studien zur Gesetzgebung Hammurapis, Königs von Babylon* (Leipzig, 1917), pp. 130-85. Todas as citações desse livro foram traduzidas por Gerda Lerner.

24. Driver-Miles, *BL,* vol. I, p. 263, sobre contratos de casamento; Driver-Miles, *AL,* p. 145, sobre o preço de venda de escravas. Durante a primeira dinastia babilônica, o preço de noiva para uma garota livre variava entre 5 e 30 *shekels*; 5 *shekels* por uma garota escrava alforriada. Ao mesmo tempo, o preço de compra de uma garota escrava ficava entre $33^{5/6}$ e 84 *shekels.* Driver--Miles, *AL,* p. 145. Por outro lado, as tábuas de Nuzi mostram que "a soma média paga por uma garota com corpo funcional normal é de 40 *shekels* de prata, independentemente de [...] ser esposa ou empregada". Gordon (nota 12, acima), p. 156.

25. "Koschaker [...] suas visões parecem ter alcançado aceitação quase universal", Driver-Miles, *AL,* p. 142.

26. Koschaker, *Rechtsvergleichende,* pp. 150-99; Driver e Miles, *AL,* pp. 138-61. Sobre casamento *beena,* ver também Elizabeth Mary MacDonald, *The Position of Women As Reflected in Semitic Codes of Law* (Toronto, 1931), pp. 1-32, esp. pp. 5-10, 24.

27. Koschaker, *Rechtsvergleichende,* pp. 182-83.

28. *Ibid.,* pp. 198-99. Koschaker também usa evidências filológicas para defender sua posição (pp. 153-54). Em sumério, a palavra "casamento" é diferente para homem e para mulher. Um homem "toma como esposa", mas uma mulher é "recebida na casa do homem". Koschaker argumenta que a palavra para casamento usada para os homens vem diretamente de "tomar, agarrar, tomar posse de", e esse fato embasa sua interpretação do casamento por meio de compra. Embora em outra parte do texto haja consenso sobre o fato de que a mulher "é o objeto, não o sujeito do casamento", Driver e Miles refutam Koschaker demonstrando que o verbo em questão significa "ter a posse", sem contudo querer dizer "comprar". Quando o objetivo tiver sido adquirido por meio de compra, diz-se que aquele que o adquire o "leva" ou "recebe" a coisa em questão. Driver-Miles, *BL,* vol. I, pp. 263-64.

29. Rivkah Harris descreve o papel das sacerdotisas *naditum* enclausuradas no templo do deus Samas na economia familiar. Uma sacerdotisa começou a trabalhar no templo e trouxe um

dote com ela, o qual, após sua morte, foi devolvido à família. CH § 178 e CH § 179 informam que a sacerdotisa deve receber uma fração integral do espólio paterno igual àquela que um filho receberia, salvo se ela tiver recebido um dote. Se ela tiver recebido um dote, tem plenos direitos a ele durante sua vida, e pode entregá-lo a quem quiser. Driver-Miles, *BL*, vol. II, pp. 71-3.

Rivkah Harris comenta: "Pela primeira vez na história da Mesopotâmia há uma concentração de riqueza nas mãos de uma gama maior de indivíduos privados, além da contínua afluência do templo e do palácio. [...] Obviamente, seria do interesse dessas famílias impedir a distribuição de sua riqueza, o que ocorria quando uma moça se casava e levava seu dote para outra família". A instituição da *naditum* "tinha a função econômica de manter uma moça solteira até a morte dela, quando então sua parte dos bens da família reverteria para a família". Harris, *Ancient Sippar: A Demographic Study of an Old-Babylonian City (1894-1595 B.C.)* (Istambul, 1975), p. 307.

30. Para uma discussão da função da troca de presentes como forma de criar uma rede de obrigações mútuas, ver Marcel Mauss, *The Gift: Forms and Functions of Exchange in Archaic Societies* (Londres, 1954). Para a ligação entre herança e classe, ver Goody, *Production and Reproduction*, cap. 8.

31. Elena Cassin, "Pouvoir de la femme et structures familiales", *Revue d'Assyriologie et d'Archeologie Orientale*, vol. 63, nº 2 (1969), p. 130 (tradução de Gerda Lerner).

32. CH § 145: "Se o homem tiver se casado com uma sacerdotisa e ela não lhe der filhos, e então ele decidir se casar com uma irmã leiga, esse homem poderá se casar com uma irmã leiga (e) levá-la para sua casa; mas essa irmã leiga não estará em pé de igualdade com a sacerdotisa". Driver e Miles, *BL*, vol. II, p. 57. Comentário, vol. I, pp. 372-73. O fato de o CH §§ 145-147 mencionar o casamento de uma sacerdotisa *naditum* e não um casamento comum não altera o princípio de distinções de classe existente aqui entre a concubina ou a segunda esposa e a primeira esposa. Vale notar que a segunda esposa é considerada inferior com relação a classe e *status*, independentemente de ser uma mulher livre (como em CH § 145) ou uma escrava (CH §§ 146-47).

33. CH § 146: "Se um homem tiver se casado com uma sacerdotisa e ela tiver dado ao marido uma escrava e essa escrava der filhos a ele, (se) então essa escrava se igualará à sua senhora, porque ela gerou filhos e sua senhora não poderá vendê-la; ela poderá colocar uma marca (de escrava) nela e contabilizá-la com as escravas". CH § 147: "Se ela não tiver gerado filhos, sua senhora poderá vendê-la". Driver e Miles, *BL*, vol. II, p. 57. Comentário, *BL*, vol. I, pp. 372-73.

34. M. Schorr, *Urkunden des altbabylonischen Zivil und Prozessrechts*, Vonderasiatische Bibliothek (Leipzig), pp. 4-5, como citado em Driver-Miles, *BL*, vol. I, p. 373, nota 8.

35. Gênesis 16:1-16; 21:1-21. Ver também Capítulo Seis abaixo.

36. CH §§ 133-135, Driver-Miles, *BL*, vol. II, p. 53. Comentário, *BL*, vol. I, pp. 284-98. Oppenheim, *Ancient Mesopotamia*, p. 77.

37. CH § 141: "Se uma senhora casada que vive na casa de um homem decidir sair (porta afora) e insistir em se comportar de forma tola, arruinando seu lar (e) menosprezando seu marido, poderá ser condenada e, se o marido disser que pretende se divorciar dela, poderá fazê-lo; ela não receberá nada como dinheiro resultante do divórcio em sua jornada. Se o marido disser

que não pretende se divorciar dela, ele poderá se casar com outra mulher; essa mulher morará na casa do marido na condição de escrava". Driver-Miles, *BL*, vol. II, pp. 56-57. Comentário, vol. I, pp. 299-301.

38. Louis M. Epstein, *Sex Laws and Customs in Judaism* (Nova York, 1948), p. 194.

39. *Ibid.*, pp. 194-95.

40. CH § 129: "Se uma senhora casada for pega na cama com outro homem, eles deverão ser amarrados e jogados na água; se o marido quiser deixar sua esposa viva, o rei deverá deixar seu servo vivo". Driver-Miles, *BL*, vol. II, p. 51. Comentário, vol. I, pp. 281-82.

41. LMA § 15: "Se um homem tiver pego sua esposa com outro homem (e) for feita uma acusação (e) houver provas contra esse outro homem, o homem e a mulher deverão ser mortos; ninguém será responsabilizado pela morte. Se esse homem tiver sido pego e levado diante do rei ou dos juízes (e) houver uma acusação (e) provas contra ele, se o marido da mulher a matar, deverá matar o homem; (mas) se tiver cortado o nariz da esposa, deverá fazer do homem um eunuco e todo o seu rosto deverá ser mutilado. Ou, se ele deixar a esposa sair livre, o homem deverá sair livre". Driver-Miles, *AL*, p. 389.

    HL § 197: "Se um homem agarrar uma mulher nas montanhas, a culpa é do homem e ele será morto. Mas, se ele a agarrar em casa (na casa dela), a culpa é da mulher e ela será morta. Se o marido os encontrar, poderá matar os dois e não sofrerá nenhuma punição".

    HL § 198: "Se ele os levar até os portões do palácio e declarar: 'Minha esposa não será morta' e poupar a vida dela, deverá poupar também a vida do adúltero e marcá-lo na cabeça. Se ele disser: 'Que ambos morram!' [...] O rei poderá ordenar que sejam mortos, o rei poderá poupar a vida deles". Goetze (trad.) em Pritchard, *Ancient Near Eastern Texts*, p. 198.

    Lei Hebraica. Ver Deuteronômio 22:23-28 e Levítico 20:10.

    Comentário, Driver Miles, *AL*, pp. 36-50. Comentário sobre a Lei Bíblica referente a estupro em Epstein, *Sex Laws*, pp. 179-83.

42. CH § 130: "Se um homem tiver posto fim aos lamentos de (?) uma senhora casada, que não conheceu um homem e que mora na casa de seu pai, e então se deitar com ela e eles forem pegos, esse homem deverá ser morto; a mulher sairá livre". Driver-Miles, *BL*, vol. II, p. 53.

43. CH § 131: "Se o marido de uma senhora casada a tiver acusado, mas ela não tiver sido pega com outro homem, ela deverá fazer um juramento pela vida de um deus e voltar para casa". *Ibid.*

    CH § 132: "Se for apontado um dedo para a senhora casada com relação a outro homem e ela não tiver sido pega com o outro homem, ela deverá pular no rio sagrado pelo marido". *Ibid.*

    Comentário, Driver e Miles, *BL*, vol. I, pp. 282-84; Epstein, *Sex Laws*, pp. 196-201.

    Vale notar que, caso o marido não pegue a dupla de adúlteros no flagra, não poderá punir o homem, já que terá apenas provas circunstanciais contra ele. Mas ele poderá punir a esposa com base nas mesmas provas circunstanciais, forçando-a a prestar um juramento público, ou, no caso descrito em CH § 132, forçando-a a passar pelo teste. Driver e Miles, na referência citada acima, chamam a atenção para esse exemplo de um duplo padrão de julgamento. Em seu comentário sobre a prática de testar usando a água, Driver e Miles afirmam que não se sabe como ela foi determinada. Algumas autoridades acham que a inocência de uma pessoa é provada se ela boiar, e que ela será culpada se se afogar. Se for assim, Driver e Miles apontam que isso seria o oposto da prática semita, que também prevaleceu na Europa na era cristã, segundo a qual a água aceitaria o inocente e rejeitaria o culpado. Portanto, se a vítima se afogasse, isso supostamente provaria sua inocência; se boiasse, seria prova de sua culpa. Os objetivos de justiça eram cumpridos, pelo menos em alguns casos historicamente verificáveis, amarrando-se cordas à vítima – aquelas cuja inocência fosse provada por seu afogamento seriam resgatadas e puxadas de volta em segurança. Ver Driver-Miles, *AL*, pp. 86-106.

44. CH § 138: "Se um homem quiser se divorciar de sua primeira esposa que não lhe deu filhos, deverá dar a ela dinheiro equivalente ao valor do presente de noiva dela e compensá-la pelo dote que ela trouxe da casa de seu pai, e (então) se divorciar dela".

    CH § 139: "Se não houver presente de noiva, ele deverá dar a ela 1 mina de prata como dinheiro pelo divórcio".

    CH § 140: "Se (ele for) um servo, ele deverá dar a ela ⅓ de mina de prata". Driver-Miles, *BL*, vol. II, p. 55.

    Comentário, Driver-Miles, *BL*, vol. I, pp. 290-98. Driver e Miles citam documentos legais da Antiga Assíria e da Antiga Babilônia que afirmam que "o marido diz à esposa: 'Você não é minha esposa', dá a ela o dinheiro resultante do divórcio e a deixa". Às vezes, ele oficializa o divórcio cortando as franjas das vestes dela. *Ibid.*, p. 291.

45. As duas leis, Driver-Miles, *BL*, vol. II, p. 57.

46. CH § 157: "Se um homem após (a morte de) seu pai deitar-se com sua mãe, os dois deverão ser queimados". *Ibid.*, p. 61.

    CH § 154: "Se um homem conhecer sua irmã (carnalmente), o homem deverá ser banido da cidade". *Ibid.*, p. 61.

    Para CH § 155 e CH § 156, ver nota 16 acima. Comentário, Driver-Miles, *BL*, vol. I, pp. 318-20.

47. LMA § 55, texto na íntegra, Driver-Miles, *AL*, p. 423. Comentário, *AL*, pp. 52-61. Para uma comparação com a Lei Hebraica, ver Êxodo 22:16-17. Finkelstein em "Sex Offenses" menciona um julgamento em Nipur no qual um homem estuprou uma escrava em um celeiro e negou o crime, que foi confirmado por testemunhas. Ele foi considerado culpado e teve que pagar ao dono da escrava ½ mina de prata. Não se discutiu durante o julgamento se a escrava havia sido estuprada ou se havia consentido com o ato. Finkelstein comenta: "A garota escrava não é considerada uma pessoa aos olhos da lei" (pp. 359-60).

48. Finkelstein comenta a seguir sobre a LMA § 155: "Podemos por certo ignorar – como parte da 'crueldade calculada' tipicamente assíria – a determinação seguinte, segundo a qual a esposa do agressor deve ser entregue ao pai da garota estuprada para degradação (sexual) [...]" (p. 357). Não se apresenta nenhum tipo de evidência a esse conselheiro para que ignore a parte da lei que ofende a sensibilidade contemporânea.

    Ver Claudio Saporetti, "The Status of Women in the Middle Assyrian Period", *Monographs on the Ancient Near East*, vol. 2, fascículo 1 (Malibu, 1979), pp. 1-20, em especial p. 10, para uma interpretação da LMA § 55 que não minimize sua natureza repressiva e apresente exemplos de contratos particulares que mostrem o *status* inferior das mulheres de classes mais baixas. Saporetti mostra em detalhes a "dependência total e absoluta da mulher" em relação ao pai e ao marido (p. 13).

49. LMA § 56: "Se uma virgem se entregar a um homem, o homem deverá jurar (para tanto, e) sua esposa não será tocada. O sedutor deverá dar 'ao terceiro' o preço de uma virgem (em) prata (e) o pai tratará (sua) filha conforme lhe aprouver". Driver-Miles, *AL*, pp. 423-25.

50. Comentário sobre o texto, *AL*, p. 425. "A punição da esposa de que trata esta seção é aquela que um marido pode infligir em virtude de sua autoridade doméstica ou controle marital [...] o código babilônico não tem seções que tratem expressamente do poder arbitrário que claramente permite que um marido, em certos casos, aja contra sua esposa..." (p. 292).

51. CH §§ 171 e 172. Driver-Miles, *BL*, vol. II, p. 67. Comentário, *BL*, vol. I, pp. 334-35.

52. LMA § 46: "Se uma mulher cujo marido faleceu não deixar sua casa após a morte do marido, (e) se o marido não tiver lhe deixado nada por escrito, ela deverá morar em uma casa que pertença aos seus filhos, no lugar que escolher; os filhos de seu marido deverão sustentá-la; eles deverão se comprometer a cuidar de (fornecer) sua comida e sua bebida como se ela fosse a noiva que amam. Se ela for a segunda (esposa e) não tiver filhos, deverá morar com um (dos filhos de seu marido e) eles deverão cuidar de seu sustento juntos; se ela tiver filhos (e) os filhos da ex(-esposa) não concordarem em sustentá-la, ela deverá morar em uma casa que pertença aos próprios filhos, onde escolher, (e) os próprios filhos também deverão cuidar de seu sustento, e ela deverá trabalhar para eles. Mas se entre seus filhos (houver um) que a tomou (como cônjuge), esse filho que a tomou (como esposa) certamente deverá cuidar de seu sustento, e os filhos dela não precisarão cuidar de seu sustento". Driver e Miles, *AL*, p. 415. Vale notar que se espera que a mãe viúva, em troca de ser sustentada pelos filhos, "trabalhe para eles", o que supostamente significa fazer os trabalhos domésticos e se encarregar da produção têxtil.

    A antiga prática semita é discutida em Driver-Miles, *BL*, vol. I, p. 321. Para exemplos dela, ver 2 Samuel 16:21-22 e 1 Reis 2:21-22.

53. LMA §§ 30, 31. Driver-Miles, *AL*, pp. 399-401.

    LMA § 33: "(Se) uma mulher ainda morar na casa de seu pai (e) seu marido tiver falecido e (ela) tiver filhos, (ela deverá morar em uma) casa (que pertença a eles, onde escolher. Se) ela não tiver nenhum (filho, seu sogro deverá dar essa mulher) a qualquer um (de seus filhos), o que ele preferir [...] ou, se assim quiser, ele deverá dar essa mulher como cônjuge ao sogro dela. Se o marido dela e o sogro dela estiverem (de fato) mortos e ela não tiver nenhum filho, ela se torna (por lei) viúva; ela deverá ir para onde quiser" (*AL*, p. 401). Vale notar que essa lei é aplicável apenas a certa classe de viúva, ou seja, aquela que, embora fosse casada, ainda morava na casa de seu pai. Isso em geral se refere apenas a uma noiva criança. Nesse caso, tanto o pai quanto o sogro dela têm o direito de dispor dela em um casamento em regime de levirato. Saporetti discute a mulher viúva na sociedade assíria, com certa atenção ao caso especial e excepcional da viúva *almattu*, que era uma mulher livre sem filhos (a menos que fossem menores de idade) cujo sogro também havia morrido, o que a deixava sem tutela. Essa mulher poderia morar com outra pessoa, levar suas posses com ela e, eventualmente, se tornar uma esposa legítima. Também poderia ser considerada chefe de uma família. Saporetti enfatiza que essa posição é excepcional e contrasta com a posição geralmente degradante das viúvas na antiga sociedade do Oriente Próximo. Saporetti, "The Status of Women...", pp. 17-20.

54. Louis M. Epstein, *Marriage Laws in the Bible and the Talmud* (Cambridge, Mass., 1942), p. 77.

55. *Ibid.*, p. 79.

56. CH §§ 209-214. Driver-Miles, *BL*, vol. II, p. 79. Comentário, *BL*, vol. I, pp. 413-16. Os autores comentam que essas leis fazem distinções de classe entre as mulheres e que a pessoa a receber o pagamento "pela perda do filho não nascido [...] deve ser o marido ou senhor" (p. 415).

57. As leis LMA relevantes são:

LMA § 21: "Se um homem tiver agredido uma senhora grávida e a feito perder o fruto que carregava em seu ventre (e) se houver acusação e prova contra ele, ele deverá pagar 2 talentos e 30 minas de chumbo; ele deverá ser golpeado 50 vezes com varas (e) deverá trabalhar para o rei durante 1 mês inteiro". Driver-Miles, *AL*, p. 393.

LMA § 50, citada no texto. *AL*, p. 419.

LMA § 51: "Se um homem tiver agredido uma mulher casada que não cria seus filhos e a feito perder o fruto de seu ventre, esta punição (será infligida): ele pagará 2 talentos de chumbo". *AL*, p. 421.

LMA § 52: "Se um homem tiver agredido uma prostituta e a feito perder o fruto de seu ventre, ele deverá receber o mesmo número de golpes, (e assim) ele pagará (com base no princípio de) uma vida (com outra vida)". *AL*, p. 421. Cada uma dessas leis faz referência a uma classe diferente de mulheres: LMA § 21 a uma senhora, LMA § 50 à esposa de um burguês, LMA § 51 a uma mulher que por motivo de saúde frágil ou por ter vendido seus filhos não os cria, portanto não se considera que ela tenha sofrido uma perda tão grande quanto as outras mulheres; e a LMA § 52, uma prostituta. No caso desta última, as crianças tinham grande valor, pois eram criadas para serem vendidas ou se tornarem prostitutas e ajudavam a sustentar uma mulher que não tinha um homem provedor. Comentário, *AL*, pp. 106-15.

58. Ver nota 57, LMA § 21 acima, para o texto da lei. Driver e Miles, *AL*, p. 108: "[...] a agressão, neste caso, é considerada, em certa medida, um crime contra o Estado [...]".

59. HL § 17 (versão anterior): "Se alguém fizer com que uma mulher livre tenha um aborto espontâneo, se (esse) for o 10º mês, deverá pagar 10 *shekels* de prata, se (esse) for o 5º mês, deverá pagar 5 *shekels* de prata e penhorar seus bens como garantia".

HL § 17 (versão posterior): "Se alguém fizer com que uma mulher livre tenha um aborto espontâneo, deverá pagar 20 *shekels* de prata".

HL § 18 (versão anterior): "Se alguém fizer com que uma escrava tenha um aborto espontâneo, se (esse) for o 10º mês, deverá pagar 5 *shekels* de prata".

HL § 18 (versão posterior): "Se alguém fizer com que uma mulher livre tenha um aborto espontâneo, deverá pagar 10 *shekels* de prata". Albrecht Goetze (trad.) em Pritchard, *Ancient Near Eastern Texts*, p. 190.

60. Êxodo 21:22.

61. É por isso que, de acordo com a *lex talionis*, a esposa ou a filha do agressor deve sofrer a mesma punição, e é por isso que, na Lei Hebraica, o mesmo princípio é invocado se a capacidade de gerar filhos de uma mãe tiver sido afetada.

62. LMA § 53. Driver-Miles, *AL*, p. 421, Comentário, *AL*, pp. 115-17.

63. *Ibid.*, p. 116.

64. *Ibid.*, p. 117.

CAPÍTULO SEIS. O VELAMENTO DA MULHER

1. *Encyclopedia Americana* (Danbury, 1979), vol. 22, p. 169.

2. *New Encyclopaedia Britannica* (Chicago, 1979), vol. 15, p. 76.

3. Iwan Bloch, *Die Prostitution*, vol. 1 (Berlim, 1912), pp. 70-1. Citação traduzida por Gerda Lerner.

4. Frederick Engels, *Origin of the Family, Private Property and the State*, (Nova York, 1970), pp. 129-30. A referência de Engels à prostituição no templo é baseada em sua aceitação incondicional do relato de Heródoto. Ver página 129.

5. *Ibid.*, pp. 138-39.

6. *New Encyclopaedia Britannica*, vol. 25, p. 76; *Encyclopedia Americana*, vol. 22, pp. 672-74; *Encyclopedia of the Social Sciences*, vol. 13 (Nova York, 1934), p. 553; Vern e Bonnie Bullough, *The History of Prostitution: An Illustrated Social History* (Nova York, 1978), pp. 19-20; Bloch, *Die Prostitution*, vol. 1, pp. 70-1; F. Henriques, *Prostitution and Society* (Londres, 1962), cap. 1; William Sanger, *A History of Prostitution* (Nova York, 1858), pp. 40-1; Geoffrey May, "Prostitution", *Encyclopedia of the Social Sciences*, vol. 13, pp. 553-59; Max Ebert, *Reallexicon der Vorgeschichte*, vol. 5 (Berlim, 1926), p. 323; Erich Ebeling e Bruno Meissner, *Reallexicon der Assyriologie* (Berlim, 1971); artigo "Geschlechtsmoral", artigo "Hierodulen", vol. 4, pp. 223, 391-93.

7. Marija Alseikaite Gimbutas, *Goddesses and Gods of Old Europe* (Berkeley, 1982); Edwin O. James, *The Cult of the Mother Goddess: An Archaeological and Documentary Study* (Londres, 1959). Ver Capítulo Nove para uma discussão mais ampla sobre esse assunto.

8. A. Leo Oppenheim, *Ancient Mesopotamia: Portrait of a Dead Civilization* (Chicago, 1964), pp. 187-92.

9. Vern L. Bullough, "Attitudes Toward Deviant Sex in Ancient Mesopotamia", em Vern L. Bullough, *Sex, Society and History* (Nova York, 1976), pp. 17-36, faz a mesma observação (pp. 22-3).

10. Para a discussão sobre o Casamento Sagrado, ver Samuel Noah Kramer, *The Sacred Marriage Rite: Aspects of Faith, Myth and Ritual in Ancient Sumer* (Bloomington, 1969), p. 59; Thorkild Jacobsen, *Toward the Image of Tammuz and Other Essays on Mesopotamian History and Culture*, org. William L. Moran (Cambridge, Mass., 1970); Judith Ochshorn, *The Female Experience and the Nature of the Divine* (Bloomington, 1981), p. 124. E ainda W. G. Lambert, "Morals in Ancient

Mesopotamia", *Vooraziatisch Egypt Genootschap, "Ex Oriente Lux", Jaarbericht,* nº 15 (1957-58), p. 195.

11. As duas citações, Kramer, *Sacred Marriage Rite,* p. 59.

12. Thorkild Jacobsen, *Toward the Image of Tammuz,* pp. 73-101.

13. Meus comentários sobre as servas religiosas são baseados principalmente no minucioso estudo de Johannes Renger, "Untersuchungen zum Priestertum in der altbabylonischen Zeit", *Zeitschrift für Assyriologie und vorderasiatische Archeologie,* Neue Folge, Band 24 (Berlim, 1967) 1. Teil, pp. 110-88. Doravante chamado de *ZA.*

14. G. R. Driver e J. C. Miles, *The Babylonian Laws,* 2 vols. (Londres: vol. 1, 1952; vol. 2, 1955). Doravante chamadas de *BL.* Eles acham que a *naditum,* embora não fosse casada, talvez não tivesse feito voto de castidade, "porque é provável que ela, em alguns templos, por exemplo, no de Ishtar, fosse uma prostituta sagrada" (*BL,* vol. I, p. 366).

15. *BL,* vol. I, p. 359.

16. O estudo mais completo sobre essas mulheres é o de Rivkah Harris, *Ancient Sippar: A Demographic Study of an Old-Babylonian City (1894-1595 B.C.)* (Istambul, 1975). Referência aos seus números, p. 304. Ver também Renger, nota 13 acima, pp. 156-68. Renger, Driver e Miles, e Benno Landsberger consideram as *naditu* como sacerdotisas, mas Harris não vê evidências de cumprimento de nenhuma função religiosa por parte delas. Ela diz que a posição das *naditu* era a de "nora do Deus Samas e de sua noiva Aja". Como tal, realizavam todos os serviços rituais comuns às noras. Harris considera que elas tinham uma função "religiosa", já que dedicavam suas vidas a servir ao deus. Ver Harris, pp. 308-09.

17. *Ibid.,* p. 285.

18. *BL,* vol. II, p. 45. Comentário, *BL,* I, pp. 205-06. Isso mostra ainda, de modo casual, que os contemporâneos viam os serviços sexuais religiosos prestados pelas sacerdotisas de forma bem diferente da prostituição comercial. Renger comenta o seguinte sobre essa passagem: "Os interesses do Estado, expressos na prática legal e no Código de Hamurabi, serviam para garantir a independência financeira de uma *naditu,* para evitar que ela se voltasse para a prostituição por não ter renda suficiente. Também é por isso que ela vivia no *gagum* (claustro)". Renger, *ZA,* p. 156. Tradução de Gerda Lerner.

19. *BL,* II, p. 73. Comentário, *BL,* vol. I, pp. 369-70. Os autores traduzem *kulmashitum* como "hierodulo" e *qadishtum* como "devota".

20. Harris, *Ancient Sippar,* p. 327. Alguns orientalistas não fazem distinção entre esses dois tipos de servos do tempo e traduzem ambos como "hierodulo", descrevendo-os como aqueles envolvidos com "prostituição sagrada". Driver e Miles apontam que não há evidências a favor ou contra essa interpretação, mas que há casos em que se faz referência à própria deusa Ishtar como *qadishtum. BL,* vol. I, pp. 369-70. Para exemplos de diferentes traduções do termo *qadishtu,* ver Paul Koschaker, *Rechtsvergleichende Studien zur Gesetzgebung Hammurapis, Königs von Babylon* (Leipzig, 1917), p. 189, nota; *BL,* vol. I, p. 369.

21. Heródoto, *Historia* (trad. A. D. Godley), Loeb Classical Library (Cambridge, Mass., 1920), livro I, p. 199.

22. *BL,* vol. I, pp. 361-62.

23. *Ibid.*, pp. 368-69.

24. "Old Babylonian Proto-Lu list", B. Landsberger, E. Reiner, M. Civil (orgs.), *Materials for the Sumerian Lexicon,* vol. 12 (Roma, 1969), pp. 58-9. Agradeço muito à dra. Anne D. Kilmer do Departamento de Estudos do Oriente Próximo, Universidade da Califórnia, Berkeley, por sua ajuda ao me indicar essas listas e traduzi-las.

25. *Ibid.*, Canonical Series *lu-sha*, pp. 104-5.

26. *Assyrian Dictionary of the Oriental Institute of the University of Chicago* (Chicago, 1968), vol. 6, pp. 101-2.

27. "The Epic of Gilgamesh", em James B. Pritchard, *Ancient Near Eastern Texts Relating to the Old Testament* (2. ed., Princeton, 1955), p. 74.

28. Todas as citações de *ibid.,* pp. 74-5.

29. C. J. Gadd, "Some Contributions to the Gilgamesh Epic", *Iraq,* vol. 28, parte II (Outono de 1966), citação, p. 108.

30. Para um tratamento detalhado do assunto, ver Capítulo Seis.

31. Minhas interpretações das Leis Médio-Assírias, doravante chamadas de LMA, são baseadas em extensas leituras de todas as diversas traduções existentes de compilações de Leis Mesopotâmicas. Para LMA, li "The Middle Assyrian Laws", Theophile J. Meek (trad.) em James B. Pritchard (org.), *Ancient Near Eastern Texts,* 2. ed.; D. D. Luckenbill e F. W. Geers (trad.) em J. M. Powis Smith, *The Origin and History of Hebrew Law* (Chicago, 1931); G. R. Driver e J. C. Miles, *The Assyrian Laws* (Oxford, 1935). Todas as citações textuais são de Driver-Miles, *AL.* A desclassificação da prostituta no Código Assírio foi mencionada em uma nota de rodapé de Isaac Mendelsohn em seu estudo sobre a escravidão. Ele citou vários exemplos de textos legais que mostram que a prostituição era uma instituição reconhecida e estabelecida no Antigo Oriente Próximo. "Embora não fosse uma profissão muito digna, nenhuma desonra estava relacionada à pessoa que a exercia. A prostituta profissional era uma mulher independente, nascida livre, e a lei protegia sua posição econômica. [...] A degradação da prostituta para o nível de escrava na Assíria e na Neobabilônia se deu devido ao fato de a maioria das prostitutas daquele tempo serem mulheres escravas alugadas por seus donos para clientes particulares ou donos de estabelecimentos públicos". Isaac Mendelsohn, *Slavery in the Ancient Near East* (Nova York, 1949), pp. 131-32, nota 57.

32. Todas as citações abaixo da LMA § 40 são de Pritchard, *Ancient Near Eastern Texts,* p. 183.

33. Driver e Miles, *AL,* p. 134.

34. *Ibid.*

35. Em Pritchard, o termo *awilum* é traduzido como "homens livres/proprietários de terras", mas outros tradutores usam o termo "burguês" e indicam que também pode significar "nobre". Portanto, tanto homens de classe alta quanto homens de classe média que tinham posses estavam abrangidos nesse termo.

36. Podemos aceitar sem questionar a suposição implícita de que todo homem saberia dizer quem era prostituta e quem era uma mulher respeitável se as visse sem véu.

CAPÍTULO SETE. AS DEUSAS

1. Referência à oferenda de vulva é encontrada em Erich Ebeling, "Quellen zur Kenntnis der babylonischen Religion", *Mitteilungen der vorderasiatischen Gesellschaft* (E. V.) 23. Jahrgang (Leipzig, 1918), parte II, p. 12. (Tradução de Gerda Lerner.)
2. *Ibid.*
3. Heinrich Zimmern, "Babylonische Hymnen und Gebete in Auswahl", *Der Alte Orient,* 7. Jahrgang, nº 3 (Leipzig, 1905), citações, pp. 20-1.
4. William Foxwell Albright, *From the Stone Age to Christianity: Monotheism and the Historical Process* (Baltimore, 1957); Henri Frankfort *et al., Before Philosophy* (Baltimore, 1963); John Gray, *Near Eastern Mythology* (Londres, 1969); Jane Ellen Harrison, *Mythology* (Nova York, 1963); Thorkild Jacobsen, *Toward the Image of Tammuz and Other Essays on Mesopotamian History and Culture* (Cambridge, Mass., 1970); Walter Jayne, *The Healing Gods of Ancient Civilizations* (New Haven, 1925); Alfred Jeremias, *Handbuch der altorientalischen Geisteskultur* (Berlim, 1929); E. O. James, *The Ancient Gods: The History and Diffusion of Religion in the Ancient Near East and the Eastern Mediterranean* (Londres, 1960); Samuel Noah Kramer, *The Sacred Marriage Rite: Aspects of Faith, Myth and Ritual in Ancient Sumer* (Bloomington, 1969); Samuel Noah Kramer, *Sumerian Mythology: A Study of Spiritual and Literary Achievement in the Third Millennium B.C.* (Nova York, 1961); Theophile J. Meeks, *Hebrew Origins* (Nova York, 1960); H. W. F. Saggs, *The Encounter with the Divine in Mesopotamia and Israel* (Londres, 1978); Arthur Ungnad, *Die Religion der Babylonier und Assyrer* (Jena, 1921); Hugo Winckler, *Himmels und Weltenbild der Babylonier* (Leipzig, 1901).
5. Sigmund Freud, *Moses and Monotheism: Three Essays* em *Complete Psychological Works* (Londres, 1963-1974), vol. 23, pp. 1-137; Erich Fromm, *The Forgotten Language: An Introduction to the Understanding of Dreams, Fairy Tales and Myths* (Nova York, 1951); Robert Graves, *The White Goddess: A Historical Grammar of Poetic Myth* (Nova York, 1966); Erich Neumann, *The Great Mother: An Analysis of the Archetype* (Princeton, 1963).
6. Judith Ochshorn, *The Female Experience and the Nature of the Divine* (Bloomington, 1981); Carole Ochs, *Behind the Sex of God* (Boston, 1977); Peggy Reeves Sanday, *Female Power and Male Dominance: On the Origins of Sexual Inequality* (Cambridge, Ingl., 1981); Merlin Stone, *When God Was a Woman* (Nova York, 1976).
7. Thorkild Jacobsen, "Primitive Democracy in Ancient Mesopotamia", *Journal of Near Eastern Studies,* vol. 2, nº 3 (Julho de 1943), pp. 162, 165; para alguns exemplos desse tipo de correspondência entre mito e realidade social, ver Saggs, *Encounter,* pp. 167-68.
8. Para uma discussão detalhada e visão geral, ver Edwin O. James, *The Cult of Mother-Goddess: An Archaeological and Documentary Study* (Londres, 1959), pp. 228-53.
9. Sanday, *Female Power,* p. 57.
10. *Ibid.,* p. 73.
11. *Ibid.,* pp. 61, 66.
12. É possível fazer muitas objeções a um salto metodológico desses, principalmente porque implica suposições sobre causa e efeito na história, algo bastante difícil de provar. Sabemos

pouco, se é que sabemos algo, sobre as práticas de criação de filhos na Mesopotâmia, e fazer um traçado histórico cuidadoso das variações de caça maior e menor vai além do escopo deste livro. Ainda assim, a amostragem de Sanday oferece evidências interculturais de padrões similares de mudança nos mitos da criação em diversas culturas e, portanto, reforça a minha tese.

13. Marija Gimbutas, *Goddesses and Gods of Old Europe* (Berkeley, 1982), p. 18. Ver também James, *Mother-Goddess,* pp. 1-46. Stone, *When God Was a Woman,* discute em detalhes a longa história de adoração à Grande Deusa.
14. E. O. James, *The Ancient Gods,* p. 47.
15. A. L. Oppenheim, *Ancient Mesopotamia* (Chicago, 1964), cap. 4.
16. Ver mito de "Atrahasis", em James B. Pritchard, *Ancient Near Eastern Texts Relating to the Old Testament* (Princeton, 1950), p. 100.
17. Para embasar essa explicação, ver, por exemplo, James, *Mother-Goddess,* p. 228. "Com o estabelecimento da agricultura e da domesticação de manadas e rebanhos, no entanto, o papel do homem no processo de procriação tornou-se mais aparente e vital conforme os fatos fisiológicos referentes à paternidade passaram a ser mais bem compreendidos e reconhecidos. Então, um parceiro do sexo masculino passou a ser designado para a deusa-mãe, seja como seu filho e amante ou como irmão e marido. Entretanto, embora ele fosse o criador da vida, ocupava uma posição subordinada a ela, sendo, de fato, uma figura secundária no culto." Ver também Elizabeth Fisher, *Woman's Creation: Sexual Evolution and the Shaping of Society* (Garden City, 1979), cap. 9.
18. James, *Mother-Goddess,* p. 228; E. O. James, *Myth and Ritual in the Ancient Near East* (Londres, 1958), pp. 114-17.
19. Pritchard, *Ancient Near Eastern Texts,* pp. 60-1.
20. *Ibid.,* p. 74.
21. Georges Contenau, *Everyday Life in Babylon and Assyria* (Londres, 1954), p. 197. Ver também Jeremias, *Geisteskultur,* pp. 33-4.
22. A palavra suméria *anki* significa "universo".
23. Samuel Noah Kramer, "Poets and Psalmists; Goddesses and Theologians: Literary, Religious and Anthropological Aspects of the Legacy of Sumer", em Denise Schmandt-Besserat, *The Legacy of Sumer: Invited Lectures on the Middle East at the University of Texas at Austin* (Malibu, 1976), p. 14.
24. Edward Chiera, *They Wrote on Clay* (Chicago, 1938), pp. 125-27.
25. Jacobsen, *Tammuz,* pp. 20-1.
26. James, *Ancient Gods,* pp. 87-90.
27. James, *Mother-Goddess,* p. 241.
28. Shoshana Bin-Nun, *The Tawananna in the Hittite Kingdom* (Heidelberg, 1975), pp. 158-59. Ver também O. R. Gurney, "The Hittites", em Arthur Cotterell, *The Encyclopaedia of Ancient Civilizations* (Nova York, 1980), pp. 111-17. Hatusil I deixou um testamento por escrito que documenta essas mudanças históricas.

29. Carol F. Justus, "Indo-Europeanization of Myth and Syntax in Anatolian Hittite: Dating of Texts As an Index", *Journal of Indo-European Studies*, vol. 2 (1983), pp. 59-103. Referência a Telepinu, pp. 63, 74.
30. *Ibid.*, p. 63.
31. Meu argumento aqui é totalmente baseado no trabalho de Justus. Ver *ibid.*, pp. 67-92.
32. *Ibid.*, pp. 91-2.
33. Ela é bastante discutida e os mitos relacionados a ela são analisados de maneira interessante em cada trabalho importante sobre a religião mesopotâmica. Ver, entre outros, Gray, *Near Eastern Mythology;* William Hallo, *The Exaltation of Inanna* (New Haven, 1968); Jacobsen, *Tammuz;* James, *Mother-Goddess;* James, *Myth and Ritual;* Morris Jastrow, *The Civilization of Babylon and Assyria* (Filadélfia, 1915); Jayne, *Healing Gods;* Jeremias, *Geisteskultur;* Kramer, *Mythology;* Bruno Meissner, *Babylonien and Assyrien,* 2 vols. (Heidelberg, 1920); Ochshorn, *Female Experience and the Divine;* Stone, *When God Was a Woman;* Merlin Stone, *Ancient Mirrors of Womanhood: Our Goddess and Heroine Heritage,* 2 vols. (Nova York, 1979); Diane Wolkstein e Samuel Noah Kramer, *Inanna: Queen of Heaven and Earth* (Nova York, 1983).

CAPÍTULO OITO. OS PATRIARCAS

1. Meus comentários sobre a história do Pentateuco são baseados no artigo "Pentateuch" em *Encyclopaedia Judaica* (Jerusalém, 1978, 4ª impressão), vol. 13, pp. 231-64. Para minhas generalizações subsequentes e minha interpretação de passagens específicas, eu me baseei no seguinte: E. A. Speiser, *The Anchor Bible: Genesis* (Garden City, 1964); Nahum M. Sarna, *Understanding Genesis* (Nova York, 1966); Gerhard von Rad, *Genesis: A Commentary,* tradução da edição alemã (Filadélfia, 1961); Theophile J. Meek, *Hebrew Origins* (Nova York, 1960); William F. Albright, *From the Stone Age to Christianity: Monotheism and the Historical Process* (Baltimore, 1940); William F. Albright, *Archaeology and the Religion of Israel* (Baltimore, 1956); Roland de Vaux, O.P., *Ancient Israel: Its Life and Institutions* (Nova York, 1961); edição em brochura, 2 vols. (Nova York, 1965).
2. De Vaux, *Ancient Israel,* vol. I, pp. 4-14.
3. Minhas generalizações são baseadas no artigo "History", em *Encyclopaedia Judaica,* vol. 8, pp. 571-74; Tykva Frymer-Kensky, "Patriarchal Family Relationships and Near Eastern Law", *Biblical Archaeologist,* vol. 44, nº 4 (Outono de 1981).
4. *Oxford Bible Atlas,* org. Herbert G. May com o auxílio de R. W. Hamilton e G. N. S. Hunt (Londres, 1962), pp. 15-7.
5. Minha interpretação aqui é baseada em Carol Meyers, "The Roots of Restriction: Women in Early Israel", *Biblical Archaeologist,* vol. 41, nº 3 (Setembro de 1978), pp. 95-8. Seu argumento está alinhado com as posições teóricas presumidas por Aaby e Sanday.
6. As outras quatro se referem apenas a Miriam, Huldah, Noadiah como "profetisas" (Êxodo 15:20; 2 Reis 22:14f. Também há um caso em que "uma sábia mulher de Abel" profetiza. 2 Samuel 20:14-22).

7. *Encyclopaedia Judaica,* vol. 8, pp. 583-92.

8. Ver Meek, *Hebrew Origins,* pp. 217-27, para uma apresentação mais detalhada desse ponto de vista.

9. Paul Koschaker, *Rechtsvergleichende Studien zur Gesetzgebung Hammurapis, Königs von Babylon* (Leipzig, 1917), pp. 150-84. Ver também Elizabeth Mary MacDonald, *The Position of Women as Reflected in Semitic Codes of Law* (Toronto, 1931), pp. 1-32; De Vaux, *Ancient Israel,* vol. I, pp. 19-23, 29.

10. David Bakan, *And They Took Themselves Wives: The Emergence of Patriarchy in Western Civilization* (São Francisco, 1979), pp. 94-5.

11. Speiser, *Anchor Bible,* pp. 250-51. Assume posição similar M. Greenberg, "Another Look at Rachel's Theft of the Teraphim", *Journal of Biblical Literature,* vol. 81 (1962), pp. 239-48.

    Savina J. Teubal, *Sarah the Priestess: The First Matriarch of Genesis* (Athens, Ohio, 1984), presume a existência de um conflito básico entre "matriarcas" (Sara, Rebeca, Raquel) e patriarcas que faz com que apenas a versão patriarcal seja contada na Bíblia. Ela postula um esforço por parte dessas mulheres para defender as convenções morais de suas tribos, que eram matrilineares, contra a pressão dos patriarcas para instituir a patrilinearidade. Pensando desse modo, ela considera que a ação de Raquel se baseie em seu "direito" ao *teraphim*, pois ela é a filha mais nova e, em algumas sociedades matrilineares, a descendência é traçada por intermédio da filha mais nova. Sua interessante especulação me parece, aqui, estar baseada em parcas evidências que não acho persuasivas, principalmente porque ela tenta alçar as antepassadas bíblicas à poderosa posição de "matriarcas" tendo em vista evidências bastante contraditórias. Mesmo assim, sua atenção às diversas indicações de matrilinearidade e matrilocalidade no texto bíblico é importante e deve ser mais aprofundada por estudos nesse campo.

12. Deve-se notar que, na versão de Deuteronômio do Decálogo, a ordem é inversa: o mandamento "Não cobiçarás a mulher do teu próximo" vem antes do mandamento contra a cobiça de outras coisas que pertençam ao próximo. Julius A. Bewer considera esse um desvio significativo do uso anterior e o interpreta como "uma elevação dela em relação à posição anterior de mera propriedade". Ver Julius A. Bewer, *The Literature of Old Testament* (Nova York, 1962), p. 34.

13. De Vaux, *Ancient Israel,* vol. I, pp. 166-67. Ver também A. Malamat, "Mari and the Bible: Some Patterns of Tribal Organization and Institutions", *Journal of the American Oriental Society,* vol. 82, nº 2 (1962), pp. 143-49, para uma discussão dos paralelos próximos entre as condições refletidas nos documentos de Mari e os descritos na Bíblia. Malamat mostra como essas condições econômicas e conceitos diferiam dos que prevaleciam em outras sociedades mesopotâmicas.

14. Se a viúva tivesse permissão para se casar fora da família, como no caso da viúva na Babilônica, ela poderia levar consigo sua parte da herança de viúva.

15. Louis M. Epstein, *Marriage Laws in the Bible and the Talmud* (Cambridge, Mass., 1942), pp. 7, 38-9.

16. Minhas generalizações sobre o *status* das mulheres judias no período pré-exílio são baseadas nas seguintes fontes: De Vaux, *Ancient Israel,* caps. 1-3; Louis Epstein, *Sex Laws and Customs in Judaism* (Nova York, 1948); Epstein, *Marriage Laws;* MacDonald, *Semitic Codes of Law;* Frymer-Kensky, "Patriarchal Family Relationships", pp. 209-14; Phyllis Trible, "Depatriarchalizing

in Biblical Interpretation", *Journal of the American Academy of Religion*, vol. 41 (1973), pp. 31-4; e Trible, "Woman in the Old Testament", *The Interpreter's Dictionary of the Bible, Supplementary Volume*, org. K. R. Crim (Nashville, 1976), pp. 963-66.

17. Discuto essas duas histórias mais detalhadamente adiante.
18. Para essa interpretação, ver Sarna, *Understanding Genesis*, p. 150.
19. Oskar Ziegner, *Luther und die Erzvaeter: Auszuege aus Luther's Auslegungen zum ersten Buch Moses mit einer theologischen Einleitung* (Berlim, 1952), p. 90 (tradução de Gerda Lerner); John Calvin, *Commentaries on the First Book of Moses Called Genesis* (tradução do rev. John King) (Grand Rapids, 1948), vol. I, pp. 499-500.
20. Sarna, *Understanding Genesis*, p. 150.
21. Speiser, *Anchor Bible*, p. 143.
22. Bakan, *And They Took Themselves Wives*, pp. 97-101.
23. Epstein, *Sex Laws*, p. 135.
24. Trible, "Woman in the OT", p. 965.
25. Phyllis Bird, "Images of Women in the Old Testament", em Rosemary Ruether (org.), *Religion and Sexism* (Nova York, 1974), pp. 41-88, citação, p. 71.
26. John Otwell, *And Sarah Laughed: The Status of Woman in the Old Testament* (Filadélfia, 1977).
27. Epstein, *Sex Laws*, pp. 78, 80-1.
28. *Ibid.*, pp. 86-87; De Vaux, *Ancient Israel*, vol. I, 48-50.
29. Judith Ochshorn, *The Female Experience and the Nature of the Divine* (Bloomington, 1981), caps. 5 e 6. Ochshorn discute a questão da natureza definida pelo gênero de Deus em toda a sua complexidade e chama nossa atenção para a profunda ambivalência do texto bíblico com relação a essa questão.
30. Meyers, "The Roots of Restriction...", pp. 100-2. Ver também Ochshorn, *Female Experience*, pp. 196-97.

CAPÍTULO NOVE. A ALIANÇA

1. William F. Albright, *From the Stone Age to Christianity* (Baltimore, 1940), p. 199; E. O. James, *Myth and Ritual in the Ancient Near East* (Londres, 1958), p. 63.
2. Neste comentário muito respeitado de Gerhard von Rad, *Genesis: A Commentary* (Filadélfia, 1961; tradução da edição alemã, 1956), o autor comenta: "Essa nomeação é, portanto, tanto um ato de copiar quanto um ato de ordenar, pelo qual o homem objetifica intelectualmente as criaturas para si. [...] A nomeação no Antigo Oriente era sobretudo um exercício de soberania, de comando" (p. 81). Ver também Roland de Vaux, O.P., *Ancient Israel: Its Life and Institutions* (Nova York, 1961; edição em brochura, 2 vols., 1965), vol. I, pp. 43-46; Speiser, *The Anchor Bible: Genesis* (Garden City, 1966), pp. 126-27; Sarna, *Understanding Genesis* (Nova York, 1966), pp. 129-30; Alfred Jeremias, *Handbuch der Altorientalischen Geisteskultur* (Berlim, 1929), pp. 33-4.

3. Phyllis Trible tenta interpretar a passagem "e ela será chamada mulher" (Gênesis 2:23) não como a nomeação de Eva por Adão, e sim como o reconhecimento dele em relação à sexualidade e ao gênero, uma espécie de definição. Ao discutir a passagem contraditória e 3:20, que diz "o homem deu à sua mulher o nome de 'Eva'", que, como ela reconhece, é uma afirmação do controle dele sobre ela, Trible explica o trecho como a "corrupção de uma relação de reciprocidade e igualdade" por parte dele. Trible, "Depatriarchalizing in Biblical Interpretation", *Journal of the American Academy of Religion*, vol. 41 (Março de 1973), p. 38 e citação na p. 41. Acho essa explicação duvidosa e forçada, embora aprecie o esforço de Trible em oferecer uma leitura alternativa à patriarcal.
4. A interpretação moderna e geralmente aceita é que as duas versões foram escritas de modo independente e que ambas sejam oriundas de uma série de tradições muito mais antigas. Ver E. A. Speiser, *Genesis,* pp. 8-11; Nahum M. Sarna, *Understanding Genesis,* pp. 1-16.
5. Para a versão feminista mais recente desse argumento, ver Maryanne Cline Horowitz, "The Image of God in Man – Is Woman Included?", *Harvard Theological Review,* vol. 72, nºs 3-4 (Julho-Outubro de 1979), pp. 175-206.
6. John Calvin, *Commentaries on the First Book of Moses called Genesis* (tradução do rev. John King) (Grand Rapids, 1948), vol. I, p. 129.
7. *Ibid.*, pp. 132-33.
8. Rachel Speght, *A Mouzell for Melastomus, the Cynical Bayter and foule-mouthed Barker against Evah's Sex* (Londres, 1617).
9. Sarah M. Grimké, *Letters on the Equality of the Sexes and the Condition of Woman* (Boston, 1838), p. 5.
10. Phyllis Trible, "Depatriarchalizing", pp. 31, 42.
11. *Ibid.*, pp. 36-7.
12. Phyllis Bird, "Images of Women in the Old Testament", em Rosemary Radford Ruether (org.), *Religion and Sexism* (Nova York, 1974), p. 72.
13. R. David Freedman, "Woman, a Power Equal to Man: Translation of Woman as a 'Fit Helpmate' for Man Is Questioned", *Biblical Archaeologist*, vol. 9, nº 1 (Janeiro-Fevereiro de 1983), pp. 56-8.
14. Stephen Langdon, *The Sumerian Epic of Paradise, the Flood and the Fall of Man,* University of Pennsylvania, University Museum Publications of the Babylonian Section, vol. 10, nº 1 (Filadélfia, 1915), pp. 36-7. I. M. Kikawada traça um paralelo interessante entre o nome Eva, "mãe de todos os viventes", e o atributo "senhora de todos os deuses" dado à Deusa-Criadora, Mami, no épico babilônico de Atrahasis. Ver I. M. Kikawada, "Two Notes on Eve", *Journal of Biblical Literature,* vol. 19 (1972), p. 34.
15. Maryanne Cline Horowitz, em concordância com a interpretação de Phyllis Trible, defende vigorosamente que o conceito "imagem de Deus no homem e na mulher" nos convida a "transcender as metáforas masculinas e femininas de Deus que são abundantes na Bíblia e a transcender nossos eus históricos e instituições sociais em reconhecimento do Santo". Horowitz, "Image of God", p. 175. Concordo que o texto é ambíguo o bastante para "abrir" a possibilidade de uma interpretação menos "misógina", mas creio que o peso esmagador dos

símbolos relacionados ao gênero na Bíblia leve a interpretações patriarcais e, como indicado acima, são essas interpretações que têm prevalecido há mais de 2 mil anos.

16. David Bakan, *And They Took Themselves Wives: The Emergence of Patriarchy in Western Civilization* (Nova York, 1979), pp. 27-8. Para uma explicação psicológica semelhante da necessidade masculina de dominância e autoridade simbólica, ver Mary O'Brien, *The Politics of Reproduction* (Boston, 1981).
17. Bakan, *And They Took Themselves Wives,* p. 28.
18. Von Rad, *Genesis,* pp. 113-16.
19. Speiser, *Anchor Bible,* pp. 44-6.
20. James, *Myth and Ritual,* pp. 154-74.
21. Delbert R. Hillers, *Covenant: The History of a Biblical Idea* (Baltimore, 1969), pp. 66, 74-80.
22. Sarna, *Understanding Genesis,* pp. 122-24.
23. Compare este com o nascimento partenogenético de Atena da cabeça de Zeus.
24. Ver Thorkild Jacobsen, *The Treasures of Darkness: A History of Mesopotamian Religion* (New Haven, 1976), p. 46.
25. Para uma discussão abrangente e muito esclarecedora sobre a aliança, ver Hillers, *Covenant, passim;* para referência às três alianças distintas, ver principalmente cap. 5. Ver também G. Mendenhall, "Covenant Forms in Israelite Tradition", *Biblical Archaeologist,* vol. 17 (1954), pp. 50-76.
26. Sarna, *Understanding Genesis,* pp. 131-33; De Vaux, *Ancient Israel,* vol. I, pp. 46-8; Robert Graves e Raphael Patai, *Hebrew Myths: The Book of Genesis* (Nova York, 1983), p. 240; artigos "Circumcision" em *Encyclopedia Judaica,* vol. 5, p. 567, e *The Interpreter's Dictionary of the Bible* (Nova York, 1962), vol. 1, pp. 629-31. Michael V. Fox, "The Sign of the Covenant: Circumcision in the Light of the Priestly 'ôt' Etiologies", *La Revue Biblique,* vol. 81 (1974), pp. 557-96. Fox considera a circuncisão um sinal de *reconhecimento,* "cuja função é lembrar Deus de manter sua promessa de posteridade". Nesse sentido, é um símbolo como o arco-íris na aliança com Noé.
27. Calvin, *Commentaries,* p. 453.
28. Essa interpretação é embasada no artigo sobre circuncisão encontrado em *The Interpreter's Bible,* p. 630.
29. H. e H. A. Frankfort, "Myth and Reality", em Henri Frankfort, John A. Wilson, Thorkild Jacobsen, William A. Irwin, *The Intellectual Adventure of Ancient Man* (Chicago, 1946), pp. 14-7.
30. James B. Pritchard, *Ancient Near Eastern Texts Relating to the Old Testament* (Princeton, 1950), p. 75, ambas as citações.
31. Como mencionado em Langdon, *The Sumerian Epic,* pp. 44-6. Note o paralelo com a "nomeação" de Adão em Gênesis.
32. *Ibid.*
33. Anton Moortgat, *Die Kunst des alten Mesopotamien: Sumer und Akkad* (Colônia, 1982), Stele of Urnammu, vol. 1, pp. 117, 127, imagens 196, 203; os murais de Mari estão em pp. 121-22.
34. John Gray, *Near Eastern Mythology* (Londres, 1969), pp. 62-3.

O assunto também é abordado em G. Widengren, *The King and the Tree of Life in Ancient Near Eastern Religion,* Uppsala Universities Arsskift, nº 4 (Uppsala, 1951), e em Ilse Seibert, "Hirt-Herde-König", *Deutsche Akademie der Wissenschaften zu Berlin*, Schriften der Sektion für Altertumswissenschaft, nº 53 (Berlim, 1969).

35. André Lemaire, "Who or What Was Yahweh's Asherah?", *Biblical Archaeology Review*, vol. 10, nº 6 (Novembro-Dezembro de 1984), pp. 42-51.

36. Existe uma vasta literatura de interpretação desse texto, que não se pode esperar seja fornecida aqui. Duas opiniões diferentes sobre o assunto das duas – ou de uma – árvores são apresentadas em Speiser, *Anchor Bible,* p. 20, que sugere que o texto original falava apenas da Árvore do Conhecimento. Ele também chama a atenção para as passagens de Gilgamesh e a história de Adapa que discutimos. Sua análise corrobora a minha sobre as conotações sexuais do "conhecimento do bem e do mal".

    Sarna, *Understanding Genesis,* pp. 26-8, enfatiza a significância do que ele considera uma mudança deliberada da Árvore da Vida para a Árvore do Conhecimento. Ele vê nessa mudança uma dissociação deliberada da Bíblia em relação à preocupação com a busca por imortalidade na literatura mesopotâmica, considerando que o significado na Bíblia: "Não é a magia [...] e sim a ação humana a chave para uma vida com propósito".

    Arthur Ungnad discute os paralelos entre as duas árvores no paraíso com as árvores nos portões do palácio do deus do paraíso na mitologia mesopotâmica: uma, a Árvore da Vida; a outra, a Árvore da Verdade ou do Conhecimento. Ungnad explica a ambiguidade da passagem bíblica, indicando que a estrada que leva à Árvore do Conhecimento passa pela Árvore da Vida. Quando os seres humanos começam a pensar e raciocinar sobre a vida e Deus, podem se apropriar em seguida do segredo da imortalidade, que é reservado a Ele. É para impedir que isso acontecesse que Adão e Eva foram expulsos do Paraíso. Ver: Arthur Ungnad, "Die Paradisbäume", *Zeitung der deutschen morgenlaendischen Gesellschaft,* LXXIX, Neue Folge, vol. 4, pp. 111-18.

CAPÍTULO DEZ. SÍMBOLOS

1. Erich Fromm, *The Heart of Man: Its Genius for Good and Evil* (Nova York, 1964), pp. 116-17.
2. Ernst Becker, *The Denial of Death* (Nova York, 1973), p. 26.
3. Fromm, *Heart,* p. 32.
4. Para uma análise feminista do problema, ver Evelyn Fox Keller, *Reflections on Gender and Science* (New Haven, 1985).
5. Cf.: A. W. Gomme, "The Position of Women in Athens in the Fifth and Fourth Centuries", *Classical Philology*, vol. 20, nº 1 (Janeiro de 1925), pp. 1-25; Donald Richter, "The Position of Women in Classical Athens", *Classical Journal,* vol. 67, nº 1 (Outubro-Novembro de 1971), pp. 1-8. Minhas próprias generalizações são baseadas em Sarah B. Pomeroy, *Goddesses, Whores, Wives, and Slaves* (Nova York, 1975), cap. 4; Marylin B. Arthur, "Origins of the Western Attitude Toward Women", em John Peradotto e J. P. Sullivan (orgs.), *Women in the Ancient World: The Arethusa Papers* (Albany, 1984), pp. 31-7; Helene P. Foley, "The Conception of Women in

Athenian Drama", em Helene P. Foley (org.), *Reflections of Women in Antiquity* (Nova York, 1981), pp. 127-32; S. C. Humphreys, *The Family, Women and Death: Comparative Studies* (Londres, 1983), pp. 1-78; Victor Ehrenberg, *From Solon to Sokrates: Greek History and Civilization During the Sixth and Fifth Centuries B.C.* (Londres, 1973); Victor Ehrenberg, *The People of Aristophanes: A Sociology of Old Attic Comedy* (Oxford, 1951), pp. 192-218; Ivo Bruns, *Frauenemanzipation in Athen, ein Beitrag zur attischen Kulturgeschichte des fünften und vierten Jahrhunderts* (Kiliae, 1900).

6. William H. McNeill, *The Rise of the West: A History of the Human Community* (Chicago, 1963), edição da Mentor Books, as duas citações, p. 221.
7. Minhas generalizações sobre a sociedade espartana são baseadas em McNeill, *The Rise of the West*, p. 220; Pomeroy, *Goddesses*, pp. 36-40, e Raphael Sealey, *A History of the Greek City States: 700-338 B.C.* (Berkeley, 1976).
8. Para uma interpretação um tanto diferente do trabalho de Hesíodo e seu significado para as mulheres, ver Arthur, "Origins", pp. 23-5. Para os mitos da criação, ver Robert Graves, *The Greek Myths*, vol. I (Nova York, 1959), pp. 37-47.
9. Cf.: Kate Millet, *Sexual Politics* (Garden City, 1969), pp. 111-15; Erich Fromm, "The Theory of Mother Right and Its Relevance for Social Psychology", em Erich Fromm, *The Crisis of Psychoanalysis* (Greenwich, 1970); reimpressão da edição em capa dura, p. 115. Agradeço pela sugestão da passagem de Ésquilo em uma palestra de Marylin Arthur, "Greece and Rome: The Origins of the Western Attitude Toward Woman", 1971. Essa palestra posteriormente deu origem ao artigo citado acima na nota 5, mas as passagens relevantes não foram incluídas no artigo.
10. *The Works of Aristotle*, tradução de J. A. Smith e W. D. Ross (Oxford, 1912), *De Generatione Animalium*, II, 1 (732a, 8-10). Doravante chamado de *G.A.*
11. *G.A.*, I, 20 (728b, 26-27).
12. *G.A.*, I, 20 (729a, 28-34).
13. *G.A.*, II, 5 (741a, 13-16).
14. *G.A.*, I, 21 (729b,12-21).
15. Maryanne Cline Horowitz, "Aristotle and Woman", *Journal of the History of Biology*, vol. 9, nº 2 (Outono de 1976), p. 197.
16. *G.A.*,. IV, 3 (767b, 7-9).
17. *G.A.*, II, 3 (737a, 26-31).
18. Para uma discussão detalhada desse assunto, ver Horowitz, "Aristotle and Woman", *passim.*
19. Aristóteles, *Politica* (tradução de Benjamin Jowett). Em W. D. Ross (org.), *The Works of Aristotle* (Oxford, 1921). Doravante chamado de *Pol.*, I, 2, 1252a, 32-34.
20. *Ibid.*, 12531, 1-2.
21. *Ibid.*, 1253a, 39-40.
22. *Ibid.*, 1253, 5-7.
23. *Ibid.*, 1254b, 4-6, 12-16.
24. *Ibid.*, 1254b, 24-26; 1255a, 2-5.

25. *Ibid.*, 1260a, 11-13, 24-25.

26. *Ibid.*, 1255b, 4-5.

27. *Ibid.*, 1254b, 25; 21-23. Vale notar (1260a) que Aristóteles confere às mulheres, diferentemente de aos escravos, "faculdade deliberativa", mas afirma que isso não tem utilidade.

28. Platão, *The Republic* (tradução de B. Jowett) (Nova York: Random House, s.d., edição em brochura), V, 454.

29. *Ibid.*, 466.

30. Essa discusão superficial de modo algum faz justiça às complexidades e possibilidades do trabalho de Platão em gerar reflexão sobre a emancipação das mulheres. O assunto merece ser explorado com mais profundidade por especialistas. Baseei minhas generalizações em Alban D. Winspear, *The Genesis of Plato's Thought* (Nova York, 1940), principalmente nos caps. 10 e 11; Paul Shorey, *What Plato Said* (Chicago, 1933); A. E. Taylor, *Plato: The Man and His Work* (Londres, 1955); Dorothea Wender, "Plato: Misogynist, Phaedophile, and Feminist", em Peradotto e Sullivan, *Arethusa Papers*, pp. 213-28.

CAPÍTULO ONZE. A CRIAÇÃO DO PATRIARCADO

1. Simone de Beauvoir, *The Second Sex* (Nova York, 1953), introdução, p. xxii, ambas as citações. De Beauvoir baseou essa generalização errônea nos estudos históricos androcêntricos que estavam a seu dispor no momento em que escrevia seu livro, mas até agora isso não foi corrigido.

2. Sandra M. Gilbert e Susan Gubar, *The Madwoman in the Attic: The Woman Writer and the Nineteenth Century Literary Imagination* (New Haven, 1984).

BIBLIOGRAFIA

I. TEORIA E HISTÓRIA

Geral e História

Livros

Alcott, William. *The Young Woman's Book of Health*. Boston: Tappan, Whittmore & Mason, 1850.

Bachofen, Johann J. *Das Mutterrecht. Eine Untersuchung über die Gynaikokratie der alten Welt nach ihrer religiösen und rechtlichen Natur*. Stuttgart: Krais & Hoffman, 1861.

_____. *Myth, Religion and Mother Right: Selected Writings of J. J. Bachofen*. Trad. Ralph Manheim. Princeton: Princeton University Press, 1967. Introdução por Joseph Campbell.

Beard, Mary R. *Woman as Force in History*. Nova York: Macmillan, 1946.

_____. Women's Work in Municipalities. Nova York: Appleton, 1915.

Becker, Ernest. *The Denial of Death*. Nova York: Macmillan, 1973.

Berkin, Carol Ruth e Mary Beth Norton (orgs.). *Women of America: A History*. Boston: Houghton Mifflin, 1979.

Bleier, Ruth. *Science and Gender: A Critique of Biology and Its Theories on Women*. Nova York: Pergamon Press, 1984.

Borgese, Elisabeth. *Ascent of Woman*. Nova York: Braziller, 1963.

Boserup, Esther. *Women's Role in Economic Development*. Nova York: St. Martin's Press, 1970.

Boulding, Elise. *The Underside of History: A View of Women Through Time*. Boulder, CO: Westview Press, 1976.

Bridenthal, Renate e Claudia Kooz. *Becoming Visible: Women in European History*. Boston: Houghton Mifflin, 1977.

Briffault, Robert. *The Mothers: The Matriarchal Theory of Social Origins*. Nova York: Macmillan, 1931.

Brownmiller, Susan. *Against Our Will. Men, Women, and Rape*. Nova York: Simon & Schuster, 1975.

Carroll, Berenice. *Liberating Women's History: Theoretical and Critical Essays in Women's History*. Urbana: University of Illinois Press, 1976.

Chodorow, Nancy. *The Reproduction of Mothering: Psychoanalysis and the Sociology of Gender*. Berkeley: University of California Press, 1978.

Cipolla, Carlo M. *The Economic History of World Population*. Nova York: Penguin, 1962.

Clarke, Edward H. *Sex in Education, or A Fair Chance for Girls*. Boston, 1878.

Davis, Elizabeth Gould. *The First Sex*. Nova York: Putnam, 1971.

De Beauvoir, Simone. *The Second Sex*. Nova York: Knopf, 1953; reimpressão. Nova York: Vintage Books, 1974.

Deutsch, Helene. *The Psychology of Women, a Psychoanalytic Interpretation*. 2 vols. Nova York: Grune & Stratton, 1944-1945 [1962-1963].

Diner, Helen. *Mothers and Amazons: The First Feminine History of Cuture*. Nova York: Julian Press, 1965.

Dinnerstein, Dorothy. *The Mermaid and the Minotaur. Sexual Arrangements and Human Malaise*. Nova York: Harper & Row, 1977.

DuBois, Ellen (org.). Elizabeth Cady Stanton e Susan B. Anthony, *Correspondence, Writings, Speeches*. Nova York: Schocken, 1981.

Eisenstein, Zillah R. (org.). *Capitalist Patriarchy and the Case for Socialist Feminism*. Nova York: Monthly Review, 1979.

Elshtain, Jean Bethke. *Public Man, Private Woman: Women in Social and Political Thought*. Princeton: Princeton University Press, 1981.

Engels, Frederick. *The Origin of the Family, Private Property and the State*. Org. Eleanor Leacock. Nova York: International Publishers, 1972. O texto dessa edição é basicamente a tradução para o inglês feita por Alex West, conforme publicada em 1942, mas foi cotejada com o texto em alemão que consta em K. Marx e F. Engels, *Werke*, vol. 21 (Berlim: Dietz Verlag, 1962).

Erikson, Erik. *Childhood and Society*. 1. ed. Nova York: W. W. Norton, 1950.

Figes, Eva. *Patriarchal Attitudes*. Nova York: Stein and Day, 1970.

Firestone, Shulamith. *The Dialectic of Sex: The Case for Feminist Revolution*. Nova York: Bantam Books, 1970.

Fisher, Elizabeth. *Woman's Creation: Sexual Evolution and the Shaping of Society*. Garden City, NY: Doubleday, 1979.

Foreman, Ann. *Femininity as Alienation: Women and the Family in Marxism and Psychoanalysis*. Londres: Pluto Press, 1977.

Freud, Sigmund. *Civilization and Its Discontent*. Nova trad. e org. por James Strachey. Nova York: W. W. Norton, 1961, 1962.

_____. "*Moses and Monotheism: Three Essays*". Em *Complete Psychological Works*. Vol. 23. Londres: Hogarth Press, 1963-1964.

_____. *The Standard Edition of the Complete Psychological Works of Sigmund Freud*. Vols. 19 e 21. Londres: 1961 e 1964.

Fromm, Erich. *The Crisis of Psychoanalysis*. Greenwich, CT: Fawcett, 1970.

_____. *The Forgotten Language: An Introduction to the Understanding of Dreams, Fairy Tales, and Myths*. Nova York: Rinehart, 1951.

_____. *The Heart of Man: Its Genius for Good and Evil*. Nova York: Harper & Row, 1964.

Gage, Matilda Joslyn. *Women, Church and State*. Perspective Press, 1980. Reimpressão da edição de 1893.

Geertz, Clifford. *The Interpretation of Cultures*. Nova York: Basic Books, 1973.

Gilbert, Sandra M. e Susan Gubar. *The Madwoman in the Attic: The Woman Writer and the Nineteenth-Century Literary Imagination*. New Haven: Yale University Press, 1984.

Gilligan, Carol. *In a Different Voice: Psychological Theory and Women's Development*. Cambridge: Harvard University Press, 1982.

Gilman, Charlotte Perkins. *Women and Economics*. Nova York: Harper & Row, 1966. Reimpressão da edição de 1898.

Gimbutas, Marija. *Goddesses and Gods of Old Europe*. Berkeley: University of California Press, 1982.

Griffin, Susan. *Womand and Nature: The Roaring Inside Her*. Nova York: Harper & Row, 1978.

Hartman, Mary S. e Lois Banner (orgs.). *Clio's Consciousness Raised: New Perspectives on the History of Women*. Nova York: Harper & Row, 1974.

Heilbrun, Carolyn G. *Toward a Recognition of Androgyny*. Nova York: Harper & Row, 1973.

Horney, Karen. *Feminine Psychology*. Nova York: W. W. Norton, 1967.

Jaggar, Alison M. *Feminist Politics and Human Nature*. Sussex, Inglaterra: Rowman & Allanheld, 1983.

Janeway, Elizabeth. *Man's World, Woman's Place*: A Study in Social Mythology. Nova York: Morrow, 1971.

_____. *Powers of the Weak*. Nova York: Knopf, 1980.

Janssen-Jurreit, Marielouise. *Seximus: Über die Abtreibung der Frauenfrage*. Munique: Fischer, 1979.

Janssen-Jurreit, Marielouise. *Sexism: The Male Monopoly on History and Thought*. Nova York: Farrar, Straus, and Giroux, 1980.

Keller, Evelyn Fox. *Reflections on Gender and Science*. New Haven: Yale University Press, 1985.

Keohane, Nannerl O., Michelle Z. Rosaldo e Barbara Gelpi (orgs.). *Feminist Theory: A Critique of Ideology*. Chicago: University of Chicago Press, 1982.

Kerber, Linda. *Women of the Republic: Intellect and Ideology in Revolutionary America*. Chapel Hill: University of North Carolina Press, 1980.

Klein, Viola. *The Feminine Character: History of an Ideology*. Urbana: University of Illinois Press, 1972. Reimpressão da edição de 1946.

Kleinbaum, Abby Wettan. *The War Against the Amazons*. Nova York: McGraw-Hill, 1983.

La Follette, Suzanne. *Concerning Women*. Nova York: Boni & Liveright, 1926.

Lakoff, Robin. *Language and Woman's Place*. Nova York: Harper & Row, 1975.

Lerner, Gerda. *The Majority Finds Its Past: Placing Women in History*. Nova York: Oxforf University Press, 1979.

Lundberg, Ferdinand e Marynia Farnham. *Modern Woman: The Lost Sex*. Nova York: Harper & Bros., 1947.

Memmi, Albert. *Dominated Man: Notes Towards a Portrait*. Boston: Beacon Press, 1968.

Miller, Casey e Kate Swift. *Words and Women*. Garden City, NY: Doubleday, 1977.

Miller, Jean Baker (org.). *Psychoanalysis and Women*. Harmondsworth, Inglaterra: Penguin Books, 1947.

_____. *Toward a New Psychology of Women*. Boston: Beacon Press, 1976.

Millet, Kate. *Sexual Politics*. Garden City, NY: Doubleday, 1969.

Mitchell, Juliet. *Woman's Estate*. Nova York: Random House, 1971.

Morgan, Robin (org.). *Sisterhood Is Powerful: An Anthology of Writings from the Women's Liberation Movement*. Nova York: Vintage Books, 1970.

_____. *The Anatomy of Freedom: Feminism, Physics and Global Politics*. Garden City, NY: Doubleday, 1982.

Neuman, Erich. *The Great Mother: An Analysis of the Archetype*. Princeton: Princeton University Press, 1963.

Norton, Mary Beth. *Liberty's Daughters: The Revolutionary Experience of American Women, 1750-1800*. Boston: Little, Brown, 1980.

O'Brien, Mary. *The Politics of Reproduction*. Boston: Routledge & Kegan Paul, 1981.

Reed, Evelyn. *Woman's Evolution: From Matriarchal Clan to Patriarchal Family*. Nova York: Pathfinder, 1975.

Rich, Adrienne. *On Lies, Secrets, and Silences: Selected Prose, 1966-1978*. Nova York: W. W. Norton, 1979.

Rich, Adrienne. *Of Woman Born: Motherhood as Experience and Institution*. Nova York: W. W. Norton, 1976.

Rowbotham, Sheila. *Woman's Consciousness, Man's World*. Nova York: Penguin, 1973.

Schur, Edwin M. *Labeling Women Deviant: Gender, Stigma, and Social Control*. Nova York: Random House, 1984.

Sherfey, Mary Jane. *The Nature and Evolution of Female Sexuality*. Nova York: Random House, 1966.

Sullivan, Harry Stack. *The Interpersonal Theory of Psychiatry*. Nova York: W. W. Norton, 1953.

Swerdlow, Amy e Hanna Lessinger (orgs.). *Class, Race and Sex: The Dynamics of Control*. Boston: G. K. Hall, 1983.

Thompson, Clara. *On Women*. Nova York: New American Library, 1964.

Thompson, William Irwin. *The Time Falling Bodies Take me to Light: Mythology, Sexuality and the Origins of Culture*. Nova York: St. Martin's Press, 1981.

Vaerting, M. e M. *The Dominant Sex*. Londres: Allen and Unwin, 1923.

Veblen, Thorstein. *The Theory of the Leisure Class (1899)*. Nova York: Mentor Books, 1962.

Weinbaum, Batya. *The Curious Courtship of Women's Liberation and Socialism*. Boston: South End Press, 1978.

Wilson, E. O. *Sociobiology: The New Synthesis*. Cambridge, MA: Belknap Press, 1975.

Woolf, Virginia. *A Room of One's Own*. Nova York: Harcourt Brace Jovanovich, 1929.

Artigos

Boulding, Elise. "Public Nurturance and the Man on Horseback". Em Meg Murray (org.). *Fathers, Mothers, Masters, Monsters: Essays for a Non-Sexist Future*. Westport, CT: Westview Press, 1983, pp. 273-91.

_____. "Women and Social Violence". *International Social Science Journal*, vol. 30, nº 4 (1978), pp. 801-15.

Catalyst. Edição especial, "Feminist Thought". Nºs 10-11 (Verão de 1977).

Heilbrun, Carolyn. "On Reinventing Womanhood". *Columbia* (Outono de 1979), pp. 31-2.

Jones, Ernest. "Early Development of Female Sexuality". *International Journal of Psychoanalysis*, vol. 8 (1927), pp. 459-72.

Kelly-Gadol, Joan. "The Social Relations of the Sexes: Methodological Implications of Woman's History". *SIGNS*, vol. 1, nº 4 (Verão de 1976), pp. 809-24.

Nochlin, Linda. "Why Have There Been No Great Women Artists?" *Art News*, vol. 69, nº 9 (Janeiro de 1971), pp. 24-39.

Parlee, Mary Brown. Resenha Crítica: "Psychology". *SIGNS*, vol. 1, nº 1 (Outono de 1975), pp. 119-38.

Rossi, Alice S. "A Biosocial Perspective on Parenting". *Daedalus*, vol. 106, nº 2 (Primavera de 1977), pp. 1-31.

Silverblatt, Irene. "Andean Women in the Inca Empire". *Feminist Studies*, vol. 4, nº 3 (Outubro de 1978), pp. 37-61.

Stern, Bernard J. "Women, Position of in Historical Society". Em *Encyclopedia of Social Sciences*, Edwin R. Seligman (org.), vol. 15. Nova York: Macmillan, 1935, pp. 442-46.

Tillion, Germaine. "Prehistoric Origins of the Condition of Women in 'Civilized' Societies", *International Social Science Journal*, vol. 69, nº 4 (1977), pp. 671-81.

Vaughter, Reesa M. Resenha Crítica: "Psychology". *SIGNS*, vol. 2, nº 1 (Outono de 1976), pp. 120-46.

Antropologia

Livros

Ardrey, Robert. *The Territorial Imperative: A Personal Inquiry into the Animal Origins of Property and Nations*. Nova York: Atheneum, 1966.

Childe, V. Gordon. *Man Makes Himself*. Londres: Watts, 1936.

Farb, Peter. *Humankind*. Boston: Houghton Mifflin, 1977.

Friedl, Ernestine. *Women and Men: An Anthropologist's View*. Nova York: Holt, Rinehart & Winston, 1975.

Goody, Jack. *Production and Reproduction: A Comparative Study of the Domestic Domain*. Londres: Cambridge University Press, 1976.

Hrdy, Sarah Blaffer. *The Woman That Never Evolved*. Cambridge: Harvard University Press, 1981.

Jolly, Alison. *The Evolution of Primate Behavior*. Nova York: Macmillan, 1972.

Lee, R. B. e Irven DeVore (orgs.). *Man, the Hunter*. Chicago: Aldine, 1968.

Leith-Ross, Sylvia. *African Women: A Study of the Ibo of Nigeria*. Londres: Routledge, 1937.

Lévi-Strauss, Claude. *The Elementary Structures of Kinship*. Boston: Beacon Press, 1969.

Marshak, Alexander. *The Roots of Civilization: The Cognitive Beginnings of Man's First Art, Symbol and Notation*. Nova York: McGraw-Hill, 1971.

Martin, M. Kay e Barbara Voorhies. *Female of the Species*. Nova York: Columbia University Press, 1975.

Matthiason, Carolyn J. *Many Sisters: Women in Cross-Cultural Perspective*. Nova York: Macmillan, 1974.

Mauss, Marcel. *The Gift: Forms and Functions of Exchange in Archaic Societies*. Londres: Cohen & West Ltd., 1954.

Mead, Margaret. *Male and Female: A Study of the Sexes in a Changing World*. Nova York: Morrow, 1949.

_____. *Sex and Temperament in Three Primitive Societies*. Nova York: Laurel, 1971.

Morgan, Elaine. *The Descent of Woman*. Nova York: Stein and Day, 1972.

Morgan, Lewis Henry. *Ancient Society*. Nova York: World, 1963. Reimpressão da edição de 1877.

Murdock, George P. *Our Primitive Contemporaries*. Nova York: Macmillan, 1934.

Ortner, Sherry B. e Harriet Whitehead (orgs.). *Sexual Meanings: The Cultural Construction of Gender and Sexuality*. Nova York: Cambridge University Press, 1981.

Reiter, Rayna Rapp. *Toward an Anthropology of Women*. Nova York: Monthly Review, 1978.

Rohrlich-Leavitt, Ruby (org.). *Women Cross-Culturally: Change and Challenge*. Chicago: Aldine, 1975.

Rosaldo, Michelle e Louise Lamphere. *Women, Culture & Society*. Stanford: Stanford University Press, 1974.

Sacks, Karen. *Sisters and Wives: The Past and Future of Sexual Equality*. Urbana: University of Illinois Press, 1982.

Sanday, Peggy Reeves. *Female Power and Male Dominance: On the Origins of Sexual Inequality*. Cambridge: Cambridge University Press, 1981.

Schneider, David M. e Kathleen Gough (orgs.). *Matrilinial Kinship*. Berkeley: University of California Press, 1962.

Tanner, Nancy Makepeace. *On Becoming Human*. Cambridge: Cambridge University Press, 1981.

Tiger, L. *Men in Groups*. Nova York: Random House, 1969.

Artigos

Aaby, Peter. "Engles and Women". *Critique of Anthropology*, vol. 3, n°s 9-10 (1977), pp. 25-53.

Harris, Marvin. "Why Men Dominate Women". *Columbia*, vol. 21 (Verão de 1978), pp. 9-13, 39.

Lamphere, Louise. Resenha Crítica: "Anthropology". *SIGNS*, vol. 2, nº 3 (1977), pp. 612-27.

Lee, Richard B. "What Hunters Do for a Living, or, How to Make Out on Scarce Resources". Em *Man the Hunter*, orgs. R. B. Lee e Irven DeVore. Chicago: Aldine, 1968, pp. 30-48.

Meillassoux, Claude. "From Reproduction to Production: A Marxist Approach to Economic Anthropology". *Economy and Society*, nº 1 (1972), pp. 93-105.

_____. "The Social Organisation of the Peasantry: The Economic Basis of Kinship". *Journal of Peasant Studies*, vol. 1, nº 1 (1973).

Molyneux, Maxine. "Androcentrism in Marxist Anthropology". *Critique of Anthropology*, vol. 3, n°s 9-10 (1977), pp. 55-81.

Moore, John. "The Exploitation of Women in Evolutionary Perspective". *Critique of Anthropology*, vol. 3, n°s 9-10 (1977), pp. 83-100.

Murdock, George P. "Comparative Data on the Division of Labor by Sex". *Social Forces*, vol. 15, n°s 1-4 (Maio de 1937), pp. 551-53.

Ortner, Sherry B. "The Virgin and the State". *Feminist Studies*, vol. 4, nº 3 (Outubro de 1978), pp. 19-35.

Rapp, Rayna. "Review of Claude Meillassoux, 'Femmes, Greniers et Capitaux'". *Dialectical Anthropology*, vol. 3 (1977), pp. 317-23.

Reiter, Rayna Rapp. "The Search for Origins: Unravelling the Threads of Gender Hierarchy". *Critique of Anthropology*, vol. 2, n°s 9-10 (1977), pp. 5-24.

Rosaldo, M. Z. "The Use and Abuse of Anthropology: Reflections on Feminism and Cross-Cultural Understanding". *SIGNS*, vol. 5, nº 3 (Primavera de 1980), pp. 389-417.

Safa, H. e E. Leacock (orgs.). "Development and the Sexual Division of Labor". Edição especial, *SIGNS*, vol. 7, nº 2 (Inverno de 1981).

Sahlins, Marshall. "The Origins of Society". *Scientific American*, vol. 203, nº 48 (Setembro de 1960), pp. 76-87.

Silverblatt, Irene. "Andean Women in the Inca Empire". *Feminist Studies*, vol. 4, nº 3 (Outubro de 1978), pp. 37-61.

Stack, Carol *et al.* Resenha Crítica: "Anthropology". *SIGNS*, vol. 1, nº 1 (Outono de 1975), pp. 147-60.

Tanner, Nancy e Adrienne Zihlman, "Women in Evolution, Part I: Innovation and Section in Human Origins". *SIGNS*, vol. 1, nº 3 (Primavera de 1976), pp. 585-608.

Tiffany, Sharon. "The Power of Matriarchal Ideas". *International Journal of Women's Studies*, vol. 5, nº 2 (1982), pp. 138-47.

_____. "Women, Power, and the Anthropology of Politics: A Review". *International Journal of Women's Studies*, vol. 2, nº 5 (1979), pp. 430-42.

Wolf, Eric. "They Divide and Subdivide, and Call it Anthropology". *The New York Times* (30 de novembro de 1980), seção 4, p. 9.

II. ANTIGO ORIENTE PRÓXIMO

Fontes Primárias

Livros

O Código de Hamurabi nas seguintes edições:

Driver, G. R. e John C. Miles. *The Babylonian Laws*. 2 vols. Oxford: Clarendon Press, vol. I, 1952; vol. II, 1955.

Kohler, J. e F. E. Peiser, *Hammurabi's Gesetz: Übersetzung, Juristische Wiedergabe, Erläuterung*. Leipzig: Pfeiffer, 1904.

Meek, Theophile J. Trad. em James B. Pritchard, 1955.

Mueller, David. *Die Gesetze Hammurabis und ihr Verhältnis zur mosaischen Gesetzgebung*. Viena: A. Holder, 1903.

As Leis Hititas nas seguintes edições:

Friedrich, Johannes. *Die Hethitischen Gesetze*. Leiden: E. J. Brill, 1959.

Goetze, Albrecht. Trad. em Pritchard, 1955.

Walther, Arnold. "The Hittite Code". Em J. M. Powis Smith, 1931.

As Leis Médio-Assírias nas seguintes edições:

Driver, G. R. e John C. Miles. *The Assyrian Laws*. Oxford: Clarendon Press, 1935.

Falkenstein, Adam. *Archaische Texte aus Uruk*. (Ausgrabungen der Deutschen Forschung in Uruk-Warka). Vol. 2, nº 111, Berlim, 1936.

_____. "Neusumerische Gerichtsurkunden", *Bayerische Akademie der Wissenschaften, Phil.-historische Abteilung*, Neue Folge, Heft 39, 40, 44.

_____. *Sumerische Götterlieder*. Heidelberg, Inverno de 1959.

Luckenbill, Daniel D. e F. W. Geers. Trad. em J. M. Powis Smith, *The Origin and History of Hebrew Law*. Chicago: University of Chicago Press, 1931.

Meek, Theophile. Trad. em James B. Pritchard, 1955.

Pritchard, James B. *Ancient Near Eastern Texts Relating to the Old Testament*. Princeton: Princeton University Press, 1950.

_____. *Ancient Near Eastern Texts Relating to the Old Testament*. 2ª ed. Trad. e comentários de W. F. Albright e outros. Princeton: Princeton University Press, 1955.

_____. *The Ancient Near East: Supplementary Texts and Pictures Relating to the Old Testament*. Princeton: Princeton University Press, 1969.

Roemer, W. H. *Frauenbriefe über Religion, Politik und Privatleben in Mari*. Untersuchingen zu G. Dossin, Archives Royales de Mari X, Paris, 1967. Neukirchen-Venuyn: Butzon & Bercker Kevelaer, 1971.

Singh, Purushottam. *Neolothic Cultures of Western Asia*. Londres: Seminar Press, 1974.

Steible, H. *Altsumerische Bau- und Weihinschriften*. 2 vols. Wiesbaden: Franz Steiner, 1982.

Wolkenstein, Diane e Samuel Noah Kramer. *Inanna: Queen of Heaven and Earth: Her Stories and Hymns from Sumer*. Nova York: Harper & Row, 1983.

Zimmern, Heinrich. "Babylonische Hymnen und Gebete in Auswahl". *Der alte Orient*. 7 Jahrgang Heft 3, pp. 1-32. Leipzig: J. C. Hinrichs, 1905.

Artigos

Angel, Lawrence. "Neolithic Skeletons from Çatal Hüyük". *Anatolian Studies*, vol. 21 (1971), pp. 77-98.

Dietz, Otto Edzard. "Sumerische Rechtsurkunden des 3. Jahrtausends, aus der Zeit vor der III. Dynastie Von Ur". *Bayerische Akademie der Wissenschaften, Phil.-Hist. Klasse*, Abhandlungen, Neue Folge, Heft 67. Munique, Verlag der Bayerischen Akademie der Wissenschaften, 1968.

Ebeling, Erich. "Quellen zur Kenntnis der babylonischen Religion". *Mitteilungen der vorderasiatischen Gesellschaft* (E. V.), 1918, I, 23. Jahrgang. Leipzig: J. C. Hinrichs, 1918, pp. 1-70.

Parker B. "The Nimrud Tablets, 1952 – Business Documents". *Iraq*, vol. 16 (1954), pp. 29-58.

Relatórios

Mellaart, James. "Excavations at Çatal Hüyük: 1963, Third Preliminary Report". *Anatolian Studies*, vol. 14 (1964), pp. 39-120.

_____. "Excavations at Çatal Hüyük: 1965, Fourth Preliminary Report". *Anatolian Studies*, vol. 16 (1966), pp. 165-92.

Obras de Referência

Livros

The Assyrian Dictionary of the Oriental Institute of the University of Chicago. Chicago: Oriental Institute; Glückstadt: J. J. Augustin, 1968.

Cotterell, Arthur. *The Encyclopedia of Ancient Civilizations*. Nova York: Mayflower Books, 1980.

Ebeling, Erich e Bruno Meissner. *Reallexicon der Assyriologie*. 6 vols. Berlim & Leipzig: De Gruyter, 1932.

Ebert, Max. *Reallexicon der Vorgeschichte*. Vol. 4 (erste Hälfte). Berlim: De Gruyter, 1926.

Edwards, I. E. S. *et al.* (orgs.). *The Cambridge Ancient History*. Vol. 1, pt. 1: *Prolegomena and Prehistory*. 3ª ed. Cambridge, 1970.

_____. Vol. 1, pt. 2: *Early History of the Middle East*. Cambridge, 1971.

_____. Vol. 2, pt.1: *The Middle East and the Aegean Region, c. 1800-1380 B.C.* Cambridge, 1973.

_____. Vol. 2, pt. 2: *The Middle East and the Aegean Region, c. 1380-1000 B.C.* Cambridge, 1975.

Landsberger, Benno; E. Reiner e M. Civil (orgs.). *Materials for the Sumerian Lexicon (MSL)*. Vol. 12. Roma: Pontifical Biblical Institute, 1969.

Obras Secundárias

Livros

Adams, Robert McCormick. *The Evolution of Urban Society*. Chicago: Aldine, 1966.

_____. *Heartland of the Cities: Surveys of Ancient Settlement and Land Use on the Central Flood Plain of the Euphrates*. Chicago: University of Chicago Press, 1981.

Andrae, Walter. *Die archaischen Ishtar-Tempel in Assur*. Wissenschaftliche Veröffentlichungen der deutschen Orientgesellschaft. Nº 39, Leipzig, 1922.

Batto, Bernard Frank. *Studies on Women at Mari*. Baltimore: Johns Hopkins University Press, 1974.

Bin-Nun, Shoshana R. *The Taananna in the Hittite Kingdom*. Heidelberg: Carl Winter, 1975.

Bottero, Jean; Elena Cassin e Jean Vercoutter (orgs.). *Near East: The Early Civilizations*. Londres: Weidenfeld and Nicolson, 1967.

Chiera, Edward. *They Wrote on Clay*. Chicago: University of Chicago Press, 1938.

Contenau, Georges. *Everyday Life in Babylon and Assyria*. Londres: Edward Arnold Ltd., 1954.

Darlington, C. D. *The Evolution of Man and Society*. Nova York: Simon & Schuster, 1969.

Deetz, James. *Invitation to Archaeology*. Garden City, NY: Natural History Press, 1967.

Deimel, P. Anton. *Sumerische Tempelwirtschaft zur Zeit Urukaginas und seiner Vorgänger*. Roma: Pontificion Instituto Biblico, 1931.

Diakonoff, I. M. (org.). *Ancient Mesopotamia: Socio-economic History, A Collection of Studies by Soviet Scholars*. Moscou: Nauka Publishing House, 1969.

Driver, G. R. *Canaanite Myths and Legends*. Edimburgo: T & T Clark, 1956.

Frankfort, Henri *et. al*. *Before Philosophy*. Baltimore: Penguin Books, 1963.

Frankfort, Henri; John A. Wilson; Thorkild Jacobsen e William A. Irwin. *The Intellectual Adventure of Ancient Man: An Essay on Speculative Thought in the Ancient Near East*. Chicago: University of Chicago Press, 1946.

Gadd, C. K. *Teachers and Students in the Oldest Schools*. Londres, 1956.

Glubok, Shirley (org.). *Discovering the Royal Tombs at Ur*. Londres: Macmillan, 1969.

Hallo, William W. e J. J. A. van Dijk. *The Exaltation of Inanna*. New Haven: Yale University Press, 1968.

Harris, Rivkah. *Ancient Sippar: A Demographic Study of an Old Babylonian City (1894-1595 B.C.)*. Istambul: Historisch-Archeologisch Instituut, 1975.

Hawkes, Jacquetta e *Sir* Leonard Woolley. *History of Manking*. Vol. I, *Prehistory and the Beginnings of Civilization*. Nova York: Harper & Row, 1963.

Jacobsen, Thorkild. The Treasures of Darkness: A History of Mesopotamian Religion. New Haven: Yale University Press, 1976.

______. *Toward the Image of Tammuz and Other Essays on Mesopotamian History and Culture*. Ed. William L. Moran. Cambridge: Harvard University Press, 1970.

James, Edwin O. *The Cult of the Mother-Goddess: An Archaeological and Documentary Study*. Londres: Thames & Hudson, 1959.

______. *Myth and Ritual in the Ancient Near East*. Londres: Thames & Hudson, 1958.

Jastrow, Morris. *The Civilization of Babylon and Assyria*. Filadélfia: Lippincott, 1915.

Jayne, Walter A., M.D. *The Healing Gods of Ancient Civilizations*. New Haven: Yale University Press, 1925.

Jeremias, Alfred. *Handbuch der altorientalischen Geisteskultur*. Berlim: De Gruyter, 1929.

Koschaker, Paul. *Quellenkritische Untersuchungen zu den altassyrischen Gesetzen*. Leipzig: J. C. Hinrich, 1921.

_____. *Rechtsvergleichende Studien zur Gesetzgebung Hammurapis, Königs von Babylon*. Leipzig: Veit & Co., 1917.

Kraeling, Carl H. e Robert McC. Adams. *City Invisible: A Symposium on Urbanization and Cultural Development in the Ancient Near East*. Chicago: University of Chicago Press, 1960.

Kramer, Samuel Noah. *From the Tablets of Sumer*. Indian Hills, CO: Falcon Wing Press, 1956.

_____. *History Begins at Sumer*. 3ª ed. rev. Filadélfia: University of Pennsylvania Press, 1981.

_____. *The Sacred Marriage Rite: Aspects of Faith, Myth and Ritual in Ancient Sumer*. Bloomington: Indiana University Press, 1969.

_____. *Sumerian Mythology: A Study of Spiritual and Literary Achievement in the Third Millennium B.C.* Ed. rev. Nova York: Harper & Bros., 1961.

_____. *The Sumerians*. Chicago: University of Chicago Press, 1963.

Langdon, Stephen. *Sumerian Epic of Paradise, the Flood and the Fall of Man*. Filadélfia: University Museum, 1915.

Lansing, Elizabeth. *The Sumerians: Inventors & Builders*. Londres: Cassell, 1974.

Lesko, Barbara S. *The Remarkable Women of Egypt*. Berkeley: B. C. Scribe Publications, 1978.

MacQueen, James G. *Babylon*. Londres: Robert Hale Ltd., 1964.

Matthiae, Paolo. *Ebla: An Empire Rediscovered*. Garden City, NY: Doubleday, 1981.

Meissner, Bruno. *Babylonien & Assyrien*. 2 vols. Heidelberg: Carl Winter, 1920.

Mellaart, James. *Çatal Hüyük: A Neolithic Town in Anatolia*. Nova York: McGraw-Hill, 1967.

_____. *Earliest Civilization of the Near East*. Nova York: McGraw-Hill, 1965.

Messerschmidt, Leopold. *Die Hettiter*. Leipzig: J. C. Hinrich, 1902.

Ministry of Information, Government of Iran. *Persepolis, Pasargadae, and Naghsh-e-Rustam*. Teerã: Offset Press, 1966.

Moorey, P. R. S. *Ur of the Chaldees: A revised and Updated Version of Sir Leonard Wooley's Excavations at Ur*. Ithaca, NY: Cornell University Press, 1982.

Murray, Margaret Alice. *The Genesis of Religion*. Londres: Routledge & Kegan Paul, 1963.

Oppenheim, A. Leo. *Ancient Mesopotamia: Portrait of a Dead Civilization*. Chicago: University of Chicago Press, 1964.

Redman, Charles. *The Rise of Civilization: From Early Farmers to Urban Society in the Ancient Near East*. São Francisco: W. H. Freeman, 1978.

Saggs, H. W. F. *The Greatness That Was Babylon*. Londres: Sidgewick and Jackson, 1962.

Schmandt-Besserat, Denise (org.). *The Legacy of Sumer: Invited Lectures on the Middle East at the University of Texas at Austin*. Malibu, CA: Undena Publications, 1976.

Schmandt-Besserat, Denise e S. M. Alexander. *The First Civilization: The Legacy of Sumer*. Austin: University of Texas Press, 1975.

Schreier, Josephine. *Göttinnen: Ihr Eifluss von der Urzeit bis zur Gegenwart*. Munique: C. Verlag Frauenoffensive, 1977.

Service, Elman. *Origins of the State and Civilization: The Process of Cultural Evolution*. Nova York: W. W. Norton, 1975.

Todd, Ian, *Çatal Hüyük in Perspective*. Menlo Park: Cummings Publishing Co., 1976.

Wekskopf, Elizabeth. *Die Produktionsverhältnisse im alten Orient und in der grieschischrömischen Antike*. Berlim: Deutsche Akademie der Wissenschaften, 1957.

Widengren, G. *The King and the Tree of Life in Ancient Near Eastern Religion*. Uppsala Universitets Arsskrift, nº 4, 1951.

Winckler, Hugo. *Himmels-und Weltenbild der Babylonier*. Leipzig: J. C. Hinrich, 1901.

Woolley, C. Leonard. *The Sumerians*. Oxford: Clarendon Press, 1928.

Woolley, *Sir* Charles Leonard. *Excavations at Ur: A Record of Twelve Years' Work*. Londres: Ernest Benn Ltd., 1954.

Artigos

Albenda, Pauline. "Western Asiatic Women in the Stone Age: Their Image Revealed". Biblical Archaeologist, vol. 46, nº 2 (Primavera de 1983), pp. 82-8.

Barstow, Anne. "The Uses of Archeology for Women's History: James Mellaart's Work on the Neolithic Goddess at Çatal Hüyük". *Feminist Studies*, vol. 4, nº 3 (Outubro de 1978), pp. 7-18.

Bottero, Jean. "La Femme dans la Mesopotamie ancienne". cap. 1, em *Historie mondiale de la femme*, Ed. Pierre Grimal. Paris: Nouvelle Librarie de France, 1965.

Carneiro, Robert. "A Theory of the Origino f the State". *Science*, vol. 169, nº 3947 (Agosto de 1970), pp. 733-35.

Cassin, Elena. "Pouvoirs de la femme et strictires familiales". *Revue d'Assyriologie et d'Archéologie Orientale*, vol. 63, nº 2 (1969), pp. 121-48.

Diakonoff, Igor M. "Socio-economic Classes in Babylonia and the Babylonian Concept of Social Stratification". Em Dietz, Otto Edzard, *Gesellschaftsklassen im alten Zweistromland und in den angrenzenden Gebieten* – XVIII Recontre Assyriologique Internationale, Munique, 29 de junho a 3 de julho de 1970. Munique, Bayerische Akademie der Wissenschaften, Philosophisch-Historische Klasse, Abhandlungen, Neue Folge, Heft 75, 1972.

Diamond, A. S. "An Eye for na Eye". *Iraq*, vol. 19, pt. 2 (Outono de 1957), pp. 151-55.

Dougherty, Raymond Philip. "The Shirkuru of Babylonian Deities". *Yale Oriental Series*, vol. 5, pt. 2. New Haven: Yale University Press, 1923.

Durand, Jean-Marie. "Trois Etudes sur Mari". *Mari: Annales de Recherches Interdisciplinaires*, vol. 3 (1904), pp. 127-72.

Ebeling, Erich. "Quellen zur Kenntnis der babylonischen Religion". *Mitteilungen der vorderasiatischen Gesellschaft* (E. V.), 1918, I, 23 Jahrgang. Leipzig: J. C. Hinrichs, 1918, pp. 1-70.

Finkelstein, J. J. "Sex Offenses in Babylonian Laws". *Journal of the American Oriental Society*, vol. 86 (1966), pp. 355-72.

_____. "Subartu and Subarians in Old Babylonian Sources". *Journal of Cuneiform Studies*, vol. 9 (1955), pp. 1-7.

Fried, Morton. "On the Evolution of Social Stratification and the State". Em Stanley Diamond (ed.). *Culture and History*. Nova York: Columbia University Press, 1960.

Gadd, C. J. "Some Contributions to the Gilgamesh Epic". *Iraq*, vol. 28, pt. 2 (Outono de 1966), pp. 105-21.

Gordon, Cyrus H. "The Status of Women Reflected in the Nuzi Tablets". *Zeitschrift für Assyriologie*, Neue Folge, Band IX (1936), pp. 147-69.

Greengus, Samuel. "The Old Babylonian Marriage Contract". *Journal of the American Oriental Society*, vol. 89 (1969), pp. 505-32.

Grosz, K. "Dowry and Bride Price in Nuzi". Em *Studies on the Civilization and Culture of Nuzi and the Hurrians*. Org. David I. Owen e Martha A. Morrison. Winona Lake, IN: Eisenbrauns, 1981, pp. 161-82.

Harris, Rivkah. "Biographical Notes on the Naditu Women of Sippur". *Journal of Cuneiform Studies*, vol. 16 (1962), pp. 1-12.

Jacobsen, Thorkild. "Primitive Democracy in Ancient Mesopotamia". *Journal of Near Eastern Studies*, vol. 2, nº 3 (Julho de 1943).

Justus, Carol F. "Indo-Europeanization of Myth and Syntax in Anatolian Hittite: Dating of Texts As an Index". *Journal of Indo-European Studies*, vol. 2 (1983), pp. 59-103.

Koschaker, Paul. "Fratriarchat, Hausgemeinschaft und Mutterrecht in Keilschriftrechten". *Zeitschrift für Assyriologie*, Neue Folge, Band 7 (Band 41), Berlim e Leipzig (1939), pp. 1-89.

Kramer, Samuel Noah. "The Weeping Goddess: Sumerian Prototypes of the *Mater Dolorosa*". *Biblical Archaeologist*, vol. 46, nº 2 (Primavera de 1983), pp. 60-80.

Kraus, F. R. "Le Role des temples depuis la troisième dynastie d'Ur jusqu'a la premiere Dynastie de Babylone". *Cahiers d'Histoire Mondiale*, vol. 1, nº 3 (Janeiro de 1954), pp. 518-45.

La Fay, Howard. "Ebla: Splendor of an Unknown Empire". *National Geographic*, vol. 154, nº 6 (Dezembro de 1978).

Lambert, W. G. "Morals in Ancient Mesopotamia". *Vooraziatisch Egypt Genootschap "Ex Oriente Lux" Jaarbericht*, nº 15 (1957-58), pp. 184-96.

Leacock, Eleanor. "Women in Egalitarian Societies". Em Renate Bridenthal e Claudia Koonz. *Becoming Visible*, pp. 11-35.

Maekawa, Kunio. "The Development of the E-MI in Lagash during the Early Dynastic III". *Mesopotamia*, vols. 8-9 (1973-1974), pp. 77-144.

Meissner, Bruno. "Aus dem altbabylonischen Recht". *Der alte Orient*, Jahrgang 7, Heft 1. Leipzig: J. C. Hinrich, 1905, pp. 3-32.

Millard, Alan R. "In Praise of Ancient Scribes". *Biblical Archaeologist*, vol. 45, nº 3 (Verão de 1982).

Morrison, Martha A. "The Family of Silva Tesub *marsarr*". *Journal of Cuneiform Studies*, vol. 31, nº 1 (Janeiro de 1979), pp. 3-29.

Oppenheim, A. Leo. "The Golden Garments of the Gods". *Journal of Near Eastern Studies*, vol. 8 (1949).

______. "A Note on the Scribes of Mesopotamia". *Studies in Honor of Benno Landsberger on His 75th Birthday, April 25, 1965*. Chicago: University of Chicago Press, 1965.

______. "'Siege-Documents' from Nippur". *Iraq*, vol. 17 (1955), pp. 69-89.

Perlman, Alice e Polly Perlman. "Women's Power in the Ancient World". *Women's Caucus, Religious Studies*, vol. 3 (Verão de 1975), pp. 4-6.

Postgate, J. N. "On Some Assyrian Ladies". *Iraq*, vol. 41 (1979), pp. 89-103.

Rapp, Rayna. "Women, Religion and Archaic Civilizations". *Feminist Studies*, vol. 4, nº 3 (Outubro de 1978), pp. 1-6.

Renger, Johannes. "Untersuchungen zum Priestertum in der altbabylonischen Zeit". *Zeitschrift für Assyriologie und vorderasiatische Archeologie*, Neue Folge, Band 24. Berlim: De Gruyter, 1967, 1. Teil, pp. 110-88.

Rohrlich, Ruby. "State Formation in Sumer and the Subjugation of Women". *Feminist Studies*, vol. 6, nº 1 (Primavera de 1980), pp. 76-102.

Rohrlich-Leavitt, Ruby. "Women in Transition: Crete and Sumer", em Bridenthal e Koonz, *Becoming Visible*, pp. 36-59.

Rowton, M. B. "Urban Autonomy in a Nomadic Environment". *Journal of Near Eastern Studies*, vol. 32 (1973), pp. 201-15.

Saporetti, Claudio. "The Status of Women in the Middle Assyrian Period". Em *Monographs on the Ancient Near East*, vol. 2, nº 1. Malibu, CA: Undena Publ., 1979.

Sasson, Jack M. "Biographical Notices on Some Royal Ladies from Mari". *Journal of Cuneiform Studies*, vol. 25, nº 2 (Janeiro de 1973), pp. 59-104.

______. "Thoughts of Zimri-Lim". *Biblical Archaeologist*, vol. 47, nº 2 (Junho de 1984), pp. 111-20.

Schmandt-Besserat, Denise. "Decipherment of the Earliest Tablets". *Science*, vol. 211 (16 de janeiro de 1981), pp. 283-85.

______. "The Envelopes That Bear the First Writing". *Technology and Culture*, vol. 21, nº 3 (1980), pp. 357-85.

Seibert, Ilse. "Hirt-Herde-König". *Deutsche Akademie der Wissenschaften zu Berlin*, Schriften der Sektion für Altertumswissenschaft, nº 53. Berlim: Akademie Verlag, 1969.

Wright, Henry T. e Gregory A. Johnson. "Population, Exchange, and Early State Formation in Southwestern Iran". *American Anthropologist*, vol. 77, nº 2 (Primavera de 1975), pp. 267-89.

Yoffee, Norman. "The Economic Role of the Crown in the Old Babylonian Period". *Bibliotheca Mesopotamia*. Ed. G. Bucellati, vol. 5. Malibu, CA: Undena Publ., 1977.

III. ESCRAVIDÃO

Livros

Bakir, Abd el-Mohsen. *Slavery in Pharaonic Egypt*. Cairo, 1952.

Davis, David Brion. *The Problem of Slavery in the Age of Revolution, 1770-1823*. Ithaca, NY: Cornell University Press, 1975.

_____. *The Problem of Slavery in Western Culture*. Ithaca, NY: Cornell University Press, 1966.

Degler, Carl. *Neither Black nor White. Slavery and Race Relations in Brazil and the United States*. Nova York: Macmillan, 1971.

Finley, Moses I. *Aspects of Antiquity*. Londres: Chatto & Windus, 1968.

_____. *Slavery in Classical Antiquity. Views and Controversies*. Cambridge: Heffer & Sons, 1960.

Genovese, Eugene D. *Roll, Jordan, Roll: The World the Slaves Made*. Nova York: Pantheon, 1974.

Greenidge, Charles W. W. *Slavery*. Londres: Allen & Unwin, 1958.

Jordan, Winthrop D. *White Over Black: American Attitudes Toward the Negro, 1550-1812*. Chapel Hill: University of North Carolina Press, 1968.

Klein, Herbert S. *Slavery in the Americas: A Comparative Study of Virginia and Cuba*. Chicago: University of Chicago Press, 1967.

Mandelsohn, Isaac. *Legal Aspects of Slavery in Babylonia, Assyria and Palestine: A Comparative Study, 3000-500 B.C.* Williamsport, PA: The Bayard Press, 1932.

_____. *Slavery in the Ancient Near East*. Nova York: Oxford University Press, 1949.

Miers, Suzanne e Igor Kopytoff (orgs.). *Slavery in Africa: Historical and Anthropological Perspectives*. Madison: University of Wisconsin Press, 1977.

Myrdal, Gunnar. *American Dilemma: The Negro Problem and Modern Democracy*. Nova York: Harper & Row, 1944.

Patterson, Orlando. *Slavery and Social Death: A Comparative Study*. Cambridge: Harvard University Press, 1982.

Watson, James L. *Asian and African Systems of Slavery*. Berkeley: University of California Press, 1980.

Westerman, William L. *The Slave Systems of Greek and Roman Antiquity*. Filadélfia: American Philosophical Society, 1955.

Wiedermann, Thomas. *Greek and Roman Slavery*. Baltimore: Johns Hopkins University Press, 1981.

Winks, Robin (org.) *Slavery: A Comparative Perspective*. Nova York: New York University Press, 1972.

Artigos

Feigin, Samuel I. "The Captives in Cuneiform Inscriptions". *American Journal of Semitic Languages and Literatures*, vol. 50, nº 4 (Julho de 1934).

Finley, Moses I. "Slavery". Em *Encyclopedia of the Social Sciences*. Vol. 14. Nova York: Macmillan/Free Press, 1968, pp. 307-18.

Gelb, I. J. "Prisoners of War in Early Mesopotamia". *Journal of Near Eastern Studies*, vol. 32 (1973), pp. 70-98.

Harris, Rivkah. "Notes on the Slave Names of Old Babylonian Sippar". *Journal of Cuneiform Studies*, vol. 29, nº 1 (Janeiro de 1977), pp. 46-51.

Pulleyblank, E. G. "The Origins and Nature of Chattel Slavery in China". *Journal of Economic and Social History of the Orient*, vol. 1, pt. 1 (1958), pp. 201-5.

Siegel, Bernard. "Slavery During the 3rd Dynasty of Ur". *Memoirs of the American Anthropological Association*, New Series, vol. 49, nº 1.

_____. "Some Methodological Considerations for a Comparative Study of Slavery". *American Anthropologist*, New Series, vol. 47, nº 2 (Abril-Junho de 1945), pp. 357-92. "Slavery, Serfdom and Forced Labor". Em *New Encyclopaedia Britannica*. 15ª ed., vol. 16, (Chicago, 1979), Macropaedia, pp. 853-66.

Wilbur, C. Martin. "Slavery in China during the Former Han Dynasty, 206 B.C. – A.D. 25". *Publications of Field Museum of National History*, Ahtropological Series, vol. 34 (15 de janeiro de 1943).

IV. PROSTITUIÇÃO

Livros

Bloch, Iwan. *Die Prostitution*. Vol. 1. Berlim: L. Marcies, 1912.

Bullough, Vern L. *Sex, Society and History*. Nova York: Science History Publications, 1976.

Bullough, Vern L., e Bonnie Bullough. *The History of Prostitution: An Illustrated Social History*. Nova York: Crown, 1978.

Henriques, Fernando. *Prostitution and Society*. Vol. 1. Londres: MacGibbon and Kee, 1962.

_____. *Stews and Strumpets: A Survey of Prostitution*. Londres: MacGibbon and Kee, 1961.

La Croix, Paul. *History of Prostitution*. Chicago: Pascal Covici, 1926.

Sanger, William W. *A History of Prostitution*. 1858; reimpressão. Nova York: Medical Publishing Co., 1898.

Artigos

Ebert, Max. "Prostitution". Em *Reallexicon der Vorgeschichte*, vol. V, erste Hälfte. Berlim: De Gruyter, 1926, p. 323.

May, Geoffrey. "Prostitution". Em *Encyclopedia of the Social Sciences*, vol. 13. Nova York: Macmillan, 1934, pp. 553-59.

"Prostitution". Em *Encyclopedia Americana, International Edition*, vol. 22. Danbury, CT: Americana Corp., 1979, pp. 672-74.

"Prostitution". Em *New Encyclopaedia Britannica*, vol. 15. Chicago: Helen Hemingway Benton Publishers, 1979, p. 76.

Referência

"Geschlechtsmoral" e "Hierodulen", em Erich Ebeling e Bruno Meissner, *Reallexicon der Assyriologie*, vol. 4. Berlim: De Gruyter, 1971, pp. 223, 391-93.

V. RELIGIÃO, VELHO TESTAMENTO, ANTIGA ISRAEL

Fontes Primárias

Livros

Calvin, John. *Commentaries on the First Book of Moses called Genesis*. Vol. 1. Trad. John King. Grand Rapids, MI: Eerdmans, 1948.

Grimké, Sarah M. *Letters on the Equality of the Sexes and the Condition of Women*. Boston: Isaac Knapp, 1838.

The Holy Scriptures According to the Masoretic Text. Filadélfia: Jewish Publication Society of America, 1917.

Sasson, Jack M. *Ruth: A New Translation with a Philological Commentary and a Formalist-Folklorist Interpretation*. Baltimore: Johns Hopkins University Press, 1979.

Speght, Rachel. *A Mouzell for Melastomus, the Cynical Bayter and foule-mouthed Barker against Evah's Sex*. Londres: Thomas Archer, 1617.

Stanton, Elizabeth Cady e o Comitê de Revisão. *The Woman's Bible*. 1898; reimpressão. Seattle: Coalition Task Force on Women and Religion, 1974.

Zeigner, Oskar. *Luther und die Erzväter: Auszüge aus Luther's Auslegungen zum ersten Buch Moses mit einer theologischen Einleitung*. Berlim: Evangelische Verlagsanstalt, 1962.

Obras de Referência

Livros

Baly, Dennis. *Geography of the Bible: A Study in Historical Geography*. Nova York: Harper & Row, 1977.

Encyclopaedia Judaica. 16 vols. Jerusalém: Keter Publishing House, 1971-72.

"Hebrew Religion". *Encyclopaedia Britannica*, 11ª ed., vol. XIII. Nova York: Encyclopaedia Britannica Co., 1910.

Harris, Rivkah. "Women in the Ancient Near East". Em *The Interpreters Dictionary of the Bible, Supplementary Volume*, org. K. R. Crim. Nashville: Abingdon, 1976, pp. 960-63.

The Interpreter's Dictionary of the Bible, Supplementary Volume. org. K. R. Crim. Nashville: Abingdon, 1976.

Trible, Phyllis. "Women in the Old Testament". Em *The Interpreter's Dictionary of the Bible, Supplementary Volume*, org. K. R. Crim.

Obras Secundárias

Livros

Albright, William Foxwell. *Archaeology and the Religion of Israel*. Baltimore: Johns Hopkins University Press, 1956.

_____. *From the Stone Age to Christianity: Monotheism and the Historical Process*. Baltimore: Johns Hopkins University Press, 1940.

Bakan, David. *And They Took Themselves Wives: The Emergence of Patriarchy in Western Civilization*. Nova York: Harper & Row, 1979.

Bewer, Julius August. *The Literature of the Old Testament*. Nova York: Columbia University Press, 1933. Primeira edição, 1922.

Carmichael, Calum M. *Women, Law, and the Genesis Traditions*. Edimburgo: Edinburgh University Press, 1979.

Daly, Mary. *Beyond God the Father: Toward a Philosophy of Women's Liberation*. Boston: Beacon Press, 1973.

_____. *The Church and the Second Sex*. Nova York: Harper & Row, 1975.

De Vaux, Roland O. *Ancient Israel: Its Life and Institutions*. Nova York: McGraw-Hill, 1961; edição em brochura, 2 vols., 1965.

Driver, Samuel R. *An Introduction to the Literature of the Old Testament*. Nova York: Meridian Books, 1960.

Epstein, Louis M. Marriage *Laws in the Bible and the Talmud*. Cambridge: Harvard University Press, 1942.

_____. *Sex Laws and Customs in Judaism*. Nova York: Bloch, 1948.

Freud, Sigmund. "Moses and Monotheism: Three Essays". Em *Complete Psychological Works*. vol. 23. Londres: 1963-64, pp. 1-137.

Fiorenza, Elisabeth Schussler. *In Memory of Her: A Feminist Theological Reconstruction of Christian Origins*. Nova York: Crossroads, 1983.

Goldenberg, Naomi, R. *Changing of the Gods: Feminism and the End of Traditional Religions*. Boston: Beacon Press, 1979.

Gottwald, Norman K. *The Tribes of Yahweh: A Sociology of the Religion of Liberated Israel, 1250-1050 B.C.* Maryknoll, NY: Orbis Books, 1979.

Graves, Robert. *The White Goddess: A Historical Grammar of Poetic Myth* (edição emendada e aumentada). Nova York: Farrar, Straus and Giroux, 1983.

Graves, Robert e Raphael Patai. *Hebrew Myths: The Book of Genesis*. Nova York: Greenwich House, 1983.

Gray, John. *Near Eastern Mythology*. Londres: Hamlyn, 1969.

Harris, Kevin. *Sex, Ideology and Religion: The Representation of Women in the Bible*. Totowa, NJ: Barnes & Noble Bookw, 1984.

Harrison, Jane Ellen. *Mythology*. Nova York: Harcourt, Brace and World, 1963.

Hillers, Delbert R. *Covenant: The History of a Biblical Idea*. Baltimore: Johns Hopkins University Press, 1969.

Hoch-Smith, Judith e Anita Spring. *Women in Ritual and Symbolic Roles*. Nova York: Plenum Press, 1978.

James, E. O. *The Ancient Gods: The History and Diffusion of Religion in the Ancient Near West and the Eastern Mediterranean*. Londres: Weidenfeld and Nicolson, 1960.

MacDonald, Elizabeth Mary. *The Position of Woman as Reflected in Semitic Codes of Law*. Toronto: Univertity of Toronto Press, 1931.

May, Herbert G. (org.). *Oxford Bible Atlas*. Londres: Oxford University Press, 1962.

Meek, Teophile James. *Hebrew Origins*. Nova York: Harper Torchbooks, 1960.

Monro, Margaret T. *Thinking About Genesis*. Chicago: Henry Regnery, 1966; Londres: Longmans, Green, 1953.

Negev, Abraham. *Archeological Encyclopedia of the Holy Land*. Nova York: Putnam, 1972.

Ochs, Carol. *Behind the Sex of God: Toward a New Consciousness – Transcending Matriarchy and Patriarchy*. Boston: Beacon Press, 1977.

Ochshorn, Judith. *The Female Experience and the Nature of the Divine*. Bloomington: Indiana University Press, 1981.

Otwell, John. *And Sarah Laughed: The Status of Women in the Old Testament*. Filadélfia: Westminster Press, 1977.

Pagels, Elaine. *The Gnostic Gospels*. Nova York: Random House, 1979.

Ruether, Rosemary Radford (org.). *Religion and Sexism: Images of Woman in the Jewish and Christian Traditions*. Nova York: Simon Schuster, 1974.

Saggs, H. W. F. *The Encounter with the Divine in Mesopotamia and Israel*. Londres: Athlone Press, 1978.

Sarna, Nahum M. *Understanding Genesis*. Nova York: McGraw-Hill, 1966.

Smith, W. Robertson. *Kinship and Marriage in Early Arabia* (1903); reimpressão. Boston: Beacon Press, s.d.

Speiser, E. A. *Genesis*. Garden City, NY: Doubleday, 1964.

Stone, Merlin. *Ancient Mirrors of Womanhood.* Vol. I, *Our Goddess and Heroine Heritage.* Nova York: New Sibylline Books, 1979.

_____. *When God Was a Woman.* Nova York: Harcourt Brace Jovanovich, 1976.

Teubal, Savina J. *Sarah the Priestess: The First Matriarch of Genesis.* Athens, Ohio: Swallow Press, 1984.

Von Rad, Gerhard. *Genesis: A Commentary.* Filadélfia: Westminster Press, 1961. (Tradução da edição alemã de 1956.)

Wellhausen, Julius. *Prolegomena to the History of Ancient Israel.* Nova York: Meridian Books, 1965.

Ungnad, Arthur. *Die Religion der Babylonier und Assyrer.* Jena: E. Diderichs, 1921.

Artigos

Farians, Elizabeth. "Phallic Worship The Ultimate Idolatry". Em J. Plaskow e Joan Arnold (orgs.). *Women and Religion.* Ed. rev. Missoula, MT: Scholars Press, American Academy of Religion, 1974.

Fox, Michael V. "The Sign of the Covenant: Circumcision in the Light of the Priestly 'ôt' Etiologies". *La Revue Biblique*, vol. 81 (1974), pp. 557-96.

Freedman, R. David. "Woman, a Power Equal to Man". *Biblical Archaeology Review*, vol. 9, nº 1 (Janeiro-Fevereiro de 1983), pp. 56-8.

Frymer-Kensky, Tikva. "Patriarchal Family Relationships and Near Eastern Law". *Biblical Archaeologist*, vol. 44, nº 4 (Outono de 1981), pp. 209-14.

Greenberg, Moshe. "Another Look at Rachel's Theft of the Terraphim". *Journal of Biblical Literature*, vol. 81 (1962), pp. 239-48.

Horowitz, Maryanne Cline. "The Image of God in Man – Is Woman Included?". *Harvard Theological Review*, vol. 72, nºs 3-4 (Julho-Outubro de 1979), pp. 175-206.

Kikawada, I. M. "Two Notes on Eve". *Journal of Biblical Literature*, vol. 91 (1972), pp. 33-7.

Lemaire, André. "Mari, the Bible, and the Northwest Semitic World". *Biblical Archaeologist*, vol. 47, nº 2 (Junho de 1984), pp. 101-8.

_____. "Who or What Was Yahweh's Asherah? Startling New Inscriptions from Two Different Sites Reopen the Debate about the Meaning of Asherah". *Biblical Archaeology*, vol. 10, nº 6 (Novembro-Dezembro de 1984), pp. 42-52.

Malamat, A. "Mari and the Bible: Some Patterns of Tribal Organization and Institutions". *Journal of the American Oriental Society*, vol. 82, nº 2 (Abril-Junho de 1962), pp. 143-49.

Mendenhall, G. "Ancient Oriental and Biblical Law". *Biblical Archaeologist*, vol. 17 (1954), pp. 26-46.

Mendenhall, G. E. "Covenant Forms in Israelite Tradition". *Biblical Archaeologist*, vol. 17 (1954), pp. 50-76.

Meyers, Carol. "The Roots of Restriction: Women in Early Israel". *Biblical Archaeologist*, vol. 41, nº 3 (Setembro de 1973), pp. 91-103.

Meyers, Eric M. "The Bible and Archaeology". *Biblical Archaeologist*, vol. 47, nº 1 (Março de 1984), pp. 36-40.

Morrison, Martha A. "The Jacobs and Laban Narratives in Light of Near Eastern Sources". *Biblical Archaeologist*, vol. 46, nº 3 (Verão de 1983), pp. 155-64.

Pardee, Dennis e Jonathan Glass. "Literary Sources for the History of Palestine and Syria: The Mari Archives". *Biblical Archaeologist*, vol. 47, nº 2 (Junho de 1984), pp. 88-100.

Segel, M. H. "The Religion of Israel Before Sinai". *Jewish Quarterly Review*, vol. 52 (1961-1962), pp. 41-68.

Speiser, E. A. "The Biblical Idea of History in Its Common Near Eastern Setting". *Israel Exploration Journal*, vol. 7, nº 4 (1957), pp. 201-16.

_____. "3000 Years of Bible Study". *The Centennial Review*, vol. 41 (1960), pp. 206-22.

Tadmor, Miriam. "Female Cult Figurines in Late Canaan and Early Israel: Archeological Evidence". Em Tomoo Ishida (org.). *Studies in the Period of David and Solomon and other Essays*. Winona Lake, IN: Eisenbrauns, 1982, pp. 139-73.

Trible, Phyllis. "The Creation of a Feminist Theology". *New York Times Book Review*, vol. 88 (1º de maio de 1983), pp. 28-9.

_____. "Depatriarchalizing in Biblical Interpretation". *Journal of the American Academy of Religion*, vol. 41, nº 1 (Março de 1973), pp. 30-48.

VI. GRÉCIA ANTIGA

Fontes Primárias

Livros

Aristóteles, *Politica*. Benjamin Jowett (trad.). *The Works of Aristotle*. W. D. Ross (org.). Oxford: Clarendon Press, 1921.

_____. Platão, *The Republic*. Benjamin Jowett (trad.). Nova York: Random House, s.d.

The Iliad of Homer. Richmond Lattimore (trad.). Chicago: University of Chicago Press, 1937.

_____. *The Odyssey of Homer*. Richmond Lattimore (trad.). Londres: Macmillan, 1975.

Euripides. Robert W. Cirrigan (trad.). Nova York: Dell, 1965.

Lefkowitz, Mary R. e Maureen B. Fant. *Women's Life in Greece and Rome: A Sourcebook in Translation*. Baltimore: Johns Hopkins University Press, 1982.

Herodotus, *Historia*. Trad. A. D. Godley. Loeb Classical Library. Cambridge: Harvard University Press, 1920.

The Odyssey of Homer. S. H. Butcher (trad.). Londres: Macmillan, 1917.

The Works of Aristotle. J. A. Smith e W. D. Ross (trad.). Oxford: Clarendon Press, 1912.

Thucydides, *History of Peloponnesian War*. 4 vols. Trad. Charles F. Smith. Cambridge: Harvard University Press, 1920.

Obras Secundárias

Livros

Bruns, Ivo, *Frauenemanzipation in Athen, ein Beitrag zur attischen Kulturgeschichte des fünften und vierten Jahrhunderts*. Kiliae: Libraria Academica, 1900.

Ehrenberg, Victor. *From Solon to Socrates: Greek History and Civilization During the 6th and 5th Centuries B.C.* Londres: Methuen, 1973.

_____. *The People of Aristophanes: A Sociology of Old Attic Comedy*. Oxford: Basil Blackwell, 1951.

Foley, Helen (org.). *Reflections of Women in Antiquity*. Nova York: Gordon & Breach Science Publications, 1981.

Graves, Robert. *The Greek Myths*. 2 vols. Nova York: George Braziller, 1959.

Humphreys, S. C. *The Family, Women and Death: Comparative Studies*. Londres: Routledge & Kegan Paul, 1983.

Marrou, H. I. *A History of Education in Antiquity*. Nova York, 1956.

McNeil, William H. *The Rise of the West: A History of the Human Community*. Chicago: University of Chicago Press, 1963.

Peradotto, J. e J. P. Sullivan. *Women in the Ancient World: The Arethusa Papers*. Albany: S.U.N.Y. Press, 1984.

Pomeroy, Sarah B. *Goddesses, Whores, Wives, and Slaves: Women in Classical Antiquity*. Nova York: Schocken, 1975.

Sealey, Raphael. *A History of the Greek City States: 700-338 B.C.* Berkeley: University of California Press, 1976.

Selfman, Charles. *Women in Antiquity*. Londres: Thames & Hudson, 1936.

Shorey, Paul. *What Plato Said*. Chicago: University of Chicago Press, 1933.

Taylor, Alfred E. *Plato: The Man and His Work*. Londres: Methuen, 1926.

Thomson, George. *Aeschylus and Athens: A Study in the Social Origins of Drama*. Londres: Lawrence and Wishart, 1941.

Winspear, Alban D. *Genesis of Plato's Thought*. Nova York: Dryden, 1940. Reimpressão por Russell & Russell.

Artigos

Arthur, Marylin B. "Origins of the Western Attitude Toward Women". Em John Peradatto e J. P. Sullivan (orgs.). *Women in the Ancient World: The Arethusa Papers*. Albany, 1984, pp. 31-7.

Dover, K. J. "Classical Greek Attitudes to Sexual Behavior". *Arethuda*, vol. 6, nº 1 (1973), pp. 59-73.

Gomme, A. M. "The Position of Women in Athens in the Fifth and Fourth Centuries". *Classical Philology*, vol. 20, nº 1 (Janeiro de 1925), pp. 1-25.

Havelock, Christine Mitchell. "Mourners on Greek Vaes: Remarks on the Social History of Women". Em *The Greel Vases: Papers based on lectures presented to a symposium at Hudson Valley Community College at Troy, New York, un April of 1979*, org. Stephen L. Hyatt. Latham, NY: Hudson-Mohawk Association of Colleges and Universities, 1981, pp. 103-18.

Horowitz, Maryanne Cline. "Aristotle and Woman". *Journal of the History of Biology*, vol. 9, nº 2 (Outono de 1976), pp. 183-213.

Pomeroy, Sarah B. "Selected Bibliography on Women in Antiquity". *Arethusa*, vol. 6 (1973), pp. 127-57.

Richter, Donald. "The Position of Women in Classical Athens". *Classical Journal*, vol. 67, nº 1 (1971), pp. 1-8.

Warren, Larissa Bonfante. "The Women of Etruria". *Arethusa*, vol. 6, nº 1 (Primavera de 1973), pp. 91-101.

Zeitlin, Froma I. "Travesties of Gender and Genre in Aristophanes' *Thesomorporiazousae*". Em *Reflections of Women in Antiquity*, ed. Helene Foley. Nova York: Gordon & Breach Science Publi. cations, 1981.

VII. ARTE

Livros

Akurgal, Ekrem. *The Art of the Hittites*. Nova York: Harry N. Abrams, 1962.

Amiet, Pierre. *Art of the Ancient Near East*. Nova York: Harry N. Abrams, 1980.

Bittel, Kurt. *Die Hethiter: die Kunst Anatoliens von Ende des 3 bis zum Anfang des 1. Jahrtausends, vor Christus*. Munique: Beck, 1976.

Broude, Norma e Mary D. Garrard. *Feminism and Art History: Questioning the Litany*. Nova York: Harper & Row, 1982.

Goldscheider, Ludwig. *Michelangelo*. Londres: Phaidon, 1959.

Moortgat, Anton. *Die Kunst des alten Mesopotamien; Die klassiche Kunst Vorderasiens*. 2 vols. Colônia: Dumont, 1982, 1984.

Parrot, André. *Sumer: The Dawn of Art*. Nova York: Golden Press, 1961.

Seibert, Ilse. *Woman in Ancient Near East*. Leipzig: Edition Leipzig, 1974.

Strommenger, E. e M. Hurmer. *The Art of Mesopotamia*. Londres: Thames & Hudson, 1964.

Strommenger, Eva. *5000 Years of Mesopotamian Art*. Nova York: Harry N. Abrams, 1962.

ÍNDICE REMISSIVO